CONFIANDO EM DEUS
dia a dia

- 365 DEVOCIONAIS DIÁRIOS -

JOYCE MEYER

CONFIANDO EM DEUS
dia a dia

- 365 DEVOCIONAIS DIÁRIOS -

1.ª Edição
Belo Horizonte

Edição publicada mediante acordo com Faith Words, New York, New York. Todos os direitos reservados.

Diretor
Lester Bello

Autor
Joyce Meyer

Título Original
Trusting God day by day: 365 daily devotions

Tradução
Maria Lucia Godde Cortez / Idiomas & Cia

Revisão
Ana Lacerda, João Guimarães/
Edna Guimarães/Daiane Rosa/Idiomas & Cia

Diagramação
Julio Fado

Design capa (adaptação)
Fernando Rezende

Impressão e acabamento
Promove Artes Gráficas

Rua Major Delfino de Paula, 1212
São Francisco, CEP 31.255-170
Belo Horizonte/MG - Brasil
contato@belloeditora.com
www.belloeditora.com

Copyright desta edição
© 2012 by Joyce Meyer
FaithWords Hachette Book Group
New York, NY

Publicado pela
Bello Comércio e Publicações Ltda-ME
com a devida autorização de
Hachette Book Group e todos
os direitos reservados.

Primeira edição — Novembro de 2015
1ª. Reimpressão — Setembro de 2016

Todos os direitos reservados. Nenhuma parte desta publicação poderá ser reproduzida, distribuída ou transmitida sob qualquer forma ou meio, ou armazenada em base de dados ou sistema de recuperação, sem a autorização prévia por escrito da editora. Exceto em caso de indicação em contrário, todas as citações bíblicas foram extraídas da Bíblia Sagrada **The Amplified Bible** (AMP) e traduzidas livremente em virtude da inexistência dessa versão em língua portuguesa. Quando a versão da AMP correspondia com o texto da Almeida Revista e Atualizada, esse foi o texto utilizado nos versículos fora dos colchetes. Outras versões utilizadas: ARA (Almeida Revista e Atualizada, SBB), NVI (Nova Versão Internacional, Editora Vida) e ABV (A Bíblia Viva, Mundo Cristão).

Dados Internacionais de Catalogação da Publicação (CIP)

Meyer Joyce

M612 Confiando em Deus dia a dia: 365 devocionais diários /Joyce Meyer; tradução de Maria Lucia Godde Cortez / Idiomas & Cia. - Belo Horizonte: Bello Publicações, 2016.
384p.
Título original: Trusting God day by day.

ISBN: 978-85-8321-026-9

1. Fe cristã. 2. Confiança em Deus. 3. Poder de Deus. 4. Devocionais diários Título.

CDD: 234.2   CDU: 230.112

Confiando em Deus Dia a Dia · 1.º de Janeiro

1.º de Janeiro

Faça o Seu Melhor Com o Que Você Tem

Você não cobiçará a casa do seu próximo, a esposa do seu próximo, ou o servo ou a serva do seu próximo, ou o seu burro, ou qualquer coisa que pertença ao seu próximo.

ÊXODO 20:17

Como você se sente acerca da sua vida? Você gosta dela, ama-a e a valoriza, ou você a odeia e gostaria de ter uma vida diferente da que tem? Você olha para as outras pessoas e para a vida delas e gostaria de ser elas e de ter a vida que elas têm? Quer ter a aparência delas, possuir o que elas possuem, ter a carreira ou a família delas? Ou você está feliz com a vida que Deus lhe deu?

Na Bíblia, querer o que os outros têm é chamado de cobiça, e é proibido por Deus. Ele até incluiu essa proibição entre os Dez Mandamentos. Você nunca terá a vida de ninguém, portanto, querer ter a vida de alguém é uma perda de tempo. Você também não vai ter a aparência de ninguém, portanto, aprenda a fazer o melhor que puder com o que você tem em mãos.

Passei a usar uma nova frase ultimamente, e ela está me ajudando a lidar com a realidade e não perder o meu tempo ficando irritada com coisas a respeito das quais não posso fazer nada. Tenho dito: "As coisas são como são!" De algum modo, este é um teste de realidade para mim, e percebo bem depressa que preciso lidar com as coisas como elas são, não como eu gostaria que elas fossem.

Ninguém tem uma vida perfeita, e é totalmente possível que se você quer ter a vida de alguém, essa pessoa também esteja ocupada desejando a vida de outra pessoa; talvez essa pessoa possa até ser você. Pessoas desconhecidas querem ser estrelas de cinema, e estrelas de cinema querem ter privacidade. O empregado comum quer ser o patrão, e o patrão gostaria de não ter tanta responsabilidade. Uma mulher solteira quer estar casada, e às vezes uma mulher casada gostaria de ser solteira. O contentamento com a vida não é um sentimento, mas uma decisão que precisamos tomar. Contentamento não quer dizer que nunca ansiamos por mudanças ou melhoria, mas significa que podemos ser felizes onde estamos e que faremos o melhor que pudermos com o que temos. Significa também que manteremos uma atitude que nos permita desfrutar o dom da vida.

Confie Nele Se Deus quiser que você tenha o que outra pessoa tem, você pode confiar nele para trazer isso até você, mas primeiro você precisa ser feliz com o que tem e fazer o melhor que puder com isso.

5

2 de Janeiro
Fale de Coisas Boas

Mas eu lhes digo, no dia do juízo os homens terão de prestar contas por cada palavra fútil (ineficaz, inoperante) que disserem.

MATEUS 12:36

Parece-me que falamos mais sobre como nos sentimos do que qualquer outra coisa. Nós nos sentimos bem ou mal, felizes ou tristes, entusiasmados ou desanimados, e mil outras coisas. A relação das várias maneiras como nos sentimos é quase interminável. Os sentimentos estão constantemente mudando, geralmente sem aviso. E esses sentimentos não precisam da nossa permissão para flutuarem, ao contrário, parecem ter vontade própria e mudam sem motivo específico que possamos identificar. Todos nós já fomos nos deitar nos sentindo bem física e emocionalmente e acordamos na manhã seguinte nos sentindo cansados e irritados. *Por quê? Por que estou me sentindo assim?* Fazemos essa pergunta a nós mesmos, e depois geralmente começamos a dizer a quem quiser ouvir como nos sentimos. É interessante notar que temos a tendência de falar mais sobre os nossos sentimentos negativos do que acerca dos nossos sentimentos positivos.

Se eu acordar me sentindo cheia de energia e empolgada com o dia, raramente anuncio isso a todos que entram em contato comigo; entretanto, se me sinto cansada e desanimada, quero dizer isso a todos. Levei anos para aprender que falar a respeito da maneira como me sinto aumenta a intensidade desses sentimentos. Portanto, parece-me que devemos ficar calados com relação aos sentimentos negativos e falar dos positivos.

Você sempre pode dizer a Deus como você se sente e pedir a ajuda e a força dele, mas falar dos sentimentos negativos só por falar, de nada adianta. Se os sentimentos negativos persistirem, pedir oração ou aconselhamento com base na verdade bíblica é bom, porém, mais uma vez quero enfatizar que falar apenas por falar é inútil.

Se tivermos de esperar para ver como estamos nos sentindo antes de sabermos se podemos aproveitar o dia, então estamos dando aos sentimentos o controle sobre nós. Mas se estivermos dispostos a fazer as escolhas certas, independentemente de como nos sentimos, Deus sempre será fiel para nos dar a força para fazer isso.

Confie Nele Como você está se sentindo? Se os seus sentimentos forem positivos, conte a alguém. Se eles forem negativos, conte para Deus

Confiando em Deus Dia a Dia

3 de Janeiro

3 de Janeiro
O Sucesso Começa com os Seus Pensamentos

Destruímos todo obstáculo orgulhoso que impede as pessoas de conhecerem Deus. Capturamos os seus pensamentos rebeldes e os ensinamos a obedecer a Cristo.

2 CORÍNTIOS 10:5

Ninguém é bem-sucedido em qualquer empreendimento apenas desejando ser. As pessoas de sucesso fazem um plano e falam consigo mesmas a respeito desse plano constantemente. Você pode pensar coisas deliberadamente, e se fizer com que seus pensamentos se ajustem ao que você realmente quer fazer, os seus sentimentos talvez não gostem disso, mas eles seguirão essa direção.

Dormi muito bem ontem à noite, e quando acordei, às 5 horas da manhã, não estava com vontade de me levantar. Eu estava tão aconchegada debaixo das cobertas macias, que eu queria ficar ali. Mas eu tinha um plano. Havia decidido por quantas horas eu escreveria hoje, e para fazer isso, eu tinha de me levantar. Pensei: *Vou me levantar agora*, e me levantei!

Você se esforça para escolher os seus pensamentos ou simplesmente medita em qualquer coisa que lhe venha à cabeça, ainda que isso esteja em total discordância como o que você disse que queria da vida? Quando os seus pensamentos estão seguindo em uma direção errada, você os toma de volta e os submete a Cristo como a Bíblia instrui? (ver 2 Coríntios 10:5).

Quero encorajá-lo hoje com uma boa notícia: você pode mudar. Como eu tenho dito há anos, estamos em uma guerra e a mente é o campo de batalha. Podemos ganhar ou perder as nossas batalhas dependendo de se vamos vencer ou perder a guerra travada em nossa mente. Aprenda a pensar de acordo com a Palavra de Deus, e as suas emoções começarão a se alinhar com os seus pensamentos.

Se você passou anos tendo pensamentos errados e deixando que as suas emoções o guiassem como eu fiz, talvez não seja fácil mudar, e isso exigirá definitivamente um comprometimento de estudo, tempo e esforço. Mas os resultados valerão a pena. Não diga: "Sou uma pessoa emocional, e não posso evitar a maneira como me sinto". Assuma o controle. Você pode fazer isso!

4 de Janeiro · Confiando em Deus Dia a Dia

Confie Nele Mantenha os seus pensamentos alinhados com o plano que Deus tem para a sua vida — um plano para prosperar você, e não para lhe fazer mal (ver Jeremias. 29:11). Assuma o controle dos seus pensamentos entregando-os a Deus.

4 de Janeiro
Você Não Foi Feito para Viver Culpado

Não que eu tenha atingido [este ideal], ou já tenha sido aperfeiçoado, mas prossigo para lançar mão (tomar posse) e tornar meu, aquilo para o que Cristo Jesus (o Messias) lançou mão de mim e me tornou Seu.

FILIPENSES 3:12

Fazer as pessoas se sentirem culpadas por tudo não é o modo de Deus agir. A fonte da culpa é o diabo. Ele é o acusador dos irmãos, de acordo com a Bíblia (ver Apocalipse 12:10). Deus nos convencerá das escolhas e atos errados, mas Ele nunca tenta fazer com que nos sintamos culpados. A culpa nos oprime, mas a convicção que vem de Deus gera a oportunidade de mudarmos e progredirmos.

Não fomos feitos para viver culpados. Deus nunca pretendeu que os Seus filhos ficassem sobrecarregados pela culpa, de modo que o nosso organismo não lida bem com isso. Se Deus quisesse que nos sentíssemos culpados, não teria enviado Jesus para nos redimir da culpa. Ele levou as nossas iniquidades e a culpa que elas causam, ou pagou por elas (ver Isaías 53:6 e 1 Pedro 2:24-25). Como crentes em Jesus Cristo e como filhos e filhas de Deus, fomos libertos do poder do pecado (ver Romanos 6:6-10). Isso não quer dizer que nunca vamos pecar, mas significa que quando pecarmos, podemos admitir isso, receber perdão e ser livres da culpa. Nossa jornada com Deus rumo a um comportamento correto e à santidade é progressivo, e se tivermos de arrastar a culpa pelos nossos erros passados, nunca progrediremos em direção à verdadeira liberdade e alegria. Talvez esse seja o principal motivo pelo qual tão poucas pessoas realmente entram na herança prometida por meio do relacionamento com Jesus Cristo e desfrutam dela.

No seu futuro não há espaço para o seu passado. Quanto tempo você perde se sentindo culpado? É importante que você pense nisso, porque perder tempo focado nos erros do passado é algo que Deus nos disse para não fazer. Ninguém é perfeito. A boa notícia é que Jesus veio para aqueles que estavam enfermos (imperfeitos), e não para aqueles que eram sãos (perfeitos).

Confiando em Deus Dia a Dia   5 de Janeiro

Confie Nele O que deflagra a sua luta contra a culpa (quando você comete um erro, quando está pensando no seu passado, quando vê alguém que fez parte da sua vida durante esse período etc.)? Ore especificamente por essa situação, e confie em Deus para libertar você.

5 de Janeiro
Dividido entre o Certo e o Errado

Não entendo os meus próprios atos [estou confuso, perplexo]. Não pratico ou faço o que gostaria, mas faço exatamente aquilo que detesto [que meu instinto moral condena].

ROMANOS 7:15

Geralmente nos sentirmos como se uma guerra estivesse sendo travada dentro de nós. Uma parte de nós (o homem interior) quer fazer o que sabemos que é certo, e outra parte (o homem exterior) quer fazer o que é errado. A coisa errada pode dar uma sensação de que é certa, ao passo que a coisa certa pode dar uma sensação de que é errada. Lembre-se de que não podemos julgar o valor moral de qualquer ação pela maneira como nos sentimos. Nossos sentimentos não são confiáveis e não podemos contar com eles para transmitirem a verdade.

Frequentemente descobrimos que queremos fazer o que é certo e o que é errado ao mesmo tempo. Nosso espírito renovado anseia por santidade e retidão, mas a alma carnal ainda deseja as coisas do mundo. Até o apóstolo Paulo descreve que sentia o mesmo, em Romanos capítulo 7. Paulo diz que ele tem a intenção e o ímpeto de fazer o que é certo, mas falha em realizá-lo. Ele deixa de praticar o bem que deseja fazer, e em vez disso faz o mal. Felizmente, próximo ao final do capítulo, Paulo percebe que somente Cristo pode libertá-lo da ação carnal, e quando continuamos estudando a vida do apóstolo, aprendemos que ele desenvolveu a capacidade de dizer "não" a si mesmo se seu desejo não estivesse de acordo com a Palavra de Deus. Paulo aprendeu a contar com Deus para receber força e depois a usar sua vontade para escolher o que era certo, independentemente de como se sentisse. Paulo disse que morria diariamente, o que significava que ele morria para os seus próprios desejos carnais a fim de glorificar a Deus (ver 1 Coríntios 15:31).

A verdade é que precisamos morrer para nós mesmos se quisermos viver genuinamente e verdadeiramente a vida que Deus providenciou para nós por meio de Jesus Cristo. Quando estamos dispostos a viver segundo os princípios bíblicos e não pela emoção, estamos morrendo para o egoísmo e desfrutaremos a vida abundante de Deus. Estou certa de que você já ouviu o ditado: "Não há bônus sem ônus" Todas as coisas boas na vida requerem um investimento antes que possamos ver a recompensa.

Confie Nele Ore e peça a Deus para lhe mostrar uma área específica em que você precisa abandonar o egoísmo. Quando Ele lhe mostrar, não desanime nem tenha medo — confie em Deus para transformar você!

6 de Janeiro
Há um Grande Valor na Variedade

Eis o que vi, que é bom e apropriado, é alguém comer e beber, e ter prazer no trabalho em que trabalha sob o sol por todos os dias que Deus lhe der — porque esta é a sua porção [que lhe foi designada].

ECLESIASTES 5:18

Se fizermos a mesma coisa repetidamente, mais cedo ou mais tarde vamos ficar entediados. Não temos de esperar que alguma coisa boa aconteça, conosco podemos ser determinados e fazer algo bom por nós mesmos. Para muitos de vocês, sei que essa é uma ideia nova que pode parecer estranha e até mesmo pouco espiritual. Mas posso lhes garantir que ela faz parte do plano de Deus. Você pode criar variedade em sua vida, e isso a manterá mais empolgante.

Fiquei sentada com o computador no colo por cerca de quatro horas esta manhã e depois parei por algum tempo para fazer outras atividades que eu precisava fazer. Quando voltei a escrever, decidi sentar em uma parte diferente da casa apenas para variar. Escolhi um local que tinha muita luz, de onde eu poderia olhar pela janela. Pequenas coisas simples como essa não custam nada, mas são muito valiosas.

Nenhum dia da nossa vida precisa ser comum se percebermos o presente que Deus oferece quando Ele nos dá um novo dia para viver e desfrutar. Uma atitude extraordinária pode transformar rapidamente um dia comum em uma aventura incrível. Jesus disse que Ele veio para que tivéssemos vida e a desfrutássemos (ver João 10:10). Se nos recusarmos a desfrutá-la, então a culpa não é de ninguém, mas de nós mesmos.

Gostaria de sugerir que você assuma a responsabilidade pela sua alegria e nunca dê a outra pessoa a tarefa de mantê-lo feliz. Acrescente um pouco

Confiando em Deus Dia a Dia

7 de Janeiro

de variedade à sua vida — quebre a rotina, faça algo diferente, e assim por diante. Quando você fizer isso, tenha expectativa de que Deus o encontrará e ajudará a transformar o que é ordinário... em extraordinário!

Confie Nele Que atividades específicas você pretende fazer de diferente hoje? Acrescente um pouco de variedade à sua rotina diária, e confie que Deus irá abençoá-la.

7 de Janeiro
Adquira Novos Hábitos

Portanto, se alguém está [enxertado] em Cristo (o Messias) ele é uma nova criação (uma criatura completamente nova); o velho [estado moral e espiritual] morreu. Eis que o novo chegou!

2 CORÍNTIOS 5:17

A Palavra de Deus nos ensina que quando recebemos Cristo como nosso Salvador e Senhor, Ele nos dá uma nova natureza. Ele nos dá a Sua natureza. Ele também nos dá um espírito de disciplina e domínio próprio, que é vital para permitir que escolhamos os caminhos da nossa nova natureza. Ele nos dá uma mente equilibrada (ver 2 Timóteo 1:7), e isso significa que podemos pensar adequadamente sem sermos controlados pela emoção. O modo como costumávamos reagir chega ao fim, e temos todo o equipamento que precisamos para adotar uma maneira completamente nova de comportamento. Deus nos dá a capacidade e se oferece para nos ajudar, mas não somos bonecos e Ele não vai nos manipular. Nosso espírito renovado então controlará a nossa alma e o nosso corpo, ou, em outras palavras, o homem interior controlará o homem exterior.

Sem a ajuda de Deus temos dificuldade em fazer as coisas com moderação. Com frequência comemos demais, gastamos dinheiro demais, divertimo-nos demais e falamos demais. Somos exagerados em nossos atos porque agimos emocionalmente. E depois que tomamos certa atitude e não há como voltar atrás, lamentamos tê-la tomado. Contudo, podemos optar por formar novos hábitos, e não fazer algo só porque sentimos vontade, mas em vez disso, fazer o que produzirá o melhor resultado no fim.

Não temos de viver lamentando. Deus nos dá o Seu Espírito para nos capacitar a fazer escolhas certas e sábias. Ele nos incentiva, guia e orienta, mas ainda temos de dar o voto decisivo. Se você tem dado o voto errado, tudo o que precisa fazer é mudar o seu voto. Formar novos hábitos exigirá

11

8 de Janeiro
Confiando em Deus Dia a Dia

que você tome a decisão de não fazer o que sente vontade de fazer, exceto se isso estiver de acordo com a vontade de Deus.

Confie Nele Deus quer que você viva a sua nova natureza, e não a velha. Todas as vezes que você coloca a sua confiança nele e dá o voto decisivo para obedecer, o Espírito do Senhor transforma você e o torna mais semelhante a Ele.

8 de Janeiro
Cuide do Que Deus Lhe Deu

Vocês sabem que o seu corpo é o templo (o próprio santuário) do Espírito Santo que vive em vocês, a Quem vocês receberam [como um Dom] da parte de Deus? Vocês não pertencem a si mesmos...

1 CORÍNTIOS 6:19

O que você pensaria se fosse a uma igreja e ela estivesse destruída? Tinta descascada, portas quebradas e vidros das janelas manchados, dificultando a entrada de luz? Você se perguntaria quem era o pastor, não é mesmo? A igreja é o instrumento do pastor para celebrar a glória de Deus, no entanto, se ele não respeita a igreja o bastante para dedicar tempo para mantê-la em boas condições, o que isso diz a respeito do relacionamento dele com Deus?

A mesma pergunta se aplica ao seu próprio corpo — cuidar do corpo que Deus lhe deu é o tipo mais importante de "manutenção doméstica" que você pode fazer! O seu corpo é a casa do seu espírito, onde Deus habita. Para fazer a obra que você foi designado para fazer, você precisa mantê-lo em forma.

Ainda tenho de lembrar isso a mim mesma. Uma vez, feri as minhas cordas vocais ao falar em um seminário mesmo com a garganta extremamente dolorida. Naquela manhã, quando acordei, eu sabia que não devia falar, mas pensava na decepção de todos os que estariam ali se eu não falasse. Então, obriguei-me a fazer isso, mas no dia seguinte eu não conseguia emitir som algum. No outro dia também não, nem no dia depois dele. Aquela condição persistiu, e comecei a me preocupar. Finalmente, fui ao médico, e ele me disse que eu havia danificado as minhas cordas vocais. Disse que todas as vezes que nos forçamos a ir além dos limites razoáveis, causamos algum tipo de dano, e se fizermos isso com frequência, chegamos a um ponto em que não conseguimos nos recuperar. Ele disse que eu poderia

Confiando em Deus Dia a Dia

9 de Janeiro

chegar a um ponto de não poder mais ensinar se não respeitasse a minha voz e não cuidasse dela. Quase prejudiquei todo o meu ministério público! Se eu tivesse danificado a minha voz permanentemente, acabaria ajudando muito menos pessoas e prejudicando o chamado que está sobre a minha vida. Agora, tomo muito mais cuidado em proteger as ferramentas que preciso para fazer a obra de Deus: minha voz, minha mente, meu coração, minhas emoções e meu corpo. Cuide de si mesmo para que você possa glorificar a Deus e fazer tudo o que Ele deseja que você faça.

Confie Nele Como você pode cuidar melhor do seu corpo — o lugar onde Deus habita? Mostre a Deus que você o ama e confie nele cuidando do seu templo.

9 de Janeiro

Fazer Escolhas Certas Torna a Vida Muito Melhor

Esforcem-se para entrar pela porta estreita [forcem a entrada por ela], porque muitos, Eu lhes digo, tentarão entrar e não poderão.

LUCAS 13:24

Como a maioria de nós, você provavelmente é tentado a tomar todos os caminhos fáceis, mas o caminho de Deus raramente é fácil. A Bíblia descreve esses outros caminhos — aqueles que levam à destruição — como "largos", porque não é necessário muito esforço para permanecer neles. Somos encorajados por Deus a tomar o caminho estreito, o mais difícil, que também é aquele que leva à vida.

Temos de fazer um grande esforço para vencer a negatividade do mundo, mas se fizermos a nossa parte, Deus sempre fará a dele. Nem todos estão dispostos a fazer esse esforço. As pessoas são viciadas em facilidade, em simplesmente permitir que seus sentimentos fluam livremente. Jesus morreu por nós para que pudéssemos ter uma vida maravilhosa e abundante, que é cheia de paz, alegria, poder, sucesso e tudo de bom. Ele estava disposto a ir para a cruz e pagar pelos nossos pecados, embora física, mental e emocionalmente tenha sido uma tarefa muito difícil. Nós, também, precisamos estar dispostos a fazer o que é certo e a nossa recompensa sem dúvida virá. A graça de Deus sempre nos capacitará a fazer a coisa certa, se estivermos dispostos a isso.

Estude a Palavra de Deus regularmente, e então, quando os problemas vierem, você já terá o seu tanque espiritual cheio do combustível que o capacitará a fazer as escolhas certas. Não seja o tipo de pessoa que só ora ou tem tempo para Deus quando sente vontade ou quando acontece um desastre. Busque a Deus porque você sabe que não pode navegar com segurança neste mundo sem Ele.

Você e eu podemos permitir que as nossas mentes vagueiem sem destino dia após dia e nos deixar ser controlados pelas nossas emoções, ou podemos nos esforçar para controlar a nossa mente, escolher os nossos pensamentos cuidadosamente e administrar nossas emoções. Deus colocou diante de nós a vida e a morte, o bem e o mal, e nos deu a responsabilidade de fazer a escolha (ver Deuteronômio 30:19). Escolha a vida!

Confie Nele Que escolha você está enfrentando atualmente? Que caminho você vai escolher? Lembre-se, a escolha certa nem sempre será fácil, mas você pode confiar em Deus, que lhe dá força e o recompensa, para ajudar você a fazer isso.

10 de Janeiro
Ter Boa Aparência Não É Pecado

> *Que a sua (beleza) não seja [meramente] o adorno externo com trançados e penteados dos cabelos, o uso de joias ou a troca de roupas; mas que seja o adorno e a beleza interior do homem oculto no coração, com o encanto incorruptível e imarcescível de um espírito manso e pacífico, o qual... é muito precioso aos olhos de Deus.*
>
> 1 PEDRO 3:3-4

Muitos cristãos entendem mal o desafio de valorizar a beleza interior acima da aparência externa, como declarado na passagem acima. Eles levam o conceito ao extremo, acreditando que qualquer esforço para ter uma boa aparência é pecado. O que Pedro está nos encorajando a fazer, porém, é resistir à tentação de confundir a beleza exterior com o que é mais importante, que é um espírito manso e pacífico. Em outras palavras, não seja vaidoso nem coloque toda a sua confiança na sua aparência, porque Deus vê o que está no íntimo.

Mas Pedro não diz que a única maneira de ser virtuoso é usar um saco marrom, parar de tomar banho e dar todos os seus bens aos outros! É verdade que algumas pessoas encontraram Deus renunciando a todos os bens

Confiando em Deus Dia a Dia   11 de Janeiro

materiais, mas creio que de um modo geral é muito mais difícil encontrar qualquer coisa se você sofre com as constantes distrações do desconforto, ou se você faz de tudo para ser tão pouco atraente quanto possível, e passa a ser maltratado pelos outros porque acham que você é um fanático religioso. Deus se preocupa mais em vê-lo revestido de justiça, mas a justiça com uma bela roupa nunca fizeram mal a ninguém! Se as pessoas virem que você respeita a si mesmo, elas o respeitarão também.

Semelhante a tudo o mais na vida, isto é uma questão de equilíbrio. Mantenha o quadro maior em sua mente. Pergunte a si mesmo: "Qual é a obra que Deus me colocou na terra para fazer?" Depois, decida quanta atenção você deve dedicar à sua aparência e à maneira como se sente para obter o máximo de energia, saúde e carisma que você precisa para fazer essa obra com tanto êxito quanto possível.

Confie Nele Você dedica o tempo adequado aos cuidados com o corpo e com o espírito que Deus lhe deu? Ele quer que você tenha a melhor aparência possível, por dentro e por fora. Faça a sua parte para ser um bom mordomo do que Deus lhe deu, e confie nele para lhe mostrar se você está desequilibrado.

11 de Janeiro
Todavia

Todavia, esse tempo de trevas e desespero não durará para sempre.

ISAÍAS 9:1

Certa vez, li um livro que foi inteiramente escrito com base na palavra *todavia*. Ele ensinava o leitor a pegar cada problema em sua vida, olhar para ele com honestidade, e depois dizer "todavia" e encontrar algo positivo que o compensasse na vida da pessoa que colocou o problema em perspectiva.

Pode soar mais ou menos assim: "Tenho muito trabalho a fazer nas próximas duas semanas; *todavia*, depois disso a minha agenda estará muito mais livre, e poderei me divertir e descansar um pouco mais". Todas as mães se cansam de tempos em tempos e poderiam dizer: "Meus filhos estão me deixando louca; *todavia*, sou muito abençoada em ter esses filhos em minha vida, e sei que existem famílias que não podem ter filho algum". Um pai que precisa trabalhar em dois empregos para pagar as contas poderia dizer: "Estou muito cansado de trabalhar o tempo todo; *todavia*, sou grato porque Deus me providenciou dois empregos".

12 de Janeiro   Confiando em Deus Dia a Dia

Não importa quem somos ou qual é o nosso desafio na vida, sempre existe um "todavia" — alguma coisa positiva que podemos olhar ou acerca da qual podemos falar que nos faz olhar para o restante da vida a partir de outra perspectiva. Por que você não experimenta? Na próxima vez que você for tentado a reclamar de sua vida de alguma maneira, vá em frente e expresse a sua queixa, e depois diga: "todavia", e encontre alguma coisa positiva para compensá-la.

Confie Nele Independentemente do que esteja enfrentando neste momento, você pode confiar que Deus estará com você. Pense na sua situação atual e encontre o seu "todavia". Diga-o em voz alta para encorajar a si mesmo, encontrando o lado positivo de cada situação.

12 de Janeiro

Quando Começar e Quando Parar

Há tempo PARA TODAS AS COISAS, e um tempo para toda questão e propósito debaixo do céu...

ECLESIASTES 3:1

Costumamos estudar os *passos* de Jesus, mas deixamos de estudar as Suas *paradas*. Todos nós precisamos aprender quando parar. Jesus parava o que estava fazendo para ouvir as pessoas e ajudá-las. Ele parava para descansar, para jantar com amigos, para fazer vinho para um casamento, e para fazer muitas outras coisas simples, mas importantes. Um dos meus maiores problemas por muitos anos era que eu simplesmente não sabia quando parar.

Meu ortopedista me disse para parar a cada 45 minutos quando estiver escrevendo, levantar-me e esticar os músculos das minhas costas para eu não ficar com dores. Mas quando a escrita está fluindo, é muito difícil parar! Se não soubermos quando parar, acabaremos lamentando mais tarde.

Quando Jesus visitou Maria e Marta, Maria soube quando parar, mas Marta simplesmente continuou trabalhando (ver Lucas 10:38-41). Pergunto-me quantas vezes em minha vida perdi o momento porque não queria parar de trabalhar. Sei que perdi momentos com os meus filhos quando eles eram pequenos porque eu valorizava mais o trabalho do que brincar com eles.

Eclesiastes nos diz que há tempo para tudo, e que tudo é belo ao seu tempo. O trabalho é belo, mas se trabalharmos quando é hora de brincar, o trabalho deixa de ser belo. Ele pode gerar um estresse que tem a capacidade

Confiando em Deus Dia a Dia

13 de Janeiro

de destruir a nossa saúde. Brincar é belo, mas se brincarmos quando deveríamos estar trabalhando, a brincadeira passa a ser uma falta de disciplina que pode nos destruir. Uma boa vida se resume no equilíbrio. Temos de saber quando começar e quando parar.

Confie Nele O Salmo 62:8 nos diz que podemos confiar em Deus em todo o tempo porque Ele é o nosso refúgio. Um refúgio é um lugar seguro, onde podemos descansar da atividade e da preocupação. Reserve tempo para parar e permitir que Ele seja o seu refúgio.

13 de Janeiro
Procure um Motivo para Rir

Tempo de chorar e tempo de rir, tempo de prantear e tempo de dançar...

ECLESIASTES 3:4

Creio que precisamos procurar motivos para rir todos os dias. Minhas filhas costumam me telefonar para compartilhar coisas engraçadas que seus filhos fizeram ou o que elas estão percebendo na personalidade das crianças à medida que elas crescem. Fico feliz porque elas reservam tempo para compartilhar isso comigo. Rimos, e depois eu conto ao Dave, e ele ri também. Poderíamos ter perdido a oportunidade de rir se elas estivessem ocupadas demais para telefonar, ou achassem que não era importante.

Acabo de passar cinco dias com o meu neto mais novo, e ri mais nesses cinco dias do que normalmente faço em dois meses. Ele aprendeu a rir alto, e então ele faz isso sem motivo algum. Ele simplesmente começa a rir de repente e, então, quando rimos da risada dele, ele ri outra vez e mais outra. Ele faz isso enquanto continuarmos levando a brincadeira à frente. Posso garantir que ele não está preocupado, ansioso, nem pensando nos seus erros na vida. Não é de admirar que Jesus tenha nos dito para sermos como as criancinhas se quisermos entrar no Seu Reino e desfrutar dele.

Provavelmente acontecem situações engraçadas com você todos os dias; aprenda a procurar por elas e a perceber o quanto é importante parar para rir. Eu desperdicei muito da minha vida ficando irada e triste, e tenho muito para colocar em dia. Estou comprometida em aproveitar cada oportunidade que puder achar para rir; quando eu não conseguir encontrar uma, vou tentar criar uma. Alguns de nós somos naturalmente mais sérios que outros. Você não precisa se sentir mal se essa for a sua personalidade. É a

14 de Janeiro

Confiando em Deus Dia a Dia

minha também. Mas você não precisa viver sem o riso. Você pode começar a procurar deliberadamente motivos para rir!

Creio que Jesus era brincalhão e que Ele procurava motivos para rir. Posso imaginá-lo mexendo com os Seus discípulos e fazendo brincadeiras com eles. Sei que Jesus era sério e sóbrio, mas Ele também estava em equilíbrio perfeito, portanto Ele tinha de ter bom humor também.

Confie Nele Você já riu hoje? Se não, encontre um motivo e ria agora mesmo! Confie que Deus quer que você desfrute a vida; viva mais leve e procure o bom humor nas circunstâncias ao seu redor hoje.

14 de Janeiro

Deus lhe Dará Toda a Sabedoria e o Poder Que Você Necessita

Temor e tremor vieram sobre mim; horror e pavor me sobrevieram. E digo: Ah, se eu tivesse asas como uma pomba! Voaria e estaria em descanso.

SALMOS 55:5-6

Davi orou para que ele pudesse voar e fugir de todos os problemas e encontrar descanso, mas fugir dos problemas nem sempre é a resposta. Há momentos em que precisamos enfrentar o inimigo e derrotá-lo no poder de Deus, assim como Davi derrotou Golias. Deus nos deu poder para "passar pelas dificuldades". Não é a vontade de Deus para nós que fujamos ou nos escondamos dos desafios, mas que os confrontemos diretamente, sabendo que podemos lutar uma batalha e permanecer no descanso. Afinal, a batalha não é nossa, mas de Deus!

Deus não permitirá que você fuja dos seus problemas e continue seguindo em frente com o propósito dele para a sua vida. Ele não o obrigará a enfrentá-los, mas finalmente você entenderá que esses mesmos problemas continuarão aparecendo se você não os enfrentar. A boa notícia é que Deus nos dá poder e sabedoria para lidar com as nossas situações.

Elias tentou fugir e se esconder, mas Deus o fez voltar ao lugar de onde ele fugiu e continuar a obra que ele havia sido chamado para fazer. Depois que Deus permitiu que ele descansasse, Ele o confrontou quanto à sua atitude. Deus perguntou por que Elias estava se escondendo e o que ele pensava que estava fazendo. Elias respondeu com uma atitude amarga e

Confiando em Deus Dia a Dia   15 de Janeiro

um pensamento distorcido. Ele disse que ficou sozinho para servir a Deus e que as pessoas estavam procurando matá-lo. Ele disse a Deus que todos os israelitas haviam abandonado a Sua aliança, destruído os Seus altares e matado os Seus profetas, e mais uma vez Elias parecia estar cheio de autocomiseração quando disse a Deus que ele era o único que restava fiel a Ele (ver 1 Reis 19:9-14). Deus disse a Elias que, na verdade, lhe restavam sete mil profetas que não haviam dobrado os joelhos a Baal, e Ele também disse a Elias para voltar ao trabalho.

Quando não estamos bem descansados, nosso pensamento fica distorcido e perdemos a perspectiva correta. Queremos fugir da responsabilidade, mas como podemos ver no caso de Elias, Deus não permitirá que façamos isso porque a fuga nunca é a resposta para os desafios da vida.

Confie Nele Se você está passando por um momento difícil agora, não desanime nem fuja. Confie em Deus e Ele estará com você, e lhe dará a graça e a sabedoria para atravessar esse momento.

15 de Janeiro
O Descanso de Deus para Você

Pois aquele que entrou no descanso [de Deus] também cessou [do cansaço e da dor] das obras humanas, assim como Deus descansou das obras que eram peculiarmente Suas.

HEBREUS 4:10

Diariamente temos certos propósitos que queremos realizar, e no fim do dia é adequado descansar, não apenas fisicamente, mas nossas almas também necessitam de um descanso. Precisamos de descanso fisicamente, mentalmente, emocionalmente e espiritualmente.

A fé permite que descansemos espiritualmente, mentalmente e emocionalmente. Até a nossa vontade descansa quando temos confiança em Deus. Não nos preocupamos nem racionalizamos, não ficamos angustiados ou deprimidos, e não tentamos fazer com que algo que não seja da vontade de Deus aconteça — estamos no descanso! Paulo estava cantando na prisão. Jesus estava orando pelos outros enquanto era crucificado. José decidiu que se ia ser escravo, seria o melhor escravo que o seu dono já teve. E mais tarde José decidiu que se ele ia ser um prisioneiro (embora não tivesse cometido nenhum crime), seria um prisioneiro com uma atitude positiva.

Precisamos ser honestos quanto a qual é a verdadeira causa do nosso estresse. São de fato as circunstâncias da vida ou é a maneira como reagimos

19

16 de Janeiro

Confiando em Deus Dia a Dia

a elas? Há um descanso disponível, e precisamos nos esforçar para entrar nele. Entrar no descanso de Deus deveria ser a nossa prioridade número 1 depois de receber a Jesus como nosso Salvador. Pergunto-lhe: você aprendeu a se sentar e entrar no descanso de Deus? Podemos dizer que estamos confiando em Deus, mas não há evidências de confiança se não estivermos assentados em Cristo.

Confie Nele Você está angustiado, preocupado ou tentando fazer com que alguma coisa aconteça? Não precisa fazer isso! Deus tem um lugar de paz e descanso para você, e tudo que você tem a fazer para entrar no descanso dele é colocar nele a sua confiança.

16 de Janeiro
Dê o Seu Tudo a Deus

Bendiga ao Senhor a minha alma! Bendiga ao Senhor todo o meu ser! Bendiga ao Senhor a minha alma! Não se esqueça de nenhuma de suas bênçãos! É ele que perdoa todos os seus pecados e cura todas as suas doenças...

SALMOS 103:1-3 (NVI)

A pequena palavra "tudo" é usada cerca de cinco mil vezes na Bíblia, algumas vezes mais, algumas vezes menos, dependendo da versão que você está lendo. É uma palavra pequena que significa muito, no entanto, prestamos pouca atenção a ela. Se lermos uma passagem da Bíblia que contém a palavra *tudo* e ignorarmos o "tudo", isso muda todo o contexto da passagem. A palavra *tudo* nos leva ao infinito. Onde acaba "tudo"? Até onde vai e o que ele inclui?

Jesus é o Senhor de tudo. Ele é o nosso Deus Todo-poderoso e suficiente Salvador, todas as bênçãos fluem dele, Ele é tudo o que precisamos. Dizemos com frequência que Deus é o nosso tudo, mas será que já paramos para entender verdadeiramente o impacto dessa pequena palavra? "Tudo" não deixa nada de fora do controle de Deus.

Deus sabe "todas" as coisas (ver João 21:17)! Não perca o "todas" nessa frase. Ele conhece o fim desde o começo, portanto Ele deve conhecer tudo o que está no meio. Ele também tem todo o poder, toda a autoridade; todas as coisas estão debaixo dos Seus pés, e Ele enche tudo em todo lugar com a Sua pessoa (ver Mateus 28:18 e Efésios 1:21-23). Ele vê tudo, ouve tudo, e está em todo lugar o tempo todo. Se essas coisas são verdade, então por que

Confiando em Deus Dia a Dia

17 de Janeiro

ainda nos preocupamos e ficamos ansiosos? Por que ficamos emocionalmente angustiados quando temos um problema ou as coisas não acontecem do jeito que imaginamos? Deve ser porque realmente não acreditamos que Ele tem todo o poder, sabe todas as coisas, e nos ama com todo o amor que existe no universo.

Quantos dos nossos pecados Ele perdoa? Ele perdoa alguns, a maioria ou todos? A Bíblia diz que Ele perdoa todos eles e continuamente nos purifica de toda injustiça. É uma dessas coisas tipo "para todo o sempre e sempre". Deus não colocou os nossos pecados de lado para poder dar uma olhada neles ocasionalmente; Ele os removeu completamente (ver Salmos 103:12).

Confie Nele "Tudo" não deixa nada fora do controle de Deus, portanto, entregue todos os seus problemas e preocupações a Ele. Dê a Ele o seu tudo, e você pode confiar que Ele será o seu tudo em tudo.

17 de Janeiro
Não Há Nada Que Deus Não Possa Lidar

... Para os homens [isto é] impossível, mas não para Deus; pois todas as coisas são possíveis a Deus.

MARCOS 10:27

Se não existem impossibilidades, então podemos viver em vitória constante e nada pode nos ameaçar ou fazer com que tenhamos medo do futuro. Tudo que está dentro da vontade de Deus será realizado do Seu modo e no Seu tempo.

A vida é pesada demais para nós? Existe alguma coisa que simplesmente não conseguimos suportar? Não de acordo com Deus, pois Ele diz por intermédio do apóstolo Paulo que podemos todas as coisas em Cristo que é a nossa Força. Estamos prontos para o que der e vier, e somos aptos para qualquer situação por meio daquele que infundiu dentro de nós força interior (ver Filipenses 4:13).

Antes de permitirmos que Deus seja o nosso tudo em todos, geralmente temos de descobrir da maneira mais difícil que não podemos fazer tudo sozinhos. A maneira mais difícil significa continuarmos tentando e falhando vez após vez até admitirmos a nossa total dependência de Deus. Essa pode ser uma longa e dolorosa jornada e alguns nunca chegam ao fim de si mesmos, mas para aqueles que o fazem, é o começo de uma vida com a alma em descanso. Eles sabem que não podem fazer tudo — mas também

18 de Janeiro — Confiando em Deus Dia a Dia

sabem que Deus pode, e decidem que observar Deus fazer o que precisa ser feito, como somente Ele pode fazer, será divertido. Amo contemplar Deus trabalhar. Esse é um dos meus maiores prazeres na vida.

Se sabemos que Deus está mantendo o universo girando adequadamente a cada segundo de cada dia, por que duvidaríamos que Ele pode cuidar de nós? Ele tem todo o poder, toda a autoridade, toda a sabedoria, e nos ama com um amor perfeito que nos é prometido incondicionalmente e para sempre. Você está dependendo dele em todas as situações? Você acredita que Deus é bom, e que Ele quer ser bom para você? Coloque a sua fé nele, e entre no Seu descanso.

Confie Nele Você acredita que Deus tem o poder para ajudar você e que, por ter toda a sabedoria, Ele sabe exatamente o que fazer e quando fazer? Dependa dele completamente e confie nele para lhe dar a força para fazer o que você precisa fazer, enquanto espera nele para fazer o que só Ele pode fazer.

18 de Janeiro

Você Não Precisa se Preocupar

Lançando sobre Ele todos os seus cuidados [todas as suas ansiedades, todas as suas preocupações, de uma vez por todas], porque Ele se importa com vocês afetuosamente e cuida de vocês cuidadosamente.

1 PEDRO 5:7

Preocupar-se é totalmente inútil. Vivi a maior parte da minha vida cheia de preocupação, por isso sei o quanto ela pode ser uma grande fortaleza em nossas vidas. Também sei que esse é um mau hábito que não é quebrado facilmente, mas se sabemos que todas as coisas são possíveis com Deus, então é possível vivermos livres da preocupação, da ansiedade e do medo. Se você está disposto a abrir mão de se preocupar, será capaz de entrar em uma atitude de celebração. Você pode confiar em Deus e desfrutar a vida enquanto Ele resolve os seus problemas.

Nada está fora do controle de Deus, portanto, na verdade, não existe nada para se preocupar. Quando começamos a olhar a preocupação de uma maneira realista, vemos o quanto ela é totalmente inútil. Nossa mente gira interminavelmente em torno de um problema, procurando respostas que só Deus tem. Podemos ponderar a respeito de alguma coisa e pedir sabedoria a Deus, mas não temos a permissão dele para nos preocuparmos. Ponderar

Confiando em Deus Dia a Dia   19 de Janeiro

acerca de alguma coisa em Deus é algo que se faz em paz, mas preocupar-se pode ser um tormento. Quando nos preocupamos, atormentamo-nos! Podemos orar e pedir a Deus para nos ajudar a não nos preocuparmos, mas finalmente precisamos optar por colocar nossos pensamentos em outra coisa que não sejam os nossos problemas. A recusa em se preocupar é prova de que confiamos em Deus e isso o libera para trabalhar em nosso favor.

Pergunto-me quanto do nosso tempo mental é passado nos preocupando, racionalizando e temendo — possivelmente mais do que gastamos em qualquer atividade. Em vez de meditar em nossos problemas, vamos escolher meditar no alcance do poder de Deus. Ele diz que você pode lançar "... nele todas as suas ansiedades, todas as suas preocupações, de uma vez por todas, porque Ele cuida de você..." (1 Pedro 5:7). Vamos entender o quanto ilimitado é o Seu poder e confiar nele para fazer o que nós não podemos fazer.

Confie Nele O que tem preocupado você? Acredita que Deus cuidará de você, fará o que você não pode fazer e trabalhará para que cada situação coopere para o seu bem? Então dê permissão a si mesmo para parar de se preocupar. Torne a sua confiança nele mais poderosa que as suas preocupações!

19 de Janeiro
Como Encontrar Descanso na Sua Alma

Ele é antes de todas as coisas, e nele tudo subsiste. Ele é a cabeça do corpo, que é a igreja; é o princípio e o primogênito dentre os mortos, para que em tudo tenha a supremacia.
COLOSSENSES 1:17-18 (NVI)

Quando damos a Deus o nosso tudo, estamos na verdade dizendo a Ele: "Deus, seja feita a Tua vontade e não a minha". Essa é a única maneira de viver com a nossa alma descansada. Do contrário, estaremos sempre lutando com alguma situação que não está se desenvolvendo como queremos.

O apóstolo Paulo pediu àqueles a quem ele ensinava que dedicassem todos os seus membros e faculdades a Deus para a vontade e uso dele (ver Romanos 12:1). Se nos recusarmos a fazer isso, Deus encontrará um vaso submisso (outra pessoa) por meio de quem Ele possa trabalhar, e nós perderemos o melhor dele para nossas vidas.

Pense em Noé. Por que Deus escolheu Noé e sua família para serem salvos na arca durante o dilúvio? O que havia de tão especial nesse homem? A Bíblia diz que Noé fez segundo *tudo* o que Deus havia lhe ordenado.

20 de Janeiro

Confiando em Deus Dia a Dia

Talvez Noé não tenha sido a primeira pessoa a quem Deus pediu para construir a arca, mas tenha sido aquele que estava disposto a dar o seu *tudo* a Deus. E Noé foi ricamente abençoado por causa da sua confiança em Deus. Duvido que Noé entendesse o que Deus estava lhe pedindo para fazer quando exigiu que ele construísse uma arca para um futuro dilúvio. Noé deve ter sido alvo de piadas naquela região. Estou certa de que a sua obediência feriu a sua reputação junto aos homens. Você está disposto a obedecer a Deus se a sua obediência ferir a sua reputação?

Deus não está necessariamente procurando pessoas com habilidades impressionantes, mas Ele procura disponibilidade e alguém que esteja disposta a simplesmente fazer tudo o que Ele lhe pedir. Se erguermos nossas mãos a Deus e dissermos: "Estou disponível para fazer o que Tu quiseres que eu faça", teremos paz e alegria à medida que caminhamos pela vida.

Confie Nele Deus lhe pediu para fazer alguma coisa, mas você está hesitando em dar a Ele o seu tudo? Não se preocupe com o que os outros pensam, e não se preocupe se isso parece estar além da sua capacidade. Faça tudo o que você puder fazer e confie em Deus para fazer o restante.

20 de Janeiro
Deixe a Alegria Entrar em Sua Vida

O choro pode durar uma noite, mas a alegria vem pela manhã.

SALMOS 30:5

Parte da disciplina que impomos a nós mesmos para celebrar a vida é recusar-nos a viver lamentando. Há um tempo para lamentar, mas não devemos permitir que isso se torne um modo de vida. A Bíblia diz que o choro (o luto) dura uma noite, mas a alegria vem pela manhã. Há situações que acontecem na vida que precisam ser pranteadas, mas a alegria sempre retorna para equilibrar as coisas. Precisamos deixar que a alegria volte às nossas vidas depois de tempos de tristeza e não nos sentirmos culpados por desfrutar a vida depois da decepção ou mesmo da tragédia. Há tempo para chorar e tempo para se alegrar, mas não devemos viver em um estado de pesar.

Faz parte da vida saber lidar adequadamente com a tristeza e a decepção. Não podemos evitá-las — e não devemos negar as emoções que acompanham a perda de qualquer espécie — mas podemos nos recuperar! Fiquei entristecida quando soube que um funcionário de confiança estava furtando

Confiando em Deus Dia a Dia · 21 de Janeiro

o nosso ministério, mas alegrei-me porque Deus trouxe o fato à luz e ele foi descoberto. Passo um tempo de luto quando as pessoas que amo morrem, mas também posso me alegrar porque elas conhecem Jesus e estão vivendo a eternidade com Ele. Fico triste quando percebo que deixei que uma área da minha vida ficasse desequilibrada pela falta de disciplina, mas posso me alegrar porque agora vejo a verdade e estou de volta aos trilhos. Para todo pranto existe um motivo para celebrar que vem como uma forma de compensação. E embora o luto seja adequado e seja até parte da nossa cura, ele não pode durar para sempre.

Não podemos viver em um estado de lamentação por fatos que aconteceram e que não podem mudar. Em Cristo há sempre um lugar para novos começos, e essa é uma boa notícia digna de ser celebrada.

Confie Nele Se você está em um período de lamentação, permita-se viver esses sentimentos. Mas não fique preso a eles. Confie que Deus tem um plano para você e Ele quer que você tenha alegria pela manhã.

21 de Janeiro
Desfrute a Sua Vida Diária

> *Eis o que vi, que é bom e apropriado: comer e beber, e gozar de todo o trabalho no qual trabalhou sob o sol, em todos os dias que Deus lhe deu — porque esta é a sua porção. Também, todo homem a quem Deus deu riquezas e bens, e o poder para desfrutá-los e para aceitar a porção que lhe é designada e gozar do seu trabalho — este é o dom de Deus [para ele]!*
>
> ECLESIASTES 5:18-19

Quero que você observe as palavras *a porção que lhe é designada* na passagem citada. O que o autor de Eclesiastes está comunicando basicamente aqui é esta mensagem: desfrute sua vida. Pegue a "porção que lhe foi designada" na vida e desfrute-a. Em outras palavras, abrace a vida — a personalidade, os pontos fortes e fraquezas, a família, os recursos, as oportunidades, as qualidades físicas, as habilidades, os dons e a singularidade — que Deus confiou a *você*.

A única vida que você pode desfrutar é a sua própria. Essa declaração pode parecer tão óbvia que é desnecessária, mas pense nisso. Uma das principais razões pelas quais muitas pessoas não desfrutam as suas vidas é porque não estão felizes com a vida que têm. Quando falo com elas a respeito de desfrutarem suas vidas, o primeiro pensamento que costumam ter é: *Eu desfrutaria a minha vida se tivesse a sua vida, Joyce*! Em vez de abraçar a realidade de suas próprias vidas, essas pessoas passam o tempo pensando: *Eu gostaria de me parecer com fulana de tal. Gostaria de ter o emprego de fulano de tal. Eu gostaria de estar casada. Gostaria que o meu casamento não fosse tão difícil. Gostaria de ter filhos. Gostaria que os meus filhos crescessem. Gostaria de ter uma casa nova. Gostaria de não ter uma casa tão grande para limpar. Gostaria de ter um grande ministério...*

A verdade dessa questão é que o primeiro passo para desfrutar a nossa vida diária é sermos gratos pela vida que nos foi dada. Não devemos permitir que a inveja nos torne ausentes de nossas próprias vidas porque queremos o que outras pessoas têm. Você precisa pegar o que tem e decidir que vai fazer o melhor que puder com isso. O que você está fazendo com o que lhe foi dado?

Confie Nele Deus está lhe pedindo para ser fiel à sua vida, e não à vida de outra pessoa. Confie que Deus sabia o que estava fazendo quando deu sua vida a você.

22 de Janeiro
O Melhor Conselho que Eu Posso lhe Dar

Ouça a instrução e seja sábio, e não a recuse nem a negligencie.
PROVÉRBIOS 8:33

O melhor conselho que eu poderia lhe dar é que você viva a sua vida de acordo com a verdade da Palavra de Deus, que está na Bíblia. Creio que deveríamos honrar a Palavra de Deus em nossas vidas e dar a ela um lugar de prioridade todos os dias. Fazemos isso lendo e estudando a Palavra de Deus, e seguindo-a da melhor forma possível. A partir de uma perspectiva pessoal, posso dizer honestamente que amo a Palavra de Deus. Nada na terra me transformou como ela — não apenas como uma mestra ou ministra, mas como seguidora de Cristo.

A Bíblia tem a sabedoria que você necessita para cada questão que enfrentará ao longo da vida. Ela não lhe dirá exatamente onde passar as férias no próximo ano ou que cor de tinta você deve usar para pintar a sua casa, mas lhe transmitirá princípios para uma vida reta, um pensamento reto, sabedoria e fé. Ela o instruirá por meio de histórias de homens e mulheres que viveram há muito tempo, mas que enfrentaram muitos dos mesmos

Confiando em Deus Dia a Dia   23 de Janeiro

desafios humanos e lutas nos relacionamentos que você e eu enfrentamos hoje. As passagens bíblicas encorajarão você a perseverar, lhe inspirarão a vencer, lhe ajudarão a tomar boas decisões, e lhe ensinarão a ouvir e obedecer à voz de Deus.

Sempre fico triste quando encontro pessoas que veem a Bíblia como um livro ultrapassado e irrelevante. Sim, suas palavras têm séculos de idade, mas em vez de serem antiquadas ou obsoletas, elas são antigas verdades que resistiram ao teste do tempo e foram provadas, vez após vez após vez. As palavras da Bíblia estão vivas; elas estão repletas do poder de Deus. Elas são tão reais e aplicáveis hoje quanto sempre foram — e em nosso mundo atual, precisamos desesperadamente estar firmados nesse tipo de verdade divina. A Bíblia não apenas destina-se aos pregadores e às "pessoas da igreja", ela é um livro para todos em todas as jornadas da vida. Ela é espiritual, mas também é extremamente prática.

Confie Nele Você está confiando em Deus para transformá-lo à medida que você medita em Sua Palavra? Cite um pensamento/hábito/atitude específico que mudou nos últimos trinta dias por causa do que Deus lhe mostrou na Sua Palavra.

23 de Janeiro
Atravesse o Seu Dia Orando

Orem em todo o tempo (em todas as ocasiões, em todas as estações) no Espírito, com toda [sorte de] oração e súplica.

EFÉSIOS 6:18

Falar com Deus a respeito de tudo nos dá uma sensação de pertencer a Alguém, ou de sermos cuidados por Alguém que está ao nosso lado e que é poderoso. Uma das frases que gosto de usar quando ensino sobre oração é: "Atravesse o seu dia orando". Esse é sem dúvida um bom conselho a seguir se quisermos desfrutar a nossa vida a cada dia. Precisamos lembrar que podemos orar a qualquer momento, em qualquer lugar. Em 1 Tessalonicenses 5:17 a Bíblia nos diz para "sermos incessantes na oração". Em outras palavras, temos de manter as linhas de comunicação com Deus abertas. Precisamos permanecer em comunhão constante com Ele por meio da oração, o dia inteiro, todos os dias.

Embora haja momentos em que precisamos ser muito diligentes, focados e dedicados quando oramos, não temos de esperar até que estejamos

24 de Janeiro

Confiando em Deus Dia a Dia

na igreja ou em outro lugar designado, ou até que tenhamos determinada quantidade de tempo, para orarmos. A melhor maneira que conheço de sermos "incessantes na oração" é vivermos como se Deus estivesse constantemente prestando atenção em nós, porque Ele de fato está. Por exemplo, podemos fazer orações rápidas, simples, eficazes, em voz alta ou em silêncio. Podemos dizer silenciosamente enquanto estamos em uma reunião de negócios: "Oh, Deus, ajuda-me a tomar uma boa decisão aqui. Dá-me a Tua sabedoria para falar sabiamente e ser uma bênção para a minha empresa". Podemos sussurrar uma oração ao deixarmos nossos filhos na escola: "Deus, protege-os hoje. Ajuda-os a aprender tudo o que eles precisam saber. Concede-lhes favor junto aos seus professores e amigos".

Também podemos fazer orações de louvor e ações de graças enquanto vivemos a nossa vida diária, dizendo coisas como: "Obrigado, Senhor, por me ajudar ao longo deste dia", ou "Eu Te adoro, Deus, pela Tua bondade nesta tarde". Esse tipo de oração leva apenas alguns segundos, mas ela nos mantém focados em Deus, conscientes da Sua presença e em comunicação contínua com Ele.

Confie Nele A partir de hoje, adquira o hábito de falar com Deus como Seu companheiro e ajudador constante. Se você não está acostumado a isso, será necessário praticar, mas antes que você se dê conta, não terá de lembrar a si mesmo de orar — você o fará naturalmente!

24 de Janeiro
Quem Você É Vale Mais do Que o Que Você Faz

Agora não existe distinção entre judeu ou grego, nem entre escravo ou livre, nem macho e fêmea; porque todos vocês são um em Cristo Jesus.
GÁLATAS 3:28

Como você reagiria se eu perguntasse: "Quem é você?" Sua primeira inclinação seria enumerar as coisas que você faz e os papéis que desempenha na vida? Você diria: "Sou um comissário de bordo", "Sou um neurocirurgião", "Sou um banqueiro", "Sou um pastor", "Sou uma esposa e mãe" ou "Sou um estudante universitário"? Essas respostas descreveriam o *que você faz*, mas nenhuma delas me diria *quem você é*.

Como crente, uma das verdades mais importantes que você precisa entender é quem você é em Cristo, sua identidade nele. Quando ouvi a frase "quem você é em Cristo" pela primeira vez, não sabia o que ela significava.

Confiando em Deus Dia a Dia — 25 de Janeiro

Mas entender essas palavras poderosas é essencialmente importante. Quando as pessoas recebem a Jesus Cristo pela fé como seu Salvador pessoal, Deus as vê como justificadas diante dele e como estando "em" Jesus. Estar em Cristo lhe confere certos direitos e privilégios — os direitos e privilégios que pertencem aos filhos de Deus.

Se a filha da rainha da Inglaterra visitasse os Estados Unidos, duvido que alguém lhe pediria uma lista do que ela podia fazer. Ela teria acesso imediato e favor imediato simplesmente por ser quem é. Se essa dinâmica funciona com um ser humano, imagine o quanto mais valioso é ser um filho de Deus. Entretanto, se a princesa não soubesse quem ela era, ela não usaria sua identidade em vantagem própria. O mesmo princípio se aplica a todos os que não sabem quem são em Cristo.

A diferença entre quem somos em Cristo e o que fazemos é enorme. Somos muito mais que os nossos empregos, as nossas realizações ou os nossos fracassos. Nossa identidade vem de Jesus. Em nós mesmos, nada somos, nada temos e nada podemos fazer que tenha valor eterno. Mas em Cristo, podemos ser, fazer e ter tudo que Deus nos promete em Sua Palavra.

Confie Nele Quem é você? Confie na Verdade da Palavra de Deus para saber quem você é em Cristo. Na próxima vez que alguém lhe perguntar quem você é, responda: "Sou um filho de Deus. Estou em Cristo".

25 de Janeiro

De Fé em Fé

Pois no Evangelho a justiça que Deus atribui é revelada, mostrando-se de fé em fé [revelada através do tipo de fé que estimula mais fé]. Como está escrito, o homem que pela fé é justo e reto viverá, e viverá pela fé.

ROMANOS 1:17

Esse versículo nos lembra de que precisamos aprender a viver de fé em fé. Significa que nos aproximamos de tudo o que enfrentamos, de todo desafio que encontramos, de toda decisão que tomamos e de tudo o que fazemos com fé.

Certamente, preciso de fé em minha vida diária e no meu ministério. Quando viajo para conferências, vou com fé de que chegarei em segurança ao meu destino. Quando começo a ensinar, faço isso com fé de que Deus me deu a mensagem correta para aquela audiência. Tenho fé de que sou ungida para ensinar a Palavra de Deus, para ajudar as pessoas e para dizer as palavras certas. Quando desço da plataforma, tenho fé que Deus usou o meu ministério para transformar vidas. Quando saio para ir para casa, tenho fé de que chegarei em segurança.

Depois de muitos anos de dúvidas e medo, decidi definitivamente que a fé é muito melhor. A fé nos permite desfrutar nossas vidas e fazer coisas impressionantes. Viver pela fé não é um *sentimento* que temos; é uma decisão consciente que precisamos tomar.

A fé é simplesmente a escolha consciente e deliberada de colocar a nossa confiança em Deus. Ela está no centro de tudo de maravilhoso que fazemos. Ela se torna mais natural para nós e somos aperfeiçoados na fé à medida que fazemos mais uso dela.

Se você começar a exercitar a fé para coisas simples, chegará o dia em que não terá dificuldade em confiar em Deus para coisas grandes. Lembro-me de ir a um bazar certa vez e de confiar em Deus para me ajudar a encontrar um par de tênis para um dos meus filhos por dois dólares, porque era todo o dinheiro que eu tinha. Vi a fidelidade de Deus naquele dia, e com o tempo pude confiar nele para suprir as necessidades que temos como um ministério internacional.

Confie Nele Onde Deus está lhe pedindo para colocar a Sua confiança nele hoje? Comece nesse ponto e continue indo de fé em fé, passo a passo com Deus, à medida que você persegue as coisas grandes que Ele preparou para você.

26 de Janeiro
Fé É Confiar em Deus

Porque é pela graça (favor imerecido de Deus) que vocês são salvos (livres do juízo e feitos participantes da salvação de Cristo) através da [sua] fé. E essa [salvação] não é de vocês mesmos [obra de vocês; ela não veio através dos seus próprios esforços], mas é dom de Deus; não por causa de obras [não é o cumprimento das exigências da Lei], para que ninguém se glorie.

EFÉSIOS 2:8-9

Gosto de definir a fé de uma maneira muito básica e fácil de entender: viver com uma atitude positiva que vem de uma profunda confiança em

Confiando em Deus Dia a Dia   *27 de Janeiro*

Deus. Viver pela fé é olhar tudo de uma maneira positiva e confiar no poder do Deus que nos ama e deseja o melhor para nós. Quando temos fé, podemos dizer com confiança em nossos corações:

- "Não sei o que fazer, mas Deus sabe."
- "Não entendo o que está acontecendo em minha vida, mas Deus fará um caminho para mim."
- "Não sei como vou pagar as minhas contas este mês, mas Deus proverá."
- "Esta provação não é agradável; não gosto disso, mas creio que Deus faz que todas as coisas cooperem para o bem daqueles que o amam e são chamados segundo o Seu propósito" (ver Romanos 8:28).
- "Não gosto da situação que estou atravessando, mas o que Satanás intentou para o meu mal, Deus transformará em bem" (ver Gênesis 50:20).

Essas declarações e as atitudes que elas representam demonstram fé. Ter fé significa sempre confiar no amor de Deus e olhar além de onde você está para ver o resultado final. Ter fé significa sempre ter esperança e recusar-se a aceitar a derrota. As pessoas que vivem pela fé podem desfrutar todos os dias de suas vidas.

Confie Nele O que você está enfrentando atualmente que é desconfortável ou que você não entende? Escolha ter uma atitude positiva com relação a essa situação e a confiar em Deus para fazê-la cooperar para o seu bem.

27 de Janeiro
Convide Deus Para Todas as Áreas da Sua Vida

Eu Sou a Videira; vocês são os ramos. Aquele que vive em Mim e Eu nele dá muito (abundante) fruto. Entretanto, sem Mim [separados da união vital comigo] vocês nada podem fazer.

JOÃO 15:5

Deus quer nos ajudar com as coisas que parecem grandes para nós e com as que parecem menos significativas. Ele quer nos ajudar quando estamos desesperados e quando não estamos. Anos atrás eu pensava que tudo na vida me deixava assoberbada; tudo era "demais" para eu lidar sozinha. Mas costumava correr para Deus somente quando eu achava que estava deses-

31

28 de Janeiro — Confiando em Deus Dia a Dia

perada, até que um dia finalmente entendi que eu estava desesperada o tempo todo; simplesmente não sabia disso.

O mesmo acontece com você. Você está desesperado por Deus o tempo todo, quer você perceba isso ou não. Em João 15:5, Jesus diz: "Aquele que *permanece* em Mim e Eu nele, é aquele que dá muito fruto, pois *sem Mim vocês nada podem fazer*" (grifos da autora). À medida que permanecemos nele pela fé, podemos fazer tudo, mas sem Ele, não podemos fazer nada que tenha qualquer valor real e duradouro.

Nossa necessidade desesperada por Deus e o desejo dele de que permaneçamos nele não significa que temos de ficar sentados o tempo todo sendo "superespirituais". Não precisamos nos sentir obrigados a ler a Bíblia ou nos confinarmos em um quarto de oração por horas todos os dias. Isso deve fazer parte da nossa vida, mas não precisamos sentir que estamos sendo "espirituais" quando fazemos isso, e "não espirituais" quando fazemos outras coisas. Quando realmente amamos a Deus e Ele ocupa o primeiro lugar em nossas vidas, tudo o que fazemos se torna espiritual de certa maneira, porque estamos fazendo isso com Ele, nele, por meio dele, por Ele, para Ele e para a Sua glória.

Deixe-me encorajar você a convidar Deus para entrar em todas as áreas da sua vida por meio da fé. Jesus morreu a fim de que pudéssemos desfrutar as nossas vidas — cada parte delas.

Confie Nele Há "outras coisas" em sua vida que não parecem particularmente "espirituais"? Confie cada área da sua vida a Deus, para que você possa desfrutar de *todas* as coisas — as "grandes" e as "pequeninas" — porque você as está fazendo com Ele.

28 de Janeiro

Confie em Deus nos Tempos Difíceis

Sim, ainda que eu ande pelo vale [profundo e sombrio] da sombra da morte, não temerei nem me apavorarei com mal algum, porque Tu estás comigo...

SALMOS 23:4

Em geral, quando pensamos em confiar em Deus, pensamos em confiar nele *para* as coisas que precisamos ou queremos — provisão financeira, cura física, restauração de um relacionamento ou uma promoção no trabalho. No entanto, um verdadeiro relacionamento de confiança em Deus se estende além de confiar nele *para fazer* alguma coisa e inclui confiar nele

Confiando em Deus Dia a Dia   29 de Janeiro

durante uma situação. Precisamos aprender não apenas a contar com Ele para termos os resultados que desejamos; precisamos aprender a confiar nele durante o processo de alcançá-las.

Houve um tempo em minha vida em que eu focava intensamente em confiar em Deus para conseguir as coisas, dizendo "Quero isto, Deus", "Quero aquilo, Deus" e "Preciso disso e daquilo, Deus". Em meio aos meus pedidos, Deus começou a me mostrar que conseguir todas essas coisas não era o mais importante. Essas coisas viriam mais tarde, mas naquela época Ele precisava me ensinar primeiro a confiar nele enquanto eu estava *passando* por essas situações. Deus queria que eu aprendesse que talvez Ele não nos livre sempre quando queremos sair das circunstâncias, mas que está sempre conosco à medida que as atravessamos. Por Ele estar conosco, podemos passar por provações em nossas vidas com uma atitude estável e positiva, confiando em Deus completamente, mesmo contra probabilidades aparentemente impossíveis.

Lembre-se, cabe a você comandar sua atitude em cada situação. Ninguém pode obrigá-lo a ter uma atitude negativa ou positiva; isso compete inteiramente a você. Mantenha uma atitude de fé, de louvor, de gratidão e de expectativa positiva, e você definitivamente sairá da situação vitorioso, na hora exata.

Confie Nele É mais fácil para você confiar em Deus *para ter* alguma coisa ou *para atravessar* uma situação? Seja qual for a situação que esteja enfrentando, mantenha uma atitude positiva e confie que Deus estará com você enquanto você a *atravessa*. Ele o recompensará do outro lado.

29 de Janeiro
Confiando Quando Não Entendemos

[... ainda que Ele me mate, nele esperarei e nele confiarei...]

JÓ 13:15

Um dos grandes mistérios e fatos a respeito de nossa caminhada com Deus é que raramente entendemos tudo o que Ele está fazendo em nossas vidas. Se entendêssemos sempre, não teríamos necessidade de confiar nele. Como crentes, muitas vezes nos encontramos em situações que não entendemos, e nos pegamos questionando Deus: "O que o meu futuro me reserva?" "Será que um dia irei me casar?" "O que meus filhos serão quando crescerem?" "Será que terei a provisão que necessito na velhice?"

33

30 de Janeiro

Confiando em Deus Dia a Dia

Temos de aprender a confiar em Deus quando não entendemos o que está acontecendo em nossas vidas, e precisamos aprender a descansar mesmo tendo perguntas não respondidas. Você e eu talvez nunca tenhamos todas as respostas que queremos e quando queremos, portanto precisamos relaxar e ficar à vontade conhecendo e confiando em Deus, Aquele que sabe. Sem confiança, é impossível desfrutar o hoje e estar pronto para enfrentar o amanhã com expectativa.

Jó, que tinha muitos motivos para questionar Deus ao enfrentar uma série incrível de crises e perdas, não entendia o que estava acontecendo em sua vida, mas tomou a decisão de confiar em Deus mesmo assim. Creio que essa foi a única maneira pela qual ele conseguiu encontrar paz em meio às suas terríveis circunstâncias. Do mesmo modo, você e eu nunca teremos paz em nossas vidas até que aprendamos a parar de tentar entender tudo e a confiar mais em Deus.

Se você é o tipo de pessoa que precisa entender tudo para ficar calmo, deixe-me encorajá-lo hoje a aceitar o fato de que é provável que você não receba todas as respostas que deseja nesta vida. Escolha parar de exigir explicações e começar a praticar a confiança. Em vez de perguntar a Deus por que, diga que você confia nele. Houve muitas vezes em minha vida em que eu desejei de todo o coração saber por que alguma coisa estava ou não estava acontecendo, mas eu sabia que Deus queria a minha confiança e não as minhas perguntas.

Confie Nele Existe alguma coisa em sua vida que você não entende, por mais que tente? Entregue-a a Deus e coloque a sua confiança nele. Quer Ele explique isso a você ou não, você pode confiar nele para abençoá-lo e para ajudá-lo a atravessar qualquer crise.

30 de Janeiro
Deus o Encontrará no Fogo

Acreditamos que Deus vai nos livrar, mas ainda que Ele não o faça, não vamos nos conformar à imagem do que você pensa que devemos ser. Vamos fazer o que Deus está nos dizendo para fazer. Você pode fazer o que quiser com a sua fornalha. Mas aconteça o que acontecer conosco, estaremos em paz.

DANIEL 3:17-18 (PARAFRASEADO)

Sadraque, Mesaque e Abede-Nego se recusaram a adorar o ídolo de ouro que o rei Nabucodonosor construiu, e como resultado disso foram lança-

Confiando em Deus Dia a Dia

31 de Janeiro

dos na fornalha ardente (ver Daniel 3). Esses três jovens não faziam ideia do que aconteceria com eles, mas eles estavam dispostos a colocar suas vidas em risco em vez de desobedecer a Deus. Precisamos de pessoas hoje que tomem uma posição a favor da retidão, optando pelo que é certo de acordo com a Palavra de Deus. Se isso não acontecer, nosso mundo estará com sérios problemas.

Muitas vezes as pessoas deixam de se levantar em nome da justiça, porque elas têm medo do que acontecerá quando fizerem isso. Será que elas perderão o emprego? Será que perderão os amigos? Será que Deus as abandonará? Em situações como essas, quando não sabemos qual será o resultado de uma situação, precisamos confiar em Deus e prosseguir para fazer o que acreditamos que é certo. Ainda que sejamos perseguidos em nome da justiça, a Palavra de Deus diz que somos bem-aventurados (ver Mateus 5:10). Aqueles três rapazes hebreus jamais teriam experimentado um milagre incrível se não estivessem dispostos a confiar em Deus quando estavam naquela fornalha.

O mundo precisa desesperadamente de homens e mulheres que confiem em Deus, mesmo em meio às fornalhas da perseguição e da pressão externa. Deus pode nos colocar em lugares melhores que as pessoas poderiam nos colocar se confiarmos nele e se formos pessoas íntegras e de excelência. Precisamos de pessoas que coloquem tudo em risco e digam: "Ainda que eu perca o que quero, não farei concessões nem farei o que sei em meu coração que é errado". Precisamos temer o Senhor acima de tudo, e confiar nele em todo o tempo, em todas as situações, todos os dias de nossas vidas.

Confie Nele Confie em Deus para encontrar você no meio do fogo. Não tenha medo de se levantar em favor da justiça porque você sabe que Ele nunca o deixará nem o abandonará.

31 de Janeiro
Dê uma Trégua para o Seu Cérebro

Porque nós os que cremos (nos unimos a Deus, confiamos nele e dependemos dele) entramos nesse descanso, de acordo com a Sua declaração de que aqueles [que não creram] não entrariam quando Ele disse: como jurei na Minha ira, que eles não entrariam no Meu descanso; e isso disse Ele embora as [Suas] obras tivessem sido concluídas e preparadas [e estivessem esperando por todos os que viriam a crer] desde a fundação do mundo.

HEBREUS 4:3

1.º de Fevereiro

Confiando em Deus Dia a Dia

Como aprendemos a "descansar" em Deus? Posso lhe dizer para esperar no Senhor e descansar nele o dia inteiro, mas isso de nada adianta se você não sabe *como* entrar no Seu descanso. Para entrar no Seu descanso, você precisa confiar nele. Creio que a maneira mais simples e mais fácil de confiar no Senhor é tirar a sua mente dos problemas. Você pode pensar que nunca conseguiria fazer isso, mas você pode. Você faz isso escolhendo pensar em outra coisa.

Às vezes, uma das melhores atitudes que você pode tomar quando tem um problema e parece ser incapaz de tirá-lo da sua mente é simplesmente fazer alguma coisa. Telefone para um amigo; vá até à mercearia; dê uma caminhada; troque o óleo do carro; assista a um filme engraçado; leia um livro; ou cuide de um projeto que você tem adiado.

Invista a sua energia mental em algo que não seja o seu problema. Você achará difícil confiar em Deus se falar excessivamente acerca dos seus problemas, porque quanto mais falar deles, mais angustiado você ficará. Volte seus pensamentos para outro lugar. Dê uma trégua ao seu cérebro e você verá que será mais fácil descansar em Deus.

Crescer na capacidade de confiar em Deus e de andar em fé é uma jornada que dura toda a vida; não acontece rapidamente. À medida que crescemos espiritualmente, temos de lembrar a nós mesmos, vez após vez, para: lançarmos os nossos cuidados sobre o Senhor; não ficarmos ansiosos por coisa alguma; confiar nele em todas as situações. À medida que formos diligentes em fazer essas coisas, veremos que estamos descansando cada vez mais no Senhor, e é aí que encontramos paz, clareza, sabedoria e a força para enfrentar cada dia.

Confie Nele Se você está se preocupando com os seus problemas, dê uma trégua ao seu cérebro! Vá fazer alguma coisa e tire-os da sua mente. Mostre a Deus que você confia nele para cuidar de você, e você entrará no Seu descanso.

1.º de Fevereiro

Uma Escolha Após a Outra

Olhe sempre para a frente, mantenha o olhar fixo no que está adiante de você.

PROVÉRBIOS 4:25 NVI

Você está desfrutando a vida e as bênçãos de Deus em sua vida diária? Ou você fez uma série de escolhas que resultaram em decepção, dor ou

Confiando em Deus Dia a Dia

2 de Fevereiro

na sensação de que tudo que você faz exige muito esforço e produz pouca recompensa? Não desperdice seu tempo e energia lamentando todas as decisões erradas que você tomou; simplesmente comece a fazer as escolhas certas. Há esperança para você!

A maneira de superar os resultados de uma série de escolhas erradas é por meio de uma série de escolhas certas. O único modo de sair de um problema é fazer o contrário do que você fez para entrar nele — uma escolha de cada vez. Talvez as circunstâncias da sua vida agora sejam o resultado direto de uma série de escolhas ruins que você fez. Talvez você esteja endividado porque fez muitas escolhas erradas sobre dinheiro. Talvez você esteja sozinho por causa de uma série de escolhas erradas nos relacionamentos ou na maneira de tratar as pessoas. Talvez você esteja doente por causa de uma série de escolhas pouco saudáveis: comer guloseimas, não descansar o bastante ou abusar do seu corpo por trabalhar demais e não ter equilíbrio suficiente em sua vida.

Você não pode fazer uma série de escolhas erradas que resultem em problemas significativos e depois fazer uma única escolha certa e esperar que todos os resultados de todas aquelas más escolhas desapareçam. Você não se envolveu em problemas enormes por meio de *uma* escolha ruim; eles foram consequências de *uma série* de escolhas ruins. Se você quer realmente que a sua vida mude para melhor, precisará fazer uma boa escolha após a outra, por um período, com a mesma consistência que você usou para fazer as escolhas negativas que geraram resultados negativos.

Não importa que tipo de problema ou dificuldade você tenha agora, ainda pode ter uma vida abençoada. Você não pode fazer nada com relação ao que ficou para trás, mas pode fazer muito com relação ao que está à sua frente. Deus é um redentor, e sempre lhe dará outra chance.

Confie Nele Se você está vivendo uma situação que é grande demais para resolver, então esse é um caso para um milagre. Convide Deus para se envolver, confie nas instruções dele e siga-as, faça uma boa escolha após a outra, e você verá resultados surpreendentes.

2 de Fevereiro

Deus Conduzirá Você à Sabedoria Dele

A sabedoria grita em voz alta nas ruas, ela ergue a voz nos mercados...
PROVÉRBIOS 1:20

3 de Fevereiro   Confiando em Deus Dia a Dia

Deus quer que usemos a sabedoria para fazer escolhas certas, e o Espírito Santo nos conduzirá à sabedoria se simplesmente pedirmos a Ele que faça isso.

Você já precisou tomar uma decisão e sua cabeça (suas habilidades intelectuais) tentou levar você para um lado, enquanto seu coração estava levando-o para outra direção? Você já esteve em uma situação em que sua carne (seus pensamentos e sentimentos naturais) parecia estar guiando você para um caminho, mas algo dentro de você lhe incomodava para seguir por outro? Por exemplo, já houve vezes em que você ficou acordado até tarde, assistindo televisão, embora soubesse que precisava de uma boa noite de sono para estar forte e alerta para uma reunião importante no dia seguinte — e você continuou resistindo ao conhecimento no seu coração de que você realmente deveria ir para a cama? Você já comprou algo que estava entusiasmado emocionalmente para ter, mas sabia no seu coração que realmente não podia se dar ao luxo de comprar, nem sequer precisava dele?

O que acontece nesse tipo de circunstância que acabo de descrever? É provável que a sabedoria esteja gritando para você. Muitas vezes, ela grita na forma daquilo que você descobre que está pensando que deveria fazer ou não — você deveria comer de forma saudável; você deveria ser gentil com as pessoas; você não deveria gastar um dinheiro que não possui. Esses são exemplos práticos de usar a sabedoria na vida diária. Quando você sente esse tipo de apelo, o Espírito Santo, que fala ao seu coração, está tentando ajudá-lo a tomar uma decisão sábia, embora essa talvez não seja a escolha que você quer fazer ou possa não parecer fazer muito sentido naquele momento.

Quando sabemos qual é a escolha sábia a fazer e não a fazemos, a razão em geral é porque estamos permitindo que a nossa carne nos guie, e queremos ver se conseguimos tomar decisões pouco sábias e ainda assim não sofrer as consequências — o que também é conhecido como "tolice". A carne nos leva a cometer tolices, mas Deus quer que andemos em sabedoria e façamos escolhas agora que nos farão felizes mais tarde.

Confie Nele Qual é a decisão com a qual você está lutando? Confie no Espírito Santo para guiá-lo à escolha sábia. Pode levar algum tempo para aprender a ouvir o Espírito Santo e não a sua carne, mas Deus é paciente e continuará a lhe dar oportunidades de ouvir a Sua direção.

3 de Fevereiro
Vá a Deus em Primeiro Lugar

Acaso não clama a Sabedoria habilidosa e divina, e o entendimento não eleva a sua voz [em contraste com a mulher descuidada]?

Confiando em Deus Dia a Dia

3 de Fevereiro

No topo das alturas ao longo do caminho, nas encruzilhadas, se coloca a Sabedoria [habilidosa e divina]; às portas da entrada da cidade, à entrada das portas, ela está gritando...

PROVÉRBIOS 8:1-3

Em quase todos os lugares para onde viajamos, é provável que cheguemos a um ponto em que duas estradas se cruzem e precisemos escolher se vamos fazer a volta ou seguir reto. Todos nós nos deparamos com interseções na vida. Elas são os nossos momentos críticos, os lugares onde precisamos tomar decisões.

Se você está em um momento de decisão em sua vida neste momento, deixe-me incentivá-lo a seguir a sabedoria. Consulte Deus e Sua Palavra primeiro; não se volte automaticamente para as pessoas e para os recursos que o cercam nem pergunte a elas o que você deve fazer. Deus pode responder à sua oração falando por intermédio de alguém, mas é melhor honrá-lo, buscando-o em primeiro lugar.

Recentemente, estive com uma amiga que sofria de graves problemas na coluna. Depois de uma cirurgia malsucedida, ela continuava a ter dores terríveis. Seu médico a liberou, dizendo que não havia mais nada a fazer, e sugeriu que ela fosse a uma clínica de controle da dor e aprendesse a conviver com ela. Minha amiga começou a buscar a Deus seriamente quanto ao que deveria fazer. Tenho um especialista em ortopedia que me ajudou ao longo dos anos. Eu disse à minha amiga, que se sentia arrasada naquele momento, que eu realmente achava que ele poderia ajudá-la também. Depois de uma consulta, sua dor diminuiu significativamente. O ortopedista a colocou em um programa de reabilitação de força, e depois de mais algumas consultas, ela logo ficou completamente livre da dor. Uau!

Ela não correu para mim e ignorou Deus; em vez disso, ao buscar a Deus, Ele aconselhou-a por meu intermédio. Como eu disse, Deus pode usar uma pessoa para nos falar palavras de sabedoria, mas é importante buscá-lo, porque toda verdadeira sabedoria vem dele. Ele merece o crédito, independentemente de que vaso Ele use.

Confie Nele Você está em uma encruzilhada, diante de uma decisão importante? Busque a Deus primeiro, obedeça à Sua direção e confie na Sua sabedoria. Esteja pronto para que Ele lhe fale por meio da Sua Palavra, da oração, ou através de um amigo de confiança.

4 de Fevereiro
Simplifique as Suas Decisões, Simplifique a Sua Vida

Mas acima de tudo, meus irmãos, não jurem, nem pelo céu, nem pela terra, nem façam qualquer outro juramento; mas seja o seu sim um [simples] sim, e o seu não [um simples] não, para que vocês não pequem e caiam em condenação.

TIAGO 5:12

A vida pode ficar complicada quando as pessoas não sabem como tomar decisões e permanecer firmes nelas. No versículo citado, Tiago está dizendo basicamente: "Tome uma decisão. Simplesmente diga sim ou não, e não fique mudando de ideia".

Costumamos analisar as escolhas e opções que estão diante de nós, quando, na verdade, precisamos apenas tomar uma decisão e permanecer nela. Por exemplo, quando você está diante do seu armário de manhã olhando para todas as suas roupas, simplesmente escolha alguma coisa e vista-a. Não fique andando de um lado para o outro até se atrasar para o trabalho!

Quando você se arrumar para sair para jantar, escolha um restaurante e vá. Não fique confuso a ponto de achar que não existe nenhum lugar que lhe satisfaça. Às vezes, tenho vontade de tomar o café do restaurante A, a salada do restaurante B, o meu prato de frango favorito do restaurante C, e a sobremesa do restaurante D. Obviamente, não posso ter tudo o que quero ao mesmo tempo, então preciso escolher um desses lugares e comer ali. Posso ir aos outros em outro momento.

Deixe-me encorajá-lo a começar a tomar decisões sem criticar a si mesmo e sem se preocupar com as escolhas que você faz. Não seja indeciso. Duvidar das suas decisões depois de tê-las tomado roubará a alegria de tudo o que você fizer. Tome as melhores decisões que puder e confie os resultados a Deus. Não fique ansioso nem com medo de estar errado. Se o seu coração for reto e você tomar uma decisão que não esteja de acordo com a vontade de Deus, Ele perdoará você e lhe ajudará a prosseguir.

Confie Nele Seja decidido. Seja o que for que você precise fazer na vida, simplesmente faça-o. Simplifique as coisas e confie os resultados a Deus.

5 de Fevereiro
Você Pode Confiar no Tempo de Deus

Os meus tempos estão em Tuas mãos...

SALMOS 31:15

Um dos maiores erros que cometemos como crentes é deixar de lembrar que o tempo de Deus raramente é compatível com o nosso tempo. Pensamos e planejamos em termos temporais, e Deus pensa e planeja em termos eternos. O que isso significa é que queremos o que é agradável agora, o que gera resultados imediatos, mas Deus está disposto a ser paciente e ponderado investindo em nós por determinado período para produzir resultados muito melhores e mais duradouros do que podemos imaginar.

Assim como os nossos filhos tentam nos convencer a dar-lhes o que eles querem imediatamente, costumamos tentar convencer Deus a nos dar imediatamente o que queremos. Ele nos ama ainda mais do que nós amamos os nossos filhos, mas nos ama demais para ceder aos nossos apelos. Deus sabe que uma coisa que nasce prematuramente precisa lutar para sobreviver, por essa razão Ele espera até que saiba que tudo está preparado adequadamente para a chegada dos nossos sonhos.

Deus vê e entende o que nós não vemos e entendemos. Ele nos pede para colocarmos de lado as nossas tendências naturais de querer calcular o que deveria acontecer em nossas vidas e quando deveria acontecer. Ele também deseja que paremos de ficar frustrados porque as coisas não saem de acordo com o nosso plano, e em vez disso, que relaxemos, desfrutemos o percurso, e confiemos que Ele está resolvendo tudo de acordo com o Seu tempo e com a sabedoria do Seu plano.

Sem confiar em Deus, nunca teremos satisfação e prazer na vida; sempre estaremos nos esforçando para "fazer as coisas acontecerem" dentro do nosso cronograma. Precisamos nos lembrar de que Deus não apenas tem planos para as nossas vidas, mas Ele também sabe qual é o tempo perfeito para cada aspecto desses planos. Combater e resistir ao tempo de Deus equivale a combater e resistir à Sua vontade para as nossas vidas. Deus está trabalhando, muitas vezes de maneiras que não podemos ver, para fazer os Seus planos acontecerem em nossas vidas da melhor forma possível. Precisamos simplesmente confiar nele enquanto esperamos pela chegada dos nossos sonhos.

Confie Nele Você pode confiar que Deus está trabalhando no Seu plano para a sua vida; Ele está preparando-o para você e preparando

6 de Fevereiro

Confiando em Deus Dia a Dia

você para ele. O plano de Deus pode não chegar dentro do seu cronograma, mas a chegada do seu sonho está a caminho. Apenas sente-se (confie nele, entre no descanso dele) e quando chegar exatamente a hora certa, Ele chamará o seu nome.

6 de Fevereiro

O Amor Cobre os Erros

...o amor cobre todas as transgressões.

PROVÉRBIOS 10:12

Às vezes, a melhor maneira de lidar com uma ofensa ou uma circunstância que nos tira do sério é simplesmente ignorá-la. Se insistirmos em chamar a atenção das pessoas por cada pequeno erro (discutindo por bobagens), não estaremos agindo com graça e misericórdia.

Cada membro de cada família na terra tem algum hábito irritante. Ninguém é perfeito. Em nossa casa, tenho hábitos que Dave gostaria que eu não tivesse e ele tem hábitos que eu gostaria que ele não tivesse. Por exemplo, Dave nem sempre fecha a porta do seu *closet*. Em nossos *closets*, a luz fica ligada se as portas estiverem abertas. Durante anos, tive dificuldade por ter de fechar a porta do *closet* para ele; eu sempre queria ter certeza de que Dave soubesse que havia deixado a porta aberta e que eu tive de fechá-la novamente!

Nossa natureza carnal realmente gosta de dizer às pessoas o que elas fizeram de errado e como nós consertamos o erro delas. A melhor maneira de lidar com a porta aberta do *closet* de Dave é fechá-la e continuar cuidando dos meus afazeres, e não dizer: "Você deixou a sua luz acesa de novo" todas as vezes que ele faz isso. Existem coisas semelhantes que Dave precisa fazer para mim. Há muitas vezes em que não sou perfeita e quero que ele cubra os meus erros.

No relacionamento entre adultos, tanto no casamento quanto em outros relacionamentos, precisamos cobrir os erros uns dos outros. Embora haja vezes em que as situações precisam ser confrontadas e resolvidas, há outras vezes em que as pessoas estão ocupadas ou com pressa e precisam simplesmente que entremos em cena e as cubramos, sem lembrar a elas vez após vez o que fizemos por elas.

As pessoas não querem ouvir a respeito de cada pequeno erro que cometeram. Eu realmente valorizo as vezes em que as pessoas cobrem os meus erros; creio que você também. Incentivo você a aplicar Provérbios

Confiando em Deus Dia a Dia   7 de Fevereiro

10:12 à sua vida diária. Antes de apontar o que alguém fez de errado, lembre-se de que o amor cobre as transgressões.

Confie Nele Qual é o hábito de um dos membros da sua família que lhe irrita? Você já tentou cobri-lo? Confiar em Deus significa obedecer à Sua Palavra, e a Sua Palavra nos diz para cobrir as transgressões. Semeie um pouco de misericórdia amorosa na vida de alguém hoje cobrindo os erros dessa pessoa.

7 de Fevereiro
Deixe Deus Trabalhar

Estamos certos e sabemos que [quando Deus é um parceiro no trabalho] todas as coisas cooperam [e se encaixam em um plano] para o bem e para aqueles que amam a Deus e são chamados de acordo com o [Seu] desígnio e propósito.

ROMANOS 8:28

Meu marido é um homem muito feliz; ele está constantemente alegre e em paz. Ao longo dos anos em que estamos casados, ele desfrutou a sua vida muito mais do que eu desfrutei a minha, e ele não gastou (desperdiçou) nem de longe tanto tempo quanto eu ficando irado, angustiado e frustrado.

Quando certos problemas surgem, Dave diz: "Se você puder fazer alguma coisa a respeito disso, faça. Se não puder, vá cuidar da sua vida, confie em Deus e deixe que Ele cuide disso". Isso sempre me pareceu uma boa ideia, mas eu costumava levar mais tempo para *"deixar para lá e deixar Deus trabalhar"* do que Dave, mas agora estou alcançando-o nessa área.

Recentemente, estávamos juntos no carro e Dave recebeu um telefonema a respeito de uma mudança na grade de horário de um de nossos programas de televisão. Acontece que aquele era um dos nossos melhores canais, e ele não gostou da mudança. Dave começou a ficar aborrecido, e eu me ouvi dizendo: "Não deixe que isso o perturbe. Deus fará isso cooperar para o bem se orarmos". Eu nem tive de tentar ser positiva; foi a minha primeira reação. Fico constantemente impressionada com o quanto Deus pode nos mudar se continuarmos orando e permitindo que Ele trabalhe em nossas vidas. Aqui estava eu, realmente encorajando o Sr. Positivo, quando durante a maior parte da minha vida havia ocorrido exatamente o contrário. Isso foi muito bom!

Se realmente amamos a Deus e queremos fazer a Sua vontade, então precisamos acreditar — independentemente do que aconteça em nossas

8 de Fevereiro

Confiando em Deus Dia a Dia

vidas — que Deus está no controle e que Ele pegará tudo o que acontecer e fará isso cooperar para o nosso bem. Certas circunstâncias talvez nem sempre sejam agradáveis ou pareçam ser boas, mas Deus fará com que elas cooperem com outras situações na sua vida para gerar o bem. Deus é bom, e Ele pode usar até as piores situações e tirar delas algo positivo.

Confie Nele Pense em uma situação em sua vida a respeito da qual você não pode fazer nada. Diga de coração: "Confio em Deus e creio que isto cooperará para o meu bem". Agora, deixe isso de lado e deixe Deus trabalhar.

8 de Fevereiro
Aprenda a Lidar com a Crítica

E quem não os receber, não os aceitar e não lhes der as boas-vindas, nem ouvir a sua mensagem, ao saírem dessa casa ou cidade, sacudam a poeira [disso] dos seus pés.

MATEUS 10:14

Todos os que são verdadeiramente bem-sucedidos na vida têm de lidar com a crítica. Às vezes, a crítica vem de pessoas que não entendem o que estamos fazendo, não veem o que estamos vendo, ou têm ciúmes do nosso sucesso. Às vezes, a crítica é legítima, mas não é feita de uma maneira útil. Aprender a lidar com ela da maneira de Deus é sempre um grande testemunho para as pessoas que nos cercam.

Em Mateus 10:10-14, Jesus diz aos Seus discípulos como lidar com a crítica ou com pessoas que não querem receber a mensagem deles. O conselho dele é: "Sacuda isso!" O próprio Jesus era criticado frequentemente, e Ele geralmente ignorava isso (ver Mateus 27:11-12). Muitas vezes, a melhor maneira de reagir à crítica é não dizer absolutamente nada. Mas quando você tiver de responder, eis algumas sugestões para lidar com a crítica da maneira de Deus:

- Não fique na defensiva. Lembre-se, Deus é a sua defesa; Ele é o seu vingador.
- Não fique irado ou irritado. Mantenha a sua paz, porque a paz gera poder.
- Não retalie com crítica contra o seu crítico.
- Não presuma que o seu crítico está errado sem que você esteja disposto a fazer um autoexame.

Confiando em Deus Dia a Dia   9 de Fevereiro

- Não presuma que o seu crítico está certo nem comece a se sentir culpado sem consultar a Deus.
- Agradeça aos seus críticos, porque eles o ajudam a ver as coisas que outros não veriam.

A Bíblia diz que só um tolo odeia a correção (ver Provérbios 12:1), e embora eu creia que isso é verdade, devo dizer que na minha vida só conheci uma pessoa que posso dizer honestamente que gostava de ser corrigido — e não era eu, embora gostaria de poder dizer que era. Provavelmente, como a maioria de vocês, estou em algum lugar entre detestar a correção e amá-la, mas estou me esforçando para ter uma atitude positiva com relação a ela, assim como tudo o mais na vida.

Confie Nele Como você tem lidado com a crítica? Deus quer que você seja bem-sucedido, e um grande passo nesse processo é entender que você pode confiar a Ele a sua reputação. Você será criticado — faz parte da vida — mas Deus está com você, portanto você pode lidar com isso com uma atitude positiva.

9 de Fevereiro

Preste Atenção ao Seu Coração

Que aqueles que são sábios entendam estas coisas. Que aqueles que têm discernimento ouçam com atenção. Os caminhos do Senhor são verdadeiros e retos, e os justos vivem andando neles.
OSEIAS 14:9

Há mais no que se refere à vida do que os olhos podem ver — principalmente os olhos naturais. As coisas nem sempre são o que parecem ser, de modo que precisamos aprender a ter discernimento. Em uma definição simples, o discernimento é o entendimento espiritual, e desenvolvê-lo requer prática. À medida que crescemos no entendimento da Palavra de Deus e no relacionamento com Ele, também crescemos em nossa capacidade de discernir.

Para viver pelo discernimento, temos de prestar atenção ao nosso coração. Temos de saber quando não nos sentimos bem com relação a alguma situação. Por exemplo, digamos que um homem de negócios esteja procurando certo tipo de acordo de negócios por algum tempo, e uma oportunidade finalmente se apresente. À medida que ele revê a documentação, o acordo parece ser bom. Mas quando ele começa a orar a respeito de entrar

45

10 de Fevereiro

Confiando em Deus Dia a Dia

no negócio ou não, ele sente que não deve fazer isso. Embora tudo pareça estar em ordem, ele não sente paz quanto ao negócio. Quanto mais ora, mais ele sente que não deve fazer negócio com as pessoas envolvidas no acordo. O homem está olhando além dos elementos naturais do negócio e usando o seu discernimento.

A melhor maneira de ajudá-lo a viver pelo discernimento é dando este conselho simples: se você não se sente bem com alguma coisa no seu coração, não faça isso. Você pode descobrir mais tarde por que não se sentiu bem a respeito, mas talvez não descubra. De uma forma ou outra, você pode ficar em paz sabendo que usou o seu discernimento em vez de tomar decisões fundamentadas na sua mente, nas suas emoções ou nas circunstâncias naturais. O discernimento é um dom precioso de Deus que o ajudará a evitar muitos problemas na vida se você prestar atenção a ele.

Confie Nele Quando foi a última vez que alguma coisa não pareceu bem ao seu coração? Ore e peça a Deus para desenvolver e aumentar o seu discernimento enquanto você estuda a Sua Palavra. Quando algo não parece bem ao seu coração, você pode confiar que Deus está lhe dizendo que essa não é a vontade dele para a sua vida.

10 de Fevereiro
Ouça a Voz de Deus

E os seus ouvidos ouvirão uma palavra atrás de vocês, dizendo: este é o caminho, andem por ele...

ISAÍAS 30:21

Na maior parte do tempo, Deus não fala conosco em uma voz audível. Nós o ouvimos em nossos corações. Às vezes, Ele fala nos lembrando de uma verdade ou princípio da Sua Palavra; às vezes, Ele nos dá pensamentos ou ideias que não poderíamos ter por nós mesmos; às vezes, simplesmente temos uma forte sensação de certeza do que fazer. Precisamos aquietar todo o ruído de nossas vidas e nos tornar sensíveis à voz mansa e suave de Deus. Precisamos escolher ouvir a Deus, porque Ele falará conosco.

Deus não fala apenas nas questões urgentes ou importantes da vida. Ele também nos guia nas situações aparentemente mais insignificantes. Eu estava a caminho de casa um dia e pretendia parar e tomar uma xícara de café, quando tive uma forte impressão de que devia ligar para a minha secretária e ver se ela queria uma xícara também. Quando telefonei, ela

Confiando em Deus Dia a Dia   11 de Fevereiro

disse: "Eu estava exatamente aqui pensando: *adoraria tomar uma xícara de café agora*". Veja, Deus queria dar a ela o desejo do seu coração, e Ele queria me usar para fazer isso. Eu não ouvi uma voz alta nem vi um anjo, nem tive uma visão; simplesmente tive uma sensação interna de que deveria oferecer a ela uma xícara de café. O resultado foi que nós duas tivemos grande alegria em saber que Deus se importa com os mínimos detalhes de nossas vidas. Muitas vezes ignoramos pequenas coisas como essa. Quanto mais fazemos isso, mais difícil é desenvolver a sensibilidade ao Espírito Santo. Se alguém está em seu coração, incentivo você a orar por essa pessoa ou telefonar para ela e dizer: "Eu estava pensando em você neste instante". Nunca se sabe como uma coisa aparentemente pequena como um telefonema pode alterar o dia de uma pessoa, ou talvez até mudar a vida de alguém. Deixe-me encorajá-lo hoje a manter o seu coração sensível à voz de Deus. Ele falará ao seu coração e o conduzirá pelo caminho em que você deve seguir.

Confie Nele Lembre-se disto: cada vez que desobedecemos a Deus, torna-se mais difícil ouvi-lo da próxima vez que Ele falar; mas todas as vezes que confiamos nele, torna-se mais fácil ouvir e ser guiado pelo Seu Espírito. O que Deus está dizendo a você hoje?

11 de Fevereiro
A Escolha É Sua

Eu, o Senhor, o instruirei e lhe ensinarei o caminho que você deve seguir; Eu o aconselharei tendo os Meus olhos sobre você. Não seja como o cavalo ou a mula, aos quais falta entendimento, que precisam ser mantidos firmes pela boca com freios e cabrestos, do contrário não obedecerão.

SALMOS 32:8-9

Nesses versículos, Deus deixa claro o Seu desejo de nos guiar e conduzir, mas Ele também nos diz para não sermos teimosos. Precisamos segui-lo de modo voluntário e alegremente.

Trabalhei em uma igreja em St. Louis durante cinco anos. Eu realmente gostava do meu trabalho ali, mas chegou um tempo em que Deus quis que eu passasse para algo novo. Ele me disse: "Agora quero que você pegue este ministério e vá para o norte, o sul, o leste e o oeste. Não preciso mais de você aqui. Quero que você saia deste lugar".

47

12 de Fevereiro

Confiando em Deus Dia a Dia

Esse lugar era onde o meu ministério havia começado. Eu tinha um trabalho que me realizava, um salário regular, e o meu nome na porta do escritório. Mas Deus disse: "Já terminei com você aqui". *Como é possível?* perguntei-me. *Afinal, sou uma coluna desta igreja. Como este lugar pode continuar sem mim?* Continuei trabalhando na igreja por um ano inteiro depois que Deus me disse para sair, e aquele ano foi absolutamente desastroso. Eu não entendia por que estava tão infeliz, por que parecia que não havia sentido em fazer algo que, nos anos anteriores, eu sentia grande prazer em fazer.

Finalmente, certa manhã, clamei a Ele: "Deus, o que está errado?"

Ele falou ao meu coração: "Joyce, Eu lhe disse há um ano para sair e você ainda está aqui".

Isso foi tudo o que Ele disse.

Deus não nos obrigará a segui-lo. Ele nos dá o dom da escolha, portanto podemos decidir se vamos obedecer à Sua direção ou não. Ele falará; Ele guiará; Ele conduzirá; Ele deixará claro os Seus planos e desejos. Mas não imporá a Sua vontade a nós; precisamos escolher conscientemente e deliberadamente segui-lo.

Confie Nele Deus lhe pediu para fazer algo ou para deixar alguma coisa e você não obedeceu? Você está se recusando teimosamente a confiar que Ele sabe o que é melhor? Recomendo que você escolha seguir a Cristo.

12 de Fevereiro

Pare de Conseguir e Comece a Receber

E recebemos dele tudo o que pedimos, porque obedecemos (vigilantemente) às Suas ordens [observamos as Suas sugestões e injunções, seguimos o Seu plano para nós] e praticamos [habitualmente] o que é agradável a Ele.

1 JOÃO 3:22

Costumamos perguntar às pessoas se elas "conseguiram" alguma coisa, especialmente quando falamos acerca de assuntos espirituais. "Você *conseguiu* dar a volta por cima?", queremos saber, ou "Você *conseguiu* a sua bênção?" A ideia de *conseguir* coisas de Deus é bíblica? A Bíblia nos ensina acerca de *receber* e não de *conseguir*. A diferença entre conseguir e receber é significativa. "Conseguir" significa "obter por meio de esforço e luta".

Confiando em Deus Dia a Dia
13 de Fevereiro

Quando tudo na sua vida exige esforço, a vida se torna frustrante e exaustiva — e não é esse o tipo de vida abundante que Jesus veio para nos dar. Ao contrário, Deus quer que vivamos com uma tranquilidade santa, com uma graça que nos impede de nos esforçarmos e lutarmos o tempo todo na vida. Isso não significa que tudo será fácil, mas significa que até as coisas difíceis podem ser feitas com um senso da presença e da ajuda de Deus.

"Conseguir" coloca sobre nós o fardo de termos de resolver as coisas, de manipular as circunstâncias e de tentar forçar as situações para que elas ocorram de determinada maneira. Receber, por outro lado, significa que simplesmente tomamos o que está sendo oferecido liberalmente. Não nos esforçamos; simplesmente relaxamos e desfrutamos o que vem até nós.

Deus quer nos dar muito mais do que podemos imaginar. Ele está esperando para derramar bênçãos em nossas vidas, e nós precisamos saber como receber — tanto dele quanto dos outros. Às vezes, Deus trabalha milagrosamente para suprir as nossas necessidades, mas Ele frequentemente trabalha por meio de outras pessoas. Se orarmos por ajuda, precisamos deixar Deus escolher como e por intermédio de quem Ele a enviará. Não devemos ficar constrangidos por estarmos necessitados, porque todos nós somos necessitados de uma forma ou outra. Deus não pretendeu que fôssemos tão independentes, a ponto de nunca precisarmos de ajuda.

Confie Nele Você está lutando e se esforçando para "conseguir" alguma coisa de Deus? Pare de "conseguir" e comece a receber. Ele *quer* abençoar você! Confie em Deus e receba pela fé o que você pediu.

13 de Fevereiro
Você Sempre Tem de Estar Certo?

O orgulho vem antes da destruição, e o espírito altivo precede a queda.

PROVÉRBIOS 16:18

Você já esteve absolutamente seguro de que estava certo a respeito de alguma coisa? Sua mente parecia ter um reservatório dos fatos e detalhes para provar que você estava certo — mas você acabou estando errado. O que você fez? Você admitiu o seu erro, ou continuou insistindo e tentando encontrar uma maneira de defender a sua posição?

14 de Fevereiro

No passado, quando o meu marido e eu estávamos assistindo a um filme ou a um programa de televisão, costumávamos discutir a respeito de quais atores e atrizes estavam desempenhando os papéis. Parecia-me que Dave achava que Henry Fonda fazia todos os personagens nos filmes. "Oh, veja", ele dizia, enquanto assistíamos a um filme na televisão. "Henry Fonda está neste filme".

"Este não é Henry Fonda", eu respondia, e começávamos a discutir e a bater boca. Ambos estávamos tão decididos a estar certos que insistíamos em ficar acordados até muito mais tarde do que deveríamos apenas para poder ver os créditos no final do filme. Então um de nós podia dizer: "Viu? Eu lhe disse!"

Por que queremos tão desesperadamente estar certos em tudo? Por que é tão difícil estar errado? Por que é tão importante para nós "vencer" uma discordância?

Durante anos senti-me mal com relação a quem eu era, e para sentir alguma confiança, eu tinha de estar certa o tempo todo. Então eu discutia e ia a extremos incríveis para provar que estava certa. Eu vivia frustrada enquanto tentava convencer a todos de que eu sabia o que estava falando.

Apenas quando a minha identidade passou a estar arraigada e firmada em Cristo foi que comecei a experimentar libertação nessa área. Agora sei que o meu valor não vem de parecer certa aos olhos dos outros. Confiar no que Jesus diz sobre mim é suficiente.

Confie Nele Você sempre tem de estar certo? Ore e comprometa-se a confiar que aquele que Deus o criou para ser e o Seu amor por você são mais valiosos do que a confiança ou o orgulho que vêm de se sentir certo.

14 de Fevereiro
A Humildade Gera Harmonia

Existem aqueles que falam asperamente, como o corte de uma espada, mas a língua dos sábios traz cura.

PROVÉRBIOS 12:18

Durante muito tempo eu fui uma especialista em tentar convencer os outros de que o meu jeito era o jeito certo, mas à medida que o Espírito Santo me convenceu nessa área, aprendi a ficar quieta quando estou no meio de um desentendimento.

Confiando em Deus Dia a Dia

15 de Fevereiro

Tanto Dave quanto eu aprendemos a ouvir o Espírito Santo nessa área. Há vezes em que simplesmente não concordamos. Meu marido é muito adaptável e condescendente. Mas há certas questões acerca das quais nós dois temos opiniões muito fortes, e ninguém vai convencer nenhum de nós de que estamos errados, exceto o próprio Deus.

Às vezes, Deus convence Dave, e às vezes, Ele me convence. Se eu insistir na questão tentando convencer Dave, a harmonia do nosso relacionamento é destruída e a contenda entra em nossas vidas. Mas se eu me humilhar sob a poderosa mão de Deus e esperar nele, aprendi que Ele, e só Ele, é capaz de convencer o meu marido em certas situações.

Agora, toda vez que Dave e eu somos tentados a defender o nosso orgulho, insistindo que estamos certos, Deus nos capacitou a dizer: "Acho que estou certo, mas posso estar errado". É absolutamente espantoso quantas discussões temos evitado ao longo dos anos usando esse simples ato de humildade. Descobri que quando obedeço aos apelos do Espírito Santo, um relacionamento pode se tornar harmonioso outra vez.

Entregue a sua necessidade de estar certo a Deus, e veja os seus relacionamentos melhorarem. Você descobrirá que um grande poder espiritual é liberado quando há unidade e harmonia.

Confie Nele Pare de tentar convencer o seu cônjuge ou os seus amigos de alguma coisa para mudá-los, ou porque você quer estar certo. Se você quiser desfrutar relacionamentos livres de problemas e harmoniosos, pare de tentar controlar as pessoas e fique quieto, e confie em Deus para cuidar de toda e qualquer situação em que você se encontre.

15 de Fevereiro
A Importância da Unidade

Oh, como é bom e agradável que os irmãos vivam juntos em união!
É como o orvalho do [imponente] Monte Hermon e o orvalho que
vem sobre os montes de Sião; pois ali o Senhor ordenou a bênção, e
a vida para sempre [sobre os exaltados e os humildes].

SALMOS 133:1, 3

Amo esse Salmo porque este princípio é muito poderoso: a vida é agradável quando as pessoas vivem em unidade e mantêm a contenda (o conflito) fora de suas vidas. Em contrapartida, não existe nada pior do que

16 de Fevereiro

Confiando em Deus Dia a Dia

um lar ou um relacionamento no qual há uma tendência oculta a conflitos e contendas.

Talvez seja por isso que a unidade foi uma das últimas coisas pelas quais Jesus orou antes de ser preso e crucificado. Durante a Última Ceia, Ele orou: "Que eles sejam um, [assim] como Tu, ó Pai, estás em Mim e eu em Ti, que eles também sejam um em Nós, para que o mundo creia e se convença de que Tu Me enviaste" (João 17:21).

Você pode ser capaz de pregar um sermão ou memorizar versículos bíblicos. Pode fazer muitas boas obras e compartilhar a mensagem da salvação com outros. Entretanto, se você fizer tudo isso, mas estiver vivendo em contenda, e não em unidade, sua vida não terá paz, alegria ou bênção.

Se você está se perguntando por que não está experimentando mais do poder e da bênção de Deus em sua vida, olhe para os seus relacionamentos. Você tem contendas com o seu cônjuge, com os seus filhos, com os seus colegas de trabalho ou com os seus irmãos na fé? Você gera conflitos ou participa deles na sua igreja ou no trabalho?

Faça tudo o que você puder para manter a contenda fora da sua vida e viver em paz. Lembre-se, onde há unidade, haverá também unção e bênção.

Confie Nele Pense nos seus relacionamentos. O que você vê neles que poderia estar impedindo o fluir da bênção de Deus em sua vida? Deus quer que você viva em unidade e seja abençoado. Você pode confiar nele para ajudá-lo a colocar a sua vida nos trilhos, mas precisa estar disposto a fazer a sua parte e permanecer em paz e unidade.

16 de Fevereiro

Quatro Princípios para uma Vida Diária Bem-sucedida

> *Que aquele que deseja desfrutar a vida e ver dias bons [bons — quer isto seja aparente ou não] guarde a sua língua do mal e os seus lábios de falarem dolosamente (em traição, engano). Que ele se desvie do mal e o evite, e faça o que é certo. Que ele busque a paz... e a busque ansiosamente...*

> 1 PEDRO 3:10-11

Gosto de ler essa passagem e mergulhar no poder dos seus princípios para uma vida diária bem-sucedida. Ela dá quatro princípios específicos para aqueles que querem desfrutar a vida:

Confiando em Deus Dia a Dia   17 de Fevereiro

1. **Guarde a sua língua do mal.** A Palavra de Deus afirma claramente que o poder da vida e da morte está na língua. Podemos gerar bênção ou infelicidade em nossas vidas com as nossas palavras. Quando falamos asperamente, costumamos dar início a discussões, portanto, escolha as suas palavras com cuidado.

2. **Desvie-se do mal.** Precisamos tomar uma atitude para nos afastarmos da maldade ou de um ambiente maligno. A ação que precisamos tomar poderia significar alterar as nossas amizades; poderia até significar um período de solidão. Mas você pode sempre confiar que Deus estará com você.

3. **Faça o que é certo.** A decisão de fazer o que é certo deve seguir a decisão de parar de fazer o que é errado. Ambas são escolhas definitivas. O arrependimento tem dois aspectos: ele exige que *nos desviemos* do pecado e que nos voltemos *para a* justiça.

4. **Busque a paz.** Observe que devemos buscar por ela, persegui-la, e ir atrás dela. Não podemos meramente *desejar* a paz sem qualquer ação que acompanhe esse desejo, mas devemos *desejar* a paz *com* uma ação. Precisamos buscar a paz no relacionamento com Deus e com os outros.

   Quando comecei a viver de acordo com esses princípios, não apenas os meus relacionamentos melhoraram, mas também a minha saúde, a minha atitude e todas as áreas da minha vida. O mesmo acontecerá com você.

Confie Nele Em qual desses quatro princípios você precisa trabalhar mais? Concentre-se em uma área de cada vez, e confie em Deus para lhe dar o poder para viver uma mudança, a fim de que você possa desfrutar a sua vida diária.

17 de Fevereiro
Deus Quer Cuidar de Você

Porque nós [os cristãos] somos a verdadeira circuncisão, nós que adoramos a Deus em espírito e pelo Espírito de Deus e exultamos e nos gloriamos e nos orgulhamos em Jesus Cristo, e não colocamos confiança ou dependência [no que somos] na carne, nos privilégios externos, nas vantagens físicas e nas aparências externas.

FILIPENSES 3:3

18 de Fevereiro

Confiando em Deus Dia a Dia

Se escolhermos colocar a nossa fé (confiança) em nós mesmos, aprenderemos bem depressa que os cuidados com nós mesmos não geram resultados sobrenaturais. Durante anos me desgastei mental, emocional e fisicamente tentando cuidar de mim mesma, em vez de lançar os meus cuidados em Deus e de confiar nele para cuidar de mim. Por causa do abuso sexual e emocional que sofri quando criança nas mãos de pessoas que deveriam ter cuidado de mim, e novamente durante o meu primeiro casamento, eu pensava que eu era a única pessoa em quem podia confiar. Eu não entendia que os meus esforços para cuidar de mim mesma apenas estavam aumentando os problemas nos meus relacionamentos e na vida.

O livro de Tiago nos mostra claramente como a contenda vem à medida que tentamos suprir as nossas próprias necessidades, em vez de confiarmos em Deus: "O que leva às contendas (discórdias e rixas) e como os conflitos (discussões e brigas) se originam entre vocês? Não surgem eles dos seus desejos sensuais que estão sempre guerreando nos seus membros mortais? Vocês têm ciúmes e cobiçam [o que os outros têm] e os seus desejos não são satisfeitos; [assim] vocês se tornam assassinos. [Odiar é assassinar no que se refere ao seu coração]. Vocês ardem de inveja e raiva e não conseguem obter [a gratificação, o contentamento e a felicidade que buscam], então vocês lutam e guerreiam. Vocês não têm porque não pedem" (Tiago 4:1-2).

Quando você se sente frustrado, geralmente é porque você está tentando fazer o que só Deus pode fazer. Pare de tentar cuidar de si mesmo e comece a confiar mais em Deus. Peça a Deus o que você quer e precisa e confie que Ele lhe dará isso no Seu tempo e do Seu modo.

Confie Nele Enquanto estamos tentando cuidar de nós mesmos, não estamos deixando Deus cuidar de nós totalmente da maneira que Ele quer. Em que áreas da sua vida você está confiando em si mesmo, em vez de confiar em Deus? Agradeça a Ele por cuidar de você, e peça a Ele para ajudá-lo a colocar a sua confiança nele.

18 de Fevereiro
Deus Honra a Nossa Confiança Nele

Ele clamará a Mim, e Eu lhe responderei; estarei com ele na tribulação, vou livrá-lo e honrá-lo.

SALMOS 91:15

Muitas pessoas têm dificuldade de confiar em Deus devido a mágoas passadas. Mas Deus não é como as pessoas que nos magoaram. Podemos confiar nele!

Confiando em Deus Dia a Dia   19 de Fevereiro

Embora Deus queira cuidar de nós, Suas mãos estão atadas pela nossa incredulidade e pelas obras da nossa carne. Ele é um cavalheiro e não assumirá o comando sem ser convidado a fazer isso. Deus espera até nos ver abrir mão do trabalho de cuidar de nós mesmos e colocar a nossa confiança nele. A lei da fé, mencionada em 1 Pedro 5:7, é esta: *Quando você deixa de tentar cuidar de si mesmo, libera Deus para cuidar de você!* (Paráfrase).

Descobri que é muito difícil andar em obediência a Deus e em amor pelos outros se o meu principal interesse for que "eu" não me magoe nem permita que tirem vantagem de mim. Entretanto, quando eu permito que Deus seja Deus em minha vida, Ele honra três promessas distintas que faz no Salmo 91:15: Ele estará comigo na tribulação, Ele me livrará, e Ele me honrará.

A honra é um lugar de exaltação. Quando Deus honra um crente, Ele levanta ou exalta essa pessoa. Quando abrimos mão e não tentamos cuidar de nós mesmos, estamos admitindo que precisamos da ajuda de Deus. Esse é um ato de humildade, e esse ato de fé nos coloca em linha direta com a exaltação de Deus. Pedro escreveu: "Portanto humilhem-se [desçam, abaixem-se na sua própria avaliação] sob a potente mão de Deus, para que no devido tempo Ele possa exaltá-los..." (1 Pedro 5:6).

Quando confiamos em Deus, estamos na posição para receber uma promoção. Deus nos honrará e nos recompensará quando colocarmos a nossa fé nele. No sistema deste mundo, você trabalha duro e depois recebe a sua recompensa. Na economia de Deus, você confia nele profundamente e depois recebe a sua recompensa.

Confie Nele Quando confiamos em nós mesmos, isso leva à contenda e mostra que não confiamos em Deus para fazer o que Ele diz na Sua Palavra — estar conosco, nos livrar e nos honrar. Quando confiamos em Deus, porém, isso leva à recompensa da paz — paz dentro de nós mesmos, paz com Deus e paz com os outros.

19 de Fevereiro

Faça Amizade Com Você Mesmo

...ame o seu próximo como a si mesmo...

MARCOS 12:33 (NVI)

Você está em paz consigo mesmo? Considerando que passamos mais tempo com nós mesmos do que com qualquer outra pessoa, não gostar de quem somos é um grande problema. Afinal, não podemos fugir de nós

20 de Fevereiro

Confiando em Deus Dia a Dia

mesmos. E se não gostamos de quem somos, em geral também não gostamos de mais ninguém.

Isso aconteceu comigo. Eu sofri por não gostar de mim mesma por muitos anos, mas não percebia isso. Também não entendia que a minha rejeição e ódio por mim mesma eram o motivo pelo qual eu não convivia bem com a maioria das pessoas e a razão pela qual a maioria das pessoas não conseguia conviver bem comigo.

A maneira como nos vemos é a maneira como os outros nos veem. Vemos esse princípio ilustrado em Números 13, quando os doze espias que Moisés enviou para investigar a Terra Prometida voltaram da sua expedição. Dez dos espias fizeram um relato muito negativo: "Ali vimos os Nefilins (ou gigantes), os filhos de Anaque, que descendem dos gigantes; *e éramos aos nossos próprios olhos como gafanhotos, e assim éramos aos olhos deles*" (Números 13:33, grifos da autora).

Porque dez dos espias se viam como "gafanhotos", o inimigo deles os viu como gafanhotos também. Como podemos esperar que os outros nos aceitem se rejeitamos a nós mesmos? Como podemos esperar ter paz com outras pessoas, se não temos paz conosco mesmos?

A Palavra de Deus nos garante que temos um grande valor por causa de quem somos — filhos amados de Deus. O que eu faço nem sempre é perfeito. Mas ainda sei quem sou — uma filha de Deus a quem Ele ama muito.

Você tem uma dignidade e um valor incríveis. Você é especial para Deus, e Ele tem um bom plano para a sua vida (ver Jeremias 29:11). Você foi comprado com o sangue de Cristo (ver Atos 20:28). A Bíblia se refere ao "sangue precioso de Cristo", indicando que Cristo pagou um preço realmente alto para resgatar você e eu (1 Pedro 1:19). Creia que você é um filho amado de Deus. A verdade trará cura à sua alma e libertação à sua vida.

Confie Nele Você tem amizade consigo mesmo? Gosta da sua companhia? Confie que o seu valor vem de quem você é em Cristo e comece a se amar como você o ama!

20 de Fevereiro

A Sua Fraqueza É a Força Dele

...Deus escolheu (selecionou deliberadamente) o que no mundo é loucura para envergonhar os sábios, e o que o mundo chama de

Confiando em Deus Dia a Dia   20 de Fevereiro

fraqueza para envergonhar os fortes. E Deus também escolheu (selecionou deliberadamente) o que no mundo é ignóbil, insignificante, estigmatizado e tratado com desdém, e até mesmo as coisas que nada são, para que Ele pudesse destituir e reduzir a nada as coisas que são, para que nenhum homem mortal possa [tenha a pretensão de se gloriar e] se gabar na presença de Deus.

1 CORÍNTIOS 1:27-29

A Bíblia contém muitos exemplos de pessoas fracas por meio das quais Deus escolheu realizar grandes coisas para a Sua glória, inclusive os Seus discípulos. Eles eram homens comuns que possuíam fraquezas, assim como você e eu.

Os evangelhos sugerem claramente que Pedro era um pescador rude e explosivo, que demonstrava impaciência, ira e fúria. Em um momento crucial, ele estava com tanto medo que descobrissem que ele era um seguidor de Jesus que sucumbiu à covardia — ele negou que até mesmo conhecesse Jesus. André parecia ter o coração mole demais para ser um líder; Tomé era um homem cheio de dúvidas, que tinha medo de colocar a sua confiança em seu Líder.

E havia Mateus. Os líderes religiosos da época ficaram escandalizados por Jesus considerar a simples hipótese de socializar-se com aquele simplório coletor de impostos. Imagine o horror deles quando Jesus foi jantar com Mateus e convidou-o para se tornar um dos Seus seguidores e um dos Seus relacionados mais chegados.

Provavelmente o único homem que os líderes religiosos teriam considerado digno de alguma admiração era Judas. Aos olhos do mundo, Judas tinha qualidades empresariais e de personalidade que traduziam sucesso. Mas os maiores pontos fortes naturais dele se tornaram as suas maiores fraquezas — e levaram sua vida à destruição.

Acho interessante que aquele que o mundo recomendaria, Jesus rejeitou. E aqueles que o mundo rejeitou, Jesus disse, na essência: *"Entreguemnos a Mim. Não Me importa quantas falhas eles tenham. Se eles confiarem em Mim, posso fazer coisas grandes e poderosas por meio deles".*

Confie Nele Deus vê as suas fraquezas como a oportunidade dele, porque quando você depende dele na fraqueza, Ele mostra a Sua força por meio de você. Confie nele para fazer coisas grandes e poderosas por meio da sua fraqueza.

21 de Fevereiro   Confiando em Deus Dia a Dia

21 de Fevereiro

Lembre Sempre: Ele Escolheu Você!

...permaneçam em Mim, e Eu permanecerei em vocês. [Vivam em Mim, e Eu viverei em vocês]. Assim como nenhum ramo pode dar frutos de si mesmo sem permanecer ligado (estando vitalmente unido) à videira, vocês também não podem dar fruto se não permanecerem em Mim. Eu sou a Videira; vocês são os ramos. Aquele que vive em Mim e Eu nele dá muito (abundante) fruto. Entretanto, sem Mim [cortados da união vital comigo] vocês nada podem fazer.

JOÃO 15:4-5

Durante anos tentei combater as minhas imperfeições e mudar a mim mesma, mas nunca fiz muito progresso. Eu tinha muitas características que não seriam adequadas a uma pregadora da Palavra, mas acreditava que Deus havia me chamado para ministrar em Seu nome, e porque me chamou, Ele me encheu do desejo de fazer isso. Então, tentei ser tudo que eu pensava que Deus queria que eu fosse. Eu determinava, decidia e exercia todo o domínio próprio que podia.

Embora eu tenha melhorado, ainda havia aqueles momentos terríveis em que o verdadeiro eu vinha à tona. Estou certa de que durante aqueles momentos as pessoas olhavam para mim e diziam: "De jeito nenhum! Deus não pode estar chamando você para fazer nada de importante para Ele".

Eu queria acreditar em Deus e acreditar no que o meu coração estava me dizendo, mas ouvia as vozes das pessoas, e deixava que a opinião delas me afetasse. Também ouvia o diabo, que fazia um relatório diário de todas as minhas falhas e imperfeições. Ele me lembrava de quantas vezes eu havia tentado mudar e falhara.

Então, depois de passar anos me perguntando "Como Deus pode um dia me usar?", o Senhor finalmente me mostrou que a minha vitória constante dependia de permanecer e depender constantemente dele. Conhecer essa verdade me obriga a contar com Ele continuamente. Minha necessidade me impulsiona a buscá-lo e a depender dele todo o tempo. Pela graça de Deus, finalmente passei a acreditar que Ele me escolheu deliberadamente. Eu não fui um "último recurso". Ele me escolheu!

Confie Nele Você está tentando mudar a si mesmo, por si mesmo? Você não pode dar glória a Deus por meio da sua vida se não confiar nele, permanecer nele e depender dele. Lembre-se de que Ele escolheu você, quer usar você, e é digno do seu louvor!

Confiando em Deus Dia a Dia

22 de Fevereiro

Pare de Implicar Consigo Mesmo

...Todavia [quanto a mim pessoalmente] importa-me muito pouco ser julgado por vocês [quanto a este ponto], ou que qualquer outro tribunal humano me investigue, questione e interrogue. Nem eu tampouco me coloco em julgamento e julgo a mim mesmo.

1 CORÍNTIOS 4:3

Você está tendo dificuldades com os julgamentos e opiniões dos outros a seu respeito? Veja o comentário de Paulo a respeito da crítica de terceiros. Algumas pessoas estavam questionando a fidelidade de Paulo. Ele não tentou se defender nem ficou irado. Ele disse simplesmente: "Não me importa o que vocês pensam. Nem eu julgo a mim mesmo". Paulo sabia que se ele estivesse fora da linha, Deus o corrigiria, de modo que ele não tinha de se preocupar com o que as pessoas pensavam. Muitas vezes eu abri a Bíblia nessa passagem e mergulhei nela, confiando no poder da Palavra de Deus para me livrar do juízo próprio e da crítica. É fácil me concentrar nas minhas falhas e implicar com as coisas que não gosto a meu respeito.

Não devemos julgar uns aos outros ou a nós mesmos. Paulo escreveu aos romanos: "Quem são vocês para julgar e censurar o servo da casa de outros? É perante o seu próprio senhor que ele está de pé ou cai. E ele se levantará e será mantido de pé, pois o Mestre (o Senhor) é poderoso para sustentá-lo e fazê-lo ficar de pé" (Romanos 14:4).

Estamos em pé porque Jesus nos sustenta. Quando as crianças aprendem a andar, seus pais sempre estão por perto, segurando as suas mãos e ajudando-as a manter o equilíbrio, para que elas não caiam e se machuquem. Estamos em pé porque o nosso Pai nos sustenta e nos mantém em pé! Somos sustentados pelo Seu poder, e não pelo nosso.

Encorajar uma pessoa e falar a verdade acerca da vida dela, quando Deus lhe pede para fazer isso, é algo saudável e maravilhoso — mas nunca é certo emitir um julgamento rápido e desrespeitoso. Nossos julgamentos com base nas aparências externas não contêm toda a informação e a sabedoria que Deus tem — é por isso que nós deixamos isso com Ele!

Confie Nele Confie no poder da Palavra de Deus para ajudá-lo a parar de implicar consigo mesmo. Considere as palavras de Paulo aos coríntios: "Não me importa o que vocês pensam. Nem eu julgo a mim mesmo".

59

23 de Fevereiro
Você Pode Remover "Barricadas Espirituais"

Bom para mim é aproximar-me de Deus; coloquei a minha confiança no Senhor Deus e fiz dele o meu refúgio, para que eu possa contar todas as Tuas obras.

SALMOS 73:28

Há muitos exemplos na Palavra de Deus de homens e mulheres que passaram por períodos de questionamentos e dúvidas, colocando a culpa em Deus e até criticando-o. Mas perceberam que estavam sendo tolos. Eles se arrependeram e voltaram a confiar em Deus em vez de ficarem irados com Ele.

O salmista é uma dessas pessoas. Eis a minha paráfrase da progressão que ele faz da ira à confiança no Salmo 73: "Deus, sem dúvida parece que os maus prosperam e se dão melhor do que eu. Estou tentando viver uma vida piedosa, mas parece que isso não está adiantando em nada. Parece que é tudo em vão. Não estou tendo nada, exceto problemas, e quando tento entender, a dor é demasiada para mim, Entretanto, passei tempo contigo, e posso entender que no fim os maus chegarão à ruína e destruição. Meu coração estava sofrendo. Eu estava amargurado e angustiado. Fui tolo, ignorante e portei-me como um louco. Agora vejo que Tu estás continuamente comigo. Tu seguras a minha mão direita. A quem tenho eu no céu, Deus, senão a Ti? Quem me ajudará? Se não o fizeres, não há ninguém na terra que possa ajudar-me. Tu és a minha força e a minha porção para sempre. É bom para mim confiar em Ti, ó Senhor, e fazer de Ti o meu refúgio" (vv. 12-28).

Se você está preso em um estado de amargura com relação a Deus, encorajo-o a passar pelo processo do perdão. A ira contra Deus é uma "barricada espiritual" — talvez mais forte que qualquer outra. Por quê? Simplesmente porque a ira fecha a porta para o Único que pode ajudar, curar, consolar e restaurar as nossas emoções, os nossos relacionamentos e as nossas vidas. Embora Deus não precise do nosso perdão, precisamos perdoá-lo e nos arrepender para sermos libertos da amargura e do ressentimento. Se temos abrigado rancor contra Deus, precisamos perdoá-lo para podermos experimentar o Seu poder e a Sua bênção em nossas vidas e em nossos relacionamentos.

Confie Nele Não é errado sentir raiva, mas você precisa entender depressa que não tem motivos para se apegar à ira contra Deus,

Confiando em Deus Dia a Dia

24 de Fevereiro

Aquele que sabe o que é melhor para você. Não permita que uma "barricada espiritual" lhe impeça de confiar nele.

24 de Fevereiro

Vivam em Paz Uns com os Outros

E quando ouviram isto, ergueram suas vozes a Deus em unanimidade de mente...

ATOS 4:24

A igreja de Atos tinha um grande poder espiritual, porque eles tinham a mesma visão, o mesmo objetivo, e estavam todos seguindo rumo ao mesmo alvo. Eles oravam em concordância (ver Atos 4:24), viviam em harmonia (ver Atos 2:44), importavam-se uns com os outros (ver Atos 2:46), supriam as necessidades uns dos outros (ver Atos 4:34), e viviam uma vida de fé (ver Atos 4:31). A igreja primitiva, como descrita em Atos, vivia em unidade e paz. Mas quando começou a se dividir em várias facções com opiniões diferentes, o poder da igreja diminuiu. As pessoas que não conseguiam permanecer em concordância devido ao orgulho e a outros problemas relacionados fizeram a igreja se dividir em muitos grupos diferentes.

Os crentes da igreja de Corinto eram pessoas como nós, pessoas que tinham relacionamento umas com as outras, que discutiam por coisas triviais que deviam ter deixado para trás. Vemos em 1 Coríntios 1:12: "O que quero dizer é isto, que cada um de vocês diz: eu pertenço a Paulo, ou eu pertenço a Apolo, ou eu pertenço a Cefas (Pedro), ou eu pertenço a Cristo". Parece-me que só os nomes mudaram nas discussões dos nossos dias. Hoje ouvimos: "Sou católico", "Sou luterano", "Sou batista" ou "Sou pentecostal ou carismático".

Continue lendo até o versículo 13: "Está Cristo (o Messias) dividido em partes? Foi Paulo crucificado por vocês? Ou vocês foram batizados em nome de Paulo?"

Paulo estava dizendo aos coríntios que mantivessem a mente deles em Cristo — e não uns nos outros. Se quisermos viver em paz uns com os outros e liberar o poder e a bênção de Deus em nossas vidas, precisamos fazer o mesmo. Às vezes, ficamos tão preocupados e angustiados com o que os outros crentes estão fazendo, que nos esquecemos de Jesus e do Seu chamado a vivermos em unidade uns com os outros.

A Palavra de Deus instrui, encoraja e incentiva os cristãos a viverem em harmonia uns com os outros, porque Deus quer que tenhamos a vida abençoada e poderosa que vem por meio da Sua paz.

61

25 de Fevereiro — Confiando em Deus Dia a Dia

Confie Nele Você tem um problema com outro cristão, com outra igreja ou com uma denominação diferente? Resolva isso com uma atitude humilde, ou confie em Deus e deixe de lado as suas preocupações. Quando você viver em paz, terá a vida poderosa e abençoada que Deus deseja para você.

25 de Fevereiro
Como Vencer a Batalha

Assim, mantenham-se firmes, cingindo-se com o cinto da verdade, vestindo a couraça da justiça e tendo os pés calçados com a prontidão do evangelho da paz.

EFÉSIOS 6:14-15 (NVI)

A Bíblia diz que se travarmos as nossas batalhas com paz e reagirmos às angústias da vida com paz, teremos vitória. Isso é um paradoxo e não faz sentido algum. Afinal, como poderemos vencer se pararmos de lutar?

Meu marido costumava me deixar furiosa porque ele não queria brigar comigo. Eu ficava irritada e irada, e tudo o que queria era que ele dissesse alguma coisa para que eu pudesse discutir sem parar. Mas quando Dave via que eu estava apenas procurando uma discussão, ele ficava calado e me dizia: "Não vou brigar com você". Às vezes, ele até entrava no carro e saía por algum tempo, deixando-me ainda mais furiosa, mas eu não conseguia brigar com alguém que não reagia.

Moisés disse aos israelitas para não lutarem quando eles se depararam com o mar Vermelho de um lado e o exército egípcio perseguindo-os de outro. Eles ficaram com medo e ele lhes disse: "Não temam; fiquem quietos (firmes, confiantes, impávidos) e vejam a salvação que hoje o Senhor lhes dará. Porque os egípcios que vocês veem hoje, nunca mais os verão. O Senhor lutará por vocês, e vocês manterão a sua paz e permanecerão no descanso" (Êxodo 14:13-14).

Observe que Moisés disse aos israelitas para eles "manterem a paz deles e permanecerem em descanso". Por quê? Eles estavam em guerra e era necessário que reagissem com paz para vencer a batalha. Deus lutaria por eles se eles demonstrassem a sua confiança nele, ficando em paz. Se você mantiver a sua paz, Ele fará o mesmo por você.

Confie Nele Você está travando uma batalha quando deveria estar mantendo a sua paz? Escolha parar de lutar e confiar em Deus para lutar por você. É assim que se vence uma batalha.

26 de Fevereiro

A Unção de Deus Ajuda Você em Tudo o Que Você Faz

...não por força, nem por violência, mas pelo Meu Espírito...

ZACARIAS 4:6

A unção do Espírito Santo é uma das coisas mais importantes em minha vida e ministério. Ela me introduz na presença e no poder de Deus. A unção se manifesta em habilidade, capacitação e força. A unção ministra vida a mim. Sinto-me viva e forte fisicamente quando a unção está fluindo, assim como mentalmente alerta.

Quando vivemos em paz e harmonia, liberamos a unção de Deus sobre mais do que apenas o ministério. Creio que há uma unção para tudo que somos chamados a fazer — não apenas para os assuntos espirituais. Podemos ser ungidos para limpar a casa, lavar a roupa, dirigir uma casa ou um negócio, ou para ser um aluno. A presença de Deus torna tudo fácil e agradável.

Para que outros tipos de coisas podemos esperar ser ungidos? Creio que uma mulher pode ir ao mercado e ser ungida por Deus para comprar alimentos para a sua família se ela exercitar a sua fé para liberar a unção.

Creio que há um sono ungido do qual podemos desfrutar quando vamos nos deitar à noite. Entretanto, se uma pessoa se deita e pensa em uma situação conflitante, é provável que ela não durma bem por ter sonhos aflitivos e ficar se virando de um lado para o outro a noite inteira.

Creio que há uma unção para você ir ao seu local de trabalho e ter prazer em estar ali. A unção também o ajudará a fazer o seu trabalho com facilidade. Mais uma vez, digo que se você tem um conflito com o seu chefe ou com os outros funcionários, a unção ficará bloqueada. Quer a contenda seja declarada ou esteja oculta dentro do seu coração, o efeito é o mesmo.

Portanto, mantenha a contenda do lado de fora da sua vida para que você possa viver pela unção. Deus lhe deu a unção para ajudá-lo em tudo o que você faz. Permaneça em paz e tranquilidade; seja rápido em perdoar, lento para se irar, paciente e bondoso. Proteja a unção que está sobre a sua vida e plante boas sementes, ajudando outros a fazer o mesmo. Fazendo isso, você terá uma colheita na sua própria hora de necessidade.

Confie Nele Pense em uma ocasião em que você sentiu o Espírito de Deus sobre você — quando o tempo voou enquanto você se alegrava com o que estava fazendo e o fazia com facilidade. Tudo o que você faz pode ter essa mesma sensação quando você vive em paz e harmonia, confiando que a unção de Deus será liberada sobre você para todas as coisas.

27 de Fevereiro
Proteja a Paz em Sua Vida

Esforcem-se para viver em paz com todos e persigam essa consagração e santidade sem a qual ninguém jamais verá o Senhor. Exerçam a perspicácia e estejam alertas para cuidar [uns dos outros], para que ninguém retroceda e deixe de garantir a graça de Deus.

HEBREUS 12:14-15

Podemos ajudar os nossos entes queridos a andar em paz mantendo a paz, principalmente quando sabemos que eles já estão sob pressão. Por exemplo, minha família sabe que, antes das minhas conferências, fico ocupada meditando no que Deus me deu para ministrar naquele dia. Pedi a eles que me ajudassem tentando manter a atmosfera em paz.

Podemos ajudar a evitar os conflitos sendo um pouco mais sensíveis às necessidades uns dos outros. Por exemplo:

- Quando o marido volta para casa depois de um dia especialmente difícil no escritório, a esposa pode ministrar paz a ele direcionando as crianças para uma atividade que gere uma atmosfera mais calma e menos caótica.
- Quando a esposa ficou limpando e cozinhando o dia inteiro para uma reunião especial em família em um feriado, o marido pode ministrar paz a ela levando as crianças para algum lugar à noite para que ela possa desfrutar de um tempo agradável de silêncio.
- Se um filho esteve fazendo provas finais durante uma semana e já está estressado, os pais podem optar por deixar de repreendê-lo por um quarto desarrumado ou por deixar a bicicleta na entrada da casa até que o estresse das provas tenha passado.

É importante saber quando você tem maior probabilidade de sucumbir aos conflitos para ser capaz de proteger a paz e experimentar o poder de Deus em toda a sua vida.

Confiando em Deus Dia a Dia   28 de Fevereiro

Confie Nele Quando você tem maior probabilidade de ficar estressado? O que você pode fazer para proteger a paz em sua vida e manter os conflitos do lado de fora? Confie em Deus para lhe dar a Sua estratégia divina para ser um pacificador aonde quer que você vá.

28 de Fevereiro
A Incrível Promessa da Paz

Tudo que o Pai tem é Meu. Foi isso que Eu quis dizer quando disse que Ele [o Espírito] pegará as coisas que são Minhas e as revelará (declarará, transmitirá) a vocês.

JOÃO 16:15

Que promessa incrível Jesus nos faz nesse versículo. *Tudo* que o Pai tem é seu por meio de Jesus. O Reino dele é um reino de justiça, paz e alegria. Paz e alegria sobrenaturais, que não se baseiam em circunstâncias positivas ou negativas, pertencem a você, como crente.

Veja o que João 14:27 diz: "Deixo com vocês a paz; a Minha [própria] paz agora dou e concedo a vocês. Não como o mundo a dá, Eu a dou a vocês. Não permitam que seus corações se perturbem, nem tenham medo. [Parem de se permitir ficar agitados e perturbados; e não se permitam ficar temerosos, intimidados, acovardados e inquietos]".

Na essência, Jesus estava dizendo: "Eu estou lhes dando a Minha paz. Estou indo embora, e o que desejo lhes deixar é a Minha paz". A paz especial de Jesus é um bem maravilhoso. Qual é o valor dessa paz? Quanto ela vale?

A paz valeu o derramamento do sangue de Cristo. O profeta Isaías disse: "Mas Ele foi ferido pelas nossas transgressões, foi moído pela nossa culpa e iniquidades; o castigo [necessário para obter a] paz e bem-estar para nós estava sobre Ele, e pelas pisaduras [que o feriram] fomos curados e nos tornamos sãos" (Isaías 53:5).

Jesus se tornou o sacrifício de sangue que expiou e removeu completamente o seu pecado para que você viva em paz. A vontade de Deus para você é que você viva em paz com Ele, consigo mesmo e com os outros. A paz e a satisfação na vida andam de mãos dadas. Você pode desfrutar mais a vida quando tem abundância de paz.

Você está experimentando paz e alegria sobrenaturais? Se não, lembre-se da promessa que Jesus lhe fez, e receba-a. Reivindique a paz e a alegria que são suas por direito.

1.º de Março

Confiando em Deus Dia a Dia

Confie Nele Você precisa reivindicar o que é seu por direito? A vontade de Deus para você é que você viva em paz com Ele, consigo mesmo e com os outros. Confie que Deus quer que você tenha paz em meio às circunstâncias — quer elas sejam boas ou más.

1.º de Março

Deixe que a Paz Decida

Que a paz (a harmonia na alma que vem) de Cristo governe (atue como árbitro continuamente) em seus corações [tratando e definindo de modo decisivo todas as questões que surgirem em suas mentes, naquele estado pacífico] para o qual como [membros do] único corpo [de Cristo] vocês também foram chamados [a viver]. E sejam gratos (reconhecidos), [dando sempre louvor a Deus].

COLOSSENSES 3:15

Deus quer que você viva em paz; Ele quer liberar o Seu poder e as Suas bênçãos na sua vida. Mas a escolha final é sua.

No beisebol, o árbitro toma a decisão que define a questão. Cada time pode acreditar que o direito está a seu favor, mas é o árbitro quem toma a decisão final. E quando ele o faz, isso põe fim à questão.

Que a paz seja o árbitro que tem o voto decisivo nas escolhas que você faz. Se alguma coisa não lhe traz paz, descarte-a. Não viva apenas para o momento. Use a sabedoria para fazer agora escolhas que lhe satisfaçam mais tarde. Quando você estiver tendo dificuldade em ouvir a Deus ou em ser capaz de decidir o que deve fazer em determinada situação, siga a paz.

Você tem um chamado único sobre a sua vida. Você é uma parte importante do Corpo de Cristo. Deus preordenou que você tenha uma vida poderosa e produtiva. Jesus pagou por ela. Ela é sua, exceto se você permitir que o diabo a tire de você.

Tome uma decisão hoje: "Chega de angústia e tumulto; a paz é minha, e vou desfrutá-la agora", e comece a viver em paz. Mantenha o conflito fora da sua vida, longe dos seus pensamentos, palavras e atitudes; distante dos seus relacionamentos. Escolha a vida! Escolha a paz!

Confie Nele Você confia que Deus pode conduzi-lo por meio da paz? Deus quer liberar o Seu poder e as Suas bênçãos sobre você, portanto, faça da paz o árbitro em sua vida.

2 de Março

Seja Determinado Naquilo que Você Diz

A morte e a vida estão no poder da língua, e aqueles que são indulgentes com ela comerão do seu fruto [para a morte e para a vida].

PROVÉRBIOS 18:21

Se realmente acreditamos que as nossas palavras estão cheias de vida ou de morte, por que não escolhemos com mais cuidado o que dizer? Há um tempo para falar e um tempo para ficar em silêncio. Às vezes, a melhor coisa que podemos dizer é não dizer nada. Quando dissermos alguma coisa, é sábio sermos determinados naquilo que dizemos.

Creio firmemente que se fizermos o que podemos fazer, Deus fará o que não podemos fazer. Podemos controlar o que sai da nossa boca com a ajuda do Espírito Santo e aplicando os princípios da disciplina. Mesmo quando falamos a respeito dos nossos problemas, ou de coisas que estão nos incomodando, podemos falar acerca deles de uma maneira positiva e esperançosa.

Certa vez, eu estava tendo alguns problemas nas costas, e minha filha, Sandy, me telefonou para saber como eu estava. Eu disse a ela que ainda estava com dores, mas que era grata porque não estava tão mal quanto poderia estar. Eu disse: "Estou dormindo bem, e isso é uma coisa positiva". Em outras palavras, não neguei o problema, mas fiz um esforço para ter um enfoque positivo. Eu estava determinada a olhar para o que tenho e não apenas para o que não tenho. Naquela ocasião, eu acreditava que as dores nas costas seriam curadas, e que enquanto isso não acontecesse, Deus me daria a força para fazer o que eu precisava fazer.

Se você tomar a decisão de dizer o mínimo possível a respeito dos seus problemas e decepções na vida, eles não dominarão os seus pensamentos e o seu humor. E se você falar tanto quanto possível de suas bênçãos e suas expectativas esperançosas, sua estrutura mental será compatível com elas. Garanta que cada dia seja cheio de palavras que alimentem a alegria, e não a ira, a depressão, a amargura e o medo. Convença a si mesmo a ter um humor melhor! Encontre alguma coisa positiva para dizer em todas as situações.

Confie Nele Confie em Deus para lhe dar a força para fazer o que você precisa fazer com uma atitude positiva, independentemente de como você se sente. Convença-se a ter um humor melhor se for preciso!

3 de Março

O Domínio Próprio É um Fruto do Espírito

Mas o fruto do Espírito é amor, alegria, paz, paciência, bondade, benignidade, fidelidade, mansidão e domínio próprio.

GÁLATAS 5:22-23 (NVI)

Não é de admirar que nós, humanos, queiramos controlar as coisas... existem tantas coisas fora do nosso controle! Mas, infelizmente, em vez de tentar controlar a nós mesmos, costumamos tentar controlar as circunstâncias ou as pessoas que nos cercam.

Passei anos tentando controlar as pessoas que faziam parte da minha vida e as circunstâncias que me cercavam, porque eu tinha medo de ser magoada ou que se aproveitassem de mim. Mas o que consegui foi uma frustração e uma ira constantes. Levei muito tempo para entender que as pessoas reagem de forma muito defensiva quando tentamos controlá-las. Todos temos o direito, dado por Deus, à liberdade de escolha, e as pessoas se ressentem de qualquer um que tente tirar isso delas. Finalmente, percebi que o que eu estava fazendo não provinha de Deus e, portanto, nunca iria dar certo. Eu não apenas nunca teria paz por causa do meu comportamento, como também estava afastando a maioria das pessoas com quem desejava ter um relacionamento.

Deus deseja que usemos as maravilhosas ferramentas que Ele nos deu para controlarmos a nós mesmos em vez de tentarmos controlar as pessoas e situações. Ele nos deu a Sua Palavra, o Seu Espírito Santo, e uma enorme variedade de bons frutos que podemos desenvolver. O domínio próprio é realmente o fruto de uma vida guiada pelo Espírito. Se você tem a tendência de querer controlar as pessoas e as circunstâncias de sua vida, quero sugerir enfaticamente que você desista disso e volte o seu foco para o desenvolvimento do seu domínio próprio.

Embora aprender a controlar a nós mesmos exija paciência e tolerância, vale a pena no final. As circunstâncias podem exercer muito menos controle sobre nós se a nossa reação aos problemas for usar o domínio próprio.

Confie Nele Quando foi a última vez que você tentou controlar o comportamento de alguém? Na próxima vez que você for tentado a fazer isso, volte o seu foco para o desenvolvimento do seu domínio próprio, e coloque a sua confiança em Deus para mudar a outra pessoa, se Ele assim o desejar.

Confiando em Deus Dia a Dia

4 de Março

4 de Março

Você Pode Controlar a Sua Ira Antes que Ela Controle Você

Aquele que é lento para se irar é melhor que o poderoso, aquele que governa o seu [próprio] espírito, é maior que quem toma uma cidade.

PROVÉRBIOS 16:32

Muitos cristãos ficam confusos quanto à ira. Eles pensam que, como pessoas tementes a Deus, eles nunca deveriam se irar. A ira pode ser uma reação involuntária, algo que sentimos quer queiramos ou não. Uma pessoa com as emoções feridas por traumas ou abusos do passado pode reagir, e provavelmente reagirá, no modo de autoproteção e demonstrará ira com mais facilidade que alguém que nunca foi maltratado. Felizmente, com a ajuda de Deus, essas emoções feridas podem ser curadas, e podemos aprender a ter reações mais equilibradas e razoáveis diante de pessoas, situações e circunstâncias.

A Palavra de Deus diz: "Quando se irarem, não pequem" (Efésios 4:26). Lembro-me de uma manhã em que eu estava me preparando para pregar, e Dave e eu começamos uma discussão. Eu estava estudando e ele disse algo para mim que me fez ferver de raiva muito depressa. Dissemos algumas palavras duras um ao outro, e depois saímos para trabalhar. Eu continuei a ter pensamentos e sentimentos de ira. Depois, minha ira se transformou em culpa, e comecei a pensar: *Como posso ir à igreja e dizer aos outros como conduzirem suas vidas de acordo com a Palavra de Deus, se não consigo controlar a minha raiva?* Os sentimentos de culpa não apenas continuaram, mas se intensificaram. À medida que a pressão aumentava, comecei a me sentir quase furiosa quando, de repente, ouvi Deus sussurrar em meu coração: "Sentir ira não é pecado; é o que você faz com ela que se torna um pecado". Aquela foi uma das primeiras lições que Deus me deu para entender que não podemos esperar que as emoções simplesmente desapareçam porque nos tornamos cristãos, mas que devemos aprender a controlá-las.

Controlar a compulsão da ira, principalmente se você tem uma natureza agressiva e franca, pode ser uma das coisas mais desafiadoras que você enfrentará na vida, mas controlá-la com certeza é possível com a ajuda de Deus.

Confie Nele Você quer tomar a decisão de não permitir que a ira controle você e os seus atos? Confie as suas emoções a Deus e Ele lhe ensinará a controlá-las.

69

5 de Março

Diga a Deus Como Você se Sente

Nunca deixe a sua ira, (a sua exasperação, a sua fúria ou a sua indignação) durar até que o sol se ponha.

EFÉSIOS 4:26

A ira expressa de maneira imprópria é um problema, mas a ira reprimida também é. A ira que fica presa no interior e não é tratada adequadamente, eventualmente virá para fora de uma maneira ou outra. Ela pode aparecer em forma de depressão, ansiedade ou de uma série de outras emoções negativas — mas ela irá se manifestar. Ela pode até se manifestar em enfermidades e doenças. Se não lidarmos com a nossa ira depressa, acabaremos explodindo ou implodindo em algum momento.

A maneira certa de expressar a ira é falando com Deus. Diga a Ele tudo a respeito da maneira como você se sente, e peça a Ele para ajudá-lo a controlar os sentimentos da maneira adequada. Fale com um profissional ou com um amigo maduro se necessário, mas não finja que não está irado, quando está. Isso não é controlar as suas emoções — isso é ignorá-las, e é perigoso.

Uma coisa que me ajuda a lidar adequadamente com a ira é entender que, às vezes, Deus permite que as pessoas me irritem para me ajudar a crescer na paciência e no amor incondicional. Nenhum fruto do Espírito se desenvolve sem alguma coisa para nos fazer exercitá-lo. Ai! Eu gostaria de ter todos esses frutos maravilhosos operando a pleno vapor em minha vida em um passe de mágica, sem qualquer esforço da minha parte, mas simplesmente não é assim que as coisas funcionam. O mau comportamento da pessoa ofensora não está certo, mas Deus costuma usar o comportamento dela como uma lixa em nossas vidas, para polir as nossas extremidades ásperas. Ele está mais preocupado em transformar o nosso caráter do que em mudar as nossas circunstâncias.

Se eu fico irada quando alguém faz alguma coisa errada comigo, minha raiva é menos errada do que o erro que o outro cometeu? Creio que não. Às vezes, o erro dele apenas expõe a minha fraqueza, portanto devo ser capaz de me arrepender e pedir ajuda a Deus para vencê-la. Esteja determinado a tirar algo de bom de cada provação que você enfrentar na vida, e não permita que o sol se ponha sobre a sua ira.

Confie Nele Você está irado com alguma coisa ou com alguém? Se a sua resposta for sim, comece a controlar essa emoção agora mes-

Uma Coloca Você Para Baixo, a Outra o Levanta

Reconheci o meu pecado diante de Ti, e a minha iniquidade não ocultei. Eu disse: confessarei as minhas transgressões ao Senhor [revelando continuamente o passado até que tudo fosse dito] — então Tu perdoaste [instantaneamente] a culpa e a iniquidade do meu pecado.

SALMOS 32:5

Precisamos aprender a diferença entre condenação e convicção. A condenação nos coloca para baixo, e se manifesta como um fardo pesado, que exige que paguemos pelos nossos erros. A convicção é a obra do Espírito Santo, nos mostrando que pecamos e nos convidando a confessar os nossos pecados para recebermos o perdão e a ajuda de Deus para melhorar o nosso comportamento no futuro. A condenação torna o problema pior; a convicção destina-se a nos levantar para sairmos dele.

Quando você se sente culpado, a primeira coisa a fazer é perguntar a si mesmo se você é culpado de acordo com a Palavra de Deus. Talvez seja. Nesse caso, confesse o seu pecado a Deus; abandone esse pecado e não o repita. Se precisar pedir perdão a alguém a quem você fez mal, faça isso. Depois... perdoe a si mesmo e esqueça! Deus já o perdoou, e se você se recusar a fazer o mesmo, perderá a alegria da redenção que Deus quer que todos nós experimentemos.

Algumas vezes você poderá descobrir que *não* é culpado de acordo com a Palavra de Deus. Por exemplo, lembro-me de me sentir culpada quando eu tentava descansar. Durante anos impeli-me incessantemente a trabalhar, trabalhar, trabalhar, porque eu me sentia bem quando estava realizando alguma coisa e me sentia culpada se estivesse me divertindo. Esse pensamento é totalmente errado de acordo com a Palavra de Deus. Até Ele descansou da Sua obra da Criação, e Ele nos convidou a entrar no Seu descanso. A culpa que eu sentia quando tentava descansar era antibíblica, irracional e totalmente ridícula. Quando parei de acreditar apenas nos meus sentimentos e comecei a verdadeiramente examiná-los à luz da Palavra de Deus, parei de me sentir culpada.

Confie em Deus e na Sua Palavra para lhe revelar quando a sua culpa for falsa e o seu modo de pensar estiver errado.

Confie Nele O que faz você se sentir culpado? O que a Palavra de Deus diz a respeito dessa situação? Pare de acreditar nos seus sentimentos, que o condenam, e coloque a sua confiança na Sua Palavra, que o convence.

7 de Março
Isso Não É Surpresa para Deus

Não tema [não há nada a temer], porque Eu sou com você...

ISAÍAS 41:10

Um dos temores mais fortes e mais persistentes que as pessoas sentem é o medo de não terem o que necessitam. Queremos nos sentir seguros em todas as áreas da vida. Mas somos constantemente atacados pelo medo de não termos o que precisamos — quer sejam as finanças, os relacionamentos ou a capacidade de fazer o que Deus nos chamou para fazer.

Mais do que qualquer outra ordem na Bíblia, Deus nos diz para não temermos. Deus nunca nos promete uma vida sem problemas, mas Ele nos promete a Sua presença e a força (mental, física e emocional) que precisamos para atravessar os nossos problemas.

Há vários anos, uma amiga minha foi fazer um exame de rotina e soube dias depois que seu médico temia que ela tivesse um linfoma de Hodgkin, a forma mais agressiva da doença. Mais testes foram necessários, e ela soube que poderia demorar duas ou três semanas até que se chegasse a um diagnóstico.

Perguntei à minha amiga como ela atravessou aquelas semanas de incerteza e se ela sentiu medo. "Sim, eu tive medo", ela disse. "Mas eu também sabia que fosse qual fosse o resultado, ele não seria surpresa para Deus". Então, ela me contou algo que poderá ser útil para você. Ela me disse que entendia que, se ela se preocupasse por três semanas e depois soubesse que tinha um linfoma, teria desperdiçado três semanas preciosas de sua vida. E se ela se preocupasse por três semanas, e depois soubesse que não tinha um linfoma, ela ainda teria desperdiçado três semanas preciosas de sua vida. "Acredite se quiser", ela disse, "eu não perdi um minuto de sono durante aqueles 21 dias".

Quando os resultados finalmente chegaram, minha amiga soube que ela realmente tinha um linfoma de Hodgkin. Ela fez uma cirurgia e passou por

Confiando em Deus Dia a Dia   *8 de Março*

muitos meses de quimioterapia. Fico feliz em dizer que, dez anos depois, ela tem uma saúde incrível. E ela não perdeu três semanas preciosas.

Confie Nele De que você tem medo? Seja o que for que você esteja atravessando, isso não é surpresa para Deus. Ele não está inseguro quanto ao que está do outro lado da esquina, nem está despreparado para o que quer que você esteja passando. Coloque a sua confiança nele e confie nos planos dele para a sua vida.

8 de Março
Você está Usando a Sua Fé?

...pense em si mesmo com um julgamento sóbrio, de acordo com a medida de fé que Deus lhe deu.

ROMANOS 12:3

Pode parecer espiritual dizer: "Estou cheio de fé", mas você está *usando* a sua fé? A fé é liberada quando oramos, quando falamos e quando fazemos o que Deus nos pede para fazer.

Quando oramos. A maioria de nós acredita que a oração é poderosa, então ela deveria ser sempre a nossa primeira reação. Convidamos Deus a se envolver em nossas situações por meio das orações. A Bíblia diz que um poder tremendo passa a estar disponível por meio das orações do justo. Lembrando que nos foi dada a justiça de Deus por meio da nossa fé em Cristo, podemos entrar com ousadia diante do trono da graça, e pela fé, pedir ajuda no tempo oportuno para atender à nossa necessidade (ver Hebreus 4:16). Não ore meramente para que o problema desapareça, ou para que você obtenha algo que deseja, mas ore também para que Deus o fortaleça durante o seu período de espera. Ore para que você tenha a graça de esperar com uma atitude positiva. Uma atitude positiva glorifica a Deus e é um bom testemunho da nossa fé aos outros.

Quando falamos. Depois de orar, é importante falarmos como se realmente acreditássemos que Deus está operando em nosso favor. Não temos de negar a existência do problema, mas devemos falar dele o mínimo possível. Também é muito importante incluir em nossas conversas o fato de que acreditamos que Deus está envolvido e que estamos esperando a remoção das barreiras. Mantenha firme a sua confissão de fé em Deus!

Quando agimos. O terceiro ingrediente para liberar a sua fé é fazer o que você acredita que Deus está lhe pedindo para fazer. A obediência é uma

9 de Março

Confiando em Deus Dia a Dia

chave para a nossa vitória e mostra que temos fé em Deus. Às vezes, Ele até nos pede para não fazer nada, e nesse caso, o que precisamos fazer é nada.

Se somos ouvintes da Palavra e não praticantes, estamos enganando a nós mesmos por meio de um raciocínio contrário à verdade (ver Tiago 1:22). Satanás usará o medo para prejudicar o nosso destino se permitirmos, mas quando a nossa fé é liberada, ela tem mais poder que o medo.

Confie Nele Você está usando a fé que Deus lhe deu? Libere a sua fé orando, falando e agindo, enquanto você coloca a sua confiança nele.

9 de Março

Deus Quer Que Você Seja Você

E Moisés disse a Deus: Quem sou eu, para que vá a Faraó e tire os israelitas do Egito?

ÊXODO 3:11

Quando Deus chamou Moisés para tirar os israelitas do Egito e levá-los à Terra Prometida, Moisés deu uma desculpa atrás da outra com relação à razão pela qual ele não podia obedecer. Todas as desculpas dele estavam enraizadas no medo. Quando Moisés finalmente deu um passo de fé, que se manifestou em um ato de obediência, ele foi usado poderosamente por Deus.

O que você pensa a respeito de si mesmo? Encorajo-o a trabalhar com o Espírito Santo para se ver da maneira que Deus o vê — como um filho de Deus único e poderoso. Não existe poder sem confiança. Você tem medo que Deus não esteja satisfeito com você? Você faz regularmente uma relação de todas as suas faltas, dos seus erros e das suas fraquezas, e depois se sente fraco como Moisés se sentiu por causa do medo? Nesse caso, você está focando nas coisas erradas. Deus nos dá o Seu poder (graça) para nos capacitar a fazer o que é necessário, apesar das nossas fraquezas.

Eu sentia muito medo com relação a mim mesma, de modo que se você está nessa condição neste momento, posso lhe garantir que sei como você se "sente". Mas estou encorajando você a lembrar que os seus sentimentos não transmitem a verdade; só a Palavra de Deus faz isso. Você pode sentir que não é o que deveria ser, que você é estranho ou incomum, mas a verdade é que todos nós fomos criados de forma única por Deus para um propósito especial e devemos aprender a valorizar quem somos.

Confiando em Deus Dia a Dia   10 de Março

Desperdicei alguns anos tentando ser como as outras pessoas que eu conhecia, mas descobri que Deus não vai nos ajudar a ser ninguém, exceto nós mesmos. Relaxe, aprenda a se amar, e não tenha medo de não ser capaz de fazer o que você precisa fazer. A verdade é que nenhum de nós pode fazer o que precisamos fazer sem a ajuda de Deus. Se olharmos somente para o que achamos que podemos fazer, ficaremos atemorizados; mas se olharmos para Jesus e focarmos nossos olhos nele, Ele nos dará a coragem para seguir em frente diante do medo.

Confie Nele Você está focando a coisa errada? Comece a se concentrar na Palavra de Deus e aprenda a amar a si mesmo. Ele sabia o que estava fazendo quando criou você. Confie no projeto dele. E confie nele para lhe dar tudo que você precisa para ser capaz de fazer o que precisa fazer.

10 de Março

Deus Se Importa com Você e Quer Consolá-lo

Quando os justos clamam por ajuda, o Senhor ouve, e os livra de todos os seus sofrimentos e tribulações. O Senhor está perto dos que têm o coração quebrantado e salva os que estão esmagados pela dor...

SALMOS 34:17-18

Eu creio que Deus chora conosco quando sofremos uma grande perda. Afinal, quando Jesus nos ensinou a orar, Ele nos disse para chamarmos Deus de "Aba", que é traduzido por "Papai". Que pai não sofre quando o seu garotinho volta para casa derrotado depois de chutar uma bola fora no jogo do campeonato infantil? Que mãe não sente o seu próprio coração partir quando a sua garotinha volta da escola depois de ser ridicularizada no recreio? No esquema geral das coisas, essas são pequenas perdas e mágoas, e o pai e a mãe sabem disso. Mas a dor de ver o seu filho sofrer é fulminante, mesmo assim.

Imediatamente depois de ensinar os discípulos a orar o que conhecemos como a Oração do Pai Nosso, Jesus perguntou: "Qual de vocês, se o seu filho lhes pedir um pão, lhe dará uma pedra? Ou se ele lhes pedir um peixe, lhe dará uma serpente?" (Mateus 7:9-10). Em outras palavras, porque Ele é o nosso Pai, Deus sofre quando sofremos. E embora Ele possa mudar as

75

11 de Março

Confiando em Deus Dia a Dia

nossas circunstâncias em um instante, na maioria das vezes Ele não o faz. Mas quando vê o Seu filho sofrer, Ele sofre também.

Quando você estiver sentindo a perda e a dor, peça a Deus para segurá-lo na palma da Sua mão, para sussurrar o Seu consolo e afagar a sua cabeça, como um pai que se importa com o seu filho que está febril. Você pode *sentir* ou não esse consolo, mas a Palavra de Deus é verdadeira, e Ele também é.

Confie Nele Pode levar um pouco de tempo para se acostumar, mas pense em Deus como o seu "Papai", aquele para quem você corre em busca de consolo e aquele que se importa. Se você não teve experiências positivas com as figuras paternas em sua vida, deixe que Deus redima esse papel para você como Ele fez comigo. Você pode confiar na Sua Palavra, que promete: "O Senhor ouve" (Salmos 34:17) e "Ele nunca o deixa nem o abandona" (Deuteronômio 31:8).

11 de Março
Os Justos Herdarão a Terra

Pois tive inveja dos tolos e arrogantes quando vi a prosperidade dos maus.

SALMOS 73:3

Às vezes, vemos os maus sendo bem-sucedidos e escapando impunes, e isso nos desanima. Como filhos de Deus, esperamos ser mais abençoados que aqueles que não estão servindo a Deus. Poderíamos parafrasear um trecho do Salmo 73 desta forma: "Pareceu-me que os maus estavam numa situação melhor que os justos, até que percebi que a paciência de Deus um dia se esgota e que Ele tratará com eles".

A Bíblia afirma enfaticamente que os maus no fim serão cortados, mas os justos herdarão a terra. Não creio que "o fim" signifique necessariamente o fim do mundo ou o fim das nossas vidas. Creio que significa no fim das contas, no devido tempo (o tempo de Deus), as bênçãos dos filhos de Deus ultrapassarão as bênçãos dos maus. A Palavra de Deus diz em Gálatas 6:9 que se nos recusarmos a nos cansar de fazer o bem, no devido tempo colheremos, se não desanimarmos.

É um erro grave olhar o que as outras pessoas têm, e comparar isso com o que você tem. Deus tem um plano individual e único para cada um de nós, e a comparação só tende a ser uma fonte de desânimo ou de

Confiando em Deus Dia a Dia
12 de Março

orgulho. Se sentimos que estamos em uma situação melhor que outros, podemos ficar orgulhosos (tendo-nos em mais alta conta do que deveríamos); se sentimos que eles estão melhor do que nós, podemos ficar desanimados e até deprimidos.

É vital que você aprenda a aceitar e respeitar a pessoa que Deus o criou para ser. Todos os nossos comportamentos podem estar longe do que precisam estar, mas se estivermos dispostos a mudar, Deus continuará trabalhando em nós, e todos os dias melhoraremos cada vez mais em todos os aspectos. Não despreze a si mesmo por causa das suas imperfeições; em vez disso, aprenda a celebrar os seus sucessos, até mesmo os pequenos.

Confie Nele Você viu alguém fazer algo errado e escapar impune, ou mesmo ser recompensado por isso? Não fique desanimado ou deprimido quando parece que os outros estão tendo êxito em escapar impunes do mal. Continue a fazer o que você sabe que é certo e confie em Deus para resolver isso.

12 de Março

O Perdão é Seu para Receber e para Dar

Sejam mansos e pacientes uns com os outros e, se alguém tem uma diferença (reclamação ou descontentamento) contra alguém, perdoando prontamente uns aos outros; assim como o Senhor os perdoou [livremente], assim devem também vocês [perdoar].

COLOSSENSES 3:13

De Gênesis a Apocalipse, lemos acerca do perdão de Deus para conosco e da nossa necessidade de perdoar os outros. Esse é um dos principais temas da Bíblia. Estamos sempre prontos a receber perdão, mas muitas vezes achamos extremamente difícil oferecer aos outros o perdão que recebemos liberalmente de Deus. Podemos querer perdoar, tentar perdoar e orar para sermos capazes de perdoar, no entanto continuarmos amargos, ressentidos e cheios de ira e de pensamentos de falta de perdão. Por quê? Se queremos perdoar, por que é tão difícil fazer isso?

A verdade é que o perdão dói. Ele é doloroso. Felizmente, você pode aprender a controlar as suas emoções, em vez de permitir que elas o controlem. O que você pode esperar das suas emoções, quando você começa a agir movido pela falta de perdão a si mesmo e aos outros? Deus está pronto e disposto a perdoar você, mas você está igualmente pronto e disposto a

77

13 de Março

Confiando em Deus Dia a Dia

receber o perdão de Deus? As suas emoções podem se colocar no caminho. Você talvez não se "sinta" digno de receber um presente tão maravilhoso e imerecido de Deus. Você talvez "sinta" que precisa pagar de alguma maneira pelo que você fez de errado. Talvez você "sinta" que precisa se sacrificar de alguma maneira para pagar pelos seus pecados. Se você se sente assim, entendo plenamente, e posso até dizer que isso é muito normal, mas também devo dizer que essa não é a vontade de Deus para você.

Eu persegui a mim mesma por muitos anos, tentando pagar uma dívida que Jesus já havia quitado. Com o passar do tempo, passei não apenas a entender, mas a receber a verdade de que Jesus pagou o preço e levou sobre Si a dor definitiva, para que eu não tivesse de fazer isso. Você e eu não podemos pagar uma dívida que já foi paga — a única coisa que podemos fazer é receber isso ou rejeitar isso. Quando aprendemos a receber livremente o perdão de Deus, então é mais fácil permitir que ele flua para os outros por meio de nós.

Confie Nele O perdão dói, mas Jesus levou essa dor para que pudéssemos aprender a perdoar por meio dele. Qual é a coisa mais difícil que você já foi desafiado a perdoar? Por mais que isso doa, confie em Deus e perdoe — você encontrará a liberdade e a alegria do outro lado.

13 de Março

Três Coisas que Me Ajudam a Perdoar

E quando vocês estiverem orando, se tiverem alguma coisa contra alguém, perdoem e esqueçam (deixem isso, deixem para lá), para que o Seu Pai que está no céu também possa perdoar-lhes as suas [próprias] falhas e imperfeições e esquecê-las.

MARCOS 11:25

A primeira coisa que realmente me ajuda a perdoar é me lembrar disto: *Deus me perdoa por muito mais do que eu jamais terei de perdoar os outros.* Talvez não façamos o que os outros nos fizeram, mas podemos fazer coisas piores. No Reino de Deus, o pecado não vem em tamanhos, tipo pequeno, médio e grande; pecado é apenas pecado! Faça um favor a si mesmo e perdoe rapidamente e liberalmente (sem expectativa ou estipulação). Quanto mais tempo você guardar rancor, mais difícil será esquecer.

A segunda coisa que me ajuda a perdoar é *pensar na misericórdia de Deus.* A misericórdia é o dom mais lindo que podemos dar ou receber. Ela

Confiando em Deus Dia a Dia

14 de Março

não pode ser conquistada e não é merecida — do contrário, não seria misericórdia. Gosto de pensar na misericórdia como olhar além *do que* foi feito de errado e contemplar o *motivo* pelo qual aquilo foi feito. Muitas vezes as pessoas fazem algo nocivo e não sabem por que estão fazendo isso, ou talvez nem sequer percebam que estão fazendo isso. Eu fui tão ferida em minha infância que costumava ferir as pessoas com minhas palavras e atitudes ásperas. Mas eu não percebia que estava sendo áspera; pelo fato de a vida ter sido tão dura e dolorosa comigo, essa dureza se tornara parte de mim.

A terceira coisa que me ajuda a perdoar é lembrar que *se eu continuar irada, estarei dando a Satanás uma base de apoio em minha vida* (ver Efésios 4:26-27). Quando perdoo, estou impedindo que Satanás tenha vantagem sobre mim (ver 2 Coríntios 2:10-11). Se eu não perdoar, estou envenenando a minha própria alma com uma amargura que sem dúvida resultará em algum tipo de mau comportamento ou atitude negativa. Uma das coisas mais valiosas que aprendi foi que estou fazendo um favor a mim mesma quando perdoo.

Confie Nele Existe alguém ou alguma coisa que você precisa perdoar? Faça um favor a si mesmo e perdoe depressa e liberalmente. Confie no perdão e na misericórdia de Deus como exemplos de como você deve tratar os outros.

14 de Março

Primeiro, Faça o Que É Certo

Invoquem bênçãos sobre aqueles que os amaldiçoam, e orem pela felicidade deles, implorem pela bênção (o favor) de Deus sobre aqueles que abusam de vocês [que os insultam, acusam, menosprezam e se aproveitam brutalmente de vocês].

LUCAS 6:28

Quando tomamos a decisão de perdoar, provavelmente não sentiremos vontade de perdoar. Afinal, fomos tratados injustamente, e isso dói. Mas fazer a coisa certa enquanto nos sentimos injustiçados é extremamente importante para o nosso crescimento espiritual. E também glorifica a Deus.

Durante muitos anos, tentei perdoar as pessoas quando elas me magoavam ou ofendiam, mas como eu ainda tinha sentimentos negativos com relação a elas, eu presumia que não era bem-sucedida na jornada do perdão. Agora entendo que, independentemente de como eu me sinta, se eu

15 de Março

Confiando em Deus Dia a Dia

continuar orando pela pessoa que me ofendeu e abençoá-la, em lugar de amaldiçoá-la, estou a caminho da libertação de uma emoção destrutiva. Amaldiçoar significa falar mal de, e abençoar significa falar bem de. Quando alguém nos fere, podemos nos recusar a falar mal dessa pessoa, ainda que sejamos tentados a fazer isso. Também podemos abençoar essa pessoa falando de suas boas qualidades e das coisas boas que elas fizeram. Se olharmos apenas os erros que as pessoas cometem, não seremos capazes de gostar delas. Mas olhar para a vida inteira dessas pessoas nos dá uma imagem mais equilibrada a respeito delas.

Você não pode esperar para perdoar uma pessoa que o feriu até que se sinta caloroso e amoroso com relação a ela. Você provavelmente terá de fazer isso enquanto ainda está sofrendo — já que perdoar é a última coisa que você tem vontade de fazer — mas fazer isso coloca você no "time de Deus". Essa atitude o coloca diretamente no caminho que é "estreito" (contraído pela pressão), mas leva ao caminho da vida (ver Mateus 7:14). E também o coloca no caminho no qual o próprio Jesus caminhou. Não se esqueça de que uma das últimas coisas que Ele fez foi perdoar alguém que não merecia perdão, e Ele fez isso enquanto estava sendo crucificado (ver Lucas 23:43). Creio que algumas das últimas coisas que Jesus fez destinavam-se especialmente a nos ajudar a lembrar o quanto elas são importantes.

Confie Nele Talvez você queira se sentir bem primeiro, mas Deus quer que você faça primeiro o que é certo, que é perdoar. Quando você faz isso, está colocando a sua confiança em Deus.

15 de Março

Controlando as Suas Emoções Durante a Crise

Aconteça o que acontecer, conduzam-se de maneira digna do evangelho de Cristo.

FILIPENSES 1:27

Conheço pessoas que têm estado doentes por um longo período e que têm as mais belas atitudes. Elas nunca reclamam, não são carrancudas, não agem como se o mundo lhes devesse alguma coisa, e não colocam a culpa em Deus nem sentem pena de si mesmas. Mas também conheço pessoas que passam pelas mesmas circunstâncias e que só falam de sua doença, de suas consultas médicas e do quanto isso é difícil para elas. Elas se ofendem facilmente, ficam amargas e ressentidas. Todas as situações na

Confiando em Deus Dia a Dia 16 de Março

vida exigem que tomemos uma decisão a respeito de como vamos reagir, e se reagirmos da maneira de Deus, nossas provações serão muito mais fáceis de lidar.

Talvez você nunca tenha pensado no quanto é importante controlar as suas emoções durante os tempos de crise. A maioria de nós pensa: *Não posso evitar o meu modo de agir agora; estou em um momento difícil, e ponto final.* Essa é uma reação humana normal, mas com Deus ao nosso lado nos ajudando, não temos de nos comportar como uma pessoa "normal" se comportaria. Satanás é nosso inimigo, e o objetivo dele é nos deixar tão agitados emocionalmente, que dizemos coisas que lhe darão uma abertura em nossas vidas. Ou ele espera que tomemos decisões pouco sábias durante tempos dolorosos e criemos um caos com o qual teremos de lidar por muito e muito tempo depois.

Durante anos tenho acreditado que se eu puder segurar a minha língua e permanecer emocionalmente estável durante os momentos de dificuldade, estarei honrando a Deus e deixando claro para o diabo que ele não vai me controlar. Nem sempre sou bem-sucedida, mas sem dúvida estou muito melhor do que já fui um dia. Como costumo dizer, "Não estou onde preciso estar, mas graças a Deus não estou onde eu estava antes". Ainda estou crescendo, mas pelo menos aprendi a importância de controlar as minhas emoções. Não há dúvida de que é mais difícil controlar as suas emoções quando você está doente ou está passando por uma crise, mas felizmente você está aprendendo que isso é possível.

Confie Nele Não permita que as circunstâncias o derrotem antes que você sequer tente vencê-las. Decida-se agora a controlar as suas emoções durante os tempos de crise. Confie que Deus está do seu lado, e que a Sua graça é suficiente para suprir cada uma das suas necessidades.

16 de Março
Elimine o Estresse e Encha a Sua Vida com o Melhor de Deus

Deixo-lhes a paz; a Minha [própria] paz agora dou e concedo a vocês. Não a dou como o mundo a dá. Não permitam que os seus corações se perturbem, nem se atemorizem.

JOÃO 14:27

16 de Março

Confiando em Deus Dia a Dia

Nada nos faz tão mal emocionalmente quanto o estresse. Poderíamos dizer que a ansiedade é o descontrole das emoções. Quando alguém sente ansiedade, na maioria das vezes é porque as emoções dessa pessoa chegaram a tal nível de estresse que não estão mais funcionando de forma saudável. Existem muitas situações que geram ansiedade. A morte de um cônjuge ou filho, o divórcio ou a perda de um emprego são eventos importantes; entretanto, nem todos os motivos são tão sérios. Grande parte da ansiedade é causada simplesmente por assumirmos mais coisas do que aquelas com as quais podemos lidar.

Eu costumava me sentir constantemente sobrecarregada devido ao estresse, mas isso acontecia porque a minha agenda não era razoável. E — o que é pior — eu pensava que estava fazendo isso para Deus. É impressionante para mim, agora, quando olho para trás e vejo o quanto eu estava enganada. Lembre-se sempre de que se Satanás não conseguir fazer com que você *não* trabalhe para Deus, ele tentará fazer você trabalhar *excessivamente* para Ele. Satanás realmente não se importa em qual extremidade do desequilíbrio nós estamos, porque ambas nos causam problemas.

A resposta simples para viver uma vida que você possa desfrutar é aprender os caminhos de Deus e segui-los. Jesus disse: "Eu Sou o Caminho" (João 14:6), e isso significa que Ele nos mostrará como viver adequadamente. As respostas que precisamos estão na Palavra de Deus, e devemos tomar a decisão de não apenas ler a Bíblia, mas de obedecer a ela. Se nos recusarmos a tomar essa decisão e nos mantermos nela, continuaremos nos sentindo estressados até quebrarmos.

Comece a perguntar a Deus o que você pode fazer para eliminar da sua vida aquilo que não está produzindo bom fruto. Pode ser que você precise eliminar até algumas coisas boas, mas que simplesmente não são as melhores para você. Alguma coisa pode ser certa para nós em um momento de nossas vidas e não ser certa de modo algum em outra ocasião. Siga o seu coração, e você realizará muitas coisas frutíferas e ainda terá energia de sobra para desfrutar o fruto do seu trabalho.

Confie Nele Quais são as coisas aparentemente boas que estão entulhando a sua vida e impedindo que você tenha o melhor de Deus? Decida-se a simplificar a sua vida e a viver em paz e não estressado. Confie que Deus deseja que você tenha tempo para desfrutar a sua vida.

Confiando em Deus Dia a Dia | 17 de Março

17 de Março

O Que Faz Você Feliz?

Deleito-me em fazer a Tua vontade, ó meu Deus; sim, a Tua lei está dentro do meu coração.

SALMOS 40:8

O que você faz que o deixa realmente feliz? As pessoas saem de férias, compram objetos, casam-se, divorciam-se, têm filhos e mudam de emprego em busca da felicidade. Até fazemos coisas que não gostamos de fazer, apenas para podermos ser felizes com o resultado final. Uma mulher pode não gostar de limpar a casa, mas ela olha para a sua casa limpa e se sente feliz, por isso continua a limpá-la a cada semana. Na verdade, não consigo pensar em nada que façamos que não tenha a felicidade como motivação.

Existem muitas coisas que me deixam feliz, mas descobri que obedecer a Deus é a atitude número 1 que me faz feliz — talvez não imediatamente, mas sempre resulta em felicidade no fim. Quando estou fluindo com Deus, tenho um profundo contentamento ao qual nada mais se compara. Posso nem sempre gostar do que Ele me pede para fazer ou não fazer, mas se eu resistir e me rebelar, não me sentirei feliz no fundo da minha alma.

Creio que algumas pessoas têm a percepção de que o Cristianismo é frio, impessoal e sem alegria. Isso porque muitos que se chamam cristãos têm atitudes amargas e rostos tristes. Eles são críticos com relação aos outros e são rápidos em julgar. Aqueles de nós que amam e servem a Deus e ao Seu Filho Jesus Cristo deveriam ser as pessoas mais felizes da terra. Deveríamos ser capazes de desfrutar tudo o que fazemos, simplesmente porque sabemos que Deus está presente. Quando finalmente descobri pelo estudo da Bíblia que Deus quer que desfrutemos nossas vidas, aquele foi um dia incrível para mim (ver João 10:10).

Seja feliz e desfrute tudo o que você faz por meio do seu relacionamento com Jesus. Considerando que todos querem simplesmente ser felizes, quando virem você desfrutando a sua vida, mesmo nas circunstâncias difíceis, as pessoas passarão a se abrir para aprender a respeito de Jesus e para o receberem também.

Confie Nele O que faz você feliz? Alguma coisa na sua lista oferece a felicidade duradoura que a obediência a Deus oferece? Deus quer que você seja feliz e desfrute a vida. O segredo para a felicidade duradoura é confiar e obedecer!

18 de Março — Confiando em Deus Dia a Dia

18 de Março

Tome a Decisão de Estar Entusiasmado Todos os Dias

Não sejam remissos no zelo e no esforço determinado; sejam ardentes e fervorosos no Espírito, servindo ao Senhor.

ROMANOS 12:11

Faço questão de tentar estar entusiasmada com relação a cada dia que Deus me concede. O salmista Davi disse isto: "Este é o dia que o Senhor criou; nós nos alegramos e nos regozijaremos nele" (Salmos 118:24). O verbo no futuro do presente, "nos regozijaremos", diz tudo. Davi tomou uma decisão que produziu os sentimentos que ele queria em vez de aguardar para ver como ele se sentia. Durante anos, eu me levantava todos os dias e esperava para ver como eu estava me sentindo, e depois, eu deixava que esses sentimentos ditassem o curso do meu dia. Agora, coloco a minha mente na direção certa e tomo decisões que sei que produzirão emoções que posso desfrutar.

A maioria dos nossos dias é muito comum. Todos nós temos momentos na vida que são incríveis, mas boa parte da vida é feita de segunda-feira, terça, quarta, quinta, sexta, sábado, domingo, e novamente segunda-feira outra vez. Recentemente, estive diante de 225 mil pessoas no Zimbábue, pregando o Evangelho de Jesus Cristo e ensinando a Palavra de Deus. Era o meu aniversário, então 225 mil pessoas cantaram "Feliz Aniversário" para mim, e isso foi muito incrível. Ontem fui a uma loja comprar tapetes novos de cozinha e depois ao supermercado, mas posso dizer sinceramente que gostei de estar no Zimbábue e no mercado igualmente. O Zimbábue foi um evento empolgante, que aconteceu uma vez na vida e que jamais esquecerei, mas ter outro dia para desfrutar Deus também é empolgante, ainda que esse dia seja passado na realização de pequenas tarefas comuns.

Tudo o que fazemos é sagrado, se o fizermos para o Senhor e acreditarmos que Ele está conosco. Pergunte a si mesmo agora se você acredita realmente que Deus está com você. Se a sua resposta for sim, pense no quanto isso é incrível, e o meu palpite é que a sua alegria aumentará imediatamente.

Confie Nele Você decidiu desfrutar o hoje? Confie que Deus está com você todos os dias, em todos os momentos — nos grandes momentos e nos momentos comuns — e que Ele quer que você desfrute todos eles.

Relaxe! Deus Está Trabalhando

Venham a Mim, todos vocês que trabalham e estão cansados e sobrecarregados, e Eu lhes darei descanso. [Eu acalmarei, aliviarei e refrigerarei as suas almas.]

MATEUS 11:28

Estar relaxado é uma sensação maravilhosa. Estar nervoso, tenso e preocupado não é tão maravilhoso assim. Por que não vemos mais pessoas relaxadas? Jesus disse que se estivermos cansados e sobrecarregados, devemos buscá-lo, e Ele nos dará descanso, relaxamento e tranquilidade (ver Mateus 11:28-29). Jesus quer nos ensinar a maneira certa de viver, que é diferente da maneira como a maior parte do mundo vive.

Seria minimizar as coisas dizer que eu fui uma mulher irritada durante a primeira metade da minha vida. Eu simplesmente não sabia como relaxar, e isso se devia ao fato de não estar disposta a confiar completamente em Deus. Eu confiava em Deus *para* fazer as coisas, mas não confiava em Deus *nas* situações. Eu sempre tentava estar no controle. Embora Deus estivesse no banco do motorista da minha vida, eu mantinha a mão no volante para o caso dele fazer uma manobra errada. É impossível relaxar sem confiança!

Se você sabe que não pode resolver o problema que tem, então por que não relaxar enquanto Deus está trabalhando nele? Parece fácil, mas levei anos para ser capaz de fazer isso. Sei por experiência própria que a capacidade de relaxar e seguir o fluxo na vida depende da nossa disposição de confiar completamente em Deus. Se as coisas não estiverem acontecendo do seu jeito, em vez de ficar angustiado, você pode acreditar que conseguir tudo do seu jeito não era o que você precisava. Deus sabia disso, por isso Ele lhe deu o que era melhor para você, em vez de lhe dar o que você queria.

Se você está esperando há muito mais tempo do que imaginava, você pode ficar frustrado, irado e irritado, ou pode dizer: "O tempo de Deus é perfeito; Ele nunca se atrasa. E os meus passos são ordenados pelo Senhor". Agora você pode relaxar e simplesmente seguir o fluxo do que está acontecendo em sua vida. No que se refere às coisas que estão fora do nosso controle, podemos arruinar o dia ou relaxar e desfrutá-lo enquanto Deus está trabalhando na situação. Enquanto acreditarmos, Deus continua trabalhando!

Confie Nele O quanto você está relaxado? Sua resposta está diretamente ligada a quanto você confia em Deus. Pode levar muitos anos

20 de Março

Confiando em Deus Dia a Dia

para você confiar totalmente nele, como aconteceu comigo, mas cada dia será cada vez melhor à medida que você confiar mais e aprender a relaxar.

20 de Março
Tenha um Coração Sensível

Eu lhes darei um coração [um novo coração] e colocarei um novo espírito dentro deles; e Eu tirarei o coração de pedra [endurecido de forma antinatural] da sua carne, e lhes darei um coração de carne [sensível e responsivo ao toque do seu Deus]...

EZEQUIEL 11:19

Esse versículo significa muito para mim porque eu era uma pessoa de coração duro, devido ao abuso que sofri nos primeiros anos de minha vida. Esse versículo bíblico me deu esperança de que eu poderia mudar. Deus nos dá coisas em forma de sementes e precisamos trabalhar com o Espírito Santo para trazê-las à plena maturidade. É muito semelhante ao fruto do Espírito, que está em nós, mas precisa ser regado com a Palavra de Deus e desenvolvido por meio do uso.

Como crentes em Jesus, temos corações sensíveis, mas o nosso coração pode se tornar duro se não tomarmos cuidado com ele. Vejo que dedicar tempo para realmente pensar no que as pessoas estão enfrentando em suas adversidades individuais me ajuda a ter compaixão. Jesus se comovia com compaixão, e também deveríamos nos mover para orar, ou para ajudar de alguma forma.

A empatia é uma bela emoção e felizmente é uma das emoções à qual não temos de resistir! Vamos aprender a resistir às emoções negativas que envenenam as nossas vidas e a abraçar emoções que podemos desfrutar e que glorificam a Deus. As emoções são um dom de Deus; na verdade, elas são uma grande parte do que faz de nós seres humanos. Sem elas, a vida seria monótona e nós seríamos como robôs. Por serem as emoções uma parte vulnerável de nossas vidas, Satanás procura tirar vantagem e transformar o que Deus pretendeu que fossem coisas boas em coisas más.

Somos abençoados porque Jesus redimiu cada parte do nosso ser, inclusive as nossas emoções. O desejo de Deus é que você desfrute a vida que Ele lhe deu, mas isso é impossível se você não aprender a controlar os seus sentimentos, em vez de deixar que eles controlem você. Com a ajuda de Deus, você pode fazer isso!

Confie CNele Abra o seu coração para uma necessidade que você vê na sua família, na sua comunidade ou no mundo. Ore e pergunte a Deus se você pode ajudar de alguma forma. Abrace a empatia — a emoção que anseia por ajudar quando você vê uma necessidade. A intenção de Deus foi de que as emoções fossem coisas boas, e elas podem ser se você confiá-las a Ele e não permitir que elas o controlem.

21 de Março
O Caminho É Dar, Não Ganhar

Deem, e [presentes] lhes serão dados; boa medida, recalcada, sacudida e transbordante, será derramada no [bolso formado pelo] fundo [das suas vestes usadas como saco]. Pois com a mesma medida com que vocês medirem [com a medida que vocês usarem quando conferirem benefícios a outros], vocês serão medidos em troca.
LUCAS 6:38

O pecado existe toda vez que uma pessoa vai contra Deus e os Seus caminhos. Tendemos a viver "de forma inversa" — exatamente ao contrário da maneira que deveríamos viver. Vivemos para nós mesmos e, no entanto, parece que nunca acabamos tendo o que nos satisfaz. Deveríamos viver para os outros e aprender o segredo maravilhoso de que aquilo que damos volta para nós, multiplicado muitas vezes mais. Gosto da maneira como um médico famoso chamado Lucas coloca essa ideia: "Entreguem a vida! Vocês a receberão de volta, e não só isso: o retorno será cheio de recompensa e de bênçãos. Dar é o caminho, não ganhar. Generosidade produz generosidade" (Lucas 6:38, *A Mensagem*).

Não temos de ser ensinados a ser egoístas — todos nós recebemos isso de herança. Está programado em nossa natureza. Todos querem ser o "número 1", o que indica automaticamente que muitas pessoas ficarão decepcionadas, uma vez que somente um pode ser o número 1 a qualquer momento, em qualquer área. Somente uma pessoa pode ser o corredor número 1 do mundo. Só uma pode ser o presidente da empresa ou o ator ou atriz mais famoso em cena ou nas telas. Somente um pode ser o maior escritor ou o melhor pintor do mundo. Embora eu acredite que todos nós deveríamos estar voltados para um objetivo e fazer o nosso melhor, não acredito que deveríamos querer tudo para nós mesmos e não nos importar em nada com as outras pessoas.

O egoísmo não faz a vida funcionar como ela está destinada a funcionar, e definitivamente não é a vontade de Deus para a humanidade; o egoísmo é brutal. Não podemos brincar com ele e esperar produzir qualquer mudança duradoura. Precisamos declarar guerra ao egoísmo.

Confie Nele Em qual dos seus relacionamentos, atitudes e hábitos você está sendo egoísta? Declare guerra a essas áreas, morra para si mesmo, e coloque a sua confiança no padrão de Deus de dar generosamente, que diz: "Dar é o caminho, não ganhar".

22 de Março
O Amor É a Resposta

Mas sejam praticantes da Palavra [obedeçam à mensagem]; e não meramente ouvintes da mesma, traindo a si mesmos [ao engano pelo raciocínio contrário à Verdade].

TIAGO 1:22

O amor precisa ser mais do que uma teoria ou uma palavra; ele tem de ser uma ação. Ele precisa ser demonstrado. Deus é amor, e o amor sempre foi ideia dele. Ele veio para nos amar, para nos ensinar a amá-lo, e para nos ensinar a amar a nós mesmos e aos outros.

Quando fazemos isso, a vida é linda; quando não o fazemos, nada funciona adequadamente. O amor é a resposta para o egoísmo, porque o amor dá, ao passo que o egoísmo tira. Precisamos ser libertos de nós mesmos, e Jesus veio exatamente com esse propósito, como vemos em 2 Coríntios 5:15: "E Ele morreu por todos, para que todos aqueles que vivem não vivam mais para si mesmos, mais para Aquele que por eles morreu e ressuscitou".

Recentemente, quando eu estava meditando a respeito dos problemas terríveis do mundo, como milhões de crianças com fome, a AIDS, a guerra, a opressão, o tráfico humano, o incesto e muito mais, perguntei a Deus: "Como Tu podes suportar ver tudo o que acontece no mundo e não fazer nada?" Ouvi Deus dizer em meu espírito: "Eu trabalho por intermédio das pessoas. Estou esperando que o Meu povo se levante e faça alguma coisa".

Talvez você esteja pensando, como milhões de outros, *Sei que o mundo tem problemas, mas eles são enormes — como posso fazer alguma diferença?* É exatamente esse tipo de atitude que nos tem mantido paralisados, enquanto o mal continua a triunfar. Precisamos parar de pensar no que não podemos fazer e começar a fazer o que podemos fazer.

Pergunte a si mesmo: "Vou continuar a ser parte do problema ou vou ser parte da solução?" Decidi ser parte da solução. Você quer se juntar a mim e permitir que o amor seja o tema central da sua vida?

Confie Nele O que você está fazendo para ajudar a mudar este mundo? Deus quer usar você. Confie nele para equipá-lo para fazer o que você pode fazer, e Ele fará o que você não pode fazer.

23 de Março

Demonstre o Amor de Deus ao Povo Dele

E vocês sabem que Deus ungiu Jesus de Nazaré com o Espírito Santo e com poder. Então Jesus foi por toda parte fazendo o bem e curando a todos os que estavam oprimidos pelo diabo, porque Deus era com Ele.

ATOS 10:38

Ouvi uma história a respeito de um homem que foi à Rússia com a boa intenção de falar ao povo sobre o amor de Jesus Cristo. Durante a sua visita, muitas pessoas estavam passando fome. Quando ele encontrou uma fila de pessoas esperando conseguir pão para aquele dia, ele se aproximou delas com folhetos evangelísticos na mão e começou a percorrer a fila, dizendo a elas que Jesus as ama e entregando a cada uma um folheto que continha a mensagem da salvação. Sem dúvida, ele estava tentando ajudar, mas uma mulher olhou nos olhos dele e disse amargamente: "As suas palavras são gentis, mas elas não enchem o meu estômago vazio".

Aprendi que muitas vezes as pessoas estão sofrendo demais para ouvirem as boas-novas de que Deus as ama; elas precisam experimentar esse amor. E uma das melhores maneiras desses indivíduos experimentarem o amor de Deus é por nosso intermédio, suprindo as necessidades práticas deles, além de dizermos a eles que eles são amados.

Precisamos tomar cuidado para não pensarmos que apenas palavras bastam. Jesus sem dúvida pregou as boas-novas, mas Ele também andou por toda parte fazendo o bem e curando todos os que estavam oprimidos (ver Atos 10:38). Falar não é dispendioso, nem exige muito esforço, mas o verdadeiro amor custa caro. Ele custou a morte do único Filho de Deus, e permitir que o verdadeiro amor flua através de nós também nos custará algo. Talvez tenhamos de investir algum tempo, dinheiro, esforço ou bens — mas nos custará alguma coisa!

24 de Março
Confiando em Deus Dia a Dia

O que podemos fazer? Podemos nos importar, podemos nos informar, podemos orar e podemos agir. Podemos sustentar ministérios e organizações que estão ajudando pessoas, ou se Deus nos pedir, podemos até optar por trabalhar nessas áreas. Se o trabalho em tempo integral não for uma opção, podemos considerar fazer alguma coisa em um projeto ou realizar uma curta viagem missionária. Deus ama todas as pessoas e Ele está contando conosco para tomarmos uma atitude pelos que sofrem neste mundo.

Confie Nele Não fale apenas às pessoas a respeito do amor de Deus... mostre-o a elas. Você pode ajudar a alimentar os famintos, a vestir os nus, a cuidar dos enfermos, a visitar os encarcerados (ver Mateus 25:35-36). Confie em Deus para lhe mostrar como você pode ajudar a suprir as necessidades práticas do Seu povo para que eles possam estar abertos a receber o Seu amor.

24 de Março
Tudo que Você Fizer Vale a Pena

E o Rei lhes responderá: em verdade eu lhes digo, tudo o que vocês fizerem por um dos menores destes Meus irmãos [aos olhos dos homens], vocês fizeram por Mim.

MATEUS 25:40

Quando olhamos as necessidades do mundo hoje, percebemos que elas são avassaladoras. Você talvez esteja pensando: *Joyce, o que eu posso fazer não fará a menor diferença nos problemas que temos no mundo.* Sei como você se sente, porque um dia eu me senti da mesma forma. Mas se todos nós pensarmos assim, ninguém fará nada, e nada mudará. Embora os nossos esforços individuais possam não resolver os problemas, juntos podemos fazer uma enorme diferença. Deus não nos fará prestar contas do que não poderíamos fazer, Ele nos fará prestar contas das coisas que poderíamos ter feito.

Recentemente, eu havia voltado de uma viagem à Índia e estava na academia de ginástica quando uma mulher que costumo ver ali me perguntou se eu realmente acreditava que todo o esforço necessário para fazer essas viagens estava resolvendo alguma coisa, já que milhões de pessoas ainda estariam passando fome, independentemente de quantos alimentássemos. Compartilhei com ela o que Deus colocou em meu coração — algo que resolveu a questão definitivamente para mim. Se você ou eu estivéssemos

Confiando em Deus Dia a Dia   25 de Março

com fome por não termos comido há três dias, e alguém nos oferecesse uma refeição que aliviasse a dor em nosso estômago por um dia, será que a aceitaríamos e ficaríamos felizes por isso? É claro que sim. E é isso que acontece com as pessoas a quem ajudamos. Somos capazes de organizar campanhas consecutivas para muitas delas, mas sempre haverá aqueles a quem podemos ajudar apenas por uma ou duas vezes. Ainda assim, sei que vale a pena realizar essas campanhas. Se pudermos dar uma refeição a uma criança faminta, vale a pena fazer isso. Se pudermos aliviar a dor de uma pessoa por um dia, vale a pena fazer isso. Decidi fazer sempre o que posso fazer e me lembrar do que Deus me disse: "Se você só puder aliviar a dor de uma pessoa por uma hora, ainda assim vale a pena fazer isso".

Confie Nele Deus plantou uma ideia no seu coração de ajudar os outros de uma maneira específica? Confie que qualquer atitude boa que você possa ter vale a pena. Não permita que a grandeza do problema o detenha. Deus lhe mostrará o que você pode fazer — confie nele quando Ele diz que isso faz a diferença.

25 de Março

Acrescente Sabor Onde Quer que Você Vá

Vocês são o sal da terra, mas se o sal perder o seu sabor (sua força, sua qualidade), como ele pode ser restaurado? Ele não presta mais para nada, apenas para ser lançado fora e pisado sob os pés pelos homens.

MATEUS 5:13

Creio que é seguro dizer que a maior parte do que o mundo oferece é insípido — e não estou falando de comida. Por exemplo, a maior parte dos filmes que Hollywood produz e a maneira como as pessoas se tratam no mundo de hoje não têm gosto. Geralmente, quando vemos algum tipo de comportamento que é de mau gosto, somos rápidos em culpar "o mundo". Podemos dizer algo do tipo "O que vai ser deste mundo?" Mas a expressão "o mundo" significa simplesmente as pessoas que vivem nele. Se o mundo perdeu o seu sabor, é porque as pessoas perderam o sabor nas suas atitudes e atos. Jesus disse que nós somos o sal da terra (ver Mateus 5:13). Ele também disse que somos a luz do mundo e que não devemos esconder a nossa luz (ver Mateus 5:14).

26 de Março
Confiando em Deus Dia a Dia

Pense desta maneira: cada dia, quando sai de casa, você pode acrescentar a luz e o sabor de Deus a qualquer ambiente. Você pode levar alegria ao seu local de trabalho, decidindo-se a ter consistentemente uma atitude temente a Deus, e por meio de coisas simples como ser grato, paciente, misericordioso, rápido em perdoar as ofensas, gentil e encorajador. Até um simples sorriso e uma atitude amigável são maneiras de levar sabor a uma sociedade insípida.

Sem o amor e todas as suas qualidades magníficas, a vida é insípida e não vale a pena ser vivida. Quero que você faça uma experiência. Pense nisto: *Vou sair para o mundo hoje e levar tempero às coisas.* Decida-se, antes de passar pela porta, a sair como embaixador de Deus, com o objetivo de dar, amar as pessoas e acrescentar sabor à vida delas. A pergunta que cada um de nós deve responder é: "O que fiz hoje para tornar a vida de outra pessoa melhor?"

Confie Nele Decida-se a passar pela vida com uma atitude temente a Deus, acrescentando sabor aonde quer que você vá. Confie em Deus para cuidar de você enquanto você planta a boa semente, tomando decisões que serão uma bênção para os outros.

26 de Março
Eu Era o Centro dos Meus Pensamentos

Ele me enviou para curar os que têm o coração quebrantado, para proclamar libertação aos cativos e libertação das trevas aos prisioneiros...

ISAÍAS 61:1

Quando olho para trás, para os 45 anos em que Dave e eu estamos casados, fico assombrada ao ver o quanto fui egoísta, principalmente nos primeiros anos. Posso dizer sinceramente que eu não sabia ser diferente. Na casa onde cresci, tudo o que eu via era egoísmo e eu não tinha ninguém para me ensinar algo diferente. Se eu soubesse dar em vez de receber, estou certa de que os primeiros anos do nosso casamento teriam sido muito melhores do que foram. Quando Deus entrou em minha vida, vi as coisas se transformarem e velhas feridas foram curadas, mas desperdicei muitos anos que não posso recuperar.

Em contraste nítido com a maneira como eu havia sido criada, Dave cresceu em um lar cristão. Sua mãe era uma mulher temente ao Senhor, que orava e ensinava seus filhos a dar. Em resultado da criação de Dave,

Confiando em Deus Dia a Dia

27 de Março

ele desenvolveu qualidades que eu nunca havia visto em toda a minha vida até conhecê-lo. O exemplo dele foi incrivelmente valioso para mim. Se ele não tivesse sido muito paciente — e a paciência é um aspecto do amor — estou certa de que o nosso casamento não teria durado, mas agradeço a Deus porque ele durou. Depois de muitos anos de casamento, posso dizer honestamente que nosso relacionamento melhora a cada dia. Sou mais feliz agora do que nunca, porque contribuo mais para o relacionamento do que já fiz. Realmente, gosto de ver Dave fazer as coisas de que ele gosta, e esse é um contraste enorme com todos os anos em que fiquei zangada todas as vezes que as coisas não aconteciam "do meu jeito".

Eu era o centro dos meus pensamentos, e nada mudou até o dia em que eu me cansei do fato de que toda a minha vida se resumia a mim mesma, e estava centrada unicamente no meu "eu". Jesus veio para abrir as portas das prisões e libertar os cativos (ver Isaías 61:1). Ele me libertou de muitas coisas, e a maior delas foi de mim mesma. Fui liberta de mim! Continuo a crescer diariamente nessa liberdade, mas sou grata por entender que a verdadeira alegria não está em conseguir que as coisas sejam do meu jeito o tempo todo.

Confie Nele Como você reage quando não consegue que as coisas saiam do seu jeito? Você é capaz de confiar em Deus para cuidar de você? Aceite o convite dele de libertar você!

27 de Março

A Jornada Rumo ao Altruísmo

...morro diariamente [enfrento a morte todos os dias e morro para mim mesmo].

1 CORÍNTIOS 15:31

O egoísmo não é um comportamento aprendido; nascemos com ele. A Bíblia se refere a ele como a "natureza pecaminosa". Adão e Eva pecaram contra Deus fazendo o que Ele lhes havia dito para não fazer, e o princípio do pecado que eles estabeleceram foi passado eternamente a cada pessoa que nasceu desde então. Deus enviou o Seu Filho, Jesus, para morrer pelos nossos pecados e para nos libertar deles. Ele veio para desfazer o que Adão fez. Quando aceitamos Jesus como nosso Salvador, Ele vem viver em nosso espírito, e se permitirmos que essa parte renovada do nosso ser governe as nossas decisões, poderemos vencer a natureza pe-

28 de Março
Confiando em Deus Dia a Dia

caminosa que habita em nossa carne. Ela não desaparece, mas Aquele que é Maior e que vive em nós nos ajuda a vencê-la diariamente (ver Gálatas 5:16). Isso não significa que nunca pecamos, mas que podemos melhorar e progredir ao longo das nossas vidas.

Com certeza não posso dizer que venci inteiramente o egoísmo — nenhum de nós pode dizer isso enquanto ainda estiver deste lado da eternidade. Mas isso não significa que não façamos todo o possível para nos aproximarmos mais de Deus e para morrer para o nosso egoísmo. Podemos ter esperança de melhorar diariamente. Estou em uma jornada e, embora não tenha alcançado o alvo ainda, decidi que quando Jesus voltar para me levar para casa, Ele me encontrará avançando em direção a esse objetivo (ver Filipenses 3:12-13).

O apóstolo Paulo fez a seguinte afirmação: "... Não sou mais eu quem vive, mas Cristo (o Messias) vive em mim" (Gálatas 2:20). Paulo quis dizer que ele não estava mais vivendo para si mesmo e para sua própria vontade, mas para Deus e para a vontade dele. Fui grandemente encorajada quando descobri, mediante o estudo, que Paulo fez essa afirmação aproximadamente vinte anos *depois* de sua conversão. Aprender a viver sem egoísmo foi uma jornada para ele, assim como para todo mundo. Paulo também disse: "... morro diariamente..." (1 Coríntios 15:31). Em outras palavras, colocar os outros em primeiro lugar era uma batalha diária para Paulo e exigia decisões diárias. Cada um de nós deve decidir como e para que vai viver; e não há uma hora melhor para fazer isso do que agora mesmo.

Confie Nele Você está prosseguindo para o alvo de viver para Deus em vez de viver para si mesmo? Morrer para si mesmo é um processo que você pode melhorar dia a dia. Confie em Deus para lhe dar a força para morrer para si mesmo diariamente.

28 de Março
Deus É Amor

Portanto, somos embaixadores de Cristo, fazendo Deus o Seu apelo através de nós. Nós [como representantes pessoais de Cristo] lhes suplicamos em nome dele que vocês lancem mão do favor divino [que agora lhes é oferecido] e se reconciliem com Deus.

2 CORÍNTIOS 5:20

Estou certa de que você já ouviu a famosa frase de John Donne: "Nenhum homem é uma ilha". Essas palavras são simplesmente uma forma de ex-

Confiando em Deus Dia a Dia   29 de Março

pressar o fato de que as pessoas precisam umas das outras e afetam umas às outras. Nossas vidas podem afetar — e de fato afetam — as outras pessoas, e precisamos ter certeza de afetá-las de maneira positiva. Jesus nos disse para amarmos uns aos outros, porque essa é a única maneira de o mundo saber que Ele existe (ver João 13:34-35).

Deus é amor, e quando demonstramos amor em nossas palavras e atos, estamos mostrando às pessoas como Deus é. Paulo disse que somos embaixadores de Deus, Seus representantes pessoais, e que Ele está fazendo o Seu apelo ao mundo por meio de nós (ver 2 Coríntios 5:20). Todas as vezes que penso nesse versículo, tudo que posso dizer é: "Uau! Que privilégio e responsabilidade!"

Uma das lições que tive de aprender na vida foi que eu não podia ter privilégios sem responsabilidades. Esse é um dos problemas do nosso mundo hoje. As pessoas querem o que não estão dispostas a merecer. O egoísmo diz: "Dê-me isso. Eu quero isso e quero agora". A sabedoria diz: "Não me dê nada que eu não tenha maturidade suficiente para lidar adequadamente".

A gratidão está em falta no mundo, e em grande parte é porque não queremos mais esperar ou nos sacrificar por nada. Descobri que as coisas pelas quais sou mais grata são aqueles pelas quais tive de trabalhar mais e esperar mais. Deus sabe melhor do que nós mesmos quando estamos prontos para receber os Seus presentes e compartilhá-los de uma maneira que exerça um impacto positivo no mundo.

Confie Nele Que efeito a sua vida está exercendo sobre os outros? Se colocar a sua confiança em Deus e permitir que o amor dele brilhe através de você, poderá exercer um impacto positivo na vida de muitos.

29 de Março
Seja uma Bênção Onde Quer Que Você Vá

Apelo a vocês, portanto, irmãos, e lhes imploro em vista de [todas] as misericórdias de Deus, que dediquem de forma decisiva os seus corpos [apresentando todos os seus membros e faculdades] como um sacrifício vivo, santo (dedicado, consagrado) e agradável a Deus, que é o seu culto racional (razoável e inteligente) e a sua adoração espiritual.

ROMANOS 12:1

Durante a maior parte da minha vida, eu acordava todos os dias e ficava deitada na cama fazendo planos para mim mesma. Pensava no que eu

30 de Março

Confiando em Deus Dia a Dia

queria, no que seria melhor para mim, e em como eu poderia convencer minha família e amigos a cooperarem com os meus planos. Eu me levantava e levava adiante o meu dia comigo mesma em mente, e todas as vezes que as coisas não aconteciam do meu jeito, eu ficava chateada, impaciente, frustrada e até zangada. Eu pensava que era infeliz porque não estava conseguindo o que queria, mas na verdade eu estava infeliz porque tudo o que eu fazia era tentar conseguir o que eu queria, sem nenhuma preocupação real com os outros. Você já se comportou assim?

Felizmente, descobri que o segredo da alegria está em dar a minha vida em vez de tentar preservá-la, e agora as minhas manhãs são muito diferentes. Esta manhã, antes de começar a trabalhar, orei e depois dediquei algum tempo pensando em todas as pessoas com as quais eu sabia que entraria em contato hoje. Então orei Romanos 12:1, que fala de nos dedicarmos a Deus como sacrifícios vivos, oferecendo todas as nossas faculdades a Ele para o Seu uso.

Enquanto você pensa nas pessoas com quem trabalha e que provavelmente verá hoje, peça ao Senhor para lhe mostrar qualquer coisa que você possa fazer por elas. Disponha-se a encorajá-las e a elogiá-las. Sem dúvida, todos nós podemos encontrar algo de bom para dizer a cada pessoa que encontramos. Simplesmente tentar fazer isso nos ajudará a manter a nossa mente fora de nós mesmos. Confie no Senhor para conduzir você, enquanto você cuida das tarefas do seu dia a dia.

Confie Nele Se você quer se dedicar a Deus para que Ele possa usá-lo para amar e ajudar outros, faça esta oração: "Senhor, confio a Ti os meus olhos, os meus ouvidos, a minha boca, as minhas mãos, os meus pés, o meu coração, as minhas finanças, os meus dons, os meus talentos, as minhas habilidades, o meu tempo, e a minha energia. Usa-me para ser uma bênção onde quer que eu vá hoje". Agora ouça a direção de Deus para ser uma bênção ao longo do seu dia.

30 de Março

Procure Fazer o Bem

Vejam que nenhum de vocês pague a outro o mal com o mal, mas procurem sempre demonstrar bondade e procurem fazer o bem uns aos outros e a todos.

1 TESSALONICENSES 5:15

Confiando em Deus Dia a Dia   31 de Março

A Bíblia está cheia de instruções para sermos ativos. A instrução para sermos ativos em vez de passivos é muito simples, mas milhões de pessoas a ignoram totalmente. Talvez elas pensem que as coisas vão melhorar sozinhas. Mas nada de bom acontece por acidente. Quando aprendi isso, a minha vida mudou para melhor. A Bíblia diz que devemos *procurar* ser bondosos e benignos (ver 1 Tessalonicenses 5:15). *Procurar* é uma palavra forte, que significa "ansiar, perseguir e ir atrás de". Se procurarmos oportunidades, com certeza as encontraremos, e isso nos protegerá de sermos ociosos e infrutíferos. Precisamos perguntar a nós mesmos se estamos alertas e ativos, ou passivos e inativos. Deus está alerta e ativo! Fico feliz por isso; do contrário, as coisas em nossas vidas se deteriorariam rapidamente. Deus não apenas criou o mundo e tudo o que vemos e desfrutamos nele, mas também o sustenta ativamente, porque Ele sabe que as coisas boas não ocorrem simplesmente por acaso; elas acontecem em resultado da ação correta (ver Hebreus 1:3).

A atividade equilibrada inspirada por Deus nos impede de ser ociosos e infrutíferos e, portanto, serve como uma proteção para nós. Realizar as coisas certas de maneira ativa e continuamente, impedirá que façamos coisas erradas.

Confie Nele Você está buscando a bondade e a benignidade? Esteja alerta e ativo, confiando em Deus para inspirar a ação correta em sua vida enquanto você procura ser bondoso e benigno.

31 de Março
Lembre-se da Fonte de Toda a Verdade

Pois nada podemos fazer contra a Verdade [nem servir a qualquer partido ou interesse pessoal], mas unicamente a favor da Verdade [que é o Evangelho].

2 CORÍNTIOS 13:8

Durante os dias em que Jesus viveu na terra, Pilatos lhe fez uma pergunta que tem sido feita ao longo dos séculos, e ainda é feita hoje: "O que é a Verdade?" (João 18:38). Jesus já havia respondido a essa pergunta de forma clara e simples: "Eu Sou o Caminho, a Verdade e a Vida" (João 14:6). Quando orava a Deus, em João 17:17, Jesus também disse: "A Tua Palavra é a Verdade". Ele não apenas conhecia a verdade, mas quando a Sua própria mente estava sendo atacada por Satanás, Ele declarou a verdade da Palavra

97

1.º de Abril

Confiando em Deus Dia a Dia

de Deus em voz alta (ver Lucas 4:1-13). Essa é uma das formas mais eficazes de "expulsar" pensamentos, raciocínios, teorias e imaginações erradas. Para mim, fazer isso é como interromper o diabo no meio da tentação dele.

Somos parceiros de Deus. Nosso papel é confiar nele, conhecer a Sua Palavra e acreditar nela, e o papel dele é fazer o que precisa ser feito em cada situação. Não podemos conhecer a Palavra de Deus se não nos dedicarmos à leitura e ao estudo diligente da mesma. Ninguém esperaria ser um médico bem-sucedido sem estudo, portanto, por que as pessoas deveriam esperar ser fortes na fé sem fazer o mesmo?

A Palavra de Deus, a Bíblia, é a verdade. Ela ensina a verdade; ela nos ensina uma maneira de viver que gera vida. A Palavra de Deus resistiu ao teste do tempo e foi provada na vida de milhões de pessoas ao longo de milhares de anos. Ela funciona, se for seguida. Sei disso em função de anos de experiência pessoal e pelas inúmeras vezes em que vi a vida de outras pessoas mudar de formas incríveis, simplesmente porque elas acreditaram na verdade de Deus e obedeceram a ela.

Confie Nele Você está fazendo a sua parte estudando a Palavra de Deus, crendo e confiando nela? Quando você fizer isso, Deus fará o resto.

1.º de Abril
Preocupação ou Confiança? A Escolha é Sua

Dependa do Senhor, e confie nele de todo o seu coração e mente, e não se firme na sua própria percepção e entendimento.

PROVÉRBIOS 3:5

A preocupação de nada adianta, e ela pode afetar a sua vida negativamente. Estou certa de que você percebeu o quanto se sente absolutamente impotente quando se preocupa ou está ansioso e perturbado, porque a preocupação é realmente totalmente inútil. É uma perda de tempo e energia, porque ela nunca muda as suas circunstâncias.

Gosto de dizer que a preocupação é como sentar-se em uma cadeira de balanço, balançando para a frente e para trás; a cadeira está sempre em movimento e mantém você ocupado, mas nunca o leva a lugar algum. A preocupação impede você e eu de vivermos por fé e rouba a nossa paz. Quando nos preocupamos, estamos na verdade dizendo: "Se eu me esforçar o suficiente posso encontrar uma solução para o meu problema", e isso é o oposto de confiar em Deus.

Confiando em Deus Dia a Dia

2 de Abril

A causa da preocupação é simples: é o fracasso de confiar em Deus para cuidar das inúmeras situações de nossas vidas. A maioria de nós passou a vida tentando cuidar de si mesmo, e exige-se tempo para aprender a confiar em Deus em todas as situações. Você aprende com a prática. Precisa dar um passo de fé, e ao fazer isso você experimenta a fidelidade de Deus, o que torna mais fácil confiar nele da próxima vez. Com frequência confiamos em nossas próprias habilidades, acreditando que podemos chegar à conclusão de como cuidar dos nossos próprios problemas. Porém, na maior parte do tempo, depois de toda a nossa preocupação e esforço para resolver os problemas sozinhos, ficamos decepcionados, incapazes de encontrar as soluções adequadas. Deus, em contrapartida, sempre tem soluções para aquilo que deixa você ansioso e preocupado.

Confiar nele permite que você entre no Seu descanso, e o descanso é um lugar de paz, onde você pode desfrutar a vida esperando que Ele resolva os seus problemas. Deus cuida de você; Ele resolverá os seus problemas e suprirá as suas necessidades, mas você precisa parar de pensar e de se preocupar com eles.

Confie Nele Não há um tempo como o presente para começar a aprender uma nova maneira de viver — preocupando-se menos e confiando mais. Esta é a hora de começar a pensar e dizer: "Confio em Deus completamente; não há necessidade de eu me preocupar!"

2 de Abril

Confiança: Chega de Fingimento

...por causa da nossa fé nele, ousamos ter a ousadia (a coragem e a confiança) do livre acesso (aproximando-nos de Deus sem reservas, com liberdade e sem medo).

EFÉSIOS 3:12

O que é confiança? Creio que confiança tem tudo a ver com ser positivo em relação ao que você pode fazer e não se preocupar com o que você não pode fazer. As pessoas confiantes não se concentram nas suas fraquezas; elas desenvolvem e maximizam os seus pontos fortes.

Digamos que você não seja o tipo de pessoa que lide bem com números. Em uma escala de 1 a 10, talvez você seja um 3. Você pode ficar obcecado com a sua incapacidade matemática. Você pode comprar um livro de *Matemática para Burros* e frequentar um curso livre de matemática. Porém, sua obsessão com a matemática pode consumir muito tempo, um tempo que poderia ser dedicado a coisas nas quais você é um número 8 ou 10 da escala — como ensinar a Palavra de Deus, trabalhar com escrita criativa ou dar apoio a obras de caridade. Em outras palavras, você poderia tirar tempo e esforço das áreas de sua vida em que você é 10 apenas para levar o seu 3 em matemática a um nível 5. Quando vemos as coisas assim, é fácil ver onde precisamos investir os nossos esforços.

O mundo não está faminto de mediocridade. Realmente não precisamos de um monte de pessoas nível 4 ou 5 correndo de um lado para o outro, fazendo um trabalho medíocre na vida. Este mundo precisa de pessoas nota 10. Creio que todos podem ser 10 em alguma coisa.

A confiança permite que você e eu encaremos a vida com ousadia, com a mente aberta e com honestidade. Ela nos capacita a viver sem nos preocuparmos, e a nos sentirmos seguros. Ela nos capacita a viver de forma autêntica. Não temos de fingir ser alguém que não somos, porque estamos seguros sendo quem somos — ainda que sejamos diferentes dos que nos cercam. Deus criou cada pessoa de uma maneira única; porém, a maioria das pessoas passa a vida tentando ser como outra pessoa, e se sentindo miserável em resultado disso. Confie em mim quando lhe digo isto: Deus nunca o ajudará a ser outra pessoa. Ele quer que você seja você!

Confie Nele O mundo precisa de pessoas nota 10, e Deus o projetou para ser um 10 em alguma coisa. Confie nele para desenvolver os seus pontos fortes. Pense em uma área específica de sua vida — como você pode passar de 7 ou 8 para 10?

3 de Abril

Faça Deliberadamente

...se alguém pretende Me seguir, negue-se a si mesmo [esqueça, ignore, renegue a si mesmo, e perca a si mesmo e os seus próprios interesses de vista] e tome a sua cruz, e siga-Me [unindo-se a Mim como discípulo e andando ao Meu lado continuamente, apegando-se firmemente a Mim].

MARCOS 8:34

Jesus nos disse claramente o que precisamos fazer se quisermos segui-lo. A "cruz" que você e eu temos ordens de carregar na vida é simplesmente uma cruz de altruísmo. A maioria de nós se concentra no que podemos

Confiando em Deus Dia a Dia

4 de Abril

receber na vida, mas precisamos nos concentrar no que podemos *dar*. Pensamos no que as outras pessoas deveriam fazer por nós, e costumamos ficar irados porque elas não nos dão o que queremos. Em vez disso, deveríamos pensar com determinação acerca do que podemos fazer pelos outros e depois confiar em Deus para suprir as nossas necessidades e realizar os nossos desejos. Observe que digo que precisamos pensar com *determinação* no que podemos fazer pelos outros. Gálatas 6:10 transmite o mesmo significado, encorajando-nos a "Sermos diligentes em ser uma bênção". Resumindo, "ser diligente" significa agir de forma deliberada, intencional e proposital. Deus quer que pensemos deliberadamente e que tenhamos a intenção de ser uma bênção para outros.

Faço o meu melhor para ser determinada ao pensar em como posso abençoar, e entender que preciso dar e ajudar deliberadamente tem sido muito benéfico para mim. Isso não veio naturalmente. Tive de aprender a fazer isso, mas essa tem sido uma das maiores e mais recompensadoras lições da minha vida. Há vezes em que "sinto" vontade de ser uma bênção, mas há muitas vezes em que não sinto isso.

Às vezes, também posso sentir que as pessoas deveriam estar fazendo mais por mim, e na verdade talvez elas devessem mesmo, mas essa não pode ser a minha preocupação. Você não pode viver levado pelo que sente, e esperar ter consistência e estabilidade. Nossa capacidade de escolha é maior do que a maneira como nos sentimos, e é essa capacidade que precisamos ativar. Seja deliberado em amar os outros!

Confie Nele Que atitude específica você pode ter para abençoar alguém em sua vida? Seja deliberado — desenvolva um plano para tornar essa bênção uma realidade. Quando você vive desse modo, pode confiar que Deus o abençoará também.

4 de Abril
O Medo Não Vai Embora, Portanto, Faça, Apesar do Medo!

Deus está com você em tudo que você fizer.

GÊNESIS 21:22

Apenas porque pessoas comuns dão passos para realizar coisas extraordinárias, isso não significa que elas não sentem medo. Creio que a heroína do Antigo Testamento, Ester, sentiu medo quando lhe disseram para deixar

5 de Abril

Confiando em Deus Dia a Dia

a sua vida familiar confortável e entrar para o harém do rei para poder ser usada por Deus para salvar sua nação. Creio que Josué sentiu medo quando, depois que Moisés morreu, ele recebeu a tarefa de levar os israelitas à Terra Prometida.

Sei que senti medo quando Deus me chamou para deixar o meu emprego e me preparar para o ministério. Ainda me lembro do medo que senti então, mas me assusta mais agora pensar em como a minha vida teria sido se eu não tivesse enfrentado o medo e seguido em frente para o alvo de fazer a vontade de Deus. Medo não significa que você é um covarde. Significa apenas que você precisa estar disposto a sentir medo, mas fazer o que precisa fazer mesmo assim. Esta é uma das minhas frases favoritas: "Faça, apesar do medo!"

Se eu tivesse permitido que o medo me paralisasse, onde estaria hoje? O que eu estaria fazendo? Será que eu estaria feliz e realizada? Ou estaria sentada em casa, deprimida e me perguntando por que a minha vida havia sido uma decepção tão grande? Creio que muitas pessoas infelizes são indivíduos que permitiram que o medo governasse as suas vidas.

E quanto a você, meu amigo? Você está fazendo o que realmente acredita que deveria estar fazendo nesta fase da sua vida, ou permitiu que o medo e a falta de confiança o impedissem de se lançar em coisas novas — ou em níveis mais altos? Se você não gostou da sua reposta, deixe-me dar-lhe uma boa notícia: nunca é tarde demais para começar de novo! Não desperdice nem mais um dia vivendo uma vida estreita que só tem espaço para você e para os seus medos. Tome a decisão agora mesmo de aprender a viver com ousadia, determinação e confiança. Não permita mais que o medo governe você.

Confie Nele Onde foi que o medo impediu que você desse um passo de fé? Não espere que o medo desapareça; confie em Deus e *faça o que for preciso, apesar do medo!*

5 de Abril

Saiba Que Você É Amado

Assim como [no Seu amor] Ele nos escolheu [realmente nos selecionou para Si mesmo como Seus] em Cristo antes da fundação do mundo, para que fôssemos santos (consagrados e separados para Ele) e inculpáveis aos Seus olhos, acima de qualquer censura, perante Ele em amor. Porque Ele nos predestinou (nos destinou, plane-

jou em amor para nós) para sermos adotados (revelados) como Seus próprios filhos através de Jesus Cristo, de acordo com o propósito da Sua vontade [porque isso lhe agradou e foi a Sua intenção]...

EFÉSIOS 1:4-5

Uma pessoa confiante não teme não ser amada, porque ela sabe antes de tudo que Deus a ama incondicionalmente. Para sermos íntegros e completos, você e eu precisamos saber que somos amados. Todos desejam e necessitam do amor e da aceitação de Deus e dos outros. Embora nem todos vão nos aceitar e amar, alguns o farão. Encorajo você a se concentrar naqueles que o amam e esquecer aqueles que não o amam. Deus certamente nos ama, e Ele pode lhe dar outras pessoas que também amem você — se contarmos com Ele e pararmos de fazer escolhas erradas a respeito de quem vamos trazer para o nosso círculo de inclusão.

Creio que precisamos ter o que chamo de "conexões divinas". Em outras palavras, ore a respeito do seu círculo de amigos. Não decida simplesmente a que grupo social você quer pertencer, e depois tente entrar nele. Em vez disso, siga a direção do Espírito Santo para escolher de quem você quer se aproximar.

O primeiro lugar para começar se você precisa ser amado é com Deus. Ele é um Pai que quer derramar amor e bênçãos sobre os Seus filhos. Se o seu pai natural não amou você adequadamente, você agora pode receber de Deus o que perdeu na infância. O amor é o bálsamo de cura que o mundo precisa, e Deus o oferece liberalmente e continuamente. O amor dele é incondicional. Ele não nos ama *se*; Ele nos ama simplesmente e eternamente. Ele não nos ama porque merecemos isso; Deus nos ama porque Ele é bom e quer nos amar.

Confie Nele Deus escolheu você e o ama incondicionalmente. Agradeça a Ele pelo Seu amor e peça a Ele para ajudar você a confiar na Sua Palavra e nas pessoas que fazem parte da sua vida e que o amam e aceitam pela bênção que você é.

6 de Abril
Uma Vida Ótima, Maravilhosa e Feliz

Mais abençoado é dar do que receber (torna uma pessoa mais feliz e mais digna de ser invejada).

ATOS 20:35

103

Ser boa para as pessoas tem sido um dos meus alvos pessoais, por essa razão, o meu "tanque de alegria" nunca fica vazio por muito tempo. Até descobri que quando fico triste ou desanimada, posso começar a pensar deliberadamente no que posso fazer por outra pessoa, e não demora muito e estou alegre outra vez.

Você talvez tenha ouvido muitas vezes que a Bíblia diz: "Mais abençoado é dar do que receber" (Atos 20:35). A versão *Amplified Bible* traduz esse versículo assim: "Mais abençoado é dar do que receber (torna uma pessoa mais feliz e mais digna de ser invejada)". Talvez você conheça esse versículo, mas realmente acredita nele? Nesse caso, então provavelmente você está fazendo o seu melhor para ser uma bênção por onde quer que vá. Devo admitir que, durante muitos anos, eu podia citar esse versículo, mas obviamente eu não acreditava realmente nele, porque passava o meu tempo tentando ser abençoada em vez de ser uma bênção.

Agora aprendi que nem sequer sabemos o que é ser "feliz" até nos esquecermos de nós mesmos, começarmos a nos concentrar nos outros, e nos tornarmos pessoas que dão com generosidade. Para sermos generosos, temos de fazer mais do que simplesmente atirar uns trocados em uma cesta de ofertas na época de Natal, ou contribuir para a igreja uma vez por semana. Na verdade, acho que aprender a contribuir na igreja deveria ser simplesmente um treinamento para a maneira como deveríamos viver a nossa vida diária. Não quero simplesmente dar ofertas; quero ser uma abençoadora. Quero me oferecer todos os dias para ser usada para o que Deus escolher. Para que essa mudança ocorresse em minha vida, tive de mudar o meu modo de pensar. Tive de pensar e dizer milhares de vezes: "Amo as pessoas, e gosto de ajudá-las". Esse pensamento será transformador se você colocá-lo em ação na sua vida.

À medida que você se tornar um contribuinte generoso, ficará impressionado ao ver o quanto você será feliz e o quanto desfrutará a vida. Se você quer ser um verdadeiro cristão, precisa sempre andar a segunda milha, sempre fazer mais do que o que é preciso, sempre dar mais do que o suficiente, e ser sempre generoso.

Confie Nele Deus o chamou para ser um contribuinte generoso, enquanto você confia nele para suprir todas as suas necessidades. Isso inclui as suas finanças... mas não para por aí. Que outros talentos e recursos você pode dar?

Confiando em Deus Dia a Dia

7 de Abril

Imperfeito, mas Amado Com Perfeição

No amor não existe medo [o temor não existe], mas o amor maduro (completo, perfeito) lança fora o medo e expulsa todo vestígio de terror!

1 JOÃO 4:18

Não podemos amar a nós mesmos se não entendermos antes o quanto Deus nos ama, e se não amarmos a nós mesmos, não podemos amar as outras pessoas. Não podemos manter relacionamentos bons e saudáveis sem esse fundamento de amor em nossas vidas.

Quando conheci o homem com quem estou casada, desde 1967, eu estava desesperada por amor, mas não sabia como recebê-lo, mesmo quando ele estava disponível. Meu marido Dave realmente me amava, mas eu estava constantemente desviando o amor dele devido à maneira como eu me sentia comigo mesma no mais profundo do meu ser. À medida que entrei em um relacionamento sério e comprometido com Deus, por meio de Jesus Cristo, comecei a aprender a respeito do amor de Deus. Mas levei muito tempo para aceitar esse fato plenamente. Quando você não se sente digno de ser amado, é difícil colocar na sua cabeça e no seu coração que Deus o ama perfeitamente — embora você não seja perfeito e nunca venha a ser, enquanto estiver aqui na terra.

Só existe uma coisa que você pode fazer com um dom gratuito: recebê-lo e ser grato. Incentivo você a dar um passo de fé agora mesmo e a dizer em voz alta: "Deus me ama incondicionalmente, e eu recebo o Seu amor!" Talvez você tenha de dizer isso cem vezes ao dia, como eu fiz por meses, antes que finalmente crie raízes no seu coração, mas quando isso acontecer, esse será o dia mais feliz da sua vida. Saber que você é amado por alguém em quem você pode confiar é o melhor e mais reconfortante sentimento do mundo. Deus não apenas o ama assim, como também lhe dará outras pessoas que o amarão verdadeiramente. Quando Ele fizer isso, certifique-se de permanecer grato por essas pessoas. Ter pessoas que amam você genuinamente é um dos presentes mais preciosos do mundo.

Confie Nele Você não poderá receber o amor de Deus até que confie nele. Dê um passo de fé agora mesmo e diga em voz alta: "Deus me ama incondicionalmente e eu recebo o Seu amor!" Diga isso tantas vezes quantas for preciso, até que você acredite.

8 de Abril

A Fé Vence o Medo

Porque Deus não nos deu espírito de timidez (de covardia, de temor covarde que se encolhe e bajula), mas [Ele nos deu um espírito] de poder, de amor, de uma mente calma e equilibrada, de disciplina e domínio próprio.

2 TIMÓTEO 1:7

"Não temerei" é a única atitude aceitável que podemos ter com relação ao medo. Isso não quer dizer que você e eu nunca sentiremos medo, mas significa que não permitiremos que ele governe as nossas decisões e ações. A Bíblia diz que Deus não nos deu espírito de medo. O medo não procede de Deus; ele é a ferramenta do diabo para nos impedir de desfrutarmos nossas vidas e progredirmos. O medo nos faz fugir, recuar ou retroceder. A Bíblia diz, em Hebreus 10:38, que devemos viver por fé e não recuarmos com medo — e que se recuarmos com medo, Deus não tem prazer em nós. Isso não significa que Deus não nos ama; significa simplesmente que Ele fica decepcionado porque quer que experimentemos todas as coisas boas que planejou para nós. Só há um meio de receber de Deus: pela fé.

Devemos nos esforçar para fazer tudo com um espírito de fé. A fé é a confiança em Deus e a convicção de que as Suas promessas são verdadeiras. A fé fará você avançar, experimentar situações novas e ser determinado. Se não tomarmos a decisão firme de "não temer", nunca ficaremos livres do poder do medo. "Faça, apesar do medo" significa sentir medo e fazer o que você acredita que deve fazer, apesar dele.

Encorajo você a ser firme na sua decisão de fazer tudo o que for preciso, ainda que você precise "fazer apesar do medo!"

Confie Nele Escolha andar em fé, confiando nas promessas de Deus. Lembre-se de "não temer", e quando você sentir medo, "faça, apesar do medo".

9 de Abril

Pare de Esperar e Comece a Experimentar!

E estou convencido e certo disto, que Aquele que começou a boa obra em vocês continuará até o dia de Jesus Cristo [até o momento

Confiando em Deus Dia a Dia

10 de Abril

*da Sua volta], desenvolvendo [aquela boa obra] e aperfeiçoando-a
e levando-a à plena conclusão em vocês.*

FILIPENSES 1:16

Muitas pessoas estão confusas quanto ao que devem fazer com as suas vidas. Elas não sabem qual é a vontade de Deus para elas e estão sem direção. Eu já senti o mesmo, mas descobri o meu destino tentando diversas vezes. Fui trabalhar no berçário da igreja, e descobri depressa que não havia sido chamada para trabalhar com crianças. Tentei ser a secretária do meu pastor, e depois de um dia fui despedida sem explicações, exceto "Isto não está dando certo". Fiquei arrasada a princípio, até que pouco depois fui convidada para iniciar uma reunião semanal às terças-feiras pela manhã na igreja e ensinar a Palavra de Deus. Logo descobri onde eu me encaixava. Eu poderia ter passado a vida inteira confusa, mas agradeço a Deus porque fui confiante o bastante para me levantar e descobrir o que era certo para mim. Fiz isso por meio do processo de eliminação, e passei por algumas decepções — mas tudo cooperou para o bem no final.

Se você não está fazendo nada com a sua vida, porque não tem certeza do que fazer, recomendo que você ore e comece a experimentar algumas coisas. Não demorará muito até que você se sinta confortável com alguma coisa. Ela se encaixará perfeitamente para você. Pense nisso assim: quando você sai para comprar uma roupa nova, provavelmente experimenta diversas roupas até encontrar a que veste bem, é confortável e fica bem em você. Por que não tentar o mesmo para descobrir o seu destino? Uma pessoa confiante não tem medo de cometer erros, e se cometer, ela se recupera e continua avançando.

Confie Nele Você não pode dirigir um carro estacionado — é hora de colocar seu carro em movimento! Escolha um desejo que Deus colocou em seu coração e dê o primeiro passo. Experimente. Ainda que não se encaixe perfeitamente, o seu destino se desenrolará à medida que você continuar a colocar a sua confiança em Deus e experimentar algo novo.

10 de Abril

Evite Comparações

Eu Te louvo porque fui assombrosamente e maravilhosamente criado; as Tuas obras são maravilhosas, sei disso muito bem.

SALMOS 139:14

11 de Abril   Confiando em Deus Dia a Dia

Não é possível ser confiante enquanto nos comparamos com os outros. Não importa o quanto a nossa aparência é ótima, o quanto somos talentosos ou inteligentes, ou o quanto somos bem-sucedidos, sempre existe alguém que é melhor, e mais cedo ou mais tarde vamos nos encontrar com essas pessoas. Creio que a confiança está em fazer o melhor que pudermos com o que temos para trabalhar, e não em nos compararmos com os outros e competirmos com eles.

De modo igual à maioria das pessoas, lutei por anos tentando ser semelhante à minha vizinha, ao meu marido, à esposa do meu pastor, à minha amiga, e assim por diante. Minha vizinha era muito criativa em decoração, costura e muitas outras atividades manuais, ao passo que eu mal conseguia pregar um botão e ter confiança de que ele não iria cair. Fiz aulas de costura e tentei costurar, mas detestei. Meu marido é muito calmo e tranquilo, e eu era exatamente o oposto. Então, tentei ser como ele, mas isso não funcionou também. A esposa do meu pastor era doce, motivada pela misericórdia, pequena, bonitinha e loira. Eu, por outro lado, era agressiva, ousada, falava alto, não era tão delicada — e era morena.

Em geral, eu estava sempre me comparando com alguém, e ao fazer isso acabava rejeitando e reprovando a pessoa que Deus me criou para ser. Depois de anos de infelicidade, finalmente entendi que Deus não comete erros. Ele cria todos nós diferentes deliberadamente, e ser diferente não é mau; é Deus mostrando a Sua variedade criativa. Deveríamos nos aceitar como criação de Deus e deixar que Ele nos ajude a sermos os indivíduos únicos, preciosos, que Ele pretendeu que fôssemos. A confiança começa com a autoaceitação — que se torna possível por meio de uma fé forte no amor e no plano de Deus para as nossas vidas.

Confie Nele Tome a decisão de nunca mais se comparar com outra pessoa. Confie em Deus mais do que na sua capacidade de se comparar com alguém. Então você poderá valorizar os outros por quem eles são, e gostar da pessoa maravilhosa que Deus criou você para ser.

11 de Abril

Tome uma Atitude

Sejam fortes, corajosos e firmes; não temam nem se espantem diante deles, pois é o Senhor seu Deus quem vai adiante de vocês; Ele não falhará nem os abandonará.

DEUTERONÔMIO 31:6

Confiando em Deus Dia a Dia
12 de Abril

Ouvi dizer que existem dois tipos de pessoas no mundo: as que esperam que alguma coisa aconteça e as que fazem as coisas acontecerem. Um dos poucos erros dos quais não podemos nos recuperar é o erro de nunca estar disposto a cometer um erro, para início de conversa! Deus trabalha por meio da nossa fé, e não do nosso medo. Não fique sentado no acostamento da vida desejando estar fazendo o que você vê as outras pessoas fazerem. Tome uma atitude e desfrute a vida!

Se uma pessoa é naturalmente introvertida ou extrovertida, ela sempre terá mais tendências voltadas para a sua característica natural — e isso não é errado. Entretanto, podemos ter a vida que desejamos e ainda não negar quem somos. Portanto, sonde o seu coração e pergunte a si mesmo o que você acha que Deus quer que você faça — e depois faça isso. Para onde Ele nos guia, Ele sempre provê. Se Deus está lhe pedindo para se lançar em alguma coisa que é desconfortável para você, posso lhe garantir que quando você der o passo de fé, você o encontrará andando bem ao seu lado.

Quando você quiser fazer alguma coisa, não se permita pensar naquilo que pode dar errado. Seja positivo e pense nas coisas empolgantes que podem acontecer. A sua atitude faz toda a diferença. Tenha uma atitude positiva, determinada e ativa, e você desfrutará mais a sua vida. Pode ser difícil a princípio, mas valerá a pena no final.

Confie Nele Qual é o acostamento onde você está parado, apenas desejando e esperando? O que o está impedindo de confiar em Deus? Tome uma atitude! Você pode fazer alguma coisa hoje com a coragem que Deus lhe dá.

12 de Abril
Escolha com Muito Cuidado

Ela avalia um [novo] campo e o compra [expandindo prudentemente e não negligenciando os outros deveres, por assumir outros compromissos] e com o que ganha [de tempo e força] planta uma vinha.
PROVÉRBIOS 31:16

Esse versículo é muito importante para mim. Sou uma pessoa determinada que quer estar envolvida em tudo, mas aprendi da maneira mais difícil que isso não é sábio nem possível. Quando tentamos fazer tudo, não fazemos nada bem. Qualidade é muito melhor do que quantidade. A mulher de Provérbios parece uma incrível mulher de negócios. O versículo 16 começa dizendo que ela "examina" um novo campo antes de comprá-lo. Ela considera as suas obrigações atuais e toma cuidado para não negligenciá-las assumindo outras. Em outras palavras, ela pensa seriamente no que está prestes a fazer e não age com base nas emoções sem pensar com prudência.

Ah, como a vida seria melhor se todos nós dedicássemos tempo para pensar no que estamos prestes a fazer! É impressionante quantos produtos eu deixo de comprar se simplesmente for para casa e pensar nisso por algum tempo. É incrível como uma boa noite de sono nos faz mudar de ideia. Nem tudo que parece bom é bom, e uma pessoa sábia dedicará tempo para examinar uma situação profundamente. Se você pensar nisso, o bom às vezes é inimigo do melhor. Deveríamos escolher as coisas mais excelentes e não meramente nos contentarmos com mais uma coisa boa.

Recebo muitas boas oportunidades quase que diariamente, e tenho de recusar o convite para a maioria delas. Sei o que fui chamada por Deus para fazer, e atenho-me ao meu chamado. Cada um de nós tem uma quantidade de tempo e energia que nos foram designados, e devemos administrar isso de tal maneira a dar o máximo de frutos que pudermos. Não se arrisque a negligenciar suas obrigações assumindo outras novas. Uma maneira segura de perder a sua confiança é ter tantas coisas para fazer a ponto de não fazer bem nenhuma delas.

Confie Nele Quando surgir uma oportunidade, reflita com cuidado como ela afetará as suas obrigações atuais antes de se comprometer. Você tem a paixão e os recursos necessários para isso? E o que é mais importante, Deus chamou você para isso? Se a sua resposta for sim, então você pode confiar que a mão de Deus estará sobre a sua decisão.

13 de Abril
Cuide de Si Mesmo

Ela faz colchas, almofadas e tapetes de tapeçaria para si. Suas roupas são de linho, puro e fino, e de púrpura [como eram feitas as vestes dos sacerdotes e os tecidos sagrados do templo].

PROVÉRBIOS 31:22

Gosto especialmente desse versículo de Provérbios, porque ele me diz que essa famosa mulher possuía coisas de qualidade. Ela vivia uma vida equilibrada. Ela fazia muito pelos outros, mas também dedicava tempo para ministrar a si mesma. Muitas pessoas ficam esgotadas porque não

Confiando em Deus Dia a Dia   14 de Abril

dedicam tempo para ter um refrigério. Sentimos tamanha necessidade de dar e de fazer pelos outros, que ignoramos as nossas próprias necessidades, ou pior, nos sentimos culpados por sequer pensar em nós mesmos. Precisamos ser ministrados espiritualmente, mentalmente, emocionalmente e fisicamente. Cada uma dessas áreas é importante para Deus; Ele as criou, e está interessado no bem-estar de todas elas, inclusive em nossas necessidades físicas e emocionais. Essa mulher confiante de Provérbios fazia para si almofadas, tapetes e roupas. Suas roupas eram feitas do mesmo tecido que os sacerdotes usavam. Em outras palavras, ela possuía coisas muito boas. O melhor!

Muitas pessoas estão confusas a respeito do Cristianismo, acreditando que ser cristão significa fazer tudo pelos outros, sacrificando tudo na vida que se poderia desfrutar no nível pessoal. Não acredito nisso! Sem dúvida, seremos chamados para tempos de sacrifício ao longo da nossa vida, e devemos abrir mão com alegria do que Deus nos pede para abrirmos mão. Mas não temos de fazer disso uma competição para ver de quantas coisas podemos nos privar na vida para tentar impressionar e agradar a Deus. Jesus disse: "Eu vim para que eles pudessem ter e desfrutar a vida, e vida em abundância (ao máximo, até transbordar)" (João 10:10).

Creio que nos sentimos mais confiantes quando a nossa aparência está a melhor possível e cuidamos bem de nós mesmos. Você é digno de ser cuidado, nunca se esqueça disso. Você tem valor, e deve investir em si mesmo.

Confie Nele Você acredita que Deus quer que você desfrute a vida? Então pense em alguma coisa de que você realmente gosta e dedique tempo para fazer isso!

14 de Abril
Não Recue

Mas o justo viverá pela fé [o Meu servo justo viverá pela sua convicção com relação ao relacionamento do homem com Deus e com as coisas divinas, e ao santo fervor nascido da fé e associado a ela]; e se ele recuar e retroceder com medo, a Minha alma não tem prazer nele.
HEBREUS 10:38

A insegurança faz uma pessoa se encolher de medo. A Palavra de Deus afirma em Hebreus que o justo viverá pela fé, e se ele retroceder com medo, Deus não tem prazer nele. Isso não significa que Deus está zangado co-

15 de Abril

nosco, mas Ele se entristece por estarmos vivendo tão abaixo da vida de confiança que Ele proveu por meio de Jesus Cristo.

Fé é ter confiança em Deus e na Sua Palavra. Talvez você tenha um bom relacionamento com Deus, e não tenha problemas em confiar nele, mas no que se refere a confiar em si mesmo para fazer a coisa certa, você recua — permite que o medo o controle e faça você retroceder.

Deus me disse certa vez que se eu não confiasse em mim mesma, então eu não confiava nele. Ele disse que estava vivendo em mim e me dirigindo, guiando e controlando, porque eu pedi a Ele que fizesse isso. Eu precisava acreditar nas promessas de Deus, e não nos meus sentimentos ou pensamentos. É claro que qualquer um de nós pode perder o contato com Deus, e pode cometer erros. Podemos pensar que estamos indo na direção certa e depois descobrir que estamos errados, mas isso não é o fim do mundo, nem é nada para nos preocuparmos excessivamente. Se o nosso coração for sincero e estivermos buscando sinceramente a vontade de Deus, mesmo que cometamos um erro, Ele intervirá e nos colocará de volta nos trilhos. Ele faz isso com frequência, sem que nem sequer nos demos conta.

Em vez de presumir sempre que você está errado e viver na agonia da insegurança, encorajo você a acreditar que está sendo guiado por Deus, a não ser que Ele lhe mostre o contrário. Assim como Deus prometeu na Sua Palavra, você pode confiar nele para guiá-lo por meio do Seu Espírito Santo a toda a verdade (ver João 16:13). Se estivermos na trilha errada, Deus nos ajudará a voltar ao caminho certo.

Confie Nele Que áreas da sua vida mais enchem você de dúvidas? Ore e peça a Deus para lhe dar uma nova confiança para enfrentar esses desafios.

15 de Abril

A Mudança Começa com Você

Não tema, porque Eu o redimi [Eu o resgatei pagando o preço em vez de deixá-lo cativo]; chamei-o pelo seu nome; você é Meu.

ISAÍAS 43:1

Se você decidiu que pretende desfrutar a melhor vida que Deus tem para você, precisa entender que a mudança que está esperando começa em você. Você precisa acreditar no que a Palavra de Deus diz a seu respeito mais do que no que os outros dizem, ou no que os seus sentimentos ou a sua

Confiando em Deus Dia a Dia

16 de Abril

mente dizem. As circunstâncias que o cercam não são o problema, porque elas não vão durar — mas até que você mude o seu modo de pensar, não importa o que esteja acontecendo em sua vida, você ainda ficará parado no mesmo lugar.

Talvez você tenha sido alimentado por mensagens negativas desde criança. Talvez por pais que tinham problemas e descontaram as frustrações deles em você; ou por um professor que tinha prazer em diminuir você diante da turma. Talvez os seus pais comparassem você em excesso com outro irmão, dando-lhe a impressão de que você era imperfeito. Talvez você tenha tido um ou mais relacionamentos destruídos e se convenceu de que a culpa era sua. Mas, seja qual for o motivo da sua insegurança e da sua atitude negativa consigo mesmo, ela precisa mudar se você deseja realmente desfrutar o melhor de Deus em sua vida.

Veja a si mesmo como Deus o vê, e não da maneira que o mundo o vê ou mesmo da maneira como você vê a si mesmo. Estude a Palavra de Deus e você descobrirá que é precioso, e foi criado no ventre da sua mãe pela própria mão de Deus. Você não é um acidente. Mesmo se os seus pais lhe dissessem que eles nunca o desejaram realmente, posso lhe garantir que Deus deseja você; do contrário você não estaria aqui na terra. Você é valioso, você tem valor, você tem dons, você tem talento e tem um propósito nesta terra. Deus diz que Ele o chamou pelo seu nome e que você pertence a Ele.

Reserve um minuto para olhar para dentro do seu coração. O que você vê ali? Como se sente acerca de si mesmo? Se a sua resposta não concorda com a Palavra de Deus, quero encorajá-lo a começar hoje a renovar a sua mente com relação a si mesmo.

Confie Nele Deus diz na Sua Palavra que você pertence a Ele, e que você foi criado por Ele de forma exclusiva e cuidadosa. Você acredita nisso?

16 de Abril

Conheça os Seus Pontos Fortes

E Deus viu tudo o que Ele havia feito, e eis que era muito bom (adequado, agradável) e Ele o aprovou completamente.
GÊNESIS 1:31

Para desfrutar a vida, você precisa saber quais são os seus pontos fortes. Pensar no que você é bom não é presunção; é meramente uma preparação

113

17 de Abril   Confiando em Deus Dia a Dia

para fazer o seu trabalho com confiança. Sei todas as coisas nas quais eu sou boa, porque Deus me deu dons nessas áreas, e agradeço a Ele o tempo todo pelas habilidades com as quais Ele me equipou. Faça uma lista das coisas nas quais você é bom e releia-a diariamente até adquirir confiança nas suas habilidades.

Eis a minha lista:
Sou uma boa comunicadora
Sou trabalhadora
Sou decidida
Sou determinada
Sou disciplinada
Sou uma amiga leal
Tenho boa memória de curto prazo
Amo ajudar as pessoas
Amo contribuir

No Salmo 139, Davi descreve como Deus nos criou no ventre da nossa mãe com a Sua própria mão, como Ele nos formou de forma delicada e cuidadosa. Então ele diz: "Maravilhosas são as Tuas obras, e disso o meu homem interior sabe muito bem". *Uau!* Que declaração. Davi está dizendo basicamente: "Sou maravilhoso, e sei disso em meu coração". Ele não está se gabando de si mesmo, mas do Deus que o criou.

Também percebo que nem tudo o que preciso na vida está nessa lista. Preciso que Deus coloque em minha vida pessoas que são fortes nas áreas em que sou fraca — isso me mantém humilde e me lembra de que nem tudo se resume a mim.

Em que você é bom? Você sabe? Você pensou seriamente nisso, ou tem estado tão ocupado pensando no que você não é bom, que nem observou quais são as suas habilidades?

Confie Nele Faça uma lista das coisas nas quais você é bom, e leia-a em voz alta para si mesmo todas as manhãs, até se convencer. Lembre-se de que Deus o criou para ser grande — e você pode confiar no projeto dele.

17 de Abril
O Seu GPS Está Ativado?

Orem sem cessar.

1 TESSALONICENSES 5:17

Confiando em Deus Dia a Dia   18 de Abril

Orar provavelmente é a parte mais importante da preparação para fazer alguma coisa, no entanto, muitas pessoas hoje ignoram ou esquecem essa parte vital do processo. Sugiro que você não faça nada sem primeiro orar e pedir a Deus para se envolver e fazer com que tudo dê certo. Jesus disse: "Sem Mim, vocês não podem fazer nada", e eu acredito nele (ver João 15:5). A oração é como o sistema de GPS de um carro. Quando você o ativa e diz a ele para onde está indo, ele lhe mostra o caminho que você precisa percorrer para chegar lá. A Bíblia diz que devemos reconhecer Deus em todos os nossos caminhos, e Ele dirigirá os nossos passos e os tornará seguros (ver Provérbios 3:6). A oração é o GPS de Deus — ela nos *Guia, Provê e Sustenta.*

Quando Jesus subiu ao céu e sentou-se à destra do Pai, Ele enviou o Espírito Santo para ser o nosso Ajudador na vida. Ele está sempre pronto para se envolver, mas precisamos pedir a ajuda dele. Se você não ativar o seu GPS, ele não lhe dirá onde você está fazendo uma curva errada. Ele não vai tirar o volante da sua mão e impedir que você se perca. Da mesma forma, o Espírito Santo oferece um serviço sobrenatural mundialmente famoso, mas você precisa pedir isso a Ele.

Deus permitirá que você faça coisas que com frequência o surpreenderão se você fizer dele um parceiro na vida. Mas você precisa começar com a oração.

Confie Nele Comece o seu dia ativando o seu GPS por meio da oração. Você descobrirá que Deus o *Guia, Protege e Sustenta*, e isso o ajudará a confiar nele e a sentir a Sua presença ao longo de todo o dia!

18 de Abril
Liberte-se das Expectativas dos Outros

Jesus Cristo (o Messias) é [sempre] o mesmo, ontem, hoje e [sim] eternamente (por todas as eras).

HEBREUS 13:8

Estudos mostram que 10% das pessoas nunca gostarão de você. Isso significa que, não importa o que façamos, não teremos uma reputação perfeita com todos, portanto devemos comemorar quem somos. Uma pessoa que sabe fazer isso não permite que o humor dos outros altere o seu próprio humor.

19 de Abril

Confiando em Deus Dia a Dia

Conta-se a história de um *quaker** que sabia viver como a pessoa de valor que Deus o havia criado para ser. Uma noite, quando ele estava descendo a rua com um amigo, ele parou em uma banca de revistas para comprar o jornal. O vendedor foi muito rude, descortês e grosseiro. O *quaker* tratou-o com respeito e foi muito gentil ao lidar com ele. Ele pagou pelo jornal, e ele e seu amigo continuaram a descer a rua. O amigo disse ao *quaker*: "Como você pôde ser tão cordial com ele diante da maneira terrível como ele o estava tratando?" O *quaker* respondeu: "Ah, ele é sempre assim; por que eu deveria permitir que ele determinasse a minha maneira de agir?"

Essa é uma das características incríveis que vemos em Jesus. Ele era o mesmo o tempo todo. Ele transformava as pessoas; mas elas não o transformavam.

Quando uma pessoa infeliz não é bem-sucedida em deixar você infeliz, ela começa a respeitar e admirar você. Ela vê que o seu Cristianismo é algo real, e ela pode se interessar em ouvir o que você tem a dizer.

Até as pessoas que procuram controlá-lo o desrespeitarão se você permitir que elas façam isso. Encorajo você a ser você mesmo. Faça o que Deus espera que você faça e não viva sob a tirania das expectativas dos outros.

Confie Nele Não permita que os outros determinem quem você é ou o que você faz. Não coloque a sua confiança na opinião das pessoas. Permaneça confiante em quem Deus o chamou para ser!

19 de Abril

Ouça o Amor

> *Que cada um [contribua] conforme tenha se decidido e proposto no seu coração, não com relutância e com tristeza ou mediante compulsão, porque Deus ama (Ele tem prazer, valoriza acima de outras coisas, e não está disposto a abandonar ou a passar sem) aquele que dá com alegria [cujo coração está naquilo que dá].*
>
> 2 CORÍNTIOS 9:7

Pelo fato de a natureza humana ser egocêntrica, a contribuição generosa não é natural para nós. Temos de incutir em nosso pensamento a menta-

---

* Nome dado ao membro de uma seita protestante inglesa (Quaker, a Sociedade dos Amigos), fundada no século 17 que prega a existência da luz interior, rejeita os sacramentos e os representantes eclesiásticos, não presta nenhum juramento e opõe-se à guerra (N. do T.) Fonte: Houaiss.

Confiando em Deus Dia a Dia

20 de Abril

lidade que diz que somos generosos. Comece a pensar e dizer: "Sou uma pessoa muito generosa. Procuro oportunidades para contribuir".

Descobri que as oportunidades para dar me cercam o tempo todo — e elas estão ao seu redor também. Descobrir como você pode abençoar outra pessoa é tão fácil quanto usar os seus ouvidos. Se você simplesmente ouvir as pessoas, logo saberá o que elas precisam ou gostariam de receber.

Em uma conversa casual, uma pessoa que trabalha para mim certa vez mencionou que gostava dos utensílios produzidos por certa companhia. Pedi a alguém para conseguir um vale-presente dessa companhia e entreguei-o a ela, com um bilhete dizendo o quanto eu a admiro e o quanto valorizo seu trabalho árduo. Ela começou a chorar e disse: "Não é o vale-presente que significa tanto para mim. É o fato de você ter me ouvido e se lembrado do que eu disse".

Encorajo você a começar a ouvir as pessoas e a prestar atenção ao que elas dizem mais do que nunca. As pessoas querem saber se você as está ouvindo; elas se sentem amadas e valorizadas quando você as ouve. Se você não sabe o que fazer por alguém, não está ouvindo essa pessoa, porque as pessoas lhe dizem o que querem, o que precisam e do que gostam — e se ouvi-las, você saberá. Você poderia começar a fazer uma lista das coisas que ouve as pessoas dizerem que querem ou precisam, e se você não puder suprir a necessidade delas agora, você pode orar para que Deus lhe capacite a fazer isso. Se você agir com base no que ouve e abençoar as pessoas de acordo com isso, verá que abençoar as pessoas é realmente melhor do que receber qualquer coisa para si mesmo. Eu lhe garanto, quanto mais você der, mais feliz você será.

Confie Nele Pense em três amigos, vizinhos ou colegas de trabalho específicos, a quem você vê regularmente. Comprometa-se a ouvir intencionalmente na próxima vez que vocês estiverem juntos, enquanto você confia em Deus para lhe mostrar como abençoá-los.

20 de Abril

Você Pode Lidar com a Crítica

É o [próprio] Senhor quem me examina e julga.

1 CORÍNTIOS 4:4

Não importa o que você faça na vida, ocasionalmente você será criticado por alguém, portanto precisa aprender a lidar com isso e não deixar que

21 de Abril

Confiando em Deus Dia a Dia

essa atitude o incomode. Para a maioria de nós, é muito difícil lidar com a crítica, e a autoimagem de uma pessoa pode ser prejudicada por uma observação crítica. Mas é possível aprender a não se deixar afetar por ela. De maneira igual a muitas outras pessoas incríveis, o apóstolo Paulo foi alvo de críticas com relação a muitas coisas. Ele teve a mesma experiência que nós, que é o fato de que as pessoas são instáveis. Elas o amam quando você está fazendo tudo que elas querem que você faça, e são rápidas em criticar quando uma pequena coisa sai errado. Paulo disse que não estava nem um pouco preocupado com o julgamento dos outros. Ele disse que nem sequer julgava a si mesmo. O apóstolo sabia que estava nas mãos de Deus e que, no fim, ele compareceria diante de Deus e prestaria contas de si mesmo e de sua vida. Ele não compareceria diante de homem algum para ser julgado (ver 1 Coríntios 4:3-4).

Às vezes, as pessoas mais criticadas são aquelas que tentam fazer algo construtivo com as suas vidas. Fico impressionada ao ver como as pessoas que não fazem nada querem criticar aqueles que tentam fazer alguma coisa. Talvez eu nem sempre faça tudo certo, mas pelo menos estou tentando fazer alguma coisa para tornar o mundo um lugar melhor e para ajudar as pessoas que estão sofrendo. Creio que isso é muito agradável a Deus! Depois de muitos anos sofrendo com as críticas das pessoas e tentando obter a aprovação delas, finalmente decidi que se Deus está feliz comigo, isso basta.

Toda vez que alguém criticar você, tente fazer uma afirmação positiva de si mesmo para você mesmo. Não fique sentado assimilando tudo o que alguém quer descarregar sobre você. Estabeleça a sua independência! Seja confiante no amor e na aprovação de Deus, e não se deixe derrotar pela crítica.

Confie Nele O primeiro passo é não reagir aos seus críticos, mas a coisa não para por aí. Jesus abençoava aqueles que o perseguiam por causa da Sua profunda confiança no plano do Pai. Como você pode abençoar as pessoas que o criticam?

21 de Abril
Faça Algo Extraordinário!

E Pedro lhe respondeu: Senhor, se és Tu, ordena que eu vá a Ti sobre as águas. Ele disse: Vem! Então Pedro saiu do barco e andou sobre as águas...

MATEUS 14:28-29

Confiando em Deus Dia a Dia

22 de Abril

Creio que é bom ocasionalmente (ou talvez frequentemente) fazer alguma coisa que pareça extraordinária. Tome uma atitude que as pessoas não esperam. Isso manterá a sua vida interessante e impedirá que as outras pessoas pensem que você foi colocado dentro de uma caixinha que elas projetaram. As pessoas ficam entediadas porque suas vidas são muito previsíveis. Uma grande mulher de 76 anos de idade disse que o seu objetivo era fazer pelo menos uma coisa extraordinária por semana. Acabei de ler esta semana que deveríamos fazer uma coisa que nos assuste todos os dias.

Não fomos criados por Deus meramente para fazer a mesma coisa vez após vez, até que ela não tenha mais nenhum sentido. Deus é criativo. Se você não acha, olhe ao seu redor. Todos os animais, insetos, plantas, pássaros, árvores e outras coisas são totalmente impressionantes. O sol, a lua e as estrelas, os planetas, o espaço e a gravidade — todos eles criados por Deus — podem fundir a nossa mente com sua variedade. Na verdade, podemos continuar falando eternamente da infinita variedade de coisas que Deus criou. Caso você não tenha observado, Deus é totalmente extraordinário e frequentemente altera as circunstâncias em nossas vidas. Ele é cheio de surpresas e, no entanto, é totalmente confiável. Sabe, podemos realmente aprender muito com Deus!

Não quero que as pessoas pensem que elas me decifraram completamente, e embora eu deseje ser confiável e fiel, não quero ser sempre previsível. Às vezes, fico entediada comigo mesma e tenho de orar e pedir a Deus uma ideia criativa para sacudir um pouco a minha vida e me manter alerta.

Confie Nele Faça algo novo e extraordinário hoje. Peça a Deus para ajudar você a ser criativo.

22 de Abril
Há Paz no "Não"

> *E que a paz (a harmonia da alma que vem) de Cristo governe (atue como árbitro continuamente) nos seus corações [decidindo e determinando em caráter definitivo todas as questões que surgirem nas suas mentes, naquele estado pacífico] no qual como [membros do] corpo [de Cristo] vocês também foram chamados [a viver].*
>
> COLOSSENSES 3:15

Uma pessoa confiante pode dizer "não" quando for preciso. Ela pode suportar o desprazer das pessoas e é capaz de raciocinar que, se a pessoa

23 de Abril

Confiando em Deus Dia a Dia

decepcionada quiser verdadeiramente ter um relacionamento com ela, superará a sua decepção e irá querer que ela seja livre para tomar as suas próprias decisões. Ela entende que querer agradar aos outros pode ser uma armadilha que impede que ela seja livre para dizer "não".

Às vezes, você precisa dizer "não" aos outros para poder dizer "sim" a si mesmo, do contrário, acabará ficando amargo e ressentido, sentindo que em algum ponto desse processo de tentar manter as pessoas felizes, você perdeu a si mesmo. Você é valioso, e precisa fazer as coisas que você quer fazer, tanto quanto fazer as coisas pelos outros.

Quando realmente sentir que precisa dizer "não", você não precisa explicar o motivo. As pessoas costumam querer que justifiquemos as nossas decisões, e na verdade não precisamos fazer isso. Tento ser guiada pelo Espírito de Deus — outra maneira de dizer isso é que tento ser guiada pelo meu coração — e às vezes nem eu mesma entendo plenamente por que sinto que algo não está bem. Mas aprendi que quando me sinto assim, não devo agir contra a minha própria consciência para fazer com que todos fiquem felizes comigo. Costumo dizer: "Eu simplesmente não sinto paz com relação a isso" ou "Não sinto que isso está certo", ou apenas dizer "Não quero" é suficiente.

Não há nada de errado em dizer o motivo, se você tiver um, mas creio que às vezes extrapolamos tentando nos explicar. Se uma pessoa ofendida não quiser entender, ela nunca entenderá, por mais motivos que você der. Siga o seu coração e mantenha a sua paz. Diga "não" quando for preciso e "sim" quando tiver de dizer.

Confie Nele Às vezes, é preciso ter fé para dizer "não". Deus quer que o seu coração fique em paz. Coloque a sua confiança nele e não tenha medo de dizer "não".

23 de Abril

Como uma Criança

Em verdade Eu lhes digo, se vocês não se arrependerem (mudarem, voltarem) e se tornarem como criancinhas [confiantes, humildes, amorosas, perdoadoras], vocês nunca poderão entrar no reino dos céus [de modo algum].

MATEUS 18:3

Jesus disse que deveríamos ser como criancinhas se pretendemos entrar no Reino de Deus. Creio que uma das coisas que Ele estava nos dizendo

Confiando em Deus Dia a Dia   24 de Abril

era que estudássemos a liberdade que as crianças desfrutam. Elas são despretensiosas e diretas; elas riem muito; elas são perdoadoras e confiam. As crianças são definitivamente confiantes, pelo menos até que o mundo as ensine a ser inseguras e medrosas. Lembro-me de nosso filho Danny, aos 3 anos de idade, andando pelo *shopping* com Dave e eu e dizendo às pessoas: "Eu sou Danny Meyer, você não quer falar comigo?" Ele era tão confiante que tinha certeza de que todos queriam conhecê-lo melhor.

As crianças parecem capazes de transformar tudo em brincadeira. Elas se adaptam rapidamente, não têm problemas em deixar que as outras crianças sejam diferentes delas, e estão sempre explorando algo novo. Elas ficam maravilhadas com tudo!

Oswald Chambers escreveu em *Tudo Para Ele*: "A liberdade após a santificação é como a liberdade de uma criança; as coisas que costumavam manter a vida estagnada desapareceram". Precisamos definitivamente observar e estudar as crianças, e obedecer à ordem de Jesus de sermos mais semelhantes a elas. Isso é algo que temos de fazer deliberadamente, à medida que envelhecemos. Todos nós temos de crescer e ser responsáveis, mas não temos de parar de gostar de nós mesmos e de desfrutar a vida.

Confie Nele Dedique tempo hoje para observar as crianças e aprender com elas — brinque de alguma coisa, adapte-se às suas circunstâncias sem reclamar, deixe que os outros sejam quem eles são — lembre-se de como é ser confiante e ousado, e confie que Deus quer que você seja exatamente assim!

24 de Abril

Combata a Estagnação

E esse amor consiste nisto: em que nós vivamos e andemos de acordo com os Seus mandamentos (Suas ordens, ordenanças, preceitos e ensinamentos) e guiados por eles.

2 JOÃO 1:6

Você já viu uma poça d'água estagnada? Não há circulação, não há fonte de água fresca, e a água simplesmente fica parada ali. Pouca vida lhe resta. Nós podemos ficar estagnados. O processo de estagnação acontece pouco a pouco, e muitas vezes tão lentamente, que é quase imperceptível. Creio que todos acabam estagnando quando não lutam. É fácil simplesmente se deixar levar com todos os demais, seguindo a mesma rotina todos os dias.

25 de Abril

Confiando em Deus Dia a Dia

Paramos de ser ousados, de ter atitudes fabulosas e de ser criativos. Nós nos acomodamos, encaixamo-nos no molde do mundo, e nos conformamos com o que as pessoas esperam. Nós nos tornamos tediosamente previsíveis! Uma das coisas mais valiosas que aprendi é fazer as coisas deliberadamente em vez de esperar até sentir vontade de fazê-las. Eu deliberadamente cuido das minhas responsabilidades na vida, porque sei que isso é muito importante. Contribuo com os outros deliberadamente. Na verdade, procuro pessoas às quais eu possa ser uma bênção, porque aprendi a lição essencialmente importante que Jesus ensinou, de andar em amor (ver Efésios 5:2, 2 João 1:6). Faço deliberadamente alguma coisa que é um pouco fora do comum para mim de vez em quando, simplesmente porque me recuso a viver em estagnação. Passo tempo deliberadamente em oração e em comunhão com Deus todos os dias, porque quero honrá-lo e sempre dar a Ele o Seu lugar de direito em minha vida, que é o primeiro lugar.

Se você tomar essa atitude determinada, vivendo deliberadamente e se recusando a ficar estagnado, isso fará uma enorme diferença na sua qualidade de vida. Não desperdice simplesmente o seu tempo aqui na terra; desfrute a sua vida e faça o mundo se sentir satisfeito por você estar aqui.

Confie Nele Você está fazendo as coisas por fazer ou está vivendo deliberadamente? Recuse-se a ficar estagnado. Estude os ensinamentos de Jesus, e confie neles o bastante para colocá-los em prática. Você verá uma grande diferença!

25 de Abril

Só Existe Um de Quem Você Realmente Precisa

Tenho forças para todas as coisas em Cristo que me fortalece [estou pronto para qualquer coisa e sou capaz de qualquer coisa através daquele que me enche de força; sou autossuficiente na suficiência de Cristo].

FILIPENSES 4:13

Certa vez, fiquei preocupada pensando no que eu faria se meu marido morresse. Como eu dirigiria o ministério sozinha? Vários dias após esse ataque mental, o Senhor falou ao meu coração: "Se Dave morresse, você continuaria fazendo exatamente o que está fazendo, porque Eu sou Aquele que sustenta você, e não seu marido".

Eu obviamente precisava de Dave e dependia dele para muitas coisas, mas Deus queria restabelecer no meu coração o que era verdade desde o

Confiando em Deus Dia a Dia

26 de Abril

início do nosso ministério: com ou sem Dave, com ou sem qualquer outra pessoa, eu poderia fazer o que Deus havia me pedido para fazer enquanto eu tivesse o Senhor em minha vida.

Quando Pedro, Judas e outros decepcionaram Jesus, Ele não ficou arrasado, porque a Sua confiança não estava no lugar errado. Ele era dependente, no entanto, independente ao mesmo tempo. Dependo de muitas pessoas no meu ministério para me ajudarem a realizar o que fui chamada para fazer. Entretanto, vejo mudanças constantes. As pessoas que eu pensava que estariam comigo para sempre vão embora, e Deus envia novas pessoas que têm dons incríveis. Preciso das pessoas, mas sei que é Deus trabalhando por meio das pessoas para me ajudar. Se Ele decidir mudar as pessoas por intermédio das quais Ele trabalha, isso não deve me preocupar.

Valorizo todas as pessoas maravilhosas que Deus colocou em minha vida. Meu marido e meus filhos são incríveis. Minha equipe ministerial é de primeira qualidade, e os maravilhosos parceiros ministeriais que Deus me concedeu são especiais. Preciso de todos eles, mas se, por alguma razão, Deus decidisse remover qualquer um deles da minha vida, quero ser uma mulher confiante, que sabe que somente com Deus todas as coisas são possíveis. A minha confiança precisa estar mais nele do que em qualquer outra coisa ou pessoa.

Confie Nele Você é excessivamente dependente de um membro da família, de um colega de trabalho, de um amigo, de um emprego ou de um animal de estimação, a ponto de se preocupar com o que faria sem ele? Coloque a sua confiança em Deus. Lembre-se, Ele é o único de quem você realmente precisa.

26 de Abril
Não Se Preocupe com o Amanhã

Portanto, não se preocupem nem fiquem ansiosos com o amanhã, porque o amanhã trará as suas próprias preocupações e ansiedades. Basta a cada dia o seu próprio problema.

MATEUS 6:34

Tentar resolver hoje os problemas de amanhã não resultará em nada, além de roubar a energia que Deus destinou para você desfrutar hoje. Não desperdice o seu tempo com preocupações! Isso é vão e inútil.

Quando Jesus nos instruiu a não nos preocuparmos com o amanhã, Ele estava dizendo que devemos lidar com a vida um dia de cada vez. Ele

27 de Abril

Confiando em Deus Dia a Dia

nos dá a força que precisamos, à medida que precisamos dela. Quando pegamos essa força que Ele nos dá e a aplicamos na preocupação, em vez de viver, roubamos de nós mesmos as bênçãos que Deus pretendeu que tivéssemos hoje. Deixamos passar as coisas boas, porque nos preocupamos com as coisas ruins que talvez nem venham a acontecer!

Durante vários anos uma mulher teve problemas para conseguir dormir à noite por ter medo de ladrões. Uma noite, seu marido ouviu um barulho na casa, então ele desceu as escadas para investigar. Quando chegou ao andar de baixo, ele encontrou um ladrão. "Boa noite", disse o dono da casa. "Fico feliz em vê-lo. Suba para conhecer a minha mulher. Ela está esperando há dez anos para conhecer você".

Uma pessoa confiante não se preocupa, porque ela vê o futuro de modo diferente das pessoas que se preocupam. Ela acredita confiantemente que, com a ajuda de Deus, pode fazer qualquer coisa que precise fazer, independentemente do que seja. Uma atitude positiva permite que ela tenha expectativa de coisas boas no futuro, e não de coisas ruins. A autoconfiança é o fruto da nossa confiança em Deus. Quando confiamos nele, talvez não tenhamos todas as respostas, mas temos confiança de que Ele as tem.

Confie Nele Você está se preocupando com o amanhã, quando deveria estar concentrado no hoje? Confie em Deus para equipá-lo para o que quer que aconteça hoje, amanhã e no futuro, a fim de que você possa receber a plenitude das bênçãos dele hoje.

27 de Abril

Não Tome Decisões Importantes Durante uma Tempestade

Sê misericordioso e gracioso para comigo, Ó Deus, sê misericordioso e gracioso para comigo, pois a minha alma se refugia e encontra abrigo e confiança em Ti; sim, à sombra das Tuas asas eu me refugio e fico confiante, até que as calamidades e as tempestades destruidoras tenham passado.

SALMOS 57:1

A vida não é um grande e longo dia de sol. Em algum momento, todos nós enfrentamos tempestades — quer elas venham na forma de uma doença inesperada, da perda de um emprego, de uma crise financeira, de dificuldades conjugais, de problemas com os filhos ou de uma série de ou-

Confiando em Deus Dia a Dia

28 de Abril

tros cenários que são estressantes, intensos e importantes. Enfrentei muitas tempestades em minha vida — algumas como as tempestades rápidas de fim de tarde, que são comuns no verão, e algumas que pareciam furacões de nível 4. Se aprendi alguma coisa a respeito de resistir às tempestades da vida, foi que elas não duram para sempre, e que se possível, não preciso tomar decisões importantes quando estou no meio delas.

Quando as tempestades da vida surgem, é melhor manter a sua mente e as suas emoções tão tranquilas quanto possível. Os pensamentos e sentimentos costumam ficar desenfreados no meio de uma crise, e é exatamente nesses momentos que precisamos tomar cuidado ao tomar decisões. Precisamos permanecer calmos e nos disciplinar para focar em fazer o que podemos fazer, e confiar em Deus para fazer o que não podemos fazer.

Na próxima vez que você enfrentar uma tempestade ou uma crise em sua vida, espero que você se lembre destas palavras que costumo dizer: "Deixe que as suas emoções se acalmem antes de decidir". Faça o máximo possível para deixar as coisas se acalmarem antes de tomar decisões importantes. Talvez você nem sempre tenha essa opção, mas na medida do possível, coloque as decisões importantes em espera até que a tempestade passe. Assim como o vento sopra furiosamente durante uma tempestade, nossos pensamentos podem se tornar bastante violentos e frenéticos, e esse não é o melhor momento para tomar decisões importantes.

Assumir esse compromisso o protegerá para que você não tome decisões rápidas e pouco sábias, que poderiam tirá-lo da rota que Deus tem para você.

Confie Nele Na próxima vez que o vento soprar e as ondas baterem, tire as decisões importantes da sua vida da mesa (onde você vai morar, seu emprego, seus relacionamentos, etc.) e espere. Quando a tempestade passar, confie em Deus para lhe mostrar o que Ele quer que você faça.

28 de Abril

Positivamente Possível

Para os homens [isto] é impossível, mas não para Deus; porque tudo é possível para Deus.

MARCOS 10:27

Uma das melhores histórias de como a fé e a confiança em Deus liberam o poder do potencial aconteceu há séculos, quando muitas partes do

29 de Abril

Confiando em Deus Dia a Dia

mundo antigo ainda não haviam sido estabelecidas. Deus prometeu ao povo de Israel que eles possuiriam uma terra rica e fértil, conhecida como Canaã. Ele não prometeu que eles poderiam entrar pelas suas fronteiras sem oposição, mas prometeu que eles a habitariam — e quando Deus faz uma promessa, Ele fala sério.

Acreditando na Palavra de Deus, os israelitas indicaram doze homens para entrar em Canaã, para "espiar a terra" e trazer um relatório. Quando retornaram, dez espias admitiram que a terra fluía com leite e mel, e reconheceram que os frutos em Canaã eram grandes e belos, mas depois observaram que a terra estava cheia de gigantes impossíveis de serem vencidos. Eles permitiram que a presença dos gigantes desacreditassem as promessas de Deus.

Em contraste, os outros dois espias, Josué e Calebe, apresentaram bons relatórios, cheios de fé e confiança em Deus, e Calebe falou com confiança, dizendo: "Subamos e possuamos a terra; somos capazes de conquistá-la" (Números 13:30). Os dez espias acharam que os gigantes que estavam na terra eram grandes demais para serem mortos, mas Josué e Calebe acreditavam que eles eram grandes demais para errarem o alvo. Josué e Calebe eram os únicos homens positivos diante da oposição dos gigantes. Eles não ignoravam os desafios, mas também não os supervalorizavam — e eles foram os dois únicos que entraram na Terra Prometida.

Ser positivo não quer dizer que negamos a existência da dificuldade; significa que acreditamos que Deus é maior que as nossas dificuldades. Acreditar em Deus pode fazer com que ganhemos qualquer batalha que enfrentamos. Quando estamos fechados para as "possibilidades positivas" só vemos o que está bem à nossa frente, e não enxergamos o que poderíamos ver se simplesmente fôssemos positivos e criativos.

Confie Nele Você pode ser um dos dez espias ou um dos dois espias, mas não pode ser ambos. Os dez espias confiam no que veem; os dois espias confiam no Deus do impossível, mesmo quando não podem vê-lo. Escolha ser um desses dois espias hoje!

29 de Abril
O Medo Leva à Preocupação

E qual de vocês, ficando preocupado e ansioso, pode acrescentar uma unidade de medida (um côvado) à sua estatura ou à duração de sua vida?

MATEUS 6:27

Confiando em Deus Dia a Dia   30 de Abril

O medo e a preocupação estão intimamente relacionados. Poderíamos dizer que o medo é o pai de todo tipo de preocupação, porque toda preocupação começa como um medo. A Bíblia ensina claramente que os filhos de Deus não devem se preocupar. Quando nos preocupamos, nossa mente permanece girando em torno de um problema sem encontrar respostas. Quanto mais fazemos isso, mais ansiosos ficamos. Quando nos preocupamos, na verdade nos atormentamos com um tipo de pensamento que não gera nenhum fruto bom. A preocupação começa em nossos pensamentos, mas afeta o nosso humor e até o nosso corpo físico.

Uma pessoa pode se preocupar tanto a ponto de ficar deprimida e triste. A preocupação gera estresse em todo o seu organismo e causa muitas enfermidades físicas, como dores de cabeça, tensão nos músculos, problemas estomacais, e muitas outras coisas. Ela nunca ajuda, e não resolve os nossos problemas.

Podemos nos preocupar com centenas de coisas diferentes, desde o que as pessoas pensam a nosso respeito, até o que acontecerá conosco quando envelhecermos. Por quanto tempo conseguiremos trabalhar? Quem cuidará de nós quando envelhecermos? O que acontecerá se o mercado de ações entrar em queda? E se os preços da gasolina subirem? E se eu perder o meu emprego? Muitas vezes, a preocupação nem tem base ou um mínimo fundamento de verdade. Não existe nenhuma razão para pensarmos nas coisas que nos preocupam e nos assustam.

A única resposta é parar de se preocupar, e colocar a sua confiança em Deus. Ele tem o futuro planejado e sabe a resposta para tudo. Afinal, as coisas com as quais nos preocupamos frequentemente nunca acontecem, e se tiverem de acontecer, a preocupação não impedirá que aconteçam. A Palavra de Deus nos promete que Ele cuidará de nós se confiarmos nele.

Confie Nele O que está preocupando você? Lance as suas ansiedades sobre Jesus. Ele quer que você confie a Ele cada pensamento, cada fardo e cada preocupação que está carregando, porque Ele é totalmente capaz de cuidar de você (ver 1 Pedro 5:7).

30 de Abril

O Encorajamento É Sempre Proveitoso

[Lembrem-se] disto: aquele que semeia com moderação ou com relutância também colherá com moderação e com relutância, e

1.º de Maio

Confiando em Deus Dia a Dia

aquele que semeia generosamente [para que possam vir bênçãos para outrem] também colherá generosamente e com bênçãos.

2 CORÍNTIOS 9:6

Todos nós precisamos de encorajamento. Ele é uma ferramenta que aumenta a nossa confiança e nos inspira a agir com coragem, atitude ou força. É disso que precisamos! Não precisamos de ninguém ao nosso lado para nos desanimar; ao contrário, precisamos de "encorajadores" em nossas vidas.

Todos nós encontramos dificuldades enquanto estamos correndo a nossa corrida e tentando alcançar os nossos objetivos, por isso todos precisamos de encorajamento. Quanto mais recebemos estímulo, mais fácil é permanecer na rota e evitar desperdiçar dias ou semanas desanimados, deprimidos e desesperados. Uma das melhores maneiras que conheço de conseguir alguma coisa que quero ou preciso é dar um pouco dessa mesma coisa a outros. A Palavra de Deus nos ensina a semear e depois colheremos. Se um agricultor plantar sementes de tomate, ele terá uma colheita de tomates. Se plantarmos o encorajamento na vida de outras pessoas, teremos uma colheita de encorajamento em nossa vida.

O que fazemos acontecer para os outros, Deus fará acontecer para nós. Às vezes, você se vê desejando ter mais encorajamento, talvez por parte da sua família, dos seus amigos ou do seu chefe? Mas com que frequência você encoraja os outros? Se não tem certeza, faça um esforço extra imediatamente. Você pode ser o canal que Deus usará para manter alguém seguindo confiantemente em vez de desistir.

Confie Nele Escolha três pessoas para encorajar hoje. Confie que Deus lhe dará a palavra perfeita que elas estão esperando ouvir.

1.º de Maio

Chega de Negatividade

Estamos seguros e sabemos que [sendo Deus parceiro no trabalho deles] todas as coisas cooperam [e se encaixam em um plano] para o bem daqueles que amam a Deus e são chamados de acordo com o [Seu] plano e propósito.

ROMANOS 8:28

A confiança e a negatividade não andam juntas. Elas são como óleo e água; simplesmente não se misturam. Eu costumava ser uma mulher muito negativa, mas, graças a Deus, finalmente aprendi que ser positiva

Confiando em Deus Dia a Dia   2 de Maio

é muito mais divertido e frutífero. Ser positivo ou negativo é uma escolha — é uma maneira de pensar, de falar e de agir. Essas duas maneiras decorrem de um hábito que foi formado em nossas vidas por meio de um comportamento repetitivo. Talvez você seja como eu. Eu simplesmente tive um começo ruim na vida. Cresci em uma atmosfera negativa, em meio a pessoas negativas. Elas foram os meus modelos, e tornei-me como elas. Eu realmente nem sequer percebia que a minha atitude negativa era um problema até casar-me com Dave. Ele era muito positivo e começou a me perguntar por que eu era tão negativa. Eu nunca havia realmente pensado no assunto, mas quando comecei a fazer isso, percebi que eu era sempre assim. Comecei a entender que eu não estava esperando nada de bom — e que era exatamente esse resultado que eu obtinha.

As pessoas não gostam de estar com alguém negativo, de modo que eu costumava me sentir rejeitada — o que aumentava os meus temores e a minha falta de confiança. Ser negativa abriu a porta para muitos problemas e decepções, o que por sua vez alimentou a minha negatividade. Levei tempo para mudar, mas estou convencida de que se eu posso mudar, qualquer um pode.

Você não precisa ser negativo. A escolha é sua. Quando são encorajadas a pensar positivamente, as pessoas costumam retrucar: "Isso não é a realidade". Mas a verdade é que o pensamento positivo pode mudar a sua realidade atual. Deus é positivo, e essa é a realidade dele. Essa é a maneira como Ele é, a maneira como Ele pensa, e a maneira como Ele nos encoraja a ser.

Pensar negativamente deixa você infeliz, e por que você escolheria ser infeliz quando pode ser feliz?

Confie Nele Que pensamento negativo tem assediado a sua mente? Substitua-o por uma promessa da Palavra de Deus na qual você pode confiar.

2 de Maio

Uma Mente Equilibrada Permanece Positiva

> *Porque Deus não nos deu espírito de timidez (de covardia, de temor covarde que se encolhe e bajula), mas [Ele nos deu um espírito] de poder, de amor, de calma, de uma mente equilibrada, disciplina e domínio próprio.*
>
> 2 TIMÓTEO 1:7

3 de Maio

Confiando em Deus Dia a Dia

Você não pode controlar o que acontece com você, mas pode decidir passar pelas situações com a atitude correta.

Na verdade, você pode escolher *antecipadamente* manter uma atitude positiva em meio a toda situação negativa que se apresentar. Se tomar essa decisão e meditar nela durante um tempo bom na sua vida, então, quando a dificuldade surgir, você já estará preparado para manter uma atitude positiva.

Ao longo da História, temos exemplos de pessoas que mantiveram atitudes positivas diante de tempos difíceis e, portanto, transformaram os seus problemas em oportunidades. Especificamente, posso me lembrar de vários indivíduos que enquanto estavam encarcerados em prisões compuseram alguns dos escritos mais influentes que o mundo já conheceu, como *A Carta da Prisão de Birmingham*, de Martin Luther King Jr., *O Peregrino*, de John Bunyan, e *A História do Mundo*, de Sir Walter Raleigh. Não há dúvida de que essas pessoas poderiam ter atitudes terríveis ao enfrentarem problemas terríveis, mas tomaram a decisão e mantiveram a melhor atitude durante os piores momentos de suas vidas, e deixaram contribuições para o mundo que ainda são lidas e ouvidas hoje.

Não creio que elas simplesmente nasceram pessoas positivas — entendo que elas tiveram de fazer uma escolha. E a escolha delas não apenas beneficiou a elas mesmas, mas, nesse processo, abençoou o mundo.

Um dos piores erros que podemos cometer em nossa maneira de pensar é acreditar que simplesmente não somos como *essas pessoas positivas*, e que não podemos evitar ser negativos. Se você pensa que não pode fazer nada a respeito da sua maneira de pensar e da sua atitude, então você já está derrotado antes mesmo de começar a tentar. Discipline-se para permanecer forte em sua atitude positiva em todas as circunstâncias.

Confie Nele Qual foi a sua atitude na última vez que enfrentou uma situação realmente difícil? As suas escolhas o abençoaram e também aos outros? Você colocou a sua confiança em Deus? Olhando para trás agora, como você poderia ter lidado com isso de forma diferente?

3 de Maio

Tenha a Expectativa de Receber Favor

[O que teria sido de mim] se eu não tivesse acreditado que veria a bondade do Senhor na terra dos viventes! Espere pelo Senhor e tenha expectativa e esperança nele; seja corajoso e tenha bom ânimo

Confiando em Deus Dia a Dia

4 de Maio

e permita que o seu coração seja vigoroso e tolerante. Sim, espere pelo Senhor e tenha expectativa e esperança nele.

SALMOS 27:13-14

Deus quer lhe conceder favor — a bondade que você não merece. Vemos o favor de Deus se manifestar na vida de muitos homens e mulheres na Bíblia, e não há motivos para pensar que Ele não possa oferecê-lo a você também. Aprenda a acreditar em Deus para lhe conceder favor. Confesse diversas vezes ao dia que você tem o favor de Deus e do homem. Você ficará impressionado com as coisas empolgantes que acontecem se você declarar a Palavra de Deus em vez de declarar o que você sente.

O favor sobrenatural pode ser expresso de formas diferentes. Você pode conseguir o emprego que quer, mas para o qual não está qualificado naturalmente. As pessoas parecem gostar de você sem nenhuma razão especial. Você consegue o melhor lugar no restaurante com o melhor garçom. As pessoas lhe dão coisas sem motivo algum. Favor significa que alguém vai parar e deixar você entrar em uma faixa no trânsito enquanto os outros estão passando a toda por você como se você nem sequer estivesse ali.

Viver com o favor de Deus é muito empolgante. Quando José foi cruelmente maltratado pelos seus irmãos, e eles o venderam como escravo, Deus lhe concedeu favor em todo lugar por onde ele ia. Ele obteve o favor de Potifar e foi colocado a cargo da sua casa. Ele obteve o favor do carcereiro durante a sua prisão, por um crime que não havia cometido. Ele obteve tanto favor de Faraó que José se tornou o segundo em poder, estando acima dele apenas o próprio Faraó. Sim, andar com o favor de Deus é uma maneira empolgante de se viver. Vemos muitos homens e mulheres a quem admiramos na Bíblia e que receberam favor: Rute, Ester, Daniel e Abraão, apenas para citar alguns. Resista e recuse-se a permitir que a dúvida o convença de que coisas boas não acontecem com você e com a sua família; tenha expectativa determinada de que coisas boas acontecerão a você!

Confie Nele Peça a Deus para lhe conceder o favor divino e sobrenatural, e depois confie que Ele o fará, à medida que você procurar pelo favor em sua vida.

4 de Maio

Suas Provações São Temporárias

Considerem motivo de grande alegria, meus irmãos, sempre que estiverem envolvidos em provações de qualquer espécie ou se de-

4 de Maio

Confiando em Deus Dia a Dia

pararem com elas, ou caírem em várias tentações. Estejam certos
e entendam que a provação e a prova da sua fé geram resistência,
firmeza e paciência.

TIAGO 1:2-3

Ouvi dizer que muitas pessoas que vivem em partes do mundo onde existem as quatro estações distintas falam o quanto elas valorizam o inverno, a primavera, o verão e o outono. Elas gostam da variedade e da beleza singular, das qualidades e das oportunidades de cada estação. A Bíblia nos diz que o próprio Deus muda os tempos e as estações (ver Daniel 2:21).

As estações mudam; isso é verdade no mundo natural, e é verdade com relação às estações da nossa vida. Significa que os tempos difíceis não duram para sempre. Podemos ter dias péssimos, semanas difíceis, meses ruins ou até um ano que parece ter mais do que a sua quota de problemas, mas toda experiência negativa chega ao fim.

Algumas das situações difíceis em que nos encontramos parecem durar tempo demais. Quando isso acontece, geralmente somos tentados a reclamar ou a ficar desanimados. Em vez disso, precisamos ajustar imediatamente a nossa atitude e pedir a Deus para nos ensinar algo de valor, à medida que avançamos em meio à situação que está diante de nós. De acordo com Tiago 1:2-3, Deus usa as provações e a pressão para gerar bons resultados em nossas vidas. Ele sempre quer nos abençoar. Às vezes, as Suas bênçãos vêm por meio de circunstâncias inesperadas, que podemos encarar como negativas, mas se mantivermos uma atitude positiva em meio a essas situações, teremos os resultados positivos que Deus deseja nos dar.

Se você está passando por um tempo difícil agora, deixe-me lembrá-lo de que este provavelmente não é o primeiro desafio que você já enfrentou. Você sobreviveu ao anterior (e provavelmente aprendeu algumas lições valiosas por meio dele), e sobreviverá a este também. Suas provações são temporárias; elas não vão durar para sempre. Dias melhores estão a caminho. Simplesmente mantenha a sua atitude "em alta" e não "em baixa", e lembre-se de que esta é apenas uma estação, e ela *passará*.

Confie Nele Esta provação é temporária. A estação que você está atravessando mudará. Você pode confiar nessa importante verdade. Respire fundo e agradeça a Deus pela estação em que você está agora, assim como pela estação que Ele está trazendo para você.

Confiando em Deus Dia a Dia — 5 de Maio

5 de Maio

Deixe o Passado; Olhe para o Futuro

Se admitirmos [livremente] que pecamos e confessarmos os nossos pecados, Ele é fiel e justo (fiel à Sua própria natureza e às Suas promessas) e perdoará os nossos pecados [descartará as nossas iniquidades] e nos purificará [continuamente] de toda injustiça [de tudo o que não está em conformidade com a Sua vontade em propósito, pensamento e ação].

1 JOÃO 1:9

É inútil se preocupar com qualquer coisa, e é duplamente inútil se preocupar com alguma coisa que está completamente acabada, e a respeito da qual nada pode ser feito. Se você cometeu um erro no passado que pode ser corrigido, então vá em frente e tome uma atitude para corrigi-lo. Mas se você não pode fazer nada a respeito disso, exceto lamentar, então peça perdão a Deus e a qualquer pessoa a quem você possa ter ferido e não se preocupe mais com isso.

Deixe-me lembrar-lhe de que a preocupação é inútil... então por que se preocupar? Deus nos deu sabedoria, e uma pessoa sábia não passará o seu tempo fazendo alguma coisa que não produz nada de valor.

Existem muitas passagens maravilhosas na Bíblia que nos ensinam a deixar o passado para trás e olhar para o futuro. Somos lembrados que devemos esquecer o que ficou para trás e manter nossos olhos voltados para a frente, para Deus e para o Seu plano para nós (ver Filipenses 3:13). Podemos encontrar paz no conhecimento de que a compaixão e a bondade de Deus se renovam a cada manhã e a sua fidelidade é abundante (ver Lamentações 3:22-23). Também não devemos nunca nos esquecer de que Ele é capaz de superar os nossos erros e fazer muito mais do que jamais poderíamos imaginar que Ele poderia fazer por nós (ver Efésios 3:16, 20). Deus providenciou um caminho para que o seu passado não tenha absolutamente nenhum poder sobre você, mas cabe a você receber o Seu presente gratuito de perdão, de misericórdia e de um novo começo.

Não permita que os erros do seu passado envenenem e ameacem o seu futuro. Quando você pede a Deus para perdoá-lo por alguma coisa que fez de errado, Ele é fiel e justo para fazer isso. Ele nos purifica continuamente de toda injustiça (ver 1 João 1:9). Está perdoado e esquecido — mas você precisa fazer o mesmo!

133

6 de Maio

Confiando em Deus Dia a Dia

Confie Nele Quando você ouve a palavra **passado**, qual é a primeira lembrança que lhe vem à mente? Se é algo que o faz sentir-se culpado, ore e peça a Deus para ajudar você a esquecer e a confiar que Ele tem grandes coisas para o seu futuro.

6 de Maio

Você Nunca Está Velho Demais Para Crescer Em Seu Modo de Pensar

...tudo que é verdadeiro, tudo que é digno de reverência, e é honroso e digno, tudo que é justo, tudo que é puro, tudo que é amável e digno de amor, tudo que é agradável e cativante e gracioso, se alguma virtude e excelência há, se há algo digno de louvor, pensem e apreciem essas coisas [fixem suas mentes nelas].

FILIPENSES 4:8

A Dra. Caroline Leaf, uma das principais neurocientistas especialistas em aprendizado, e uma cristã comprometida, observa em seu ensino a respeito do cérebro: "A Bíblia e a ciência acreditam que a mente e o cérebro são um só". A maneira como você pensa é voluntária — você pode controlar os seus pensamentos. Quero dar ao seu cérebro um novo trabalho e começar a ensinar a sua mente a trabalhar para você e não contra você.

Uma maneira importante de fazer isso é tomando a decisão deliberada de começar a pensar positivamente. Entendo que o seu cérebro não será capaz de cumprir o novo papel completamente da noite para o dia. Você pode estar pedindo a ele para passar por uma transformação radical, e isso leva tempo. Portanto, dê a ele um pouco de graça, mas decida-se que com a sua diligência e com a ajuda de Deus, o seu cérebro trabalhará *para* você em vez de trabalhar contra você e se tornará uma força positiva poderosa em sua vida.

Gosto do que a Dra. Leaf diz — que o cérebro humano leva "dezoito anos para crescer e uma vida inteira para amadurecer". Reflita sobre esse ponto. Embora todos os outros órgãos do corpo estejam totalmente formados quando a pessoa nasce, e simplesmente crescem à medida que o corpo cresce, o cérebro na verdade leva dezoito anos para estar totalmente formado. Depois disso, ele continua a amadurecer até o dia em que a pessoa morre. Isso significa que, por mais velho que você seja, o seu cérebro ainda está amadurecendo. Essa é uma ótima notícia, porque significa que você não precisa ficar empacado em nenhum padrão de pensamento antigo ou

Confiando em Deus Dia a Dia   *7 de Maio*

errado. O seu cérebro ainda está amadurecendo, portanto, você ainda pode amadurecer no seu modo de pensar.

Confie Nele O que lhe vem à mente imediatamente quando pergunto: *De que forma sua mente está trabalhando contra você?* Lembre-se de que seu cérebro leva uma *vida inteira* para amadurecer. Confie que nunca é tarde demais para mudar de ideia!

7 de Maio
Supere a Culpa

...assim como o oriente está distante do ocidente, assim Ele removeu de nós as nossas transgressões.

SALMOS 103:12

Milhões de pessoas destroem as suas vidas sentindo-se culpadas por alguma coisa que ficou no passado, e a respeito da qual elas não podem fazer nada. Quando Deus perdoa o nosso pecado, também remove a culpa. Mas assim como precisamos receber o Seu perdão, também precisamos receber libertação da culpa e não permitir que a emoção da culpa nos controle. Se Deus diz que fomos perdoados e declarados inocentes, então devemos acreditar na Sua Palavra mais do que acreditamos na maneira como nos sentimos.

Frequentemente ouvimos as pessoas dizerem: "Vou me sentir culpado por isso pelo resto da vida". Ou já ouvi pessoas dizerem: "Jamais superarei o que fiz". A Palavra de Deus diz que quando Ele nos perdoa, esquece a ofensa e não há mais penalidade pelo pecado, ao contrário, há total remissão dele (ver Hebreus 10:17-18). Por que decidir que você vai se sentir culpado pelo resto da vida quando Deus providenciou uma maneira de você viver livre da culpa?

A culpa é a preocupação enraizada no medo. Temos medo de que Deus esteja zangado, ou de que o que fizemos de errado seja grande demais e ruim demais, até mesmo para Deus perdoar. Sentimos que não merecemos o perdão, de modo que não o recebemos. Nós nos preocupamos com o que as pessoas pensam dos nossos pecados passados. Temos medo de que elas nunca nos perdoem ou nunca nos vejam como boas pessoas outra vez. A culpa tem tudo a ver com o passado, e ela tem o poder de arruinar o seu futuro. Supere-a!

Deus não tem nada contra você, se você se arrependeu sinceramente do que fez e está confiando no sangue de Jesus para purificá-lo da sua

135

8 de Maio

Confiando em Deus Dia a Dia

antiga maldade. No instante em que você se arrepende, Deus perdoa e esquece, então por que não seguir o exemplo dele e receber o Seu perdão e também esquecer?

Confie Nele De que você se sente mais culpado? Você pediu perdão a Deus? Você confia nele quando Ele diz que o perdoou? Então esqueça isso!

8 de Maio

A Batalha pela Verdade

...pois na [sua] fé (na sua forte convicção ou crença de que Jesus é o Messias, através de quem obtemos a eterna salvação no reino de Deus) vocês estão firmes de pé.

2 CORÍNTIOS 1:24

Um dos problemas do mundo de hoje é que as pessoas querem "fazer o que querem" ainda que isso as torne infelizes. Elas não querem receber instruções de ninguém nem que lhes digam o que fazer, e elas, sem dúvida, não querem estar subordinadas à Palavra de Deus.

Esse tipo de independência e rebelião arrogante é responsável por muitos resultados desagradáveis e até tragédias. Estou certa de que se você parar e pensar no assunto, recordará situações nas quais as pessoas (talvez você) estavam decididas a seguir o seu próprio caminho e acabaram tendo problemas terríveis. Isso não precisa acontecer!

Para ser capaz de desfrutar a vida e evitar problemas desnecessários, você e eu precisamos viver de acordo com a verdade da Palavra de Deus, e não de acordo com as mentiras que ouvimos das outras pessoas, do mundo ou do inimigo. Precisamos saber como separar o que é verdadeiro do que não é. Você pode fazer isso, mas a batalha pela verdade acontece na sua mente, e você não vence sem lutar. Você precisa examinar *aquilo* em que acredita e *por que* você acredita nisso. É sábio estar firmemente convencido, de modo que quando o diabo desafiá-lo com relação à Palavra de Deus, você esteja preparado para resistir firme.

Costumamos ver que os filhos de pais cristãos chegam a uma idade em que começam a se perguntar se realmente acreditam no que os seus pais lhes ensinaram ou não. Às vezes, eles passam por um período de "crise" com relação à sua fé em Deus. Eles precisam encontrar a sua própria fé, porque não podem mais viver com base na fé de seus pais como fizeram

Confiando em Deus Dia a Dia   9 de Maio

no passado. Esse processo pode ser muito saudável. A maioria deles geralmente percebe que acredita em Jesus como seu Salvador, mas essa é uma decisão que eles precisam tomar por si mesmos. Você não pode resistir às tempestades da vida com base na fé de outra pessoa. Precisa estar plenamente seguro no seu próprio coração e mente.

Confie Nele Saber que você acredita só faz diferença se você confiar nisso o suficiente para agir com base no que crê. Que verdade transformadora da Palavra de Deus você necessita aplicar hoje?

9 de Maio
Não Permita que o Pavor Aprisione Você

O Senhor dos Exércitos — considerem-no santo e honrem o Seu santo nome [considerando-o a sua única esperança de segurança], e seja Ele o seu temor e seja Ele o seu pavor [para que não o ofendam com o temor do homem e desconfiança nele].

ISAÍAS 8:13

O pavor é um medo poderoso e dominador. As pessoas temem muitas coisas, e a maioria delas nem sequer percebe o que o pavor faz com elas. Ele suga a alegria do momento presente. Mas Jesus libertou você do poder do pavor. A vida que Deus nos deu por meio de Jesus Cristo é um dom precioso, e devemos desfrutar cada momento dela.

Ore e peça a Deus para lhe mostrar todas as vezes que você começar a temer qualquer tarefa ou alguma coisa que esteja espreitando no seu futuro e da qual você não tenha muita certeza. Simplesmente eliminar o pavor da sua vida liberará mais da confiança que Deus lhe deu e o ajudará a ter mais alegria.

Com que frequência você se vê adiando coisas que tem pavor de fazer? Talvez seja aquela conversa desconfortável que você sabe que precisa ter, ou aquelas contas que precisam ser pagas, ou pior, talvez seja o seu imposto de renda! Treine-se para não ter pavor de nada, mas para realmente lidar com essas coisas em primeiro lugar. Quanto mais cedo for a hora do dia que você fizer as coisas que não prefere fazer, mais energia terá para realizá-las. Se esperar até o fim do dia, quando a maior parte da sua energia já tiver ido embora, e depois tentar fazer alguma coisa que realmente não gosta de fazer, será pior do que tê-la feito antes. O pavor faz com que procrastinemos, mas se você quer fazer alguma coisa, agora é a melhor hora!

137

10 de Maio

Confiando em Deus Dia a Dia

Adiar alguma coisa não a faz desaparecer; isso só lhe mais tempo para atormentá-lo. Você pode sentir pavor ou pode tomar uma atitude confiante. Como cristãos que têm o poder do Espírito Santo dentro de nós, sem dúvida podemos conseguir realizar uma tarefa desagradável sem sentir pavor e com uma atitude positiva. O poder de Deus não está disponível apenas para fazer as coisas desagradáveis em nossa vida desaparecerem; ele frequentemente está disponível para nos fazer atravessar essas coisas corajosamente.

Confie Nele O que está lhe causando pavor? Faça isso agora e acabe logo com isso. Escolha fazer todas as coisas com alegria e força — não confie mais no seu medo do que em Deus!

10 de Maio
Colocando Sorrisos em Rostos

Portanto encorajem (advirtam, exortem) uns aos outros e edifiquem (fortaleçam e levantem) uns aos outros...

1 TESSALONICENSES 5:11

Quando Deus criou Adão e Eva, Ele os abençoou, depois lhes disse para serem frutíferos e se multiplicarem e usarem todos os vastos recursos da terra que Ele lhes dera a serviço de Deus e do homem.

Você está sendo frutífero? Sua vida está gerando aumento? Quando você se envolve com pessoas e coisas, elas aumentam e se multiplicam? Algumas pessoas só recebem na vida, sem nunca acrescentar nada. Recuso-me a ser esse tipo de pessoa. Quero tornar a vida das pessoas melhor. Quero colocar sorrisos em rostos.

Todos nós precisamos garantir que não somos como o homem rico da Bíblia, que tinha tanto que todos os seus celeiros estavam cheios, sem espaço para mais. Em vez de dar um pouco do que possuía, ele decidiu que derrubaria os celeiros que tinha e simplesmente construiria outros maiores, e acumularia mais coisas para si. Ele era um homem tolo. Poderia ter decidido usar o que tinha para abençoar outros, mas devia ser um homem medroso e egoísta, que só tinha espaço na sua vida para si mesmo (ver Lucas 12:16-20).

Deus chamou o homem de louco, e disse: "Esta mesma noite eles [os mensageiros de Deus] exigirão a sua alma; e todas as coisas que você preparou, de quem elas serão?" O homem ia morrer naquela noite, e tudo que ele deixaria para trás eram "coisas". Ele teve a oportunidade de tornar o mundo

Confiando em Deus Dia a Dia

11 de Maio

um lugar melhor. Poderia ter acrescentado em muitas vidas e colocado sorrisos em milhares de rostos. Em vez disso, medrosa e egoistamente, ele só se importava consigo mesmo.

Esqueça-se de si mesmo e comece a fazer tudo o que puder para ajudar outros. Encoraje, edifique, levante, console, ajude, dê esperança, alivie a dor e levante fardos. Se esse é o seu objetivo, você será um daqueles raros indivíduos que realmente tornam o mundo um lugar melhor e colocam um sorriso em cada rosto.

Confie Nele O que você vai fazer hoje para colocar sorrisos em rostos? Isso não vai acontecer por acaso — você precisa ser deliberado. Ouça a voz de Deus para que Ele lhe mostre o que fazer, e depois confie que isso os abençoará... e a você!

11 de Maio

Não Se Preocupe Com Coisas Sem Importância

> *Filhinhos, vocês são de Deus [vocês pertencem a Ele] e [já] derrotaram-nos e os venceram [os agentes do anticristo], porque Aquele que vive em vocês é maior (mais poderoso) que aquele que está no mundo.*
>
> 1 JOÃO 4:4

É altamente provável que você tenha mais pavor de coisas pequenas do que de coisas grandes. Em primeiro lugar, temos muitas coisas pequenas com as quais lidamos o tempo todo, mas as coisas grandes acontecem em menor quantidade e mais distanciadas umas das outras. Quando comecei a examinar a área do pavor em minha própria vida, percebi que ele se manifestava em pequenas áreas diárias como ir ao supermercado, colocar a roupa para lavar, realizar uma tarefa ou procurar uma vaga em um *shopping* superlotado. Eu tinha pavor de esperar porque, historicamente, nunca fui uma pessoa paciente. Esperar nas filas no trânsito, ou esperar pessoas lentas terminarem um serviço, eram coisas que eu detestava e permitia que me frustrassem.

Semelhante a muitos de vocês, tenho muitas atividades para fazer, e não gosto de perder tempo esperando. Mas, graças a Deus, aprendi que de nada adianta detestar alguma coisa que eu tenho de fazer de qualquer jeito. Isso rouba a minha alegria, e já perdi muito da minha alegria na vida, de modo que não estou mais disposta a abrir mão dela. Creio que glorificamos a Deus quando nos recusamos a viver com medo, preocupação ou pavor.

139

12 de Maio

Confiando em Deus Dia a Dia

Quando vejo que estou em uma situação na qual preferiria não estar, quer seja esperando ou fazendo uma tarefa desagradável, tomo a decisão de fazer isso com alegria e não com pavor, e depois exerço o domínio próprio. Uso os músculos da fé que Deus me deu. Você também os possui! Se permitirmos que o medo e o pavor dominem as nossas vidas, eles gerarão mais medo, mas se praticarmos andar por fé, se tornará mais fácil fazer isso vez após vez.

Confie Nele Você também desperdiçou muito da sua vida com medo, preocupação ou pavor simplesmente porque não confiou que Deus viria em seu socorro? Nesse caso, creio que esses dias estão chegando ao fim para você! Recuse-se a abrir mão da sua alegria, e em vez disso, pratique o andar por fé.

12 de Maio
Siga a Lei de Deus e Não a Lei de Murphy

> *O ladrão vem somente para roubar, matar e destruir. Eu vim para que tenham vida e desfrutem a vida, e a tenham em abundância (ao máximo, até transbordar).*

JOÃO 10:10

Anos atrás, um homem chamado Capitão Edward A. Murphy estava trabalhando em um projeto para a Força Aérea dos Estados Unidos. Ele ficou irado e amaldiçoou um técnico que cometeu um erro, observando que: "Se alguma coisa pode ser feita errado, este homem a fará". Com o tempo, esse pensamento se tornou conhecido como "A Lei de Murphy", que afirma basicamente: "Nada é tão fácil quanto parece; tudo demora mais do que se espera; e se alguma coisa pode dar errado, dará — no pior momento possível".

Muitas pessoas nunca ouviram falar de Edward Murphy, mas a maioria de nós conhece a Lei de Murphy. A negatividade dele se tornou popular e continua a impactar o mundo. Creio que Deus tem leis que discordam completamente da Lei de Murphy. O mundo pode esperar que a Lei de Murphy se aplique em suas vidas, mas precisamos resistir a esse tipo de pensamento negativo e abraçar a Lei de Deus.

A Lei de Deus diz que as coisas podem ser difíceis, que haverá desafios, mas que sempre teremos motivos para ter esperança, que podemos sempre nos expressar por meio da fé e do amor, e temos de confiar sempre que Deus está trabalhando a nosso favor!

Confiando em Deus Dia a Dia

13 de Maio

O pensamento negativo sempre gera uma vida negativa. Quanto mais você poderia desfrutar a sua vida se os seus pensamentos estivessem de acordo com a Lei de Deus e não com a Lei de Murphy? Deus tem uma vida incrível para você, uma vida que Ele quer que você desfrute completamente e viva ao máximo. Eu o desafio a viver segundo a Lei de Deus e encher a sua mente consistentemente com pensamentos positivos.

Confie Nele Em que circunstância específica você precisa começar a acreditar na Lei de Deus em vez de confiar na Lei de Murphy?

13 de Maio
A Missão que Deus Lhe Deu

Seja forte (confiante) e tenha bom ânimo, pois você fará este povo herdar a terra que Eu jurei a seus pais lhes dar.

JOSUÉ 1:6

Um professor tem uma responsabilidade poderosa. Pais, treinadores, professores e outros modelos têm uma influência tremenda — por exemplo, eles podem treinar as crianças para temer o fracasso ou podem ensiná-las a ter esperança enquanto superam a adversidade.

Uma mãe que tem problemas com o medo transmitirá isso aos seus filhos. Mesmo sem perceber, uma frase, uma atitude excessivamente cautelosa ou uma relutância em se levantar e experimentar coisas novas será transmitida aos seus pequeninos. Mas uma mãe com uma fé ousada e corajosa inspirará os seus filhos a perseguirem os sonhos que Deus colocou no coração deles.

Não devemos ensinar nossos filhos a viver descuidadamente, mas devemos ensiná-los a ser ousados, a tomar atitudes, e a nunca ter tanto medo de cometer erros, a ponto de não experimentarem coisas novas. Creio que devemos ensinar nossos filhos e os que estão sob a nossa autoridade a correr riscos na vida. Se não corrermos riscos, nunca progrediremos, e o progresso sempre requer que demos um passo rumo ao desconhecido. A experiência nos dá confiança, mas nunca adquiriremos experiência se não nos levantarmos e tentarmos fazer coisas que não tentamos antes.

Uma criança que ouve vez após vez: "É melhor não tentar isso, você pode se machucar", muito provavelmente terá relutância em experimentar coisas novas. Se as crianças ouvem: "Tome cuidado" com muita frequência, elas podem aprender a ser tão cautelosas que acabam vivendo uma vida estreita, sem espaço para a aventura.

14 de Maio — Confiando em Deus Dia a Dia

Quero encorajar você a ensinar outros pela palavra e pelo exemplo a ser ousados e corajosos. Diga às pessoas para experimentarem coisas, lembrando a elas que cometer um erro não é o pior que pode acontecer. E se alguém, em algum lugar do seu passado, o treinou para temer o fracasso ou para pensar na pior coisa que poderia acontecer, nunca é tarde demais para viver pela fé.

Confie Nele Você está influenciando aqueles que o cercam — você os está inspirando a confiar em Deus com uma fé ousada ou os está prevenindo contra o que pode dar errado?

14 de Maio
O Que o Futuro Reserva?

Relembrarei [ardentemente] os feitos do Senhor; sim, relembrarei [ardentemente] as maravilhas [que Tu realizaste para os nossos pais] do passado. Meditarei também em todas as Tuas obras e considerarei todos os Teus feitos [poderosos].

SALMOS 77:11-12

Nenhum de nós sabe com certeza o que o futuro reserva. Essa falta de conhecimento, em geral, abre a porta para o medo. E se eu ficar deficiente? E se o meu cônjuge morrer? E se o meu filho morrer? E se tivermos outra guerra mundial? E o terrorismo? Em que tipo de mundo estarei vivendo daqui a 25 anos?

Ficar se perguntando acerca de coisas para as quais não temos respostas abre a porta para o medo. Em vez de se perguntar, confie em Deus, sabendo que seja o que for que o seu futuro lhe reserve, Ele o capacitará a lidar com ele quando chegar a hora. Onde quer que você esteja indo, Deus já esteve lá e preparou o caminho para você. Confiar nele não é uma decisão que se toma apenas uma vez — é uma escolha que você faz todos os dias.

Vejo algumas das coisas pelas quais as pessoas passam, e digo a mim mesma: "Temo que eu jamais poderia passar por isso com a graça e a coragem que as vi demonstrar". Então, lembro a mim mesma que quando precisamos passar por uma situação negativa, Deus nos dá a força para isso. Quando simplesmente tememos passar por alguma coisa, acabamos fazendo isso sem nenhuma ajuda de Deus. Quando olho para trás, para a minha vida, e me lembro de alguns dos momentos que Deus me permitiu atravessar, penso: *Como fiz isso?* Foi por causa da graça e do poder de Deus. Ele

Confiando em Deus Dia a Dia

me permitiu fazer o que eu precisava fazer no momento, e Ele sempre fará o mesmo por você, se você pedir a Ele. Podemos não conhecer o futuro, mas se conhecermos Aquele que tem o futuro em Suas mãos, podemos aguardar ansiosamente por ele com expectativa e sem medo. Se Deus o levar até o futuro, Ele o fará passar por ele.

Confie Nele Na próxima vez que você for tentado a olhar para uma situação e pensar que "jamais" poderia passar por algo assim, lembre-se de um tempo em que Deus provou ser confiável em sua vida. Você confiou nele antes — e você pode fazer isso outra vez!

15 de Maio

Levante-se e Faça a Sua Parte

Por quanto tempo você ficará dormindo, ó preguiçoso? Quando você se levantará do seu sono?

PROVÉRBIOS 6:9

Muita atividade sem nenhum descanso é o culpado que está por trás da maior parte do estresse que sentimos, mas a falta de atividade também é um problema. Estou certa de que você ouviu falar que o exercício é um grande agente para alívio do estresse, e essa é uma grande verdade. Eu preferiria ficar fisicamente cansada por me exercitar e me movimentar a ficar cansada em minha alma por não fazer nada e ficar entediada.

O trabalho faz bem a todos nós. Na verdade, Deus disse que trabalharíamos seis dias e descansaríamos um. Isso mostra o quanto o trabalho e a atividade são importantes aos olhos de Deus. Deus nos criou para trabalhar, e não para ficarmos sentados ociosamente sem fazer nada. Existem várias boas histórias na Bíblia a respeito de pessoas que tinham problemas graves, e quando elas pediram ajuda a Jesus, Ele lhes disse: "Levantem-se!"

No quinto capítulo de João vemos um exemplo. Um homem era aleijado, e ele ficou deitado ao lado do tanque de Betesda por 38 anos esperando o seu milagre. Quando Jesus foi até o homem e lhe perguntou há quanto tempo ele estava ali naquela condição, o homem respondeu, e depois continuou contando a Jesus que não tinha ninguém que o colocasse no tanque na hora certa, e como os outros sempre iam na frente. Jesus disse ao homem "Levante-se! Tome o seu leito... e ande!" (João 5:8).

Levante-se e comece a fazer o que você puder para consertar os erros da sua vida. Se forem erros no casamento, então faça a sua parte. Não se

16 de Maio

Confiando em Deus Dia a Dia

preocupe com o que seu cônjuge não está fazendo; apenas faça a sua parte e Deus o recompensará. Se você está vivendo um caos financeiro, pare de gastar e comece a pagar as suas dívidas. Consiga um emprego extra por algum tempo, se for preciso. Se você não puder fazer isso, peça a Deus para lhe mostrar o que você pode fazer. Lembre-se, "Se você fizer o que pode fazer, Deus fará o que você não pode fazer".

Confie Nele Não espere 38 anos pelo seu milagre, sem fazer nada. Quer seja a falta de conhecimento, a preguiça, a autocomiseração ou o medo que o estão detendo, escolha agora *levantar-se*! Faça a sua parte e confie em Deus para fazer a dele.

16 de Maio

Veja o Quadro Maior

Pois assim como ele pensa em seu coração, assim ele é.

PROVÉRBIOS 23:7

Quando você foca excessivamente os elementos negativos de certa situação e ignora os aspectos positivos, você está "filtrando" o positivo e exagerando o negativo. Poucas situações são 100% negativas; na maioria das vezes, você pode encontrar algo de bom em todas as circunstâncias, ainda que tenha de ser muito diligente para procurar.

Digamos que você é uma mãe com filhos pequenos. Seu filho de quatro anos de idade colore as paredes, faz buracos em suas calças novas, chuta a irmã e derrama suco de uva no seu tapete recém-lavado. Digamos também que ele finalmente peça desculpas à irmã, sem que você lembre isso a ele, confesse ter cortado as calças em vez de dizer: "Foi o cachorro", tente limpar o quarto e diga que você é a melhor mãe do mundo. Dizer que ele foi absolutamente terrível o dia inteiro e se esquecer dos bons momentos dele seria filtrar o bem, e deixaria a sua mente sem nada, exceto os pensamentos negativos. Embora sem dúvida houvesse alguns aspectos negativos nesse dia, ele também teve as suas experiências positivas.

Por mais que eu enfatize o quanto é importante resistir à tentação de caracterizar alguma coisa como totalmente negativa, ou se concentrar excessivamente nos aspectos negativos de uma situação, ainda será pouco. Olhe a situação como um todo e descubra algo de positivo nela.

Quando você foca constantemente o negativo, acha muito difícil confiar que as coisas melhorarão. Mas quando você escolhe encontrar as coisas po-

Confiando em Deus Dia a Dia

17 de Maio

sitivas até nos seus piores desafios, a sua esperança nunca se esgotará, nem a capacidade de colocar a sua confiança em Deus.

Confie Nele Qual é a situação mais negativa de sua vida? Relacione três coisas positivas nela ou em outros aspectos de sua vida. Ao fazer isso, você encontrará uma nova fonte de esperança e uma nova capacidade de confiar.

17 de Maio
Abrace a Mudança com Fé

Digo-lhes a verdade, se vocês não mudarem e se tornarem como criancinhas, nunca entrarão no reino dos céus.

MATEUS 18:3 (grifo da autora)

Se você está estressado o tempo todo, algo tem de mudar para que o estresse seja aliviado. Ele não vai simplesmente desaparecer enquanto você continuar fazendo as mesmas coisas. Não podemos esperar continuar a ter a mesma atitude repetidas vezes e ter resultados diferentes. Se você quer resultados diferentes, precisa mudar o que está fazendo.

Dê alguns passos ousados de fé e mude aquilo que o Senhor o direcionar a mudar. Se o que você está fazendo com o seu tempo não está dando bom fruto, mude. Se você não está descansando o suficiente, mude. Se não está disciplinando seus filhos e o comportamento deles está lhe gerando muito estresse, mude. Se você não está cuidando de si mesmo, mude. Se você está entediado, mude. Se os seus amigos estão se aproveitando de você, mude! Você está conseguindo captar a ideia? O estresse pode ser aliviado se você não tiver medo de mudar.

Você pode ter medo da mudança, mas também é possível que, mesmo que você encontre coragem para fazer as mudanças necessárias, outras pessoas que fazem parte da sua vida não gostem das mudanças que você fizer. Não tenha medo delas. Você se acostumará às mudanças, e elas também. Se você não tomar uma atitude agora, ainda estará reclamando das mesmas coisas daqui a um ano, daqui a dois anos e ainda dez anos depois, e não haverá fim para sua infelicidade. A hora é *agora*! A ousadia requer ação, mas o medo gera inatividade e procrastinação. A escolha é sua!

Confie Nele Não perca tempo resistindo à mudança. Deus usa a mudança para nos formar, moldar-nos e nos fazer de novo. A mudan-

145

ça mantém a vida renovada e cheia de aventura — abrace a mudança com fé e confiança de que Deus o fará vencer.

18 de Maio

Os Seus Planos ou os Planos de Deus

A mente de um homem planeja o seu caminho, mas o Senhor dirige os seus passos e os torna seguros.

PROVÉRBIOS 16:9

Precisamos aprender a esperar que os planos de Deus se desenvolvam. Ele aperfeiçoa tudo o que nos diz respeito. A verdadeira ousadia se move no tempo de Deus; ela se move na hora certa.

Durante os três anos do ministério de Jesus na terra, as pessoas pensavam que Ele era louco. Seus próprios irmãos ficaram constrangidos com Ele, e no esforço de salvar a própria reputação, eles disseram a Jesus que Ele precisava ir para outro lugar para fazer as Suas obras. Se Ele não quisesse fazer isso, eles tinham outra opção para Ele. Eles lhe disseram para tomar uma atitude e parar de fazer as Suas obras em segredo. Eles tentaram convencê-lo que era hora de se mostrar e de mostrar as Suas obras ao mundo. Em outras palavras, eles queriam que Jesus impressionasse as pessoas com o que Ele podia fazer.

Ele lhes respondeu dizendo: "A minha hora (oportunidade) ainda não chegou..." (João 7:6).

Quantos de nós poderiam demonstrar esse tipo de domínio próprio? Se você pudesse fazer os milagres que Jesus podia fazer e fosse ridicularizado e desafiado a mostrar as suas obras, o que faria? Você esperaria até saber absolutamente que era a hora certa, ou tomaria uma atitude que não fosse confirmada por Deus?

É bom ter planos, e acredito que devemos planejar com ousadia e determinação, mas precisamos ser sábios o suficiente para saber que, sem Deus, os nossos planos falharão no fim. A Palavra de Deus diz: "Se o Senhor não edificar a casa, em vão trabalham os que a edificam..." (Salmos 127:1). Podemos construir sem Deus como o nosso fundamento, mas como qualquer prédio sem um fundamento forte, eventualmente iremos desabar.

Confie Nele Você está agindo no seu próprio tempo, ou está confiando no tempo de Deus? Confie em Deus — os planos dele são sempre melhores!

146

19 de Maio

Você Pode Vencer a Oposição

Assim, uma vez que Cristo sofreu na carne por nós, armem-se com o mesmo pensamento e propósito [de sofrer pacientemente em vez de falhar, para agradar a Deus].

1 PEDRO 4:1

Deus não enviou o poder do Seu Espírito às nossas vidas para que fôssemos destituídos de vontade própria, frouxos, ou o tipo de pessoas que desiste quando a situação fica difícil. Deus não nos deu espírito de medo, mas de poder, de amor e uma mente equilibrada (ver 2 Timóteo 1:7).

No começo do meu ministério, Deus me concedeu um sonho. No sonho, eu estava dirigindo por uma estrada e percebi que os carros estavam saindo do fluxo do trânsito. Alguns estavam estacionando, e outros estavam dando a volta para retornar de onde vieram. Presumi que houvesse algum problema mais à frente, mas não conseguia ver o que era. À medida que continuei a seguir com ousadia, vi uma ponte sobre um rio e notei que a água começava a passar por cima da ponte. Percebi que as pessoas nos carros estavam com medo de se ferirem ou de chegar a algum ponto em que não pudessem mais voltar. Meu sonho terminou comigo sentada no carro, olhando primeiro para a ponte coberta de água, depois para o lugar onde eu estava e para o acostamento da estrada, tentando decidir se eu devia estacionar, recuar ou continuar seguindo em frente. Então acordei.

Deus usou esse sonho para me mostrar que sempre haverá oposição quando estamos prosseguindo em direção a um alvo. Sempre haverá oportunidade de estacionar e não ir adiante ou voltar e desistir. Caberia a mim decidir, em cada situação, se eu iria desistir ou seguir em frente. Aquele sonho me ajudou muitas vezes a prosseguir para o alvo quando as dificuldades surgiam e eu era tentada a desistir. Decidi que embora às vezes eu cometa erros, e talvez não tenha sempre o resultado que espero, nunca desistirei! A determinação levará você muito mais longe do que o talento. De modo que, se você sente que lhe falta talento, anime-se. Tudo que você precisa para vencer na vida é a determinação de nunca desistir e continuar prosseguindo para o alvo.

Confie Nele Você pode fazer tudo o que precisa fazer na vida por meio de Cristo que é a sua Força. Confie nele completamente e prossiga rumo à vitória.

20 de Maio

Seus Pensamentos São Poderosos

Sei e estou convencido (persuadido) como alguém no Senhor Jesus, de que nada é [proibido como] essencialmente impuro (contaminado e profano em si). Mas [não obstante] é impuro (contaminado e profano) para qualquer um que pense que ele é impuro.

ROMANOS 14:14 (grifo da autora)

Respondendo a um debate acalorado acerca de se os cristãos da Igreja Primitiva deviam comer carne que havia sido oferecida a ídolos, Paulo afirma em Romanos 14:14 essa forte convicção de que os pensamentos são muito poderosos. Paulo não acreditava que a carne oferecida aos ídolos pudesse ser corrompida, porque ele sabia que os ídolos não eram nada, senão madeira ou pedra. Entretanto, muitas pessoas não viam as coisas como Paulo via, e ele entendia isso. Então seu conselho a elas foi que não comessem carne, se elas *achassem* que ela fosse impura. O apóstolo sabia que a partir do momento em que elas acreditassem que a carne era impura em suas consciências, não importava se ela era impura ou não. O pensamento delas as condenaria.

Quanto mais reflito sobre Romanos 14:14, mais fico impressionada com a profundidade da percepção de Paulo. O princípio que ele entendia e que era verdadeiro quando aplicado à carne oferecida aos ídolos nos tempos antigos, ainda é verdadeiro hoje em qualquer área da vida. Por exemplo, se você pensa *Nunca vou conseguir um bom emprego*, é provável que você nunca consiga um. Se os seus pensamentos o convenceram de que você nunca consegue fazer nada certo, você terá tendência a cometer mais erros do que o normal e a ter uma alta taxa de fracassos.

Do mesmo modo, para muitas pessoas, tudo o que "eles" dizem se torna verdade — esse "eles" pode ser a mídia, uma celebridade, um grupo de amigos ou outros que gostam de compartilhar opiniões, mas que podem ou não fazer ideia do que é verdade. Quando você e eu acreditamos em mentiras, nossa mente pode realmente nos limitar e até nos impedir de fazer o que Deus nos criou para fazer.

Mas se buscarmos a verdade, abraçarmos a verdade e edificarmos nossas vidas sobre a verdade, teremos êxito em todos os nossos empreendimentos.

Confie Nele Qual é o pensamento que o está impedindo de alcançar o que Deus tem para você? Confie mais em Deus do que nesse

Confiando em Deus Dia a Dia

21 de Maio

Decepcionado? Volte a Ter Expectativa

Os passos do homem são ordenados pelo Senhor. Como pode então o homem entender o seu caminho?

PROVÉRBIOS 20:24

Esse versículo estabilizou as minhas emoções muitas vezes quando eu estava com pressa para chegar a algum lugar e me encontrava parada no trânsito. Inicialmente, tenho uma sensação de desânimo, depois fico irritada, e então posso dizer: "Bem, já que os meus passos são ordenados pelo Senhor, vou me acalmar e agradecer a Deus porque estou exatamente aqui onde Ele quer que eu esteja". Também lembro-me de que Deus pode estar me salvando de um acidente mais adiante na estrada, mantendo-me ali onde estou. Confiar em Deus é absolutamente maravilhoso, porque tranquiliza os nossos pensamentos e emoções desenfreados quando as coisas não acontecem como planejamos.

Aprendi há muito tempo que, com Deus ao nosso lado, embora passemos por decepções na vida, podemos sempre voltar a ter expectativa. Se você ou eu tivermos uma consulta médica marcada, e o médico tiver uma emergência e tiver de cancelar a consulta, simplesmente marcamos outra consulta. A vida pode ser assim, também. Confiar que Deus tem um bom plano para nós, e que os nossos passos são ordenados por Ele, é a chave para evitar que a decepção se transforme em desespero.

Como você reage quando se decepciona? Quanto tempo leva para você fazer a transição e voltar a ter expectativa? Você está agindo com base na Palavra de Deus ou está apenas reagindo emocionalmente às circunstâncias? Você é controlado pelo que o cerca, ou por Jesus, que vive dentro de você?

Confiar em Deus completamente, e acreditar que o plano dele para você é certo, é infinitamente melhor que confiar no seu próprio plano. É impossível ficar irado com alguém que você realmente acredita que tem o seu melhor interesse em mente. E Deus é sempre por nós, e nunca contra nós. Ele é o Único que pode ajudar e realmente consolar você; portanto, é muito melhor correr para Ele quando você se sentir decepcionado do que fugir dele.

149

22 de Maio   Confiando em Deus Dia a Dia

Confie Nele Confie em Deus para levar você a ter *expectativa* outra vez — quando fizer isso, você acalmará os seus pensamentos e emoções.

22 de Maio
O Tipo Bom de Fome

Bem-aventurados são aqueles que têm fome e sede de justiça, porque eles serão fartos.

MATEUS 5:6

Hoje existem mais pessoas que estão espiritualmente mal nutridas do que nunca. Muitos elementos da sociedade distraem as pessoas de suas almas eternas e as encorajam a se concentrar na vida material.

Presas a esse estilo de vida, muitas pessoas confundem o vazio interior que sentem com a fome física. Elas nunca foram ensinadas a reconhecer a fome espiritual, ou o que fazer a respeito, se a reconhecerem. Como elas não sabem o que fazer acerca da dor e da solidão, procuram a solução mais rápida que conhecem: comida, drogas, álcool ou outros prazeres materiais.

Se você tem uma vida espiritual rica, já estará satisfeito e realizado no momento, e não sentirá a necessidade de "suplementar" o seu momento com "coisas".

Todos nós temos esses momentos, às vezes. Você perambula por um campo cheio de vaga-lumes no verão, e de repente se sente tranquilo e maravilhado com a beleza de tudo isso. Você segura o seu filho ou o seu neto pequeno no colo e sente um imenso vínculo espiritual de amor ao seu redor. Você está sentado em um banco da igreja no domingo de manhã, e a luz passa pelo vitral e enche o seu coração de alegria. O momento está completo em si. Você não pensa: *Meu coração está cheio de alegria, mas como eu gostaria de comer uma fatia de bolo de chocolate agora!* Você pode conhecer a realização completa do alimento espiritual, e sabe que, se experimentar isso regularmente, não terá problemas em ansiar por coisas terrenas.

Na verdade, todos nós deveríamos sentir esses momentos transcendentes com mais frequência do que sentimos. Creio que eles são essenciais para a saúde física, emocional e espiritual. E creio que passamos muito pouco tempo tentando alcançá-los, e tempo demais meditando em nossos problemas. Tire a sua mente dos problemas, e passe mais tempo meditando na única verdadeira fonte de alimento — o amor de Deus.

Confiando em Deus Dia a Dia — 23 de Maio

Confie Nele Quando foi a última vez que você ficou maravilhado com Deus e cheio de alegria, a ponto de transbordar? Confie que Deus irá se encontrar com você dessa maneira regularmente.

23 de Maio

Pessoas Difíceis de Conviver

Se vocês amarem [apenas] aqueles que amam vocês, que tipo de crédito e de recompensa terão? Pois até os [próprios] pecadores amam aqueles que os amam.

LUCAS 6:32

Sou muito grata por conhecer a Palavra de Deus e por ter Deus em minha vida para me ajudar e consolar. Mas tento me lembrar de que muitas pessoas no mundo, com quem é difícil conviver, não têm isso. Quero sempre que o meu comportamento seja um testemunho de Cristo e não algo que o faça envergonhar-se de mim. Nesse sentido, tive de trabalhar muito com o Espírito Santo para desenvolver a habilidade de agir com base na Palavra de Deus quando as pessoas são rudes, em vez de meramente reagir a elas com um comportamento que se iguale ao delas, ou mesmo que seja pior que o delas.

Esse problema é realmente muito comum, o que significa que todos nós lidaremos com pessoas difíceis, de vez em quando, ao longo de nossas vidas. As pessoas estão em toda parte, nem todas elas são agradáveis. Sendo assim, precisamos tomar uma decisão acerca de como vamos reagir a elas. Você vai agir com base na Palavra de Deus e amá-las por amor a Ele? Ou você vai simplesmente reagir emocionalmente e acabar agindo talvez de forma pior que elas? Você já permitiu que uma pessoa rude estragasse o seu dia? Tome a decisão de nunca mais fazer isso novamente, porque quando você o faz, está perdendo o tempo precioso que Deus lhe deu. Quando um dia se vai, você nunca mais poderá recuperá-lo, de modo que o incentivo a não desperdiçá-lo ficando perturbado emocionalmente por causa de alguém que talvez você nunca mais volte a ver.

Se você está em uma situação que exige que esteja próximo de uma dessas pessoas de difícil convivência todos os dias, incentivo você a orar por ela, em vez de reagir emocionalmente a ela. As nossas orações abrem uma porta para Deus trabalhar. Às vezes, quando oramos, Deus nos levará a confrontar uma pessoa assim. Quando Ele o fizer, lembre-se de que o confronto deve ser feito com espírito de amor.

24 de Maio

Confiando em Deus Dia a Dia

Confie Nele Existe uma pessoa em sua vida que seja difícil de conviver? Ore e peça a Deus para ensinar-lhe a reagir a essa pessoa em todas as situações.

24 de Maio

Mudança e Transição

Defenda-me, ó Senhor, pois tenho andado na minha integridade; tenho confiado no Senhor [com expectativa], dependido de Ti e contado contigo sem vacilar e não me desviarei.

SALMOS 26:1

Tudo muda, exceto Deus, e permitir que todas as mudanças em nossas vidas nos angustiem não as impedirá de ocorrer. As pessoas mudam, as circunstâncias mudam, os nossos corpos mudam, os nossos desejos e paixões mudam. Uma certeza na vida é a mudança. Não nos importamos de mudar se nós causamos a mudança, mas quando ela vem sem ser convidada, as nossas emoções podem se desequilibrar facilmente.

John trabalhou para uma empresa de investimentos por 32 anos, e estava certo de que ia se aposentar ali. Sem aviso, a companhia decidiu vender suas ações para uma empresa maior, cuja administração decidiu que não queria manter muitos dos funcionários, e John perdeu o emprego. Ele sente que não foi tratado com justiça quando foi demitido. E agora? John tem uma escolha a fazer. Ele pode reagir emocionalmente ficando angustiado, estressado, ansioso, irado e preocupado, sentindo e dizendo muitas coisas negativas. Ou ele pode agir com base na Palavra de Deus, e confiar em Deus para ser o seu defensor e a fonte de suprimento de todas as suas necessidades. É totalmente compreensível que John sinta essas emoções, mas se ele optar por reagir com base nos seus sentimentos, ficará infeliz e possivelmente tornará as pessoas que fazem parte da sua vida infelizes. Se ele optar por tomar decisões com base na Palavra de Deus, porém, ele poderá fazer a transição com muito menos problemas. Será que a sua raiva vai se dissipar imediatamente? Provavelmente não. Mas se John verdadeiramente entregar suas ansiedades a Deus, seus sentimentos se acalmarão e ele poderá estar confiante de que Deus continuará a trabalhar em sua vida, fazendo justiça em lugar da injustiça que lhe foi feita.

A maioria das mudanças ocorre sem a nossa permissão. Mas podemos escolher nos adaptar. Se nos recusarmos a fazer a transição em nossa mente e em nossa atitude, então estaremos cometendo um grande erro. A nossa

Confiando em Deus Dia a Dia   25 de Maio

recusa em nos adaptar não muda as circunstâncias, mas rouba nossa paz e alegria. Por outro lado, agindo com base na Palavra de Deus e não meramente reagindo à situação, você poderá controlar as suas emoções em vez de permitir que elas o controlem.

Confie Nele Se a sua próxima mudança ainda não chegou, ela está a caminho. Construa a sua confiança em Deus agora, preparando o seu coração ao passar tempo com a Sua Palavra e aproximando-se dele em oração.

25 de Maio
Alegre-se em Dar

Bendito (louvado, glorificado, elogiado) seja o Deus e Pai de nosso Senhor Jesus Cristo (o Messias) que nos abençoou em Cristo com todas as bênçãos espirituais (concedidas pelo Espírito Santo) nas esferas celestiais!

EFÉSIOS 1:3

Aprendi ao longo dos últimos anos, por meio do estudo do amor de Deus, que dar aos outros é uma das maneiras pelas quais podemos e devemos celebrar as nossas próprias vitórias. É uma maneira de dizer: "Sem dúvida, estou feliz com o que Deus fez por mim, e quero estender a mão e fazer outra pessoa feliz".

Dar é uma parte central do estilo de vida cristão, e devemos fazer isso com determinação e alegria. Deus nos deu o Seu Filho Jesus como o melhor presente que Ele poderia dar, e em Jesus temos todas as demais coisas. Nele fomos abençoados com todas as bênçãos espirituais nas esferas celestiais (ver Efésios 1:3).

É a vontade de Deus que demos graças em todo o tempo e em tudo (ver 1 Tessalonicenses 5:18). As ações de graças precisam ter uma expressão para ser completas. Podemos dizer que somos gratos, mas será que demonstramos isso? Estamos expressando isso? Dizemos "obrigado", mas existem outras maneiras de demonstrar apreciação, e uma delas é dando às pessoas que têm menos do que nós. Dar aos pobres é ordenado por Deus. É uma das maneiras pelas quais podemos manter um ciclo contínuo de bênçãos operando em nossas vidas. Deus está sempre nos dando algo, e demonstramos apreciação dando algo a outras pessoas; e então Ele nos abençoa mais para que possamos fazer tudo outra vez.

153

26 de Maio

Confiando em Deus Dia a Dia

A Bíblia diz isso claramente. Quando Deus abençoar você como Ele prometeu, encontre um homem pobre e dê algo a ele. Não endureça o seu coração, mas abra bem as suas mãos para ajudá-lo. Se você der a ele liberalmente, sem má vontade, o Senhor o abençoará em todo o seu trabalho e abençoará tudo o que você realizar (ver Deuteronômio 15:6-8, 10). O que damos aos outros em resultado da obediência a Deus nunca se perde. Apenas sai das nossas mãos temporariamente, mas nunca sai da nossa vida. Nós damos, Deus usa o que demos para abençoar outra pessoa, e depois Ele nos devolve várias vezes mais. Gosto da maneira como Deus faz as coisas, e você?

Confie Nele Você acredita que Deus o tem abençoado? Então mostre a sua gratidão a Deus sendo uma bênção para alguém hoje.

26 de Maio
Um Tempo para Lembrar

Tendo olhos, vocês não veem [com eles], e tendo ouvidos, vocês não ouvem, percebem e entendem o sentido do que está sendo dito? E vocês não se lembram?

MARCOS 8:18

Muitas vezes eu disse que nós nos esquecemos do que deveríamos lembrar e nos lembramos do que deveríamos esquecer. Jesus repreendeu os discípulos em uma de suas jornadas, porque eles haviam se esquecido de um milagre que Ele tinha feito. Eles iniciaram uma viagem e de repente lembraram que não haviam levado pão em quantidade. Eles só tinham um pão, e não seria suficiente. Dentro de pouco tempo Jesus começou a ensinar os discípulos a tomarem cuidado com o fermento dos fariseus e Herodes. É claro que Jesus estava falando de ser cauteloso contra o engano, mas os discípulos raciocinaram entre si, supondo que Ele estivesse falando a respeito do fato de que eles se esqueceram de levar pão, como se isso preocupasse Jesus. Então Ele começou a repreendê-los, perguntando se eles haviam esquecido quando do Ele alimentou cinco mil pessoas com cinco pães. Será que eles se esqueceram de outro milagre incrível, quando Jesus alimentou quatro mil pessoas com sete pães? Se eles tivessem se lembrado, não teriam se preocupado em passar fome por não terem levado pão em boa quantidade com eles.

Se nos lembrássemos dos milagres que Deus fez em nosso passado, não cairíamos tão facilmente na preocupação e no medo quando enfrentamos

Confiando em Deus Dia a Dia

27 de Maio

novos desafios. Quando Davi foi enfrentar Golias e ninguém o encorajou, ele se lembrou do leão e do urso que já havia matado com a ajuda de Deus. Por se lembrar do passado, ele não teve medo na situação atual. Você está enfrentando alguma coisa agora que está crescendo à sua frente como um gigante em sua vida? É uma doença ou uma falta na área financeira? São problemas de relacionamento? É alguma coisa que você nunca fez, por isso não sabe por onde começar? A verdade é que não importa o que é, porque nada é impossível para Deus. Reserve algum tempo agora e lembre-se de algumas das coisas com as quais Ele o ajudou e o fez atravessar no passado. Pense nessas coisas e fale sobre elas, e você verá a coragem encher o seu coração.

Confie Nele Dedique um tempo para se lembrar de um momento específico em que Deus supriu a sua necessidade. Celebre esse momento. Isso aumentará a sua capacidade de confiar nele.

27 de Maio

Conheça Deus Verdadeiramente

[Porque o meu propósito determinado é] que eu possa conhecê-lo [que eu possa me tornar progressivamente mais profundamente e mais intimamente relacionado com Ele, percebendo, reconhecendo e entendendo mais fortemente e mais claramente as maravilhas da Sua pessoa], e que eu possa dessa mesma forma vir a conhecer o poder que flui da Sua ressurreição...

FILIPENSES 3:10

Há uma grande diferença entre conhecer a Deus e saber coisas a *respeito* de Deus. Quando realmente conhecemos a Deus, também experimentamos (conhecemos) o Seu poder. Muitos cristãos vivem pelos sentimentos. Se eles se sentem alegres e felizes, então dizem que Deus os está abençoando, mas se eles se sentem insatisfeitos, frios ou entediados, podemos ouvi-los perguntando: "Onde está Deus hoje?" Se a oração deles não é atendida de forma satisfatória, eles perguntam onde Deus está. Quando vimos os ataques às Torres Gêmeas, na cidade de Nova Iorque, em 11 de setembro, um locutor disse: "Onde estava Deus quando tudo isto aconteceu?" Se esse locutor conhecesse a Deus, ele jamais teria feito essa pergunta.

Se temos o verdadeiro conhecimento de Deus, não ficamos perturbados com nenhuma visão científica, com qualquer teoria da evolução ou com as

155

28 de Maio

Confiando em Deus Dia a Dia

supostas contradições nas versões da Bíblia. Temos a certeza perfeita de que Deus existe, e sabendo disso, sabemos que nada mais importa. Não sentimos necessidade de explicar as coisas, porque sabemos o que não pode ser explicado em palavras. Paulo disse que viu coisas quando teve visões do céu que ele não podia explicar. Os homens sempre querem explicar Deus, mas se o conhecemos verdadeiramente, então a primeira coisa de que abrimos mão é tentar entendê-lo ou explicá-lo. A pessoa que conhece espiritualmente não tem necessidade de entender tudo mentalmente.

Ore diariamente pedindo espírito de sabedoria e revelação para que você possa conhecer a Deus e o Seu Cristo, o Messias, o Ungido. Celebre o fato de conhecer a Deus, de você ser um ser eterno e de estar progressivamente passando a conhecê-lo melhor a cada dia. Que bênção maravilhosa é conhecer a Deus. Isso deveria nos fazer querer gritar de alegria. Celebre porque você entrou para a festa de Jesus!

Confie Nele Passe tempo com Deus hoje, conhecendo-o um pouco mais a cada dia. Você não vai confiar nele se não o conhecer verdadeiramente!

28 de Maio
Aprenda a Enfrentar a Verdade

E vocês conhecerão a Verdade, e a Verdade os libertará.

JOÃO 8:32

A Palavra de Deus é a verdade, e aprender a enfrentar a verdade em todas as situações é o caminho para a vitória. Durante muitos anos fui uma pessoa extremamente difícil de conviver, mas eu colocava a culpa pelo meu mau comportamento nas circunstâncias e nas outras pessoas. Eu era totalmente incapaz de mudar, até que enfrentei a verdade de que o problema estava em mim. Eu tinha uma atitude negativa e era egoísta. Foi emocionalmente doloroso admitir que eu era o problema, mas foi uma dor que me levou à libertação.

É fácil vermos o que está errado com os outros, mas é muito difícil nos vermos como realmente somos. Peça a Deus para revelar você a si mesmo! Peça a Ele para lhe mostrar qualquer coisa a seu respeito que precise mudar, depois enfrente isso e deixe que Ele o ajude a se libertar. Deus quer nos libertar das coisas que nos atormentam, mas isso não é possível se não encararmos a verdade.

Confiando em Deus Dia a Dia

29 de Maio

Satanás é o pai do engano e da mentira, e é claro que ele quer que enganemos a nós mesmos para poder nos manter cativos. Ele fica aterrorizado com a verdade, porque sabe que quando encararmos a verdade, ele perderá o seu controle sobre nós. Cuidado para não colocar a culpa nos outros! Culpar os outros pelos problemas existentes é algo que começou com Adão e Eva no Jardim do Éden, e ainda existe hoje em dia. Mesmo que eu chegue atrasada a um compromisso, percebo que quero culpar alguém por me atrasar, mas a verdade é que eu deveria ter administrado melhor o meu tempo.

Se você estiver disposto a começar a buscar a verdade em todas as situações, crescerá espiritualmente e começará a experimentar mais liberdade e alegria do que nunca.

Confie Nele Jesus disse: "Eu Sou o Caminho, a Verdade e a Vida!" Peça a Ele para lhe mostrar a verdade e confie que isso o levará à liberdade!

29 de Maio
Não Esteja Apenas Aberto... Peça!

Vocês não têm porque não pedem.

TIAGO 4:2

Deus o ama muito e quer ajudá-lo, mas você precisa pedir isso a Ele. Um homem me disse recentemente que quando se sente sobrecarregado, ergue uma mão para o céu e diz: "Venha até mim, Jesus". Deus ouve o menor clamor do seu coração, por isso pare de tentar fazer tudo sozinho e peça a ajuda dele.

Por exemplo, na próxima vez que você for tentado a comer porque está angustiado ou triste, diga "não" em voz alta. Depois, sente-se silenciosamente por um instante e peça ajuda a Deus para a situação. Você ficará impressionado ao ver que grande diferença há em pedir. Com frequência, você descobrirá que de repente tem a força para resistir à tentação. Mas você precisa pedir realmente; não pode simplesmente dizer a si mesmo que está aberto para a ajuda de Deus.

Talvez você não pense que Deus se importa com alguma coisa tão simples quanto os seus hábitos alimentares, mas Ele se importa. Ele se importa com tudo que diz respeito a você — as grandes e as pequenas coisas. Ele quer você saudável, e está disposto a ajudar, se tão-somente você o permitir. Não ore para que Ele simplesmente quebre o seu vício; em vez disso, ore

157

30 de Maio

Confiando em Deus Dia a Dia

para que Ele o ajude a encontrar a força espiritual para fazer as mudanças no seu estilo de vida, que o libertarão do problema. Quando escolhemos fazer o que é certo, e dependemos de Deus para nos dar força, o Seu poder nos capacita a seguir e ter vitória.

A oração e a meditação na Palavra de Deus são práticas excelentes para alimentar o seu espírito. São alimento espiritual. O estudo da Palavra de Deus e a oração são métodos tradicionais para fazer contato com Deus, mas outras atividades também podem tornar você receptivo ao Seu amor que alimenta. Leia algo que o encoraje e lhe dê esperança. Mantenha um diário de gratidão no qual você relacione as coisas boas que aconteceram com você naquele dia (e há coisas boas em *todos os dias*). Alimente o seu espírito regularmente, e você será saudável e forte, por dentro e por fora.

Confie Nele O que você está pedindo a Deus? Nada é grande demais ou pequeno demais para levar a Ele em oração. Quando você fizer isso, pode confiar que Ele o ouviu, quer você sinta isso ou não.

30 de Maio

Expulsem os Maus Hábitos

Amados, oro para que vocês prosperem de todas as maneiras, e [para que o seu corpo] vá bem, assim como [eu sei] que a sua alma vai bem e prospera.

3 JOÃO 1:2

Os maus hábitos precisam de espaço para atuar. Não muito — eles são bastante espertos — mas há situações nas quais eles não conseguem ter uma base de apoio. Uma boa estratégia para manter os seus maus hábitos inativos é reconhecer quais são as suas tentações e depois estabelecer a sua vida de tal maneira que eles não tenham espaço para atuar. Encha a sua vida com tantas coisas positivas e espiritualmente reconfortantes que não haja espaço para nada mais. Se você é tentado a beliscar à noite, não guarde petiscos pouco saudáveis em casa. Se você tende a comer demais quando está entediado, então se certifique de ter algo frutífero ao qual possa dedicar o seu tempo.

Escolha atividades que ajudem a preencher esse espaço dentro de você, o "lugar de Deus", com os sentimentos de amor e integralidade que você procura. Em vez de ficar sentado sem fazer nada, visite um amigo ou parente a quem não vê há muito tempo, ou vá assistir a uma conferência cristã.

Confiando em Deus Dia a Dia

31 de Maio

Como Deus diz: "Não se associem com os que irão mergulhá-los na sujeira. Quero todos vocês para Mim (2 Coríntios 6:17, *A Mensagem*). Outra boa maneira de passar o tempo é ajudando alguém que está em necessidade. E o exercício é uma maneira incrível de preencher o tempo com uma atividade saudável, que deixa o seu espírito em alta e o seu corpo recarregado. Que outras atividades podem substituir alguns dos seus passatempos que não o realizam? Que amigos você tem que sabe que são bons para encorajar o seu novo compromisso com a saúde? Ligue para eles e planeje alguns encontros. Por exemplo, minha filha mais nova é muito interessada em permanecer saudável. Ela lê sobre os princípios da nutrição, do exercício e da saúde o tempo todo. Todas as vezes que preciso de um encorajamento a mais para permanecer no caminho certo, eu simplesmente pergunto o que ela tem aprendido ultimamente. Ela sempre tem muitas coisas para compartilhar, que me desafiam a continuar seguindo em frente!

Confie Nele Pense em uma atividade positiva e saudável que você pode fazer hoje, e faça-a! Confie em Deus para tornar isso um hábito novo e saudável em sua vida.

31 de Maio

Os Segredos Podem Fazer Você Adoecer

Caros irmãos, se outro crente for dominado por algum pecado, vocês que são santos devem ajudar essa pessoa com gentileza e humildade a voltar ao caminho certo. E tomem cuidado para não caírem na mesma tentação vocês também. Levem as cargas uns dos outros, e deste modo obedecerão à lei de Cristo.

GÁLATAS 6:1-2

Seria incrível se soubéssemos quantas pessoas em nossa sociedade estão mentalmente, fisicamente ou emocionalmente doentes por guardarem segredos enterrados dentro delas, que as estão consumindo como um câncer. Se você é uma dessas pessoas, comece a contar a Deus, e Ele aliviará completamente o seu fardo, ou o orientará quanto ao que fazer em seguida. É perigoso ignorar as coisas com as quais temos de tratar.

A vontade de Deus para nós é a saúde completa, e não que vivamos com a alma cheia de buracos assistindo nossas vidas vazarem por eles dia após dia. Admito que trazer as coisas ocultas à tona às vezes é difícil, mas

159

1.º de Junho

Confiando em Deus Dia a Dia

é muito mais difícil mantê-las escondidas e viver com medo de ser descoberto. Talvez você precise falar com um líder espiritual de confiança, com um membro da família amoroso, com um amigo ou com um conselheiro. Deus dirigirá os seus passos se você for até Ele e lhe disser que está totalmente disposto a se abrir. Ter um relacionamento íntimo com Deus significa que você pode e deve falar com Ele abertamente e honestamente sobre toda e qualquer coisa. Quanto mais você falar com Deus, melhor ficará.

Uma razão pela qual achamos tão difícil compartilhar nossos segredos é porque em geral é difícil encontrar alguém em quem possamos confiar para falar. Não podemos controlar o que os outros fazem, mas podemos aprender a ser um amigo fiel. Se alguém lhe contar alguma coisa em confiança, nunca conte a outra pessoa. Se ele lhe contar alguma coisa que o deixe chocado ou o surpreenda, faça o seu melhor para não agir com surpresa e não o julgue. O propósito de trazer as coisas à tona é a restauração, e não a crítica e o julgamento. Devemos sempre tratar as pessoas que nos procuram para compartilhar os seus segredos como desejaríamos ser tratados.

Confie Nele A quem você confia os seus segredos? Você precisa conversar com alguém? Não adie isso. Carregar esses segredos com você pode deixá-lo doente.

1.º de Junho
Você É um Tudo/Nada... e Eu Também!

O que é o homem para que dele Te lembres, e o filho do homem [nascido na terra] para que com ele Te importes? No entanto, o fizeste um pouco menor que Deus [ou que os seres celestiais], e de glória e honra o coroaste.

SALMOS 8:4-5

O orgulho é um pecado terrível, por isso somos instruídos na Palavra de Deus a não termos um conceito mais elevado de nós mesmos do que deveríamos (ver Romanos 12:3). Isso não significa que precisamos ter uma opinião negativa a nosso respeito ou nos menosprezar. Significa que devemos lembrar que não somos melhores do que ninguém, e que qualquer coisa que Deus tenha nos capacitado a fazer é um dom que vem dele. Temos tanto direito de reivindicar o crédito por uma habilidade especial que possuímos quanto por termos olhos azuis ou cabelos castanhos! Paulo escreveu aos coríntios e perguntou a eles o que eles tinham que não tivesse vindo como um dom de Deus (ver 1 Coríntios 4:7).

Confiando em Deus Dia a Dia

2 de Junho

Quando somos advertidos a não termos um conceito mais elevado de nós mesmos do que deveríamos, isso significa que devemos entender que não somos nada sem Jesus, e que sem Ele nada podemos fazer. O valor que temos se encontra nele, e podemos celebrar quem somos apenas por causa dele. Na verdade, quando celebramos quem somos em Jesus, essa é uma maneira de celebrar o próprio Jesus.

Nós tornamos isso muito mais difícil do que precisa ser. É simples — somos tudo em Jesus e nada em nós mesmos. Gosto de dizer: "Sou um tudo/nada!" Celebramos por causa da obra maravilhosa que Deus realiza em nós, não por causa de qualquer valor que tenhamos em nós mesmos. Enquanto continuamos dando a Deus a glória por qualquer bem que manifestemos, estamos em um caminho seguro e reto.

Por algum motivo, a religião ensinou às pessoas que para serem piedosas elas precisam ter uma opinião baixa, ou até negativa, acerca de si mesmas, e creio que esse tipo de pensamento causou danos incalculáveis ao plano de Deus. Enquanto soubermos que estamos abaixo de Deus e que Ele é e sempre será o nosso Chefe e Cabeça, estaremos seguros.

Confie Nele Diga em voz alta diariamente: "Não sou nada sem Jesus, mas nele e por meio dele tenho valor e posso fazer grandes coisas".

2 de Junho
Use os Seus Dons Sabiamente

Tendo dons (faculdades, talentos, qualidades) que diferem de acordo com a graça que nos foi concedida, vamos usá-los...
ROMANOS 12:6

Meu marido Dave certa vez fez uma das coisas mais sábias que já vi. Antes de entrarmos para o ministério em tempo integral, ele trabalhava como engenheiro. Ofereceram a ele uma promoção que incluía um aumento de salário e muito prestígio. Mas ele a recusou. A princípio fiquei zangada com ele. Eu achava que ele estava cometendo um enorme erro. Ele não queria subir a escada do sucesso? Ele explicou que havia observado os outros homens que ocupavam aquela posição. Eles tinham de viajar intensamente e estavam constantemente presos a prazos nada razoáveis que os colocavam sob um tremendo estresse. "Essa não é a maneira como quero viver", Dave disse. Ele escolheu a posição que lhe permitia permanecer dentro das suas

3 de Junho

Confiando em Deus Dia a Dia

habilidades e manter os seus valores essenciais — compromisso com Deus e com a família, e conforto consigo mesmo — em vez de correr atrás de um poder corporativo para que os outros o admirassem. Além disso, por que escolher um salário maior, se você vai gastá-lo somente em consultas médicas para aliviar as doenças geradas pelo estresse?

Os fundamentos mais importantes para a felicidade em longo prazo são ter um relacionamento correto com Deus, uma boa saúde, uma vida familiar amorosa, um trabalho satisfatório e não extremamente estressante, e dinheiro suficiente para você não se preocupar com as finanças.

Creio que poderia haver muito mais felicidade e menos estresse no mundo se as pessoas dedicassem tempo para buscar a Deus antes de tomarem suas decisões. Quando lhe oferecerem uma nova posição, pergunte a si mesmo por que você a deseja. Se for unicamente pelo prestígio, não a aceite. O dinheiro é um ponto importante a ser considerado e pode tornar algumas coisas na vida mais fáceis, mas não aceite nenhum emprego unicamente pelo dinheiro se isso vai tornar você menos feliz no dia a dia.

Sempre é sábio pensar no efeito em longo prazo de cada compromisso. Não pense unicamente nos benefícios, mas pense também na maneira como isso irá transformar a sua vida em geral. Todo privilégio vem com responsabilidade, portanto certifique-se de estar pronto para ambos antes de dizer "sim".

Confie Nele Siga sempre a paz e tome decisões com base na sabedoria divina. Confie em Deus para abrir as portas certas para você e para fechar aquelas que são erradas.

3 de Junho
Para Onde Você Está Indo?

Assim como ele pensa em seu coração, assim ele é.
PROVÉRBIOS 23:7

Para chegar a algum lugar, você precisa saber para onde está indo. Talvez você não saiba o caminho exato, mas pelo menos tem um objetivo em mente. Se você está dirigindo de St. Louis para Nova Orleans, você tem um objetivo. E você tem muitos meios para atingir esse objetivo, desde ler mapas até parar e pedir instruções. Por outro lado, se simplesmente entrar no seu carro em St. Louis e dirigir sem ter ideia para onde está indo, você pode se perder e acabar desperdiçando muito tempo.

Confiando em Deus Dia a Dia

4 de Junho

Em seu esforço para desfrutar a vida, você precisa ter uma visão — uma imagem clara do que gostaria de ter no futuro. Por exemplo, como seria a sua vida se você se sentisse cheio de energia e tivesse uma saúde excelente? O que seria preciso para que você atingisse esse objetivo? Ou como seria estar livre de dívidas, e como você pode trabalhar para alcançar esse objetivo? Deus tem apenas uma marcha: para a frente! Ele não tem ponto morto nem marcha à ré. Ele quer que você comece a avançar rumo aos seus objetivos, mas antes de fazer isso você precisa ter uma imagem clara desses objetivos. Não fique simplesmente "desejando" que as coisas sejam diferentes em sua vida, mas tenha um objetivo claro e trabalhe nesse sentido.

Se você está preso às decepções passadas, nunca escapará delas. Pense e fale acerca do seu futuro, e não do seu passado! Fale do novo você no qual está se transformando. Toda pessoa bem-sucedida começa visualizando seu sucesso.

Crie uma visão do você ideal. Anotar os seus objetivos ajuda a trazê-los para o mundo real e os torna sólidos. Mantenha a sua visão e uma lista dos seus objetivos em algum lugar à mão, para que você possa consultá-las periodicamente e ver como está se saindo. Sua lista de objetivos pode servir como os degraus do caminho para se tornar a pessoa ideal que você quer ser.

É hora de pegar o mapa da estrada da sua vida, escolher o seu destino e colocar a engrenagem em movimento: para a frente!

Confie Nele Qual é a visão que Deus lhe deu e como você a está buscando? Para chegar lá, você precisará confiar na voz dele e depender da Sua orientação.

4 de Junho

Controle as Suas Emoções

Nele estão escondidos todos os tesouros da sabedoria e do conhecimento.

COLOSSENSES 2:3

Todos nós temos emoções, mas precisamos aprender a controlá-las. As emoções podem ser positivas ou negativas. Elas podem nos fazer sentir maravilhosos ou péssimos. Elas são uma parte central do ser humano, e isso é bom. Infelizmente, a maioria das pessoas faz o que sente vontade de fazer, diz o que sente vontade de dizer, compra o que sente vontade de comprar, e come o que sente vontade de comer. E isso não é bom, porque o que sentimos nem sempre é sábio.

163

5 de Junho

Confiando em Deus Dia a Dia

Os sentimentos são instáveis; eles mudam frequentemente e sem aviso. E se os sentimentos não são confiáveis, não devemos conduzir nossas vidas de acordo com a maneira como nos sentimos. Você pode estar ciente dos seus sentimentos e reconhecer a legitimidade deles sem necessariamente agir com base neles. Deus nos deu sabedoria, e devemos andar nela, e não firmados em nossas emoções.

As emoções saudáveis são muito importantes. Elas nos ajudam a reconhecer o que realmente sentimos e o que valorizamos. A boa saúde emocional é vital para uma boa vida. Mas uma boa vida também significa ser capaz de controlar as nossas emoções e não sermos controlados por elas. As emoções negativas como a ira, a falta de perdão, a preocupação, a ansiedade, o medo, o ressentimento e a amargura geram muitas enfermidades físicas, elevando o nosso nível de estresse.

Parece-me que a maioria das pessoas em nossa sociedade hoje está zangada, e as que não estão zangadas estão tristes. Graças a Deus porque não temos mais de ser como "a maioria das pessoas". Deus não quer que ninguém seja escravo dos seus sentimentos. Para administrar as suas emoções e a sua vida, você precisa pedir a Deus sabedoria dele em vez de confiar naquilo que sente.

Quanto mais estáveis forem as suas emoções, mais saudável você será, e todos nós queremos desfrutar uma boa saúde. Incentivo-o firmemente a confiar em Deus para ajudá-lo a aprender a controlar as suas emoções, para que elas não o controlem.

Confie Nele Confie em Deus para conduzi-lo por meio da sabedoria, não siga simplesmente as suas emoções. Deus sempre o conduzirá a um bom lugar.

5 de Junho

Acredite no Melhor

O homem colhe o que semeia. Aquele que semeia para agradar à sua natureza pecaminosa, dessa natureza colherá destruição; aquele que semeia para agradar ao Espírito, do Espírito colherá vida eterna.

GÁLATAS 6:7-8

Podemos estragar um dia bem depressa com uma maneira errada de pensar. Amizades são destruídas por causa de pensamentos errados. Negócios

Confiando em Deus Dia a Dia

6 de Junho

são arruinados. Casamentos fracassam. É fácil se concentrar em tudo que há de errado com o seu cônjuge, em vez de no que está certo, e logo você irá querer se afastar da pessoa com quem está casado, quando o que você realmente quer é fugir da sua própria mente negativa.

Substitua a desconfiança e o medo pela confiança. A confiança gera confiança. Confiar nos outros, e principalmente confiar em Deus, nos ajuda a nos mantermos saudáveis. Quando confiamos, ficamos relaxados e descansados. Na verdade, isso nada mais é do que o bom e velho bom senso. Considere o seguinte caso: você está andando por uma rua conhecida e um homem sai de uma casa com um pit-bull rosnando em uma coleira, resmungando: "O que você está fazendo no meu quintal?" Você pensa: *quem é esse maluco?* E age com ira e desconfiança de imediato. A atitude pouco amistosa dele volta para ele (e provavelmente o deixa ainda menos amistoso). Por outro lado, se você de algum modo for capaz de ver além da desconfiança dele (talvez ele tenha sido roubado recentemente) e reagir de forma extremamente amistosa e relaxada, muito provavelmente ele também relaxará e você terá uma interação amistosa que melhorará o seu dia e o dele também.

Você pode chamar isso de "efeito bumerangue". Ou siga a Bíblia e chame-o de "colher o que você planta". Seja como for que você o chame, o ditado é verdadeiro: você recebe o que dá.

Confie Nele Considere todos os relacionamentos de sua vida — onde você pode substituir a desconfiança pela confiança?

6 de Junho

A Cruz Tem Dois Lados. Aprenda a Viver no Lado da Ressurreição

Eis que foi para a minha paz que passei por intensa amargura; mas Tu resgataste a minha vida do poço da corrupção e do vazio, pois lançaste todos os meus pecados para trás de Ti.

ISAÍAS 38:17

Precisamos viver do lado da cruz que é o lado da ressurreição. Jesus foi crucificado e ressuscitado para que não ficássemos mais presos no pecado, vivendo vidas infelizes. Muitas pessoas usam um cordão com um crucifixo, que é um símbolo de Jesus pendurado na cruz. Muitas vezes vemos um crucifixo em uma igreja com Jesus pendurado nele. Sei que isso é feito para lembrá-lo e honrá-lo, e não sou contra, mas a verdade é que Ele não está

165

7 de Junho

Confiando em Deus Dia a Dia

mais na cruz. Os romanos crucificaram milhares de pessoas, mas somente Um ressuscitou dos mortos. Agora Ele está assentado nas regiões celestiais com o Seu Pai, e também nos elevou acima do nível de pensamento inferior e de uma vida pecaminosa e mundana.

O apóstolo Paulo disse que estava decidido a conhecer Jesus e o poder da Sua ressurreição que o havia ressuscitado dos mortos (ver Filipenses 3:10). Jesus veio para nos tirar do comum, do nosso modo negativo de pensar, da culpa, da vergonha e da condenação. Ele veio para levar os nossos pecados para a cruz, e derrotá-los. O pecado não tem mais poder sobre nós, porque fomos perdoados e a penalidade foi paga.

Em que lado da cruz você está vivendo: do lado da crucificação (morte) ou do lado da ressurreição? É bom e respeitoso lembrar que Jesus sofreu uma morte terrível por nós na cruz, mas precisamos também entender que Ele ressuscitou e nos deu acesso a uma nova vida. Há uma canção popular chamada "Porque Ele Vive", e ela fala de como a morte e a ressurreição de Jesus nos dão o poder e o privilégio de vivermos a vida em vitória hoje. Porque Ele vive, podemos amar a nós mesmos de uma maneira não egoísta. Uma maneira que nos permite ser tudo o que podemos ser para a glória de Deus. A única maneira que sei de dizer isso é: adquira uma nova atitude acerca de si mesmo! Pare de pensar que os seus fracassos e erros são demais para Deus. Ele não está olhando para eles, e você precisa parar de olhar para eles também. Trate com eles em Cristo e siga em frente!

Confie Nele De que lado da cruz você está vivendo? Coloque a sua confiança no poder da vida ressurreta que Jesus lhe deu.

7 de Junho

Acerte nas Pequenas Coisas

Assim vocês serão enriquecidos em todas as coisas e de todas as formas, para que possam ser generosos, e [sendo a sua generosidade] administrada por nós gerará ações de graças a Deus.

2 CORÍNTIOS 9:11

Você já foi tomar café da manhã com alguém cuja refeição custou 17,50 reais, e viu essa pessoa se torturar por causa da gorjeta? Ela pagou com uma nota de 20 reais, e recebeu de imediato uma nota de 2 reais e uma moeda de 50 centavos de troco. A gorjeta normal seria de 10%, o que daria 1,75. O que ela vai fazer? Ela vai ser generosa e pagar com a nota de 2 reais, deixando 0,25

Confiando em Deus Dia a Dia

8 de Junho

centavos de gorjeta a mais? De modo algum! Isso seria demais. Em vez disso, ela vai perder 10 minutos da sua vida para receber os 0,25 centavos restantes, para poder deixar uma gorjeta de 1,75 e economizar 0,25 centavos, em vez de deixar uma gorjeta "excepcionalmente generosa" de 2 reais.

Mas o que aconteceria se ela deixasse os 2 reais? Ela economizaria um tempo precioso — um tempo que sem dúvida vale mais para ela do que 0,25 centavos. E ela abençoaria o garçom. Não que os 0,25 centavos signifiquem muito para ela, mas a mensagem que é transmitida com esses centavos quer dizer muito! Ela diz "Obrigado" e diz que ele tem valor. Talvez essa mensagem se perca — ele pode simplesmente pegar a gorjeta sem contar — mas a pessoa generosa sempre será abençoada. Ele saberá instintivamente que fez o que era melhor. Que oportunidade... podemos aumentar a felicidade dos outros e a nossa própria com uns meros trocados!

Esse é apenas um pequeno exemplo das muitas maneiras pelas quais as pequenas coisas podem ter repercussões surpreendentemente poderosas. As pequenas coisas definem o rumo dos nossos dias. Caminhar a segunda milha pelas pessoas, quer seja uma gorjeta maior, um elogio inesperado ou um presente inesperado, ou até segurar uma porta para elas, custa muito pouco e lhe dá muito em troca. Tome a decisão de ser o tipo de pessoa que sempre caminha a segunda milha e faz mais do que o suficiente!

Confie Nele Saia do seu caminho para fazer algo bom hoje — abra uma porta, deixe uma boa gorjeta, ou dê um belo sorriso para alguém que cruzar o seu caminho. Confie que Deus falará com essas pessoas por meio da sua bondade.

8 de Junho

Não Há Desculpas para Permanecer Onde Você Está

Você deverá determinar a responsabilidade que eles deverão assumir.
NÚMEROS 4:27

Um dos maiores problemas da nossa sociedade hoje é que as pessoas não querem assumir a responsabilidade por suas vidas. Querem soluções rápidas. A sociedade as treinou para acreditar que se elas têm problemas, outra pessoa é responsável. Seus pais são os responsáveis. Seus cônjuges são os responsáveis. Suas escolas ou os seus chefes são os responsáveis. Assumir

167

9 de Junho

Confiando em Deus Dia a Dia

a responsabilidade pelos nossos atos e escolhas em geral é difícil de fazer, mas é extremamente necessário se quisermos desfrutar a boa vida que Jesus quer que tenhamos.

Não estou dizendo que você é responsável pelo estado atual de sua vida. Muitos eventos incontroláveis ocorrem em nossas vidas. Às vezes, tivemos um treinamento deficiente na escola. Às vezes, temos pessoas ruins em nossas vidas que nos ferem. A situação em que você se encontra pode ser sua culpa ou não. Mas é sua culpa se você a aceitar e ficar descansado! Você não precisa permanecer nessa situação ruim. Você pode fazer uma escolha — e essa escolha é 100% sua.

Não importa como você chegou onde se encontra hoje, não permita que isso seja uma desculpa para ficar onde está. Eu tinha muitas desculpas e motivos para a minha saúde ruim, para a minha atitude negativa e para uma vida desequilibrada. Enquanto eu dava desculpas, nunca progredia. Assumir a responsabilidade pela maneira como estamos é um dever para progredirmos. Talvez você não tenha tido um bom começo na vida, mas pode ter um bom final. Se você teve o mau hábito de dar desculpas em vez de assumir a responsabilidade, hoje é o melhor dia para mudar!

Confie Nele Peça a Deus para ajudá-lo a ver uma área de sua vida em que você pode assumir a responsabilidade por fazer uma mudança positiva.

9 de Junho

Celebre Você

Portanto, se alguma pessoa está [enxertada] em Cristo (o Messias) ela é uma nova criação (uma criatura completamente nova); o velho [o estado moral e espiritual anterior] passou. Eis que o novo chegou!

2 CORÍNTIOS 5:17

Não creio que seja perigoso ter uma boa opinião acerca de si mesmo em Cristo, mas creio que é perigoso não tê-la. A verdade é que você não pode se elevar acima do que pensa de si mesmo. Todos nós somos limitados pelo nosso próprio modo de pensar. Se pensarmos pequeno, viveremos pequeno. E se pensarmos grande, viveremos grande. Deus quer que entendamos o quanto Ele é grande e que sejamos ousados o suficiente para termos grandes pensamentos. Deus não repreendeu Davi porque ele pensou que

Confiando em Deus Dia a Dia   10 de Junho

poderia matar Golias, ao contrário, ficou orgulhoso dele! Davi sabia que a sua vitória estava em Deus e não em si mesmo, mas ele foi confiante e corajoso e se recusou a viver pequeno.

O que a sua vida vai ser está diretamente ligado ao que você pensa a respeito de si mesmo. Precisamos aprender a pensar como Deus pensa. Alguns se identificam com os problemas que tiveram na vida e se chamam por esse nome. Eles dizem: "Sou divorciado. Sou um falido. Sou uma vítima de abuso. Sou um alcoólatra". Eles deveriam dizer: "Fui divorciado, mas agora sou uma nova criatura em Cristo. Fui vítima de abuso, mas agora tenho uma nova vida e uma nova identidade. Fui um alcoólatra, mas agora sou livre e tenho disciplina e domínio próprio". Ele tem um bom plano para cada um de nós, mas precisamos ter a nossa mente renovada (aprender a pensar de modo diferente) se quisermos experimentar o que Jesus comprou com a Sua morte e ressurreição.

Não há dúvida de que somos muito menos que perfeitos, que temos falhas e fraquezas. Cometemos erros e fazemos escolhas erradas, e muitas vezes nos falta sabedoria, mas Deus é Deus, e Ele nos vê como sabe que podemos ser. Ele não nos ama mais quando agimos bem — mas sabe que desfrutaremos mais a nossa vida. Deus nos vê como um projeto finalizado, *enquanto* ainda estamos percorrendo a jornada. Ele vê o fim desde o começo e é poderoso para nos ajudar a superar todos os erros que cometemos nesse meio tempo. Deus acredita em você; e você também deveria acreditar!

Confie Nele Pare de se identificar com os problemas de sua vida. Confie no que Deus diz a seu respeito — você é uma nova criatura em Cristo.

10 de Junho
Não Suponha; Pergunte a Deus

Quando fiquei em silêncio [antes de confessar], consumiram-se os meus ossos através dos meus gemidos o dia inteiro.

SALMOS 32:3

Todos nós temos dias em que nos sentimos mais emotivos que o normal, e pode haver muitos motivos para isso. Talvez você não tenha dormido bem na noite anterior, ou tenha comido alguma coisa que tenha feito baixar o

169

11 de Junho

Confiando em Deus Dia a Dia

seu nível glicêmico ou algo a que você seja alérgico. O dia ocasionalmente emotivo é algo com o qual não devemos nos preocupar. Se meu marido tiver um dia assim, ele nunca tenta entender por quê. Ele diz simplesmente: "Isto também passará".

Também há vezes em que temos problemas emocionais que precisam ser resolvidos e tratados. Em geral, somos culpados por acumular coisas dentro de nós, em vez de tratarmos com elas. Se você é uma pessoa que evita o confronto, pode ter a alma cheia de problemas não resolvidos, que precisam ser encerrados se você quiser alcançar uma saúde emocional equilibrada. Lembro-me de uma noite em que eu não conseguia dormir, o que é raro para mim. Finalmente, por volta das cinco da manhã, perguntei a Deus o que havia de errado comigo. Imediatamente lembrei-me de uma situação do dia anterior. Eu havia sido rude com alguém, e em vez de pedir desculpas e pedir perdão a Deus, ignorei a situação e segui para a próxima coisa que eu precisava fazer. Obviamente, minha conduta errada estava irritando o meu espírito, embora a minha mente consciente a houvesse enterrado. Assim que pedi a Deus que me perdoasse e tomei a decisão de pedir perdão à pessoa, consegui dormir.

Se você se sente triste de uma maneira incomum, ou sente que está carregando um fardo pesado que você não entende, pergunte a Deus o que está errado antes de começar a presumir coisas. É impressionante o que podemos aprender simplesmente pedindo a Deus uma resposta e estando dispostos a encarar qualquer verdade que Ele possa nos revelar a respeito de nós mesmos ou do nosso comportamento. Às vezes, sentimo-nos emotivos por causa de alguma coisa que alguém nos fez ou por uma circunstância desagradável em nossas vidas. Mas outras vezes nos sentimos assim por causa de alguma coisa que nós fizemos de errado e ignoramos.

Confie Nele Pergunte a Deus o que está fazendo você ficar emotivo e esteja disposto a encarar qualquer verdade que Ele lhe revelar.

11 de Junho

A Vida Não é Justa... Mas Tudo Bem

Livrem-se de toda amargura, ira e raiva, gritarias e maledicências, assim como de toda forma de malícia.

EFÉSIOS 4:31

Confiando em Deus Dia a Dia   11 de Junho

Infelizmente, o mundo está cheio de injustiças. Um de meus tios passou vinte anos na prisão por um crime que ele não havia cometido. Sua esposa cometera o crime, e ela o confessou antes de morrer. Quando ele finalmente foi solto, a tuberculose que contraíra enquanto estava na prisão tinha piorado tanto, que ele viveu apenas mais alguns anos. Lembro-me de que o meu tio sempre foi um homem muito bondoso, e parecia não ter qualquer amargura em função daquela grande injustiça.

Olhando para trás, acredito que a vida difícil dele, vivida com uma atitude de perdão, glorificou mais a Deus do que alguém que tem uma vida ótima, mas nunca está contente. Nosso sofrimento não agrada a Deus, mas quando temos uma atitude positiva em meio ao sofrimento, isso agrada a Deus e o glorifica. Ter uma atitude positiva enquanto estamos esperando que Deus faça justiça em nossas vidas torna o tempo de espera mais suportável.

Vivemos em um mundo caído e destruído. Mas em meio a tudo isso, Jesus é lindo e Ele é um Deus que faz justiça. A vida não é justa, mas Deus é. Ele consola os que têm o coração quebrantado e cura as suas feridas e dores. Talvez não saibamos por que as coisas acontecem da maneira que acontecem, mas podemos confiar que Deus sabe e que no fim Ele vai colocar a situação em ordem. É impressionante que até mesmo em um mundo injusto possamos conhecer o Seu amor, o Seu perdão e a Sua misericórdia.

Quando estamos tristes e emocionalmente abalados, uma das coisas muito simples, porém profundas, que podem ajudar é esta: olhar para as coisas boas que temos e ser gratos por elas, em vez de ficar fixos nas injustiças que sofremos. Talvez você pense: *Já ouvi isso mil vezes!* Mas será que você está fazendo isso?

Muitas pessoas são tratadas injustamente; elas não merecem a dor que sentem, mas fico feliz porque mesmo quando passo por coisas feias e dolorosas, tenho Jesus em minha vida para me ajudar e fortalecer. Por meio da orientação dele, podemos ser abalados, mas não nos tornar amargos. Podemos ficar irados, frustrados, desanimados ou deprimidos, mas não temos de permitir que nenhum desses sentimentos nos controle.

Confie Nele Como você reage à injustiça? Ela o deixa irado ou o impele a confiar mais em Deus e a agradecer a Ele por toda a Sua bondade, mesmo neste mundo caído? Você encontrará grande paz quando optar por viver assim.

12 de Junho

A Verdade a Respeito da Força de Vontade

..."Não por força, nem por violência, mas pelo Meu Espírito", diz o Senhor dos exércitos.*

ZACARIAS 4:6

A força de vontade pode ser uma ferramenta poderosa nas mãos de um indivíduo determinado e disciplinado. Ela pode ajudá-lo a confrontar qualquer problema que você tenha e a ajustar o seu estilo de vida. Entretanto, a força de vontade só nos leva até certo ponto, depois a nossa própria força sempre se esgota.

Ora, o que acontece se, em vez de se voltar primeiramente para a força de vontade no seu momento de necessidade, você se voltar para Deus? Ele libera o Seu poder dentro de você e o capacita a seguir por todo o caminho até a vitória. Você estará cheio de energia para uma mudança positiva, mas a força de vontade não levará o crédito pelo sucesso, e sim Deus.

Jesus disse em João 15:5: "Sem mim, nada podeis fazer". Essa é uma das lições mais importantes e mais difíceis que precisamos aprender se quisermos desfrutar a vida que Jesus morreu para nos dar. Quando nos voltamos para tudo e para todos antes de nos voltarmos para Deus, Ele se sente insultado e é obrigado a nos deixar fracassar para que entendamos que "Se o Senhor não edificar a casa, em vão trabalham os que a edificam" (Salmos 127:1).

Precisamos aprender a deixar Deus levantar os fardos pesados da nossa vida. Deixe que Ele lhe dê poder para fazer as suas escolhas. Podemos escolher fazer exercícios ou parar de comer demais, mas só a nossa escolha não basta para termos a vitória completa. A força de vontade e a determinação nos farão começar, mas é fato que elas costumam nos abandonar no meio e nos deixar perdidos. Deus nunca nos abandona no meio.

Existem algumas pessoas no mundo que afirmam ser bem-sucedidas por elas mesmas, mas se acompanharmos a vida delas o tempo todo, veremos que geralmente elas acabam desmoronando. Deus não nos criou para funcionarmos bem sem Ele, e quanto mais cedo aprendermos, melhor nos sairemos.

Comece pedindo a Deus para se envolver, para levantar os fardos pesados. Continue com Deus e termine com Deus. O que devemos fazer quando as cargas da nossa vida parecem pesadas demais? Jesus disse: "Venham a Mim, todos vocês que estão cansados e sobrecarregados, e Eu lhe darei descanso" (Mateus 11:28).

Confiando em Deus Dia a Dia   13 de Junho

Confie Nele Qual é a primeira coisa/pessoa para quem você se volta quando precisa superar um problema? Seja quem ou o que for, é ali que você está colocando a sua confiança. Escolha colocar a sua confiança em Deus em todo o tempo.

13 de Junho

Cinco Maneiras de Entregar os Seus Fardos a Deus

Se algum de vocês está deficiente em sabedoria, peça-a ao Deus doador [que dá] a todos liberalmente e com generosidade, sem reclamar ou apontar erros, e lhes será dado.

TIAGO 1:5

Existem muitas maneiras práticas pelas quais você pode entregar os seus fardos a Deus diariamente. Eis aqui cinco que quero sugerir que você aplique à sua vida, porque vi a diferença que elas podem fazer.

Peça. Você ficará impressionado com a enorme diferença que faz convidar Deus diretamente para entrar em sua vida para ajudar a resolver os seus problemas. É incrível como é pequeno o número de pessoas que realmente experimentam isso, até mesmo cristãos! Você precisa dedicar tempo para aquietar a sua mente e abri-la para Deus ao pedir a Sua sabedoria.

Frequente a igreja. Algumas pessoas conseguem manter um relacionamento muito especial com o Senhor durante anos sem qualquer apoio. Elas são poucas e raras. A maioria de nós descobre que o estímulo semanal de oração, estudo bíblico, comunhão e o lugar sagrado que recebemos na igreja gera em nós um vínculo muito mais forte. Se você está em busca de maneiras de ter contato com Deus e não experimentou a igreja ainda, não adie mais.

Participe de um Grupo de Apoio. Os grupos de apoio existem para uma série de problemas, desde o vício em drogas até os excessos alimentares. Se você funciona melhor quando pode compartilhar a sua dificuldade com outros que estão passando pela mesma coisa, encorajo você a procurar um desses grupos.

Comece Cada Dia com uma Afirmação. A primeira coisa ao acordar de manhã, antes que toda a atividade do dia venha voando ao seu encontro, é tirar um instante para renovar os seus votos com Deus e para renovar o seu espírito com a força dele. Fazer isso lhe dará a paz mental e emocional que é a base do sucesso.

173

14 de Junho
Confiando em Deus Dia a Dia

Ore nos Momentos de Dúvida. Não importa quem você seja, haverá momentos em que a sua determinação enfraquecerá. Quando você se sentir assim, não desista, mas não siga com as suas atividades cegamente também. Recue, tire um instante e clame a Deus para que Ele venha até você e o ajude a continuar.

Confie Nele Escolha pelo menos uma atitude que você possa tomar para começar a entregar os seus fardos a Deus e comece a praticá-la hoje.

14 de Junho
Diga a Deus Como Você se Sente

Até quando Te esquecerás de mim, ó Senhor?

SALMOS 13:1

Acho os salmos escritos por Davi muito interessantes, porque ele não era reticente em dizer a Deus exatamente como se sentia. Mas Davi também continuava afirmando que estava confiando em Deus, que Ele seria fiel em cumprir as Suas promessas e até lembrava a Deus algo que Ele havia prometido na Sua Palavra:

Até quando, Senhor? Para sempre te esquecerás de mim? Até quando esconderás de mim o teu rosto? Até quando terei inquietações e tristeza no coração dia após dia? Até quando o meu inimigo triunfará sobre mim?

Olha para mim e responde, Senhor, meu Deus. Ilumina os meus olhos, ou do contrário dormirei o sono da morte; os meus inimigos dirão: "Eu o venci", e os meus adversários festejarão o meu fracasso.

Eu, porém, confio em teu amor; o meu coração exulta em tua salvação. Quero cantar ao Senhor pelo bem que me tem feito.

— Salmos 13:1-6, NVI

Se eu parafraseasse o trecho anterior na linguagem de hoje, poderia ser algo assim: "Deus, estou sofrendo tanto, sinto que vou morrer. Por quanto tempo esperarás para fazer alguma coisa por mim? Tu queres que os meus inimigos digam que venceram? Deus, tenho confiado em Ti e continuarei a fazer isso. Deixa-me ver a Tua face, mesmo em meio aos meus problemas para que eu possa ser encorajado. Sinto-me péssimo, Deus, mas me

174

Confiando em Deus Dia a Dia

15 de Junho

alegrarei e terei uma atitude positiva por causa da Tua salvação e das Tuas promessas de amor e misericórdia. Cantarei a Ti porque Tu és bom".

Creio que era espiritualmente e até fisicamente saudável para Davi expressar para Deus como ele realmente se sentia. Era um modo de liberar seus sentimentos negativos para que eles não prejudicassem o seu homem interior, enquanto Davi esperava o livramento de Deus. Davi confiava em Deus com os seus sentimentos mais profundos e intensos — e você pode fazer o mesmo. Percebi que Davi dizia frequentemente como ele se sentia ou quais eram as circunstâncias que o cercavam, e depois ele dizia: "Mas eu confiarei em Deus. Eu louvarei a Deus, que me ajuda".

Confie Nele Diga a Deus como você se sente — todos os seus sentimentos bons, maus e feios. Você pode ter a certeza de que Ele não tem medo dos seus sentimentos mais profundos e mais sinceros. Depois diga a Ele que você confia nele, independentemente de como se sente!

15 de Junho

Queremos a Verdade

Estou dizendo a verdade em Cristo. Não minto; a minha consciência [iluminada e estimulada] pelo Espírito Santo me testifica...
ROMANOS 9:1

Ninguém gosta de ser enganado. Não gostamos de propagandas enganosas, de conversa fiada ou de relacionamentos falsos. Em nosso mundo, as pessoas costumam colocar um sorriso de plástico e dizer a todos que estão indo bem, enquanto por dentro estão desmoronando. É tudo uma ilusão.

Como cristãos, costumamos acreditar que deveríamos nos sentir melhor do que nos sentimos, ou que é errado nos sentirmos de determinada maneira, de modo que escondemos os nossos sentimentos de nós mesmos. Fingimos ter fé quando estamos cheios de dúvidas. Fingimos estar felizes enquanto estamos infelizes; e fingimos estar no controle e ter tudo resolvido, mas em casa, atrás das portas fechadas, somos pessoas completamente diferentes. Não queremos admitir que vivemos uma vida falsa, de modo que ficamos ocupados o suficiente para nunca termos de lidar com as coisas como elas realmente são. Podemos até nos enterrar na obra da igreja ou nas atividades espirituais como uma maneira de nos esconder de Deus. Ele está tentando nos mostrar a verdade, mas preferimos trabalhar para Ele a ouvi-lo.

16 de Junho

Confiando em Deus Dia a Dia

Deus só quer que sejamos sinceros e verdadeiros. Não caia na armadilha de pensar que todos os seus sentimentos estão errados. Ser uma pessoa de fé não significa que você nunca terá sentimentos negativos ou incrédulos. Teremos sentimentos que precisam ser tratados, mas podemos sempre exercitar a nossa fé em Deus e pedir a Ele para nos ajudar a não permitirmos que os nossos sentimentos nos controlem. A Bíblia diz que vivemos por fé e não por vista (ver 2 Coríntios 5:7). Isso quer dizer que não tomamos decisões com base no que vemos ou sentimos, mas de acordo com a nossa fé em Deus e nas promessas que Ele nos fez.

Confie Nele Você precisa confiar que o seu verdadeiro eu, mesmo no seu pior dia, é melhor do que ser alguém falso ou falsificado. Faça a escolha hoje de ser sincero, genuíno e autêntico com Deus e com todas as pessoas que fazem parte da sua vida.

16 de Junho

Não Há Problema em Ser Extravagante às Vezes!

E quando os discípulos viram isso, ficaram indignados, dizendo: "Para que todo este desperdício?"

MATEUS 26:8

A Bíblia nos ensina a ser prudentes, e isso significa sermos bons administradores de todos os nossos recursos. No entanto, há vezes em que Deus se torna bastante extravagante com aqueles a quem Ele ama. Às vezes, no esforço de não desperdiçar, podemos nos tornar totalmente sovinas e avarentos. Algumas pessoas são especialmente assim consigo mesmas. Conheço pessoas que são generosas com os outros, mas cuja atitude geral com relação a si mesmas é a de que podem viver com poucas coisas. Elas dizem: "Não preciso disso" ou "Posso viver sem isso".

Mas acredito que elas estão se privando, porque não sentem que valem o preço daquele agrado. Ao tentarem evitar gastar qualquer coisa que lhes foi dada, elas perdem o que Deus queria fazer por elas.

Talvez possamos aprender uma lição com Jesus. Estava se aproximando o momento do Seu sofrimento e morte, e Ele foi à casa de Simão, onde uma mulher chamada Maria se aproximou dele e derramou um perfume dispendioso em Sua cabeça, quando Ele estava reclinado sobre a mesa. Como Jesus estava à mesa, suponho que Ele estivera ou estava comendo. Quando

Confiando em Deus Dia a Dia   17 de Junho

os discípulos viram o que ela fez, ficaram indignados, dizendo: "Para que todo este desperdício?" Eles estavam falando do perfume que poderia ter sido vendido, e o dinheiro dado aos pobres.

Jesus respondeu dizendo a eles que não incomodassem a mulher, porque ela havia feito algo nobre (digno de louvor e belo) para Ele. Jesus disse que o que ela fez ajudava a prepará-lo para as provações que estavam adiante (ver Mateus 26:6-12). O perfume que ela havia derramado sobre Jesus provavelmente valia cerca do salário de um ano, mas a extravagância dela certamente o abençoou. O amor que ela demonstrou a Ele ajudou a dar-lhe a força que Jesus precisava para enfrentar os dias que viriam de perseguição, provação, sofrimento, crucificação e morte.

Nesse caso específico, Jesus estava dizendo que, naquela vez e ocasião, Ele merecia a extravagância, ou o que os discípulos viram como um "desperdício". Não viva uma vida impulsiva e esbanjadora, mas lembre-se de que às vezes você vale uma pequena extravagância!

Confie Nele Viva com uma expectativa ousada e veja Deus fazer algumas coisas muito especiais por você.

17 de Junho

Viver com a Consciência Culpada É Terrível

Vamos nos aproximar de Deus com o coração sincero em plena certeza de fé, tendo o nosso coração aspergido para nos purificar de uma consciência culpada e tendo o nosso corpo lavado com água pura.

HEBREUS 10:22

Há algumas coisas que você deveria manter entre você e Deus, mas algumas coisas precisam ser trazidas à luz. Tenho um exemplo em minha própria vida que pode ser útil a você. Quando eu tinha vinte anos de idade — e isso foi há muito tempo — furtei dinheiro de uma empresa em que trabalhava. O homem com quem eu estava casada na época era um ladrão, e ele me convenceu a preencher alguns cheques, já que eu era a pessoa encarregada de efetuar a folha de pagamentos; nós descontaríamos esses cheques e depois fugiríamos da cidade. Não estou culpando-o, porque eu deveria ter dito não, mas há momentos na vida em que deixamos as pessoas a quem amamos nos convencerem de coisas que vão contra a nossa consciência. Quando fazemos isso, sempre acaba mal.

177

18 de Junho

Confiando em Deus Dia a Dia

Realmente descontamos os cheques e saímos da cidade, mas finalmente acabamos voltando, e como era de se esperar, havia uma investigação em curso a respeito do dinheiro furtado. Fui questionada, contei mais mentiras, e escapei de ser acusada de um crime. Meu marido me enganou com outras mulheres, furtou alguns bens, e finalmente foi preso e enviado para a cadeia. Nós nos divorciamos, e muitos anos depois, estando casada com outra pessoa e prestes a entrar para o ministério, eu soube que tinha de ir até a empresa de onde havia furtado o dinheiro, admitir meu crime e devolver o dinheiro. Uau! E se eles quisessem me prender? Eu estava muito amedrontada, mas sabia que tinha de obedecer a Deus. Eu não poderia seguir em frente até que aquele incidente do meu passado fosse confrontado.

Fui à empresa, expliquei o que eu havia feito, e o fato de que eu agora era uma cristã e queria pedir o perdão deles e devolver o dinheiro. Eles permitiram graciosamente que eu fizesse isso, e fiquei livre do medo que me incomodava de que um dia eu pudesse ser apanhada. Estou convencida de que se eu não tivesse obedecido a Deus, não estaria no ministério hoje. Deus está disposto a nos perdoar por qualquer coisa, mas precisamos confessar isso e fazer restituição, toda vez que for possível.

Confie Nele Se Deus está lhe dizendo para trazer alguma coisa à luz ou para confrontar uma situação do seu passado, seja obediente a Ele. Não permita que o medo das consequências lhe impeça de ter a liberdade que está esperando por você do outro lado.

18 de Junho

"Deixe-me Ver o Domínio Próprio"

E todos os seus filhos [espirituais] serão discípulos [ensinados pelo Senhor e obedientes à Sua vontade], e grande será a paz e a tranquilidade imperturbável dos seus filhos.

ISAÍAS 54:13

Nossas emoções tendem a subir e baixar como as ondas do mar. Seria muito bom se elas simplesmente pedissem permissão para ir e vir, mas isso não acontece. Elas simplesmente fazem o que querem, sem qualquer aviso.

Uma criança rebelde faz muitas coisas sem a permissão dos pais, e simplesmente desejar que a criança não faça isso não muda nada. Os pais precisam disciplinar a criança para gerar essa mudança. O mesmo princípio se aplica às emoções. Elas geralmente são como crianças rebeldes, e

Confiando em Deus Dia a Dia

19 de Junho

quanto mais tiverem permissão para fazer o que querem, mais difícil será controlá-las. Minha filha Sandy e seu marido Steve têm filhas gêmeas. Sandy e Steve estudaram técnicas de criação de filhos, e uma coisa que eles trabalham muito com suas filhas é o domínio próprio. É interessante ver como isso funciona para elas. Uma ou as duas crianças podem estar se comportando emocionalmente. Elas podem estar zangadas ou sendo egoístas, e um dos pais diz: "Meninas, vamos ter um pouco de domínio próprio. Vamos lá, deixem-me ver o domínio próprio". Esse é o sinal para as meninas cruzarem as mãos no colo e ficarem sentadas quietinhas até se acalmarem e se comportarem corretamente. Funciona lindamente! Será mais fácil as gêmeas controlarem as suas emoções como adultas, porque elas estão aprendendo a fazer isso cedo na vida.

Passei os primeiros dezoito anos da minha vida em uma casa na qual as emoções eram voláteis, e parecia normal eu deixar que elas governassem. Aprendi que se você não conseguisse o que queria, você gritava, discutia e ficava irado até conseguir que as coisas fossem do seu jeito. Aprendi a manipular as pessoas fazendo com que elas se sentissem culpadas. Aprendi desde muito pequena a agir emocionalmente, e levei muitos anos para desaprender o que eu havia aprendido. Encorajo você a se controlar e ensinar os seus filhos desde cedo a fazerem o mesmo. Se for tarde demais para isso, comece onde você está agora, porque nunca é tarde demais para fazer a coisa certa.

Confie Nele Em uma escala de 1 a 10, com que frequência você demonstra domínio próprio? É preciso prática e encorajamento da Palavra de Deus para viver assim, mas você pode confiar que Deus, como seu Pai amoroso, ajudará você a chegar lá.

19 de Junho

Não Somos Nada sem Deus

Deus escolheu as coisas loucas do mundo para envergonhar as sábias; Deus escolheu as coisas fracas do mundo para envergonhar as fortes. Ele escolheu as coisas humildes deste mundo e as desprezadas — e as coisas que não são — para anular as coisas que são, para que ninguém se gabe diante dele.

1 CORÍNTIOS 1:27-29

20 de Junho Confiando em Deus Dia a Dia

Fico impressionada por Deus escolher homens e mulheres fracos e loucos para agir por meio deles, mas Ele o faz. Ele escolhe o que o mundo secular jogaria fora como lixo e consideraria inútil. Quando Deus está procurando alguém para ocupar uma posição ou para promover, costuma deixar de lado aqueles que naturalmente estariam qualificados se eles forem do tipo que têm orgulho de si mesmos, que não dariam a Ele o crédito e a glória por suas habilidades. Deus age por meio dos humildes, mas Ele frustra e derrota os orgulhosos (ver 1 Pedro 5:5).

Deus ama levantar aqueles que a vida oprimiu. Você é especial para Deus e Ele tem uma promoção em mente para você. Ele deseja que vivamos maravilhados com o que Ele pode fazer por meio de um vaso submisso. Deus não está à procura de capacidade, mas de disponibilidade. Humilhe-se sob a poderosa mão de Deus, e no devido tempo Ele o exaltará e o levantará. Não pense que você não pode ser usado por Deus por causa das suas fraquezas ou desvantagens naturais. Ele fica mais do que satisfeito em se mostrar forte naqueles que confiam nele.

O orgulho vem antes da destruição, portanto, lembre-se sempre de dar a Deus o crédito por qualquer coisa boa que Ele faça por meio de você. Todos os nossos dons, talentos e habilidades vêm dele. O que nós temos que Ele não tenha nos dado? Absolutamente nada! Portanto, todo o louvor vai para Ele.

Confie Nele Embora você não mereça, e talvez não esteja naturalmente qualificado, confie em Deus para usar você para a Sua glória.

20 de Junho

As Coisas São Como São, Então, Fique Feliz de Qualquer Maneira

Não se conformem mais com o padrão deste mundo, mas sejam transformados pela renovação da sua mente.

ROMANOS 12:2

Eu costumava pesar 61 quilos, mas em algum momento dos meus cinquenta e tantos anos, ganhei alguns quilos e tenho estado assim desde então. Meu metabolismo desacelerou e aqueles poucos quilos ficaram em mim. Não fico satisfeita com isso, mas finalmente acabei aceitando. Eu teria de seguir uma restrição alimentar seriamente para perder esses poucos quilos e mantê-los longe de mim. Meu corpo e minha saúde parecem muito

Confiando em Deus Dia a Dia   21 de Junho

bem como estou, de modo que decidi que prefiro viver com um pouco mais de peso do que me preocupando constantemente com ele sem nunca poder comer as coisas de que gosto.

Meu corpo também tem uma forma peculiar que me faz usar tamanho 42 na parte superior e tamanho 44 na parte inferior. Sempre fui assim. Há muitos terninhos lindos que não posso comprar porque o conjunto não vem em tamanhos diferentes. Eu poderia comprar dois terninhos e conseguir o que quero, mas teria de encontrar alguém que vestisse 44 na parte de cima e 42 na parte de baixo para não desperdiçar dinheiro! Essa situação costumava me frustrar até que decidi: "As coisas são como são!" Agora costumo rir disso — e rir é um hábito muito importante, principalmente quando você envelhece.

Se você acha que é maior do que gostaria de ser, ou o seu corpo não tem uma proporção perfeita, ou você é mais baixo do que gostaria de ser, não permita que isso o frustre mais. Decida-se agora: "As coisas são como são! Vou ser feliz com o que tenho e fazer o melhor possível com isso".

Quero encorajar você a se ver como Deus o vê. Ao fazer isso, você não apenas vai se amar, como terá a confiança e a fé para ser uma força poderosa do bem neste mundo.

Confie Nele Olhe no espelho para a parte de você que o deixa mais frustrado e diga em voz alta: "As coisas são como são! Vou ser feliz com o que tenho e fazer o melhor possível com isso".

21 de Junho
Deus Celebra o Seu Progresso

Mas o caminho dos [que são irremediavelmente] justos é como a luz da aurora, que brilha mais e mais (mais clara e mais brilhante) até [atingir a plena força e glória no] dia perfeito [a ser preparado].
PROVÉRBIOS 4:18

Nosso neto mais novo recentemente ficou em pé sozinho pela primeira vez. Estávamos fora da cidade nessa ocasião alegre, mas recebemos um telefonema nos contando a grande notícia. Lembro-me claramente de que havia quatro adultos no carro quando recebemos a notícia, e que três de nós agimos de maneira bastante ridícula acerca do evento. Eu bati palmas. Dave sorriu de orelha a orelha e disse com um tom de voz muito surpreso: "É MESMO?" Uma grande amiga também estava no carro e ficou muito

181

22 de Junho

Confiando em Deus Dia a Dia

empolgada. Ouvi perguntas do tipo: "Por quanto tempo ele ficou em pé?" e "Ele fez isso mais de uma vez?" Ninguém perguntou se ele se sentou novamente, embora todos nós soubéssemos que isso aconteceu. Estávamos até cientes de que ele podia ter caído, mas não nos importamos com outra coisa senão com o progresso dele.

Vivemos uma cena semelhante em nossa casa quando ele sorriu pela primeira vez, comeu papinha pela primeira vez, engatinhou pela primeira vez e disse "ma-ma" e "pa-pa" pela primeira vez. Ficamos muito empolgados com qualquer pequeno progresso que ele faz, e todos nós expressamos isso a ele para encorajá-lo. Dave e eu acabamos de passar vários dias com nosso netinho e, para ser sincera, nós provavelmente o encorajamos centenas de vezes durante esses poucos dias. Não me lembro de uma única vez em que o tenhamos repreendido pelo que ele ainda não podia fazer. Deus usou esse exemplo para me ajudar a entender que Ele celebra o nosso progresso, assim como nós gostamos de celebrar o progresso de nossos filhos e netos.

Deus não está fazendo uma lista de cada vez que caímos, ao contrário, Ele fica empolgado com o nosso progresso, e nós deveríamos ficar empolgados também! Passei muitos anos lamentando os meus erros e fraquezas. Fui ensinada a lamentar os meus pecados, mas ninguém na igreja que eu frequentava na época me disse para celebrar o meu progresso, e acho isso trágico. Se você perdeu essa lição importante como eu, estou lhe dizendo hoje para celebrar, celebrar, e depois celebrar o seu progresso um pouco mais.

Confie Nele Pense em uma área da sua vida na qual você está progredindo. Não pense na distância que você ainda tem a percorrer para atingir o seu objetivo, mas celebre a distância que você já percorreu. Lembre-se de que Deus está celebrando como um pai orgulhoso cada passo que você dá — você pode confiar que Ele está entusiasmado com você!

22 de Junho
Não Deixe as Suas Emoções Votarem

Meus amados irmãos, não se enganem.

TIAGO 1:16

Se desejamos andar segundo o Espírito, todos os nossos atos devem ser governados pelos princípios de Deus. Na dimensão do Espírito há um padrão preciso de certo e errado, e a maneira como nos sentimos não altera esse padrão. Se fazer a coisa certa requer um "sim" de nós, então tem de

Confiando em Deus Dia a Dia
23 de Junho

ser "sim", quer nos sintamos animados ou desanimados. Se for "não", então é "não". Uma vida de princípios é inteiramente diferente de uma vida emocional. Quando uma pessoa emocional se sente empolgada ou feliz, ela pode fazer o que geralmente não faria. Mas quando se sente fria e sem emoção ou melancólica, ela não cumprirá o seu dever, porque os seus sentimentos se recusarão a cooperar.

Todos os que desejam ser verdadeiramente espirituais devem se conduzir diariamente de acordo com os princípios divinos. Um bom sinal para mostrar que você está crescendo e amadurecendo em Cristo é quando você obedece consistentemente, mesmo quando não sente vontade.

Aprenda a não perguntar como você se sente com relação às circunstâncias, mas em vez disso pergunte a si mesmo se fazer ou não fazer alguma coisa é o certo para você. Você pode saber que precisa fazer alguma coisa, mas não sentir vontade de fazer isso. Você pode desejar sentir vontade, mas simplesmente desejar não adianta. É preciso viver por princípios e simplesmente escolher fazer o que você sabe que é certo. Pode haver uma determinada coisa que você queira muito fazer, como a compra de algo que você sabe que é caro demais. Nessa ocasião, seus sentimentos votam "sim", mas seu coração diz "não", mas você deve dizer aos seus sentimentos que eles não têm direito a voto. Eles são imaturos demais para votar e nunca votarão no que é melhor para você em longo prazo.

Não permitimos que as pessoas votem nas eleições políticas até que elas tenham dezoito anos, porque supomos que elas seriam imaturas demais para saber o que estão fazendo. Por que não olhar para as suas emoções da mesma maneira? Elas sempre fizeram parte de você, mas são muito imaturas. Elas não têm sabedoria e não são confiáveis para fazer a coisa certa, portanto, não permita que elas votem. Nós amadurecemos, mas as nossas emoções não amadurecem, e se elas forem deixadas sem controle, nossas vidas serão uma série de empreendimentos inacabados e decepcionantes.

Confie Nele Ore e peça a Deus para ajudar você a confiar mais nele do que nas suas emoções.

23 de Junho
Pare de Dizer: "É Assim que Eu Sou!"

Tornei-me [em suma] tudo para com todos, para que eu pudesse por todos os meios (a todo custo e de todas as maneiras) salvar alguns [ganhando-os para a fé em Jesus Cristo].
1 CORÍNTIOS 9:22

23 de Junho   Confiando em Deus Dia a Dia

Algumas pessoas são tranquilas, tímidas e mais caladas, simplesmente em razão de sua personalidade. Sou uma pessoa falante, enquanto meu marido é mais calado, e não há nada de errado com nenhum de nós. Mas quando alguma coisa se torna excessiva a ponto de impedir a nossa liberdade ou de ferir outras pessoas, não podemos simplesmente dizer: "É assim que eu sou". Dave precisa falar comigo mais do que ele preferiria algumas vezes, porque é isso que preciso, e o amor exige que façamos sacrifícios pelas outras pessoas. Também há vezes em que eu gostaria de ficar conversando sem parar, mas percebo que Dave não está gostando, de modo que decido ficar quieta ou encontrar outra pessoa para conversar.

Precisamos trabalhar com Deus para encontrar o equilíbrio entre ser quem somos e não justificar um comportamento sem amor, dizendo: "É assim que eu sou". Deus está totalmente interessado em nos transformar à Sua imagem, e isso significa que Ele pode nos ajudar a controlar as nossas fraquezas e usar os nossos pontos fortes.

Dave e eu temos personalidades muito diferentes, no entanto, convivemos maravilhosamente bem. Nem sempre foi assim, mas aprendemos a ser o que o outro precisa, enquanto tomamos o cuidado de não ir tão longe a ponto de perdermos a nossa própria liberdade. Tento suprir as necessidades de Dave, e ele faz o mesmo por mim. Dave gosta de fazer coisas que eu não gosto, mas eu ainda assim o encorajo a fazer essas coisas para que ele se sinta realizado, e ele me trata da mesma forma. Quando um amigo ou um cônjuge precisa que você se adapte em alguma área a fim de tornar o relacionamento melhor, é tolice e egoísmo dizer: "Sinto muito, é assim que eu sou". Podemos ficar mais confortáveis e achar mais fácil fazer o que temos vontade de fazer, mas podemos fazer ajustes e ainda assim não perder a nossa individualidade.

Podemos nos tornar muito infelizes e ter uma vida cheia de estresse se nunca estamos dispostos a mudar ou a nos adaptar. Todos nós somos diferentes, mas podemos conviver pacificamente, se estivermos dispostos a isso.

Confie Nele Peça a Deus para ajudar você a ser sensível às necessidades daqueles que o cercam e para lhes dar a graça para se adaptar de todas as maneiras necessárias a fim de andar em amor com essas pessoas. Confie em Deus para ajudar você a ser tudo para com todos.

24 de Junho

Coma para a Glória de Deus

E o Senhor deu ordem ao homem, dizendo: "Vocês poderão comer livremente de todas as árvores do jardim".

GÊNESIS 2:16

Depois de criar Adão e Eva, Deus lhes deu algumas instruções alimentares muito simples. "Vocês poderão comer livremente de todas as árvores do jardim", Ele disse em Gênesis 2:16.

Ele disse: "Vocês poderão comer livremente de todas as lojas de Donuts que encontrarem"? Não. Ele disse: "Vocês poderão comer livremente todas as batatas fritas do pacote"? Não. Deus não disse para eles comeram livremente todo tipo de *fast food*, pizza congelada ou biscoitos de baixa caloria. Deus disse a Adão e Eva para comerem do jardim, e faríamos bem em seguir esse conselho. Temos sido inundados com uma quantidade avassaladora de informações dietéticas ruins desde as últimas décadas, que têm confundido as verdades muito simples da alimentação saudável: coma os alimentos que vêm de Deus, no estado mais próximo possível no qual Deus os criou, e você não irá errar.

Aprenda a fazer tudo para a glória de Deus, inclusive a comer para a glória dele. Olhe o seu prato de jantar, e pergunte-se se o que você está prestes a comer é em grande parte o que Deus criou para você. Não encare a alimentação como um evento secular que não tem nada a ver com o seu relacionamento com Deus. Não se esqueça de que Deus colocou Adão e Eva no Jardim do Éden, e lhes disse o que eles poderiam comer. Se comer não tivesse nada a ver com a caminhada deles com Deus, Ele provavelmente não teria mencionado nada sobre alimentação.

Esse conselho não é uma dieta que estou recomendando — é simplesmente sabedoria divina viver uma vida equilibrada. Não há nada de errado em comer um doce com moderação. Todas as vezes que você escolhe comidas saudáveis e boas, você está escolhendo vida, que é o presente de Deus para você. Ele quer que você tenha uma ótima aparência e se sinta ótimo. Tenha em mente que o seu corpo é o templo de Deus, e o combustível que você coloca nele determina como ele vai funcionar e por quanto tempo. Certifique-se de não estar fazendo mal a si mesmo comendo excesso de guloseimas. Lembre-se de que as boas escolhas produzem uma colheita de bons benefícios.

185

25 de Junho   Confiando em Deus Dia a Dia

Confie Nele Dê um passo de fé e comece a confiar em Deus para conduzir você nos seus hábitos alimentares. Peça a Ele para ensiná-lo a comer de forma saudável, e observe o quanto você se sentirá melhor.

25 de Junho
Seja Bondoso e Encorajador

Ele [o Amor] não é arrogante (soberbo e inchado de orgulho); ele não é rude (grosseiro) e não age de forma inconveniente. O Amor (o amor de Deus em nós) não insiste nos seus próprios direitos ou na sua própria maneira, pois ele não é egocêntrico; ele não é melindroso, irascível ou ressentido, ele não leva em conta o mal que lhe é feito [ele não presta atenção ao mal sofrido].

1 CORÍNTIOS 13:5

Aprendi que um dos segredos da minha própria paz é deixar as pessoas serem quem Deus as criou para ser, em vez de tentar fazer com que elas sejam quem eu gostaria que elas fossem. Faço o meu melhor para desfrutar os pontos fortes delas e para ser misericordiosa para com suas fraquezas, porque eu mesma tenho muitas fraquezas também. Não preciso tentar tirar o cisco do olho delas enquanto tenho um poste telefônico no meu!

Uma mulher que conheço ficou viúva há pouco tempo, e ela estava me contando a respeito do relacionamento com seu marido. Essa mulher tem uma vontade forte e gosta que as coisas sejam do seu jeito. Ela me disse que, quando se casou, percebeu muitas coisas em seu marido que a irritavam. Como qualquer boa esposa, ela falou com ele a respeito de suas características e hábitos irritantes para que ele pudesse mudar.

Com o passar do tempo, ela se deu conta de que, embora fosse muito boa em dizer ao seu marido todas as coisas nele que precisavam mudar, ele nunca fazia o mesmo com ela! Enquanto ela se perguntava por que, percebeu que em algum momento seu marido havia tomado a decisão de não olhar — ou procurar — as falhas dela. Ele sabia que ela possuía muitas falhas, mas não queria focá-las! Ocorreu-lhe que ela poderia continuar a apontar todas as características irritantes dele — ou poderia escolher não fazer isso, assim como seu marido havia feito.

No fim da nossa conversa, ela me disse que nos doze anos em que eles estiveram casados, seu marido nunca lhe disse uma única palavra indelicada. Creio que todos nós podemos tirar uma lição desse exemplo.

Confiando em Deus Dia a Dia

26 de Junho

Confie Nele Peça a Deus para ajudar você a ser gentil para com todos. Não diga uma palavra indelicada hoje — foque os pontos fortes das pessoas com quem você entrar em contato, e faça tudo o que puder para encorajá-las.

26 de Junho

Consolo e Encorajamento

Louvado seja o Deus e Pai de nosso Senhor Jesus Cristo, o Pai da compaixão e o Deus de toda consolação, que nos consola em todas as nossas tribulações, para que possamos consolar aqueles que estão sendo atribulados com a consolação que nós mesmos recebemos de Deus.

2 CORÍNTIOS 1:3-4

Quando você precisa de consolo e encorajamento, a quem procura? Você já teve a experiência de procurar um amigo ou um membro da família em busca de encorajamento e saiu decepcionado porque ele aparentemente não entendeu a sua necessidade? Creio que todos nós passamos por essa experiência, mas há um caminho melhor. Aprenda a buscar a Deus em primeiro lugar, porque Ele é o Deus de toda consolação. Quando buscamos a Deus em primeiro lugar, Ele é honrado, mas quando corremos para as pessoas e o deixamos de fora, isso pode ser ofensivo para o Senhor. Lembre-se de que quando buscamos a Deus, Ele muitas vezes usa pessoas para nos consolar ou encorajar, mas Ele escolhe a quem usar e quando usar.

Desperdicei muito tempo e energia emocional ao longo dos anos ficando irada com Dave e com outras pessoas porque eles não entendiam algumas das minhas necessidades emocionais, até que finalmente aprendi que eu precisava buscar a Deus em primeiro lugar. Às vezes, Deus usa alguém que nem sequer conhecemos, ou até mesmo alguém a quem nunca pensaríamos procurar. Mas, com frequência, é o próprio Deus quem nos consola.

Lembro-me de uma vez em que o meu pai fez com que eu me sentisse extremamente rejeitada por algo que ele disse. Havia pessoas conosco, mas a maioria delas não teria sequer entendido ou sido capaz de fazer com que eu me sentisse melhor, então, enquanto ainda estava na presença do meu pai, pedi silenciosamente a Deus para me consolar e curar os meus sentimentos. Continuei a orar por algum tempo e logo me senti melhor. Deus me ajudou a entender que o meu pai não era um homem sensível, que ele nem sequer percebia o que havia feito, e eu consegui esquecer aquilo.

187

27 de Junho

Confiando em Deus Dia a Dia

Outra coisa que fazemos algumas vezes é correr para a comida, para as compras ou para outra substância em busca de consolo, gerando com isso outros problemas em nossas vidas. Deus deseja nos consolar, mas precisamos buscá-lo. Se você precisa de consolo ou de encorajamento, dedique algum tempo agora mesmo e peça a Deus especificamente para ministrar a você nessa área.

Confie Nele Buscar a Deus em primeiro lugar mostra que confiamos nele. Quando você estiver sofrendo, corra para Deus, não fuja dele.

27 de Junho
Lance as Suas Ansiedades

Lançando todas as suas ansiedades [todos os seus cuidados, todas as suas preocupações, de uma vez por todas] sobre Ele, porque Ele cuida de vocês afetuosamente e se importa com vocês atentamente.

1 PEDRO 5:7

Obedecer a esse versículo é um pouco mais difícil para alguns de nós do que para outros. Pelo fato de que eu me importo com a maioria das coisas na vida e quero que elas andem de certa forma, se eu não estiver atenta, o meu cuidado pode facilmente se transformar em preocupação.

Por exemplo, eu realmente não posso fazer nada pelo que as pessoas pensam a meu respeito, de modo que ficar excessivamente preocupada com isso é uma total perda de tempo e energia, mas isso nem sempre me impediu de me preocupar. Meu marido certamente não se importa com o que as pessoas pensam dele. Ocasionalmente, quando lhe perguntei como se sentia acerca de alguma coisa negativa que alguém disse com relação a nós, ele afirmou que não sente nada, que simplesmente confia em Deus para cuidar disso. Já fiquei muito angustiada algumas vezes, quando alguns artigos indelicados foram escritos a meu respeito nos jornais ou quando fomos julgados injustamente, mas Dave diz simplesmente: "Lance as suas ansiedades".

Tivemos muitas discussões por causa dessa afirmação. Quero que ele compartilhe dos meus sentimentos, mas ele realmente não pode porque simplesmente não se incomoda com as coisas que me incomodam. Sei que ele está certo quando me diz para "lançar as minhas ansiedades", mas como já estou ansiosa, essa não é a resposta que quero. Felizmente, Deus me ajudou e continua a fazer isso, e Dave tem sido um bom exemplo para mim.

Confiando em Deus Dia a Dia

28 de Junho

Se você é uma pessoa mais emocional, estou certa de que as pessoas menos emocionais que fazem parte da sua vida às vezes o deixaram frustrado. Nada parece incomodá-las e muitas coisas incomodam você. Eu entendo! Já passei por isso e sei como você se sente, mas também vivi tempo suficiente para entender que viver pelos sentimentos é um grande erro. A verdade é que a melhor maneira de viver é aprendendo a lançar suas ansiedades e deixando que Deus cuide de você.

Confie Nele Você confia em Deus o bastante para lançar as suas ansiedades sobre Ele? Que fardo você está carregando hoje? Lance-o sobre Deus — Ele quer tirá-lo de você, porque Ele pode carregar qualquer peso.

28 de Junho
Não Combata a Correção, Celebre-a

Aqueles a quem amo [ternamente e afetuosamente], digo a eles as suas falhas e os convenço, reprovo e repreendo [Eu os disciplino e instruo]. Portanto, entusiasme-se com zelo ardente e sincero e arrependa-se [mudando de ideia e de atitude].

APOCALIPSE 3:19

Deus vê a convicção, a correção e a disciplina como algo a ser celebrado em vez de algo a nos deixar tristes ou frustrados. Por que deveríamos celebrar, quando Deus nos mostra que uma circunstância está errada conosco? O entusiasmo parece uma reação estranha, mas o fato de podermos ver alguma coisa para a qual antes estávamos cegos é uma boa notícia. Durante muitos anos em minha vida eu fui rude, insensível e egoísta, sem nem sequer me dar conta disso. Eu era mestre em manipular as pessoas, mas na verdade havia me convencido de que estava apenas tentando ajudar as pessoas a fazer o que era certo. É claro que eu não via o orgulho que eu tinha e que me fazia pensar que o meu jeito era sempre o jeito certo. Eu era gananciosa, invejosa e ciumenta, mas eu não via nada disso. Esse é um triste estado para se estar, mas as pessoas que não têm um relacionamento com Jesus e que não estudam a Palavra de Deus são cegas e surdas espiritualmente falando.

Meu coração era duro devido aos anos em que fui ferida pelas pessoas, abrigando a amargura e fazendo as coisas do meu jeito. Quando o nosso coração está endurecido, não somos sensíveis ao toque de Deus. Quando

189

29 de Junho

Confiando em Deus Dia a Dia

Ele nos convence, não o sentimos. Portanto, quando progredimos o suficiente em nosso relacionamento com Deus, a ponto de começar a sentir quando estamos fazendo algo errado, isso é uma boa notícia. É um sinal de progresso e devia ser celebrado com alegria. Quanto mais servimos a Deus e estudamos os Seus caminhos, mais sensíveis nos tornamos. Eventualmente, crescemos até o ponto em que sabemos imediatamente quando estamos dizendo ou fazendo alguma coisa que não agrada a Deus e temos a opção de nos arrependermos e de começar de novo.

Como você reage quando o Espírito Santo o convence de que você está fazendo algo errado? Você se sente mal e culpado, ou entende que o próprio fato de que você pode sentir a convicção de Deus é uma boa notícia? Isso significa que você está vivo para Deus, e que está crescendo espiritualmente.

Confie Nele Levante as suas mãos em louvor e diga: "Obrigado, Deus, porque Tu me amas o suficiente para não me deixar sozinho com o meu pecado". Confie que a correção dele é sempre um sinal do Seu amor.

29 de Junho

Crendo Quando Você Está Sob Pressão

Então Moisés estendeu a mão sobre o mar, e o Senhor fez o mar retroceder por um forte vento ocidental durante toda aquela noite e tornou o mar em terra seca; e as águas se dividiram.

ÊXODO 14:21

Um estudo completo da Bíblia nos mostra que os homens e mulheres de Deus usados com poder sempre tinham a atitude de celebrar o que Deus havia feito. Eles não achavam que a bondade de Deus era algo garantido, ao contrário, demonstravam abertamente o valor que davam às pequenas coisas, assim como às grandes.

Você já teve um tempo em que sentiu que estava sendo pressionado contra a parede: você tinha um problema enorme e nenhuma solução, e então, de repente, Deus fez algo incrível e permitiu que você escapasse em segurança da situação? A maioria de nós pode se lembrar de um tempo assim. Quando os israelitas estavam sendo tirados do Egito por Deus agindo por intermédio de Moisés, eles estavam contra a parede. O Mar Vermelho estava diante deles e o exército egípcio estava atrás deles. Eles não tinham para onde ir; estavam em uma armadilha! Deus havia prometido a liber-

Confiando em Deus Dia a Dia   30 de Junho

tação deles, e o que Ele fez foi realmente incrível. O Senhor realmente dividiu o Mar Vermelho, e os israelitas passaram em terra seca, mas quando o exército egípcio os seguiu, o mar se fechou sobre eles e eles se afogaram. Quando os israelitas chegaram ao outro lado, a primeira atitude deles foi começar a celebrar. Eles cantaram um cântico que veio diretamente de seu coração, registrado em dezenove versículos da Bíblia (ver Êxodo 15:1-19). Depois do cântico, duas das mulheres pegaram uma espécie de tamborim, e todas as mulheres as seguiram com seus tamborins e dançaram e cantaram ainda mais. O cântico inteiro falava a respeito do que Deus havia feito, o quanto Ele era grande, como Ele os havia redimido e tratado com os seus inimigos. Nós provavelmente teríamos mais vitórias na vida se dedicássemos tempo para celebrar aquelas que já tivemos. Mais uma vez, trata-se de agir de acordo com o princípio de ser grato pelo que temos, em vez de fazer uma lista do que ainda não temos.

Confie Nele Pense em um tempo em que você estava pressionado contra a parede, e Deus o livrou. Celebre essa vitória outra vez, e confie que Deus o livrará na próxima vez!

30 de Junho
A Revelação Liberta Você

Pois assim como ele pensa em seu coração, assim ele é.
PROVÉRBIOS 23:7

Se, como esse versículo afirma, nós nos tornamos aquilo em que pensamos, então não é de admirar que a Bíblia nos ensine que precisamos aprender a meditar na Palavra de Deus — a deixá-la penetrar em nossa mente até que ela se torne parte de nós. A meditação toma a informação e a transforma em revelação. Um dos problemas que creio que podemos ter como cristãos é que há tanta informação disponível a nós hoje que podemos ficar parados na *informação* e nunca realmente estudar nada por tempo suficiente para que isso se torne uma *revelação*. Não é a informação que liberta você. É a revelação. Não é o que outra pessoa sabe que vai ajudar você; é o que você sabe. Na verdade, não é simplesmente o que você sabe; é o que você *sabe* que *sabe* porque *sabe* que *sabe* — é esse tipo de conhecimento revelado e profundamente arraigado que Satanás não pode roubar de você com as mentiras dele. Romanos 12:2 diz para você não se conformar com este mundo, mas ser transformado pela renovação da sua mente. O medo, a culpa, a insegurança

191

1.º de Julho

Confiando em Deus Dia a Dia

e a preocupação podem ter acesso à sua mente ou podem ser deixados de fora, por meio dos pensamentos certos ou errados. Você pode abrir a sua mente para o medo e deixar que ele entre, ou pode fechá-la para o medo e não permitir a entrada dele. A mente é como uma porta. Quando o inimigo tentar se esgueirar para dentro com um pensamento prejudicial a nós ou contrário à Palavra de Deus, precisamos aprender a fechar a nossa mente contra ele e dizer "não". "Não" é uma palavra incrível que os cristãos precisam aprender.

"Mas recusem (fechem a sua mente contra, não tenham nada a ver com) as controvérsias insignificantes (mal informadas, não edificantes, tolas) acerca de questionamentos ignorantes, pois vocês sabem que elas geram contenda e criam discussões" (2 Timóteo 2:23). Feche a sua mente para a fofoca, para a maledicência, para a ideia de que alguém que tem a opinião diferente da sua deve estar errado, e para outros pensamentos não edificantes que geram contenda. Fixe a mente nas coisas que são dignas: o amor, a bondade, pensar o melhor sobre as pessoas, a graça, a misericórdia, e outros pensamentos edificantes que são encontrados na Palavra de Deus (ver Filipenses 4:8).

Confie Nele Assim como você pensa em seu coração, assim você é, portanto, feche a porta para qualquer pensamento que não proceda de Deus. Se você confia em Deus, não há nada a temer.

1.º de Julho

Esteja Aberto e Deus Lhe Ensinará

Jesus viu Natanael vindo em Sua direção e disse com relação a ele: Olhem! Eis um israelita de verdade [um verdadeiro descendente de Jacó], em quem não há fraude ou engano, nem falsidade ou duplicidade!

JOÃO 1:47

Em alguns casos, creio que precisamos abrir a nossa mente. Acredito que deveríamos ter a mente focada (na vontade de Deus), mas não ter a mente estreita (uma mente que não está disposta a se abrir para novos ensinamentos).

Há um homem na Bíblia, em João 1:45-51, acerca de quem Jesus tinha alguns comentários muito elogiosos a dizer. O nome dele é Natanael. Quando conhecemos Natanael, Filipe diz a ele que eles haviam encontrado o Messias, e que Ele era Jesus de Nazaré. Natanael respondeu: "Pode algu-

Confiando em Deus Dia a Dia   2 de Julho

ma coisa boa vir de Nazaré?" (v. 46). Ele estava dizendo que sabia como eram as pessoas em Nazaré, e que nenhum Messias nasceria daquela descendência. Ao que Filipe lhe diz simplesmente: "Vem e vê!" (v. 46). Em outras palavras, não faça um julgamento antes de ter visto por si mesmo. Assim Natanael foi ver (v. 47).

Deus me mostrou que um dos motivos pelos quais Jesus gostava tanto de Natanael era porque, embora ele tivesse uma opinião preconcebida de que nada de bom poderia sair de Nazaré, principalmente o Salvador, ele tinha a mente aberta o suficiente e era humilde o bastante pelo menos para ir ver. Creio que muitas pessoas chegariam muito mais longe em sua caminhada com Deus se não tivessem tantas ideias preconcebidas. O que todos nós *realmente* precisamos é acreditar na Palavra de Deus.

Você deveria ler a sua Bíblia e ver o que ela diz. Esteja aberto para deixar Deus ensinar a você e para aprender. É impressionante o que poderíamos aprender com Deus e com as outras pessoas que Ele coloca em nosso caminho, se não pensássemos que já sabemos tudo.

Confie Nele Não passe tempo demais ouvindo o que as outras pessoas dizem e perdendo as grandes bênçãos que Deus tem para a sua vida. Abandone as suas noções preconcebidas e seja humilde o bastante para ver por si mesmo. Confie em Deus para ensinar a você — e para continuar ensinando-lhe — por meio da Sua Palavra.

2 de Julho
Você Não Precisa Temer

Porque aquilo que temo grandemente vem sobre mim, e aquilo de que tenho medo me acontece.

JÓ 3:25

Dê uma olhada nesse versículo do livro de Jó. Não creio que ele signifique que todas as vezes que um pensamento de medo surge em sua mente, aquilo que você teme vai acontecer. Mas se você tiver um grande medo em sua vida, e se for algo no qual você medita sem parar, e você começa a falar a respeito disso, certamente está se colocando em risco de abrir uma porta para que aquilo aconteça na sua vida. Não apenas você, mas eu também. Precisamos tomar muito cuidado com os nossos pensamentos e as nossas palavras, e precisamos manter a nossa mente focada na direção certa. O único pensamento aceitável acerca do medo que um cristão pode ter é: *não temerei porque Deus está comigo.*

193

3 de Julho
Confiando em Deus Dia a Dia

Se você tem um problema com o medo, com o excesso de timidez, com a covardia ou até com a vergonha excessiva, terá de trabalhar para combater essas coisas e escolher ter fé. Creio que existem algumas coisas que as pessoas aceitam como sendo a personalidade delas, quando na verdade é apenas o diabo tentando tirar vantagem delas. Existem pessoas que são mais ousadas naturalmente, e algumas que são mais tímidas naturalmente do que outras, mas se você é tão tímido a ponto de não poder participar das atividades da vida ou de não dizer o que se passa na sua mente e no seu coração, mesmo quando você sabe que Deus está tentando levar você a fazer isso, então é hora de se levantar contra isso e dizer: "Não, este não é o verdadeiro eu. Não é assim que Deus quer que eu seja. Não foi assim que Ele me criou para ser".

De Gênesis a Apocalipse, posso lhe mostrar na Palavra de Deus que Ele quer que sejamos ousados e corajosos, e Ele quer que sejamos confrontadores quando necessário. Ele quer que conquistemos novos territórios. Deus não quer que tenhamos medo do inimigo. Ele quer que exerçamos autoridade e que façamos grandes coisas em nossas vidas. Seja ousado e corajoso e não tema, porque Deus está com você.

Confie Nele Quando você começar a confrontar os temores que o mantiveram cativo, coloque toda a sua confiança em Deus, e creia que você pode fazer tudo o que for necessário fazer por meio dele.

3 de Julho
Vendo a Si Mesmo Adequadamente

Porque tudo que não se origina e procede de fé é pecado [tudo que é feito sem a convicção da sua aprovação por Deus é pecaminoso].
ROMANOS 14:23

Quando eu saio dos trilhos, o que me ajuda a consertar as coisas em minha vida é voltar a Romanos 14:23, e dizer: "Sabe de uma coisa, Joyce, esta atitude que você adotou — a sua maneira de ver a si mesma — não é fé, portanto, é pecado e não glorifica a Deus".

Creio que um dos nossos maiores problemas é que temos dificuldade em nos ver da maneira adequada. Temos de aprender a nos ver, não em nós mesmos, mas *em Cristo*. A necessidade número 1 que temos é conhecer a Deus. E a necessidade número 2 que temos é saber quem somos em Cristo. Enquanto não comecei a ter consciência de quem eu era em Cristo, ou seja,

Confiando em Deus Dia a Dia   4 de Julho

enquanto não comecei a acreditar no que a Bíblia dizia a meu respeito, em vez de acreditar na maneira como eu me sentia ou na maneira como pensava ou no que as outras pessoas diziam de mim, a minha vida não avançava. Quando comecei a descobrir quem eu era em Cristo, tudo mudou. Agora, não me importa o que eu penso; se não se alinha com a Palavra de Deus, então estou errada. E não me importa o que sinto; se não se alinha com a Palavra de Deus, então o que sinto está errado.

Temos de tomar a decisão de conhecer o que Deus diz a nosso respeito: Ele diz que você tem dons e talentos e habilidades, que você é capaz, que qualquer coisa que Ele lhe peça para fazer você pode fazer, que você é forte no Senhor e não fraco, que você foi perdoado... e assim por diante. Porém, é preciso que seja mais do que simplesmente alguém pregando isso para você. Você precisa meditar e estudar e ler essas verdades até crer nelas. Quando você puder diferenciar entre quem você é na carne e quem você é em Cristo, as coisas começarão a ficar muito, muito, muito boas.

Confie Nele Se você se vê em Cristo, não importa como se sente, você pode confiar que foi redimido e justificado e Deus está vivendo e operando em você. Diga: "Não estou onde preciso estar, mas graças a Deus porque não estou onde estava antes. Estou bem e estou a caminho!"

4 de Julho
O Confronto Pode Ser Uma Forma de Amor

Se o seu irmão errar com você, vá e mostre a ele o seu erro, entre você e ele em particular. Se ele o ouvir, você ganhou de volta o seu irmão.
MATEUS 18:15

Quando Dave e eu nos casamos, era um pesadelo conviver comigo. Eu só queria ficar no controle, porque pensava que essa era a única maneira de impedir que eu fosse ferida. Além disso, tenho uma personalidade bastante "agressiva", digamos assim, que combinada com os problemas do meu passado não fazia de mim uma mulher muito agradável.

Dave, por outro lado, é um verdadeiro amante da paz, alguém com quem é muito fácil conviver. Durante muitos anos, ele viveu a vida sendo feliz e não chamava muito minha atenção quando eu agia mal. Creio que Deus lhe deu uma dose extra de paciência comigo porque o Senhor conhecia as feridas que eu tinha em minha vida. Às vezes, Deus nos chama para suportar al-

195

5 de Julho

Confiando em Deus Dia a Dia

gumas situações por algum tempo, enquanto estamos orando e esperando nele. Para ser sincera, se Dave tivesse me confrontado no primeiro mês do nosso casamento, eu o teria simplesmente abandonado, porque não sabia agir de forma diferente. Então havia um propósito em Deus não pedir a ele para me confrontar imediatamente. Mas você precisa confrontar quando Deus lhe disser para fazer isso.

Depois de alguns anos, Deus mostrou a Dave que era hora de me confrontar. Dave me explicou: "Deus falou comigo e disse que não posso mais deixar você continuar falando comigo como você fala e agindo como age. Você não vai ter tudo do seu jeito, as coisas precisam mudar". E elas mudaram. Levou tempo, mas pouco a pouco, eu mudei.

Fiquei muito zangada quando Dave me confrontou. Mas àquela altura eu era amada por Jesus o suficiente, e conhecia o suficiente da Sua Palavra para saber que Dave estava certo — eu sabia que o meu comportamento estava errado — mas se ele nunca tivesse me confrontado, embora eu soubesse que estava errada, não sei se teria mudado. Portanto, algumas vezes você não está ajudando alguém quando não confronta essa pessoa. Confrontar era a coisa certa que Dave tinha de fazer por mim. E embora eu não gostasse e tenha ficado furiosa, Dave estava certo em ouvir a Deus. E estamos fazendo a obra que fazemos hoje por causa disso.

Confie Nele O confronto geralmente não é fácil para a pessoa que confronta, ou para a que está sendo confrontada, mas é uma parte importante do crescimento espiritual. Siga a direção de Deus e confronte quando Ele lhe mostrar que é hora, e faça isso em amor!

5 de Julho

A Confiança Leva à Recompensa

Portanto, não ponham de lado a sua confiança destemida, pois ela leva consigo uma grande e gloriosa recompensa.

HEBREUS 10:35

Todas as vezes que falo a respeito do medo, penso no meu primeiro compromisso de dimensão considerável como conferencista. Na verdade, eu fiquei diante do que hoje seria um pequeno grupo de pessoas, mas na época parecia um milhão de pessoas para mim. Um dos líderes do seminário havia cancelado sua presença no evento, e porque alguém conhecia alguém que conhecia alguém que me conhecia — fui convidada para falar

Confiando em Deus Dia a Dia   6 de Julho

no evento. Eu não era a primeira escolha deles, mas Deus abriu uma porta de oportunidade, e aceitei-a com alegria. Na noite de abertura, todos os palestrantes estavam sentados juntos. Era o Dr. Fulano de Tal, o Bispo Fulano de Tal, o Reverendo Sicrano de Tal, e Joyce. O diabo gritava em meus ouvidos: "O que você está fazendo aqui?! Por que você não volta para Fenton, de onde você veio? Você vai fazer papel de boba!" Ouvi tanto o que o diabo estava me dizendo que, quando chegou a minha vez de ir à frente e me apresentar e dizer a todos sobre o que seria a minha palestra, tudo que consegui foi grasnar. Eu estava muito amedrontada; eu estava um caos. E não sou sequer uma pessoa realmente medrosa! Mas permiti que os pensamentos de medo entrassem em minha mente.

Pense em quanto mais calmo você poderá ser, se apenas parar de pensar em algumas das coisas que tem pensado. Se você acredita que está fazendo o que Deus quer que você faça, então basta fazê-lo. Hoje em dia, eu só sigo em frente e confio em Deus. Recentemente, falei para quase meio milhão de pessoas na Índia e não fiquei tão nervosa. Fica mais fácil quando você tem mais experiência de confiar em Deus; não há nenhuma dúvida a esse respeito.

Lembro-me de que na noite daquele primeiro compromisso como conferencista, precisei tomar a decisão de abrir a minha boca e tentar novamente ou sair correndo dali. Obviamente, tentei novamente, porque aqui estamos. O que me deixa triste é quando me pergunto quantas pessoas nunca tentam outra vez.

Confie Nele Vença o seu medo confiando em Deus e fazendo o que Ele lhe disser para fazer, mesmo que você tenha de fazer isso vez após vez após vez antes de ter êxito.

6 de Julho
Há Sempre um Jeito

Alguns homens estavam levando sobre uma maca um homem que era paralítico, e eles tentaram levá-lo para dentro e colocá-lo diante de Jesus. Mas não encontrando um jeito de fazê-lo entrar por causa da multidão, eles subiram no telhado e o desceram com a sua maca através das telhas até o meio, na frente de Jesus.

LUCAS 5:18-19

A passagem bíblica anterior diz que não havia "um jeito" de passar pela multidão até Jesus... Mas com Deus sempre existe um jeito, e aqueles ho-

7 de Julho

mens não desistiram até o encontrarem! Você já enfrentou uma situação e disse: "Não tem jeito?" Talvez alguns desses pensamentos tenham pesado em sua mente:

- Não tem jeito de eu lidar com a pressão no meu trabalho.
- Não tem jeito de eu pagar as minhas contas no fim do mês.
- Não tem jeito de salvar o meu casamento.
- Não tem jeito de os meus filhos crescerem e serem adultos responsáveis.
- Não tem jeito de eu perder o peso que preciso.

Quero que você saiba que *sempre* existe um jeito. Pode não ser fácil; pode não ser conveniente; pode não vir depressa. Talvez você tenha de passar por cima, por baixo, dar a volta ou atravessar, mas se simplesmente se recusar a desistir, você *encontrará* um jeito.

Conheço uma jovem que estava trabalhando em um emprego do qual ela particularmente não gostava. Ela era solteira, mas queria se casar. Em um mês ela ficou noiva e foi contratada para o trabalho dos seus sonhos. Ela havia esperado pelo que parecia ser uma eternidade antes desse momento, mas na hora certa Deus mostrou o *jeito* como as coisas se resolveriam.

Deus tem um plano para você e Ele tem ouvido as suas orações; talvez você não entenda o quanto está próximo da sua resposta. Ainda que você tenha de esperar por mais três, quatro ou cinco anos, se você continuar prosseguindo, terá a vitória de que precisa. Seja o que for que você fizer, não desista no limiar de sua barreira ser rompida. Não pare de ter esperança, de acreditar e de tentar. Em vez disso, diga: "Nunca desistirei; Nunca abrirei mão; Nunca direi: 'Não tem jeito'!"

Confie Nele Você está em uma situação para a qual acha que "Não tem jeito"? Pense novamente! Os caminhos de Deus não são os nossos caminhos, mas o caminho dele é sempre melhor. Não pare de confiar nele, e Ele lhe mostrará o caminho até a sua barreira ser rompida.

7 de Julho

Nunca Desista Daqueles a quem Você Ama

O amor nunca falha [nunca desfalece, nem se torna obsoleto, nem chega ao fim].

1 CORÍNTIOS 13:8

Confiando em Deus Dia a Dia   8 de Julho

Anos atrás, David, o meu filho mais velho, era tão parecido comigo que mal conseguíamos nos suportar. Ele trabalhava no ministério, e nós dois batíamos de frente com tanta intensidade que finalmente decidi dizer a ele para procurar outro emprego. Eu não queria deixá-lo partir e magoá-lo, mas não achava que poderia tolerar o conflito que caracterizava o nosso relacionamento. Eu pretendia fazer com que ele soubesse que a sua presença no ministério simplesmente não estava funcionando, mas Deus falou ao meu coração: "Não desista de David".

Com o tempo, David e eu aprendemos a conviver bem. Agora ele dirige o nosso departamento de missões mundiais, abriu dezoito escritórios no exterior, e supervisiona inúmeros programas comunitários internacionais. Sou muito grata pelo seu bom trabalho, e muito feliz porque Deus me disse para não desistir dele.

Quando você for tentado a desistir dos seus entes queridos, lembre-se de David e de mim. Quer você esteja crendo e orando para que alguém que você ama se torne cristão, mude de comportamento, deixe um relacionamento ruim, pare de usar drogas, volte para a escola, volte para casa ou consiga um emprego, continue crendo que a mudança é possível. Não desista daqueles a quem você ama; enquanto você continuar crendo, Deus pode continuar trabalhando. O seu amor e a sua paciência podem ser exatamente o que eles precisam para ter uma reviravolta completa.

O amor nunca falha. Em outras palavras, ele nunca desiste das pessoas. O apóstolo Paulo descreve o que é o amor em 1 Coríntios 13, e menciona que o amor sempre acredita no melhor, é positivo e cheio de fé e esperança. Enquanto Jesus esteve na terra, Ele deu um novo mandamento a Seus seguidores: que nos amemos uns aos outros (ver João 13:34). Eu acredito que andar em amor deve ser o objetivo principal de cada cristão.

Confie Nele Se você for tentado a desistir de alguma coisa ou de alguém, coloque a sua confiança em Deus e acredite que ainda que você não tenha o poder para mudar as circunstâncias, Ele tem.

8 de Julho
Você Foi Criado para Algo Mais

Mas aqueles que esperam pelo Senhor [que esperam nele, procuram por Ele e têm expectativa nele] mudarão e renovarão a sua força e poder; eles levantarão as suas asas e subirão [para perto de Deus] como águias.

ISAÍAS 40:31

9 de Julho

Confiando em Deus Dia a Dia

Você já se sentiu como uma águia em um galinheiro — presa à terra e confinada quando deveria estar voando? Você sabe que há muito mais dentro de você do que está vivendo e expressando em sua vida agora. Você sabe que Deus tem um grande propósito para a sua vida — e você não pode escapar ou ignorar o impulso interior que diz: "vá em frente".

Saiba disto: todas as águias ficam desconfortáveis em um galinheiro; todas elas anseiam pelo céu aberto, claro e azul. Quando você está vivendo em um lugar que o impede de ser quem foi criado para ser e de fazer o que deveria fazer, você se sente desconfortável também. Mas entenda que as pessoas que o cercam podem não entender o seu desejo de sair da caixa. Elas podem querer cortar as suas asas. Quando você ouve os comentários e as indagações delas, algo dentro de você pode perguntar: "O que há de errado comigo? Por que eu penso como penso? Por que eu me sinto assim? Por que não posso simplesmente me adaptar e viver uma vida normal como todo mundo?" O motivo pelo qual você não pode se adaptar é porque você não é uma galinha; você é uma águia! Você nunca se sentirá em casa naquele galinheiro, porque foi criado para algo maior, mais belo e mais realizador.

Encorajo você hoje a soprar a chama que há dentro de você. Sopre-a até que ela arda fortemente. Nunca desista da grandeza para a qual você foi criado, nunca tente esconder a sua singularidade, e nunca sinta que você não pode fazer o que acredita que foi criado para fazer. Entenda que a sua fome de aventura foi Deus quem lhe deu; querer experimentar algo novo é um desejo maravilhoso, e abraçar a vida e sonhar alto é aquilo que você foi criado para fazer. Você é uma águia!

Confie Nele Existe um anseio dentro de você por mais? Comece a se valorizar, porque Deus valoriza você. Saia de toda "mentalidade de galinha" que você possa ter, confie nele, e voe como a águia que você foi criado para ser.

9 de Julho
A Perspectiva Certa Acerca do Medo

Não tema [não há nada a temer], porque Eu sou com você; não olhe em volta aterrorizado nem fique apavorado, porque Eu sou o seu Deus. Eu o fortalecerei e o endurecerei para [lidar com] as dificuldades.

ISAÍAS 41:10

O que esse versículo afirma quando diz: "Não tema... porque Eu sou com você... Eu o fortalecerei e o endurecerei para [lidar com] as dificuldades"?

Confiando em Deus Dia a Dia

10 de Julho

Quer dizer que Deus nos torna cada vez mais fortes à medida que passamos por situações difíceis. Também quer dizer que, com o tempo, passamos a ser menos afetados pelas dificuldades e desafios que enfrentamos. É como o exercício. Quando nos exercitamos pela primeira vez, ficamos doloridos, mas à medida que prosseguimos em meio às dores, ganhamos músculos e força. Precisamos passar pela dor para ter o lucro.

Considere a sua vida. Existem situações com as quais você agora lida bem que antes teriam lhe deixado ansioso e com medo? É claro que sim. À medida que você anda com Deus, Ele vai fortalecendo você e o endurecendo para lidar com as dificuldades. Do mesmo modo, também posso lhe garantir e encorajá-lo, dizendo que algumas das coisas que o incomodam agora não o afetarão da mesma maneira daqui a cinco anos.

Se Deus removesse todos os desafios, nunca cresceríamos nem venceríamos obstáculos. Ele geralmente permite a dificuldade em nossas vidas, porque está tentando revelar alguma coisa que precisa ser fortalecida ou transformada em nós. Nossas fraquezas nunca são reveladas nos tempos bons, mas elas aparecem rapidamente em tempos de provação e tribulação.

Às vezes, Ele nos mostra do que temos medo porque quer nos libertar desse medo e nos fortalecer para as coisas que virão no futuro. Nesses momentos, precisamos dizer: "Obrigado, Deus, por permitir que eu veja esse medo em minha vida. Ele revela uma área que precisa ser tratada em mim". A partir do momento em que essa área específica do medo for tratada, então o inimigo terá dificuldade em incomodar você — e ter êxito — nessa área outra vez. Essa é uma maneira de Deus nos endurecer para lidar com as dificuldades e nos ensinar a não ter medo.

Confie Nele Pense em uma situação que há algum tempo o levava a ter medo, mas com a qual agora você lida sem medo. Algumas coisas que você atravessa na vida podem não ser agradáveis a princípio, mas elas cooperarão para o seu bem se você continuar seguindo em frente e confiar em Deus para fortalecê-lo a cada passo do caminho.

10 de Julho

Deus Está com Você

Sejam fortes, corajosos, e firmes; não tenham medo nem fiquem aterrorizados diante deles, porque é o Senhor seu Deus quem vai com vocês; Ele não falhará nem os abandonará.
DEUTERONÔMIO 31:6

11 de Julho Confiando em Deus Dia a Dia

Se sabemos pela fé que Deus está conosco, podemos enfrentar qualquer desafio com confiança e coragem. Talvez nem sempre sintamos a presença de Deus, mas podemos confiar em Sua Palavra e lembrar que Ele disse que nunca nos deixaria ou nos abandonaria.

Em Josué 1:1-3, Deus chamou Josué para um grande desafio de liderança: levar os filhos de Israel para a Terra Prometida: "Depois da morte de Moisés, o servo do Senhor, sucedeu que o Senhor disse a Josué, filho de Num, ministro de Moisés, estas palavras: 'Moisés, meu servo, está morto. Portanto agora levante-se [tome o lugar dele], passe este Jordão, você e todo este povo, para a terra que eu estou dando a eles, os israelitas. Todo lugar sobre o qual a sola dos seus pés pisar, Eu as dei a você, como prometi a Moisés'".

A Bíblia simplesmente nos diz nessa passagem que Moisés tinha morrido, e que Josué ia tomar o seu lugar como líder do povo de Deus. Assim que Deus comunicou essa notícia a Josué, Ele imediatamente lhe garantiu: "Ninguém poderá resistir-lhe por todos os dias da sua vida. Assim como fui com Moisés, serei com você; não falharei com você nem o abandonarei. Seja forte (confiante) e tenha bom ânimo..." (vv. 5-6).

Mais tarde, nessa mesma cena, Deus encoraja Josué novamente, dizendo: "Seja forte, vigoroso, e muito corajoso. Não tenha medo, nem fique apavorado, porque o Senhor seu Deus está com você por onde quer que você vá" (v. 9). Basicamente, Deus estava dizendo a Josué: "Você tem um grande trabalho a fazer, mas não permita que isso o intimide. Não tema. Não tenha medo, porque Eu serei com você".

Na Bíblia, a base para não temer é simplesmente esta: Deus está conosco. E se conhecemos o caráter e a natureza de Deus, sabemos que Ele é confiável. Não precisamos saber o que Deus vai fazer; simplesmente saber que Ele está conosco é mais do que suficiente.

Confie Nele Você é tentado a ter medo quando vê a tremenda responsabilidade que Deus lhe deu? Encorajo você a não fugir, mas a ficar firme, confiando em Deus porque Ele está com você.

11 de Julho

Você Foi Criado para a Aventura

...Eis-me aqui; envia-me.

ISAÍAS 6:8

Confiando em Deus Dia a Dia   12 de Julho

Deus colocou em nós um anseio por aventura, e aventura significa tentar alguma coisa que nunca fizemos antes. Aventura significa se levantar, fazer algo diferente, fazer algo que esteja um pouco no limite, nem sempre viver em uma zona que consideramos "segura".

Lembro-me de um domingo específico na minha igreja, há muitos anos, que acredito que foi um dia transformador para mim. Naquela época da minha vida eu realmente amava a Deus, mas havia muitas verdades e princípios bíblicos que eu não conhecia. Eu sabia um pouco acerca do que uma pessoa precisava fazer para ser salva, mas eu não entendia de vitória, de vencer obstáculos, de poder, de autoridade ou de ser usado por Deus. Eu não tinha uma esperança real de que a minha vida um dia seria melhor do que era naquele tempo.

Naquela igreja, comemorávamos o Domingo de Missões uma vez por ano, ocasião em que sempre cantávamos "Eis-me Aqui, Envia-me". Lembro-me de uma vez específica em que alguma coisa cresceu dentro de mim, vinda do fundo do meu coração, e cantei essas palavras com todas as fibras do meu ser: "Deus, eis-me aqui! Envia-me! Envia-me!" Não sei para onde pensei que Ele me enviaria, porque eu tinha um marido e três filhos pequenos em casa. Mas no meu coração senti que eu queria que Deus me usasse. Eu podia não ter muita habilidade, mas eu estava disponível para o Senhor. Estava disposta a dizer: "Posso quebrar a cara, Deus, mas se Tu quiseres me usar, estou disposta a tentar". Muitos anos depois daquele domingo, Deus me chamou para ensinar a Sua Palavra, mas isso tudo começou no dia em que eu disse com ousadia: "Eis-me aqui: envia-me".

Se você quer que Deus o use, ofereça-se a Ele e não permita que o medo do fracasso o impeça de obedecer quando Ele o direcionar. Deus não apenas vê onde você está, Ele vê onde você pode estar. Ele não apenas vê o que você fez, Ele vê o que você fará com a ajuda dele.

Confie Nele Você tem o desejo sincero no fundo do seu coração de ser usado por Deus? Nesse caso, ofereça-se a Ele com fé e não se preocupe com as suas incapacidades. Deus está à procura de disponibilidade e não de capacidade. Confie nele para lhe dar toda a capacidade que você necessita quando precisar dela.

12 de Julho
Os Degraus para o Seu Sucesso

Chamo os céus e a terra para testemunharem neste dia contra vocês, que coloquei diante de vocês a vida e a morte, as bênçãos

203

13 de Julho

Confiando em Deus Dia a Dia

e as maldições; portanto escolham a vida, para que vocês e seus descendentes possam viver.

DEUTERONÔMIO 30:19

Todos nós queremos ser bem-sucedidos na vida. Ninguém se prepara para o fracasso ou deseja fracassar. Mas creio que o fracasso pode ser um degrau importante a caminho do sucesso. O fracasso certamente nos ensina o que *não* fazer, o que muitas vezes é tão importante quanto saber o que *devemos* fazer! O suposto fracasso tem a ver com a maneira como olhamos para ele.

Muitas histórias têm circulado sobre quantas vezes Thomas Edison falhou antes de inventar a luz elétrica. Ouvi dizer que ele tentou 700 vezes, 2 mil vezes, 6 mil vezes e 10 mil vezes. Não importa quantas tentativas ele fez, o número é impressionante. Mas ele nunca desistiu. Contam que Edison disse que em todos os seus esforços ele nunca falhou — nenhuma vez; ele apenas teve de passar por muitos, muitos passos para acertar! É preciso esse tipo de determinação, se você realmente quiser fazer alguma coisa de valor.

Muitas vezes refleti a respeito da razão pela qual algumas pessoas fazem grandes coisas com as suas vidas, enquanto outras fazem pouco ou nada. Sei que o resultado das nossas vidas depende não apenas de Deus, mas também de alguma coisa em nós. Cada um de nós precisa decidir se vai recorrer ao que está em seu interior e encontrar a coragem para avançar em meio ao medo, aos erros e a todos os desafios que a vida apresenta. Isso não é algo que outra pessoa pode fazer por nós; precisamos fazê-lo por nós mesmos.

Quero encorajar você a assumir a responsabilidade pela sua vida e pelo seu resultado. O que você fará com o que Deus lhe deu? Realmente acredito que Deus dá a todos oportunidades iguais. Ele disse: "Coloquei diante de vocês a vida e a morte... escolham a vida". O medo está na categoria da morte; a fé e o progresso nos enchem de vida. A escolha é sua, e creio que você fará a escolha certa!

Confie Nele Em que área você teve êxito, mas levou muitos passos para chegar à vitória? Não existe fracasso se você simplesmente se recusar a desistir. Confie em Deus para ensinar-lhe por meio de cada degrau a caminho do sucesso.

13 de Julho

Você Não Está Estagnado, Está Atravessando!

O Senhor Deus é a minha força, a minha coragem e o meu exército invencível. Ele faz os meus pés como os da corça e me fará andar [não ficar parado aterrorizado, mas andar] e progredir [espiritu-

Confiando em Deus Dia a Dia

14 de Julho

almente] sobre os meus lugares altos [de problemas, sofrimento ou responsabilidade]!

HABACUQUE 3:19

Todos nós passaremos por situações na vida — algumas boas, outras ruins. Muitas vezes, achamos que a frase "estou passando por uma situação" é uma má notícia, no entanto, se a encararmos adequadamente, entenderemos que "passar" é bom; significa que não estamos estagnados! Podemos estar enfrentando dificuldades, mas pelo menos estamos avançando.

Isaías 43:2 diz: "Quando você *passar pelas* águas, Eu estarei com você, e pelos rios, eles não o submergirão. Quando você *passar pelo* fogo, você não se queimará nem sairá chamuscado, nem a chama arderá em você" (grifos da autora). A Palavra de Deus aqui é clara: *passaremos por* situações. *Enfrentaremos* adversidades em nossas vidas. Essa não é uma má notícia; é a realidade.

Deixe-me repetir: *passaremos por* situações na vida, mas as coisas pelas quais passaremos são exatamente as circunstâncias, os desafios e as ocasiões que fazem de nós pessoas que sabem como vencer a adversidade. Não crescemos nem nos tornamos fortes durante os tempos bons da vida; crescemos quando avançamos em meio às dificuldades sem desistir.

O crescimento não é resultado automático da dificuldade. As dificuldades não produzem necessariamente crescimento ou força em nós; não é tão simples assim. Precisamos escolher a atitude certa em relação aos nossos desafios e nos recusar a desistir. Talvez tenhamos de fazer o que é certo por muito tempo antes que sintamos que as situações estão se "equilibrando", mas se permanecermos fiéis e nos recusarmos a desistir, os bons resultados virão. A partir do momento em que *passemos pelas* adversidades e desafios que enfrentamos, emergiremos como pessoas melhores do que éramos quando entramos neles.

Confie Nele Decida-se a ir até o fim através de todas as dificuldades que você enfrentar na vida. Tome a decisão agora de continuar seguindo em frente, confiando em Deus, por mais difícil que seja, porque você sabe que Ele estará ao seu lado, e você crescerá em fé em resultado disso.

14 de Julho

Prossiga e Continue Prosseguindo

Prossigo para o alvo para ganhar o prêmio [supremo e celestial] para o qual Deus em Cristo Jesus está nos chamando para o alto.

FILIPENSES 3:14

15 de Julho

Confiando em Deus Dia a Dia

Uma parte importante da decisão de nunca desistir é fazer as escolhas certas enquanto você está sofrendo, sente-se desanimado, frustrado, confuso ou está sob pressão. A escolha certa em geral é a escolha mais difícil. E quando estamos em meio a um terrível estresse, desejamos naturalmente tomar o caminho da menor resistência. Mas é exatamente nesses momentos que você precisa se disciplinar para fazer a escolha mais difícil. Para colher os resultados "certos" em sua vida, você precisa agir certo quando não sente vontade. Chamo isso de "prosseguir e continuar prosseguindo", e saber como fazer isso é um dos componentes mais importantes para você se tornar uma pessoa que nunca desiste.

Você nunca chegará onde quer estar na vida se não estiver disposto a se sacrificar e a avançar em meio aos obstáculos e adversidades que se interpõem no seu caminho. Seu obstáculo pode ser uma atitude, uma série de circunstâncias, um relacionamento, um problema do seu passado, uma ideia ou mentalidade, um sentimento ou um mau hábito. Seja o que for, você é a única pessoa que pode prosseguir em meio a ele. Ninguém mais pode prosseguir por você. Talvez você tenha tentado superar os seus desafios no passado. Talvez você tenha tentado a ponto de ficar esgotado, exausto ou desanimado. É exatamente nesse ponto que você precisa reunir novas forças vindas de Deus e prosseguir mais uma vez.

Uma das definições que gosto para a palavra *prosseguir* é: "exercer força firme ou pressão contra alguma coisa". Costumo dizer: "Você precisa prosseguir contra a pressão que o está pressionando!" Quando alguma coisa o está pressionando, você precisa estar determinado a prosseguir contra ela com força ainda maior, porque poucas coisas que realmente valem a pena ou são dignas de se possuir na vida acontecem sem esse tipo de esforço.

Confie Nele Se você for tentado a tomar o caminho mais fácil, em vez disso, prossiga contra essa pressão e confie em Deus. Dependa dele e conte com Ele para lhe dar a força para fazer as escolhas certas nos tempos difíceis. No fim das contas, você ficará feliz por ter feito isso.

15 de Julho
Olhe para o Futuro, Para a Sua Recompensa

No momento nenhuma disciplina traz alegria, mas parece dolo-
rosa e penosa; mas depois ela gera o fruto pacífico da justiça para
aqueles que foram treinados por ela [uma colheita de frutos que
consiste de justiça — em conformidade com a vontade de Deus em

Confiando em Deus Dia a Dia — 16 de Julho

propósito, pensamento e ação, resultando em uma vida reta e em um relacionamento justificado diante de Deus].

HEBREUS 12:11

Devemos olhar para o futuro, decidir o que queremos ver acontecer, e depois nos disciplinarmos para alcançar isso. Não devemos aceitar a mentira de que devemos apenas viver para o momento ou de que o presente é tudo o que temos. Também temos um futuro a considerar, portanto precisamos começar a viver com um olho no "depois", no "mais tarde". Temos de começar a nos importar tanto com o depois quanto nos importamos com o agora, ou ainda mais.

Se você quiser estar mais magra quando chegar a hora de usar o seu maiô em janeiro, precisa começar a se alimentar de forma saudável e a se exercitar antes da chegada do verão. Se você quer ter condições de comprar um carro novo no ano que vem, precisa se esforçar para sair das dívidas agora. Se você sonha em morar em uma casa boa, limpa e organizada, precisa eliminar o lixo e limpá-la!

A disciplina pode não ser agradável para a sua carne enquanto você a está exercitando, mas ela gerará um grande senso de satisfação em sua alma — a satisfação que vem de saber que você está fazendo boas escolhas. Se você não pagar o preço de ser disciplinada agora para fazer o que é certo, sofrerá as consequências de uma vida indisciplinada mais tarde. Você pode pagar agora ou pode pagar mais tarde, mas em algum momento todos nós receberemos a colheita das escolhas que fizemos. Não podemos simplesmente desejar que as nossas vidas fossem diferentes; temos de prosseguir em meio à preguiça, aos desejos da carne e às más atitudes e nos recusar a desistir da disciplina, que dará bons frutos mais tarde. Se existe alguma coisa que você quer ver acontecer no seu futuro, comece a se disciplinar para isso agora, e mais tarde você desfrutará o fruto dessa disciplina.

Confie Nele A Palavra de Deus em Hebreus 12:11 diz: "nenhuma disciplina traz alegria... mas depois...". Se você se disciplinar agora, tenha a certeza de que Deus lhe dará uma grande recompensa depois.

16 de Julho
Não se Contente com Menos que o Melhor de Deus

E Terá tomou Abrão, seu filho, Ló, o filho de Harã, seu neto, e Sarai, sua nora, esposa de seu filho Abrão, e saíram juntos de Ur

16 de Julho

Confiando em Deus Dia a Dia

dos Caldeus para a terra de Canaã; mas quando chegaram a Harã, eles se instalaram ali.

GÊNESIS 11:31

Você deve conhecer as histórias de Abrão, Sarai e Ló, mas talvez não tenha ouvido falar muito desse homem chamado Terá. Creio que Terá, pai de Abrão, deixou de aproveitar uma oportunidade que Deus queria lhe dar.

Acredito que Deus queria que Terá fosse até Canaã, a Terra Prometida, mas veja as palavras na Bíblia: "... mas quando chegaram a Harã, *eles se instalaram ali*" (grifo da autora). Em outras palavras, Terá parou antes. Ele deveria ir de Ur até Canaã, mas parou quando chegou a Harã. Terá se contentou com muito menos do que Deus tinha para ele. Abrão acabou recebendo uma bênção fenomenal, mas creio que Deus também a ofereceu a seu pai. Seu pai simplesmente desistiu antes de chegar ao lugar onde poderia recebê-la.

Incentivo você hoje a não se contentar com menos que o melhor que Deus tem para você. Não se permita entrar em uma posição em que você se questiona por que alguém recebeu algo de Deus, e com o tempo percebe que você teve a mesma oportunidade e a deixou passar.

Se continuarmos lendo Gênesis 11, aprendemos que "Terá viveu 205 anos; e Terá morreu em Harã" (v. 32). Ele morreu onde se instalou. Creio que muitas pessoas simplesmente se contentam em se instalar em algum lugar e morrem ali. Elas podem não morrer fisicamente, mas o sonho delas morre; a visão delas morre; a paixão delas morre; o zelo delas morre. O entusiasmo delas pela vida morre. Por quê? Porque elas desistiram e não prosseguiram para o melhor que Deus tinha para suas vidas.

Você enfrentará diferentes tipos de dor e encontrará dificuldades ao passar pela vida. Você simplesmente tem de escolher que tipo de dor você quer — a dor de prosseguir ou a dor de desistir. Mas só a dor de prosseguir gera recompensa.

Confie Nele Deus tem bênçãos maravilhosas para você. Comprometa-se agora a confiar nele, a ir até o fim com Ele, a prosseguir em meio aos tempos desafiadores e a nunca se contentar com menos que o melhor dele para você.

Confiando em Deus Dia a Dia

17 de Julho

17 de Julho

Comece Forte, Termine Bem

Jesus, que é o Líder e a Fonte da nossa fé [dando o primeiro incentivo à nossa crença] e é também o seu Consumador [levando-a à maturidade e à perfeição].

HEBREUS 12:2

Tudo que empreendemos na vida tem um início e um fim. Tipicamente, ficamos empolgados no início de uma oportunidade, de um relacionamento ou de um empreendimento; também ficamos felizes quando podemos celebrar a nossa realização e ter a satisfação de um desejo realizado. Mas entre o início e o fim, toda situação ou atividade tem um "meio" — e o meio é onde costumamos enfrentar os nossos maiores desafios, dificuldades, obstáculos, desvios e testes.

Você pode estar no meio de muitas coisas agora. Talvez você esteja no meio da sua saída das dívidas. Você pagou todas, exceto uma das contas, e está começando a pensar: *Tenho me saído bastante bem. Acho que vou fazer compras hoje porque li sobre uma enorme liquidação no shopping.* É fácil sentir-se assim, mas quero encorajá-lo a continuar prosseguindo até o fim! Não desacelere quando você estiver começando a ver o verdadeiro progresso. Discipline-se por um pouco mais de tempo; você ficará muito satisfeito por ter feito isso quando pagar aquela última conta e estiver completamente livre das dívidas.

Talvez você esteja no meio de alguma coisa que não sejam as dívidas. Talvez esteja no meio de um trabalho de final de semestre, ou treinando para uma maratona. Talvez você esteja tentando adotar uma criança e esteja encontrando um obstáculo atrás do outro. Ou está tentando conseguir uma promoção no trabalho. Esteja você no meio do que for, decida-se a prosseguir até o fim.

Entre os nossos começos e os nossos finais, precisamos desenvolver a ousadia e a determinação necessárias para vencer as circunstâncias avassaladoras que encontramos no meio. O inimigo quer que nos contentemos com menos que o melhor de Deus para as nossas vidas e paremos antes de receber e desfrutar tudo o que Deus tem para nós. O diabo odeia o progresso e nos impulsiona a desistir. Deus, por outro lado, quer o melhor de nós; Ele quer que terminemos as corridas colocadas diante de nós e as completemos com alegria (ver Hebreus 12:1-2). Pergunte a si mesmo se você está disposto a pagar o preço para chegar ao fim.

209

18 de Julho — Confiando em Deus Dia a Dia

Confie Nele Seja qual for a situação em que você se encontre no meio, não pare antes de terminar a corrida. Deus quer estar com você até o final.

18 de Julho
Você É Mais Que Vencedor

No entanto, em meio a todas estas coisas somos mais que vencedores e ganhamos uma vitória inigualável através daquele que nos amou.

ROMANOS 8:37

Uma pessoa com um espírito de vencedor precisa confrontar e lidar com as adversidades que surgirem, não fugir delas. Simplesmente não podemos continuar tentando fugir ou evitar as situações difíceis. Todas as vezes que fugimos de uma situação, podemos quase ter certeza de que teremos de voltar a enfrentá-la, ou a algo muito semelhante, mais tarde em nossas vidas.

Pense em Moisés. Ele fugiu do Egito e passou quarenta anos no deserto, onde Deus o preparou para ser um grande líder. Quando Deus apareceu a Moisés na sarça ardente, Ele disse basicamente: "Agora quero que você volte ao Egito" (ver Êxodo 3:2-10). Sim, Deus enviou Moisés de volta ao lugar de onde ele tentou fugir!

A Bíblia está cheia de histórias semelhantes — o bastante para me convencer de que fugir da adversidade não faz bem nenhum a ninguém. Eu costumava ter muita dificuldade com pessoas cujas personalidades eram semelhantes à de meu pai. Por ele ter abusado de mim, eu não queria estar perto de pessoas que falavam como ele falava, agiam como ele agia ou me lembrassem dele de alguma maneira. Mas ao longo do tempo, comecei a perceber que Deus estava me cercando de pessoas que faziam lembrar o meu pai. Todas as vezes que eu encontrava alguém que me lembrava dele, eu me sentia insegura e temerosa, e voltava aos velhos padrões de comportamento. Eu não gostava das minhas reações, mas estava pedindo para Deus me transformar e me mostrar a verdade.

Deus me colocou em situações em que eu teria de lidar com os medos do meu passado. Ele estava tentando me fazer crescer e ser uma cristã mais forte e mais madura. Costumamos pedir a Deus para nos libertar das coisas erradas. Queremos ser libertos das nossas provações, mas precisamos pedir a Deus para nos libertar das coisas em nosso coração que impedem os propósitos dele para as nossas vidas.

Confiando em Deus Dia a Dia   19 de Julho

Confie Nele Se você for tentado a fugir da adversidade, lembre-se de Moisés. Ele passou quarenta anos tentando fugir apenas para acabar voltando ao lugar onde havia começado. Fugir dos problemas nunca deve ser o seu objetivo; seu objetivo precisa ser confiar em Deus para ajudá-lo a vencer as dificuldades com uma atitude semelhante a Cristo.

19 de Julho
Faça-o Para Deus

E este é o amor: que andemos em obediência às Suas ordens. Como vocês ouviram desde o princípio, a Sua ordem é que vocês andem em amor.

2 JOÃO 1:6

Lembro-me de um domingo, anos atrás, quando o pastor da minha igreja encorajou a congregação a dedicar um instante para cumprimentar as outras pessoas, e até para dar um abraço nelas, e declarar que nós as amávamos. Olhei para a fileira onde eu estava sentada e vi uma mulher que havia me magoado muito. Senti fortemente o Espírito de Deus me impelindo a abraçá-la e a dizer a ela que eu a amava. Andar até ela e dizer "Eu amo você" exigiu tudo de mim! Não posso garantir que eu tenha sido totalmente sincera, mas sei que fui obediente a Deus.

Vários meses depois, Deus me levou a dar um de meus bens favoritos àquela mulher. "Ora, Deus", respondi "não me importo de dar isso. Quero dizer, eu realmente gostaria de ficar com isso, mas se Tu vais me fazer dá-lo, pelo menos deixe-me dá-lo a alguém de quem eu goste para que eu possa ter o prazer de vê-lo usando-o!" Deus me respondeu: "Joyce, se você puder dar isso a ela, se você puder dar o seu bem favorito a alguém que realmente a feriu e que menos o merece, você quebrará o poder do inimigo. Você destruirá o plano dele de destruir você".

Não damos passos de obediência e vencemos os tempos difíceis porque sentimos vontade de fazer isso, ou porque pensamos que a obediência é uma boa ideia. Fazemos isso porque amamos a Deus, sabemos que Ele nos ama, queremos obedecer a Ele, e sabemos que os caminhos dele são sempre melhores para nós.

Sejam quais forem as adversidades que você está enfrentando agora ou enfrentará nos dias por vir, incentivo você a confrontá-las, a abraçá-las e a lidar com elas. Encare-as como um vencedor. Lembre-se de que elas estão

211

20 de Julho

Confiando em Deus Dia a Dia

trabalhando para o seu bem, e Deus as usará para fortalecê-lo. Abrace-as com a atitude de um vencedor, e você se encontrará em um lugar de maior maturidade, sabedoria e capacidade do que jamais conheceu.

Confie Nele Se Deus lhe pedir para fazer alguma coisa, você sabe que Ele está pedindo porque é o melhor para você. Ainda que não queira fazer isso, faça para Deus, porque você confia nele e Ele sabe o que é melhor.

20 de Julho
Comece Sempre Com Oração

[E Neemias orou] Ouve-me, ó nosso Deus, pois somos despreza-dos. Volta as provocações deles sobre suas próprias cabeças, e en-trega-os como presa na terra do seu cativeiro.

NEEMIAS 4:4

Em Neemias 4:4, encontramos três palavras que são muito importantes para lembrarmos quando estivermos tentando resistir a uma tempestade: "E Neemias orou". Como ele reagiu a todos os ataques que se levantaram contra ele — os risos, a ira, a fúria, o julgamento, a crítica e as palavras que diziam que o seu objetivo era impossível? Ele orou!

Deixe-me perguntar-lhe: o que aconteceria se você orasse todas as vezes que sentisse medo ou se sentisse intimidado? E se você orasse todas as vezes que fosse ofendido, ou todas as vezes que alguém ferisse os seus sentimentos? E se você orasse imediatamente todas as vezes que algum tipo de julgamento ou crítica se levantasse contra você? A sua vida seria diferente? Você seria capaz de resistir melhor a essas tempestades? É claro que sim.

Podemos aprender uma lição importante com a oração de Neemias: "Ouve, ó nosso Deus", ele disse, "pois somos desprezados. Volta as provocações deles sobre suas próprias cabeças, e entrega-os como presa na terra do seu cativeiro". Observe que Neemias não foi atrás dos seus inimigos; ele pediu a Deus para tratar com eles. A atitude dele foi: "Estou fazendo a Tua vontade! Tu me disseste para construir esta muralha e estou ocupado construindo-a. Tu tens de tomar conta dos meus inimigos!"

Muitas vezes, Deus nos diz para fazer alguma coisa ou nos dá uma atribuição e começamos a executá-la. Mas então o inimigo vem contra nós, e quando nos voltamos para lutar contra ele, nós nos afastamos de Deus. De repente, o inimigo tem toda a nossa atenção. Passamos mais tempo combatendo-o em vez de orar e pedir a Deus para intervir na situação.

Confiando em Deus Dia a Dia   21 de Julho

Neemias sabia que o melhor era não permitir que os seus inimigos comandassem o seu foco. Ele estava ciente deles, mas manteve os olhos em Deus e no trabalho que o Senhor o chamara para fazer. E ele simplesmente orou e pediu a Deus para tratar com aqueles que o estavam atacando.

Confie Nele Acerca de qual situação você precisa orar? Quando o inimigo atacar, não tire o seu foco da tarefa que Deus colocou diante de você. Ore! E confie em Deus para cuidar do inimigo.

21 de Julho
O Amor Encontra um Caminho

Mas quando o espírito imundo sai do homem, ele perambula por lugares secos [áridos] à procura de descanso, mas não encontra nenhum. Então ele diz: Voltarei à minha casa de onde saí. E quando chega, encontra o lugar desocupado, varrido, em ordem e decorado.

MATEUS 12:43-44

É muito importante enchermos as nossas vidas com atividades piedosas e tomar decisões de trabalhar para Deus, fazendo uma diferença positiva no mundo. Muitas pessoas não percebem que a indiferença é uma decisão. O certo e o errado não são apenas decisões que tomamos. A decisão de não fazer nada ainda é uma decisão, e é uma decisão que nos torna cada vez mais fracos. Ela dá ao diabo cada vez mais oportunidade de nos controlar.

O espaço vazio ainda é um lugar, e a Palavra de Deus ensina que se o diabo vier e encontrar o lugar vazio, ele rapidamente ocupa o espaço. A inatividade indica que estamos de acordo e aprovamos o que está acontecendo. Afinal, se não estamos fazendo nada para mudar, é porque não nos incomodamos com o que está acontecendo.

Levamos diversas pessoas em viagens missionárias para ministrar a pessoas desesperadamente necessitadas, mas nem todas elas reagem da mesma maneira. Todos sentem compaixão quando veem as condições terríveis nas quais as pessoas vivem nas aldeias remotas da África, da Índia ou de outras partes do mundo. Muitos choram; a maioria balança a cabeça e pensa que essas situações são terríveis, mas nem todas elas decidem fazer alguma coisa para mudar essas condições.

Muitas oram para que Deus faça alguma coisa e ficam satisfeitas porque o nosso ministério está fazendo algo, mas nunca pensam em buscar a Deus

213

22 de Julho

Confiando em Deus Dia a Dia

com determinação para saber o que elas podem fazer pessoalmente. Eu me arriscaria a dizer que a maioria delas volta para casa, se ocupa com suas próprias vidas outra vez, e logo se esquece do que viu. Mas graças a Deus porque há algumas pessoas que estão decididas a encontrar maneiras de fazer a diferença. A indiferença dá uma desculpa, mas o amor encontra um caminho. Todos podem fazer alguma coisa!

Confie Nele Quando você viu uma necessidade e decidiu não fazer nada? Não se contente mais com a condição ao seu redor. Confie em Deus para lhe mostrar o que você pode fazer para mudar.

22 de Julho

Faça Orações que Deus Possa Responder

De modo que somos embaixadores de Cristo, Deus fazendo o Seu apelo como se fosse através de nós. Nós [como representantes pessoais de Cristo] lhes suplicamos por amor a Ele que vocês tomem posse do favor divino [que agora lhes é oferecido] e se reconciliem com Deus.

2 CORÍNTIOS 5:20

Aprender a fazer orações que Deus possa responder é muito importante. Passei muitos anos nas minhas orações matinais dizendo a Deus o que eu precisava que Ele fizesse por mim, mas finalmente aprendi a orar também: "*Deus, o que posso fazer para Ti hoje?*" Somos embaixadores de Cristo, Seus parceiros para ajudar as pessoas e levá-las a conhecê-lo.

Eu gostaria de sugerir algo para você acrescentar às suas orações matinais. A cada dia, pergunte a Deus o que você pode fazer por Ele. Então, ao seguir com o seu dia, observe as oportunidades de fazer o que você acredita que Jesus faria se Ele ainda estivesse na terra em forma corpórea. Ele vive em você agora se você é um cristão, e você é embaixador dele... portanto, certifique-se de representá-lo bem.

Recentemente, eu estava pedindo a Deus para ajudar uma amiga que passava por um momento muito difícil. Ela precisava de algo, então pedi a Deus para dar isso a ela. Para minha surpresa, a resposta que Deus me deu foi: "Pare de Me pedir para suprir a necessidade; peça-me para mostrar-lhe o que você pode fazer".

Tornei-me ciente de que costumo pedir a Deus para fazer as coisas para mim quando Ele quer que eu faça essas coisas eu mesma. Ele não espera

Confiando em Deus Dia a Dia

23 de Julho

que eu faça nada sem a ajuda dele, mas Ele também não fará tudo para mim enquanto eu fico sentada ociosamente. Deus quer que estejamos abertos para nos envolver. Ele quer que usemos os nossos recursos para ajudar as pessoas, e se o que temos não é o bastante para suprir as necessidades, podemos encorajar outros a se envolverem para que juntos possamos fazer o que precisa ser feito. Encorajo você a fazer orações que Deus possa responder. Você e Ele são parceiros, e Ele quer trabalhar *com você* e *por meio de você*.

Confie Nele Não espere que Deus faça tudo por você. Ele fez de você Seu embaixador, a fim de que pudesse trabalhar por meio de você. Peça a Ele para lhe mostrar o que você pode fazer para Ele, e confie nele e dependa dele para lhe dar não apenas a criatividade, mas também os recursos para fazer isso.

23 de Julho
Dez Minutos para a "Boa Vida"

...Ele saiba [o suficiente] para rejeitar o mal e escolher o bem.

ISAÍAS 7:15

Creio que devíamos ter uma "sessão de pensamentos" todos os dias. Se nos sentássemos regularmente e disséssemos a nós mesmos: "Vou pensar em algumas coisas por dez minutos", e depois pensássemos deliberadamente em algumas das coisas que a Bíblia nos diz para pensar, nossas vidas melhorariam drasticamente. Em apenas dez minutos experimentaríamos mais da "boa vida" que Deus tem para nós.

Disciplinar-nos para pensar adequadamente, fazendo "sessões de pensamentos" deliberadas, nos treinará para começar adequadamente a nossa vida diária. Uma das coisas nas quais todos os crentes precisam pensar todos os dias é nesta verdade bíblica: *Estou justificado diante de Deus, por meio de Cristo.* Pensar nisso o ajudará a viver na realidade de quem Deus o criou para ser. Por que não pensar deliberadamente em algo que o beneficiará, em vez de simplesmente meditar em qualquer pensamento que surja em sua mente por acaso?

Usamos as nossas habilidades de raciocínio todos os dias, mas a maioria de nós precisa mudar o conteúdo dos nossos pensamentos. Em vez de pensar: *Não sirvo para nada; estrago tudo; nunca faço nada certo*, podemos usar a nossa energia mental para pensar no quanto Deus nos ama e como fomos justificados diante dele por meio de Jesus Cristo.

24 de Julho

Confiando em Deus Dia a Dia

À medida que você passar mais tempo pensando corretamente, uma grande transformação acontecerá em sua vida. Você pode ter de colocar bilhetes ao redor da sua casa dizendo: "Em que você anda pensando hoje?" Talvez você precise colocar um bilhete no seu carro para lembrar-lhe de ter os pensamentos certos — ou até escrever quais são esses pensamentos e prendê-los em um espelho ou na tela do seu computador.

Esse tipo de exercício não seria incomum para um aluno de faculdade enfrentando as suas provas finais. Eles fazem tudo o que podem para manter as respostas certas diante deles antes da prova para garantir sua aprovação. Se você se disciplinar para lembrar a si mesmo de dedicar tempo aos pensamentos certos propositalmente todos os dias, verá que as coisas melhorarão tão radicalmente que você ficará absolutamente impressionado. Antes que se dê conta, você estará desfrutando a boa vida que Deus predestinou para você. É importante ter pensamentos que estejam em concordância com a vontade de Deus para a sua vida.

Confie Nele Como você pode encaixar uma "sessão de pensamentos" de dez minutos na sua rotina diária? Confie em Deus para transformar a sua vida radicalmente quando você pensar na Sua Palavra deliberadamente.

24 de Julho
Rompa Com os Maus Hábitos

Mas o seu prazer e deleite estão na lei do Senhor, e na Sua lei (os preceitos, instruções e ensinamentos de Deus) ele medita (pondera e estuda) habitualmente de dia e de noite.

SALMOS 1:2

Hábitos são atos que praticamos repetidamente, às vezes sem sequer pensar neles, ou coisas que fazemos com tanta frequência que se tornam a nossa reação natural a certas situações.

Encontrei 33 referências na *Amplified Bible* para a palavra *habitualmente*. Isso me diz que Deus espera que criemos bons hábitos. O salmista Davi disse que o homem que quer prosperar e ser bem-sucedido necessita ponderar e meditar *habitualmente* na Palavra de Deus de dia e de noite (ver Salmos 1:2). Isso me diz que estabelecer os hábitos necessários para o sucesso requer disciplina e consistência, principalmente em nossa vida mental. Com a disciplina e a consistência suficiente, podemos quebrar os maus hábitos, e novos hábitos podem ser formados.

Confiando em Deus Dia a Dia
25 de Julho

Pense em quebrar um mau hábito como você romperia com um namorado negligente ou com uma namorada que não lhe faz bem. É interessante que poderíamos sentir falta do namorado ou da namorada, embora soubéssemos que fizemos a coisa certa ao romper com ele ou ela. Poderíamos nos sentir solitários por algum tempo e ser tentados a voltar para aquela pessoa, mas se continuarmos firmes em nossa decisão, eventualmente não sentiremos mais falta dessa pessoa e encontraremos alguém com quem possamos ter um relacionamento saudável.

De forma semelhante, podemos quebrar um mau hábito e sentir falta dele por algum tempo, até mesmo sendo tentados a voltar aos nossos velhos caminhos. Essa é a hora de posicionar a sua mente e mantê-la firmada na nova direção, porque você não quer permanecer cativo naquela coisa velha e perder a coisa nova e boa que Deus tem para você.

Fazer a coisa certa uma vez ou mesmo algumas vezes não é o mesmo que ser bem-sucedido, mas fazer a coisa certa *habitualmente* gerará uma vida que vale a pena viver. Talvez não seja fácil, mas valerá o esforço. A pessoa que nunca desiste sempre vê a vitória.

Confie Nele Que bons hábitos você precisa desenvolver em sua vida? Confie em Deus para ajudar você a quebrar os maus hábitos e a criar bons hábitos.

25 de Julho
Você Pode Tudo por Meio de Cristo

Tenho força para todas as coisas em Cristo que me capacita [estou pronto para qualquer coisa e estou apto a tudo através dele que me infunde força interior; sou autossuficiente na suficiência de Cristo].

FILIPENSES 4:13

Há um pensamento simples que tem o poder de transformar a sua vida: *Posso fazer tudo o que preciso fazer na vida por intermédio de Cristo.* Em outras palavras, posso lidar com tudo o que a vida me trouxer. Eu pergunto: você acredita que pode fazer tudo o que precisa fazer na vida? Ou há certas coisas que deflagram o pavor, o medo ou fazem você dizer "Eu jamais poderia fazer isso!", quando você pensa nelas?

Quer seja a perda repentina de um ente querido, enfrentar uma enfermidade grave inesperada, o seu filho adulto com duas crianças pequenas se

217

26 de Julho

Confiando em Deus Dia a Dia

mudar para a sua casa limpa e tranquila depois de você ter o "ninho vazio" por anos, fazer uma dieta rígida porque a sua vida depende disso, seguir um orçamento rígido para evitar perder o financiamento da sua casa, ou ter de cuidar repentinamente de um pai ou mãe idoso deficiente — a maioria das pessoas tem algum tipo de circunstância que realmente parece impossível, algo com o qual elas não têm certeza de que podem lidar.

O X da questão é que, embora algumas situações possam ser intensamente indesejáveis ou difíceis, você *pode* fazer tudo o que precisa fazer na vida. Sei disso porque Deus nos diz na Sua Palavra que temos a força para fazer todas as coisas, porque Cristo nos capacita a fazer isso. Ele não diz que tudo será fácil para nós, Ele não promete que gostaremos de cada pequena coisa que façamos, mas podemos desfrutar a vida enquanto fazemos essas coisas.

Precisamos entender que Filipenses 4:13 não diz que podemos fazer qualquer coisa que quisermos fazer, porque somos fortes o bastante, espertos o bastante ou trabalhadores o bastante. Não, na verdade, essa palavra não deixa espaço para o esforço humano de qualquer espécie. O segredo de ser capaz de fazer o que precisamos fazer é entender que não podemos fazer isso sozinhos; só podemos fazer isso em Cristo.

Confie Nele O que em sua vida você precisa começar a acreditar que pode fazer? Lembre-se de que você pode fazer *todas* as coisas *em Cristo*. Você pode confiar nele para capacitá-lo a fazer qualquer coisa que Ele lhe peça para fazer.

26 de Julho

Cristo É a Sua Força

Como vocês podem falar coisas boas quando são maus (malignos)?
Porque do que transborda (superabunda) no coração a boca fala.
MATEUS 12:34

A Bíblia diz que a boca fala daquilo que o coração está cheio. Podemos aprender muito acerca de nós mesmos ouvindo o que dizemos. Seus pensamentos e palavras refletem a sua completa dependência em Deus, entendendo que as habilidades dele (não as suas) o capacitam a fazer qualquer coisa que você precisa fazer na vida?

Tive de examinar os meus próprios pensamentos e palavras e perguntar a mim mesma se eu retratava uma pessoa que tinha fé em Deus, e encorajo você a fazer o mesmo. Não gostei de todas as minhas respostas, mas o exer-

Confiando em Deus Dia a Dia

27 de Julho

cício do autoexame abriu os meus olhos para entender que eu precisava fazer algumas mudanças. Entender que estamos errados em uma área nunca é um problema. O problema acontece quando nos recusamos a encarar a verdade e continuamos dando desculpas. Esteja disposto a enfrentar qualquer coisa que Deus queira lhe mostrar, e peça a Ele para transformá-lo. Se você está confiando na sua própria força, comece a confiar em Deus. Se está tentando fazer as coisas firmado na sua própria capacidade e tem se frustrado, diga a Deus que você quer que Ele trabalhe através de você e permita que a suficiência dele seja a sua suficiência (ver Filipenses 4:13).

Quando os desafios surgirem, encorajo você a desenvolver o hábito de dizer imediatamente: "Posso fazer tudo o que preciso fazer por meio de Cristo que é a minha força". Lembre-se de que as palavras são receptáculos de poder, e quando você diz a coisa certa, isso lhe ajuda a fazer a coisa certa. Não encha os seus receptáculos (palavras) com coisas que o desqualificam, porque na verdade você é capaz de fazer todas as coisas por meio de Cristo. Deus lhe pedirá para fazer coisas que você nunca seria capaz de fazer em sua própria força, mas Ele lhe dará a força dele para fazê-las.

Ao meditar repetidas vezes no pensamento *Posso fazer tudo o que preciso na vida por meio de Cristo,* você descobrirá que não está sendo mais tão facilmente subjugado pelas situações que surgem. Todas as vezes que você deixa esse pensamento circular pela sua mente ou pronunciá-lo, está desenvolvendo uma mentalidade saudável que o capacita a ser vitorioso.

Confie Nele Com que frequência você diz: "Isto é difícil demais para mim" ou "Eu simplesmente não posso fazer isso"? O que você vai começar a dizer agora para refletir a sua confiança na capacidade de Deus para ajudar você a fazer o que precisa?

27 de Julho

Sim, Você Pode

Ora, que o Deus que dá o poder de tolerância paciente (firmeza) e que supre de encorajamento, conceda que vocês vivam em tal harmonia mútua e em tamanha simpatia uns pelos outros, de acordo com Cristo Jesus, para que juntos vocês possam [unanimemente] com os corações unidos e a uma só voz, louvar e glorificar o Deus e Pai de nosso Senhor Jesus Cristo (o Messias).

ROMANOS 15:5-6

28 de Julho

Confiando em Deus Dia a Dia

Esse versículo diz que Deus nos supre com encorajamento. O encorajamento diz: "Você pode!" Mas talvez você tenha ouvido as palavras "Você não pode" serem repetidas ao longo de sua vida. Muitas pessoas são boas em nos dizer o que não podemos fazer. Outras pessoas podem não estar contra nós, e podem até ter boas intenções, mas elas também não têm tanta certeza de que nós podemos.

Pais, professores, treinadores, amigos, membros da família e líderes de grupos da igreja ou de atividades sociais costumam falhar em perceber o poder que suas palavras exercem sobre a vida dos jovens. Muitas crianças e adolescentes crescem pensando *Não posso*, quando isso não é absolutamente verdade! Não importa quantas vezes você ouviu alguém lhe dizer "Você não pode", quero lhe dizer "Ah, sim, você pode!" Creio que os milagres vêm quando cremos na pequena palavra "pode", que representa a nossa convicção de que podemos fazer tudo o que precisamos fazer por meio de Cristo, que é a nossa força.

Eu acredito em você; Deus acredita em você; e é hora de você acreditar em si mesmo. Hoje é um novo dia! Deixe o passado e todos os seus comentários negativos e desanimadores para trás! As palavras negativas e as palavras que falam de fracasso vêm do inimigo, não de Deus. Portanto, decida-se agora mesmo a não permitir que o poder do "você não pode" o influencie mais.

Deus lhe diz para ter coragem, portanto, lembre-se sempre de que, se você se sentir "desanimado", isso vem do inimigo, e se você se sentir "encorajado", isso vem de Deus. Escolha concordar com Deus e dizer a si mesmo "Eu posso!", e deixe que o poder dos seus pensamentos e palavras positivos supere o poder das palavras negativas que qualquer outra pessoa tenha lhe dito.

Confie Nele Complete esta frase: Sim, eu posso _____. Confie em Deus para lhe dar a força e o encorajamento para perseverar em cada situação.

28 de Julho

Troque os Seus "Eu Não Posso" por "Eu Posso"

Nenhuma tentação lhes sobreveio que não seja comum ao homem. Deus é fiel, e ele não lhes deixará ser tentados além da sua capacidade, mas com a tentação Ele também proverá um meio de escape, para que vocês possam ser capazes de suportá-la.

1 CORÍNTIOS 10:13

Confiando em Deus Dia a Dia   29 de Julho

Você já entrou em uma loja com algum produto para trocar? Talvez fosse uma peça de roupa da qual você decidiu que não gostava, um par de sapatos que eram desconfortáveis ou um aparelho que não fazia o que você esperava. Você entrou na loja com algo que não funcionava para você, trocou-o, e saiu com outra coisa que funcionava. Você teve de trocar o que não era eficiente por outro produto que fosse eficiente.

O mesmo princípio se aplica ao seu pensamento. Se você trocar os seus pensamentos de "Eu não posso" por pensamentos de "Eu posso", verá mudanças notáveis acontecerem. Se você embutir no seu caráter a ideia de que, com a ajuda de Deus, você pode fazer tudo o que precisa fazer na vida, terá mais zelo e entusiasmo para enfrentar cada dia. Descobri que tenho até mais energia física quando penso "Eu posso". Isso me ajuda a não temer nada, porque o temor é um sugador de energia.

Nunca é tarde demais para começar a dizer: "Eu posso". Diga coisas como: "Meu casamento tem problemas, mas ele pode dar certo"; "Minha casa está uma bagunça, mas posso limpá-la para que ela me dê alegria e relaxamento quando eu voltar do trabalho"; "Posso sair das dívidas"; "Vou ter uma casa ou um carro novo"; ou "Estou com alguns problemas agora, mas ainda posso desfrutar a vida".

Alguns dos desafios que você enfrenta podem ser muito difíceis; entretanto, Deus nunca permite que venha mais sobre nós do que podemos suportar. Com cada tentação, Ele sempre produz um escape. Eu desafio e encorajo você agora a acreditar consistentemente que você é capaz de fazer qualquer coisa que surgir no seu caminho, com a ajuda de Deus.

Confie Nele Qual é o "Eu não posso" em sua vida que você precisa trocar por um "Eu posso"? Confie em Deus para não permitir que você seja tentado além da sua capacidade e para sempre lhe dar um escape.

29 de Julho
Enfrente a Vida

Prepare-se; esteja pronto...
EZEQUIEL 38:7

Todos enfrentam desafios na vida. Algumas pessoas são completamente oprimidas pelos seus desafios, ao passo que outras se recusam a desistir. Minha pergunta para você é: você quer ser capaz de enfrentar todos os desafios e superá-los? Nesse caso, prepare-se mentalmente para tudo o que vier.

221

30 de Julho

Confiando em Deus Dia a Dia

De acordo com Colossenses 3:2, a maneira de estar preparado é "foque a sua mente e mantenha-a focada". Não seja apanhado de surpresa e despreparado. Pensar e dizer repetidamente "Posso fazer tudo o que precisar na vida por meio de Cristo" lhe ajudará a focar a sua mente e a mantê-la focada nessa direção, e o preparará para vencer na vida. Lembre-se, onde a mente vai, o homem segue!

Não se permita ter pensamentos do tipo *Não suporto mais problemas!* Ou *Se acontecer mais uma coisa, vai ser a gota d'água!* Ou *Se as coisas não mudarem logo — eu desisto!* Há muitas variedades desse tipo de pensamento — e você pode ter um pensamento favorito ou uma frase desse tipo que costuma usar quando se sente sobrecarregado. Mas você percebe que esses padrões de pensamento na verdade o preparam para ser derrotado, antes mesmo de você se deparar com o problema?

Não há nada de forte, poderoso ou vitorioso em pensar que você vai chegar ao limite ou que vai desistir. Essas são atitudes perdedoras, e não atitudes vencedoras: Não diga coisas como "Sinto que estou ficando louca", ou "Isto vai me matar". Em vez disso, você pode dizer: "Tenho a mente de Cristo", e "Esta prova vai cooperar para o meu bem".

Seja alguém que está preparado mentalmente para qualquer desafio que cruze o seu caminho, e não se permita ser facilmente desanimado e derrotado. Lembre-se sempre de que sem Jesus você nada pode fazer (ver João 15:5), mas que nele você pode fazer tudo o que precisar fazer na vida (ver Filipenses 4:13).

Confie Nele Anime-se! Deus lhe deu tudo o que você precisa para fazer o que Ele o chamou para fazer. Portanto, prepare-se e esteja pronto. Confie em Deus para ajudá-lo a enfrentar qualquer desafio que cruzar o seu caminho.

30 de Julho

Pare de Se Desculpar e Diga: "Eu Posso".

E estou convencido e certo disto, que Aquele que começou a boa obra em vocês continuará até o dia de Jesus Cristo [até a hora da Sua vinda], desenvolvendo [essa boa obra] e aperfeiçoando-a e levando-a à conclusão total em vocês.

FILIPENSES 1:6

Uma das razões pelas quais muitas pessoas não desfrutam a vida, perdem algumas das bênçãos que Deus quer lhes dar ou se sentem mal consigo

Confiando em Deus Dia a Dia   31 de Julho

mesmas, é o fato de elas não terminarem o que começam. Elas nunca provam a alegria de alcançar um objetivo ou de realizar um desejo, porque não prosseguem em meio aos desafios que surgem. A maioria de nós não admitiria "Sou um desistente", porém damos desculpas ou colocamos a culpa do fracasso em alguém ou em alguma coisa.

Cada um de nós tem uma "mala de desculpas". É um pequeno acessório invisível que carregamos conosco o tempo todo. Então, quando alguma coisa difícil acontece que nos desafia ou nos dá mais do que o que queremos suportar, tiramos uma desculpa como esta:

- "Isto é difícil demais."
- "Não tenho tempo suficiente."
- "Eu não havia planejado isto hoje."
- "Tenho muitos problemas pessoais e há muita coisa acontecendo em minha vida agora."
- "Eu nunca fiz isso. Nem conheço ninguém que já tenha feito isso."
- "Não tenho ninguém para me ajudar."

Incentivo você a jogar fora a sua mala de desculpas! Não fique limitado por elas. Troque-as por uma atitude confiante que diz: "Posso fazer o que Deus me chamou para fazer". Toda vez que você sentir vontade de dar uma desculpa, diga: "Eu posso fazer isso".

Pare de ser limitado por todas as suas fraquezas, porque a força de Deus se aperfeiçoa nelas. É pelas nossas fraquezas que Deus mostra a Sua força. Deus, na verdade, escolhe deliberadamente pessoas que não têm capacidade alguma de fazer o que Ele está lhes pedindo para fazer, exceto se permitirem que Ele o faça por meio delas. Você não precisa de capacidade; você precisa estar disponível para Deus e ter uma atitude que diz "eu posso".

Confie Nele Que desculpa você mais usa? Você vai decidir hoje parar de dar desculpas e começar a confiar em Deus para lhe dar a força para fazer o que é preciso?

31 de Julho

Faça Tudo o Que Puder Para Ajudar os Outros

Que cada um de vocês estime, considere e se preocupe não [meramente] com os seus interesses, mas também cada um com os interesses dos outros.

FILIPENSES 2:4

Uma amiga minha mora em uma cidade grande, onde os desabrigados são um enorme problema. Em uma noite de inverno, ela estava voltando do trabalho para casa e passou por um homem pedindo dinheiro. Estava frio e escuro, ela tivera um dia cansativo e estava ansiosa para chegar em casa. Não querendo tirar a carteira da bolsa em uma situação nada segura, ela enfiou a mão na bolsa procurando algum trocado.

Enquanto os seus dedos procuraram em vão, o homem começou a contar que seu casaco fora furtado no abrigo para pessoas sem-teto onde ele ficara na noite anterior, e descreveu alguns outros problemas que estava tendo. Ainda tentando conseguir algumas moedas, ela sacudia a cabeça nos momentos certos e dizia "que pena" de vez em quando. Quando finalmente encontrou o dinheiro, ela o deixou cair na caneca do homem. Ele sorriu e disse: "Obrigado por conversar comigo".

Minha amiga disse que percebeu naquela noite que os 50 centavos que ela deu a ele foram valorizados, mas o que mais significou para o homem foi o fato de que alguém havia ouvido o que ele dizia e respondido.

Há uma equipe de pessoas que tenta ajudar os moradores de rua que vivem em túneis, debaixo das pontes localizadas no centro da cidade de St. Louis. Eles descobriram que cada uma dessas pessoas teve uma vida antes dos túneis e que todas elas têm uma história. Algo trágico aconteceu com elas, que resultou no fato de estarem nas circunstâncias atuais. Elas gostam dos sanduíches e das caronas até a igreja, onde podem tomar banho e receber roupas limpas, mas em sua maior parte gostam do fato de que alguém se importa o suficiente para realmente conversar com elas por tempo bastante para descobrir quem elas são e o que aconteceu com elas.

Deixe-me encorajar você a fazer tudo o que puder para ajudar outros. Se eles simplesmente precisarem que você esteja ali, dedique tempo para isso. Pergunte a Deus o que Ele quer que você faça — e Ele responderá à sua oração, para que você possa fazer isso.

Confie Nele Quando foi a última vez que você dedicou tempo para realmente ouvir alguém? Confie em Deus para revelar o que Ele quer que você faça pelos outros.

1.º de Agosto
Você Não Pode Ter Paz Sem Confiança

A paz lhes deixo; a Minha [própria] paz Eu agora dou e concedo a vocês. Não como o mundo a dá, Eu a dou a vocês. Não permitam

Confiando em Deus Dia a Dia   2 de Agosto

que os seus corações se perturbem, nem tenham medo. [Parem de se permitir ficar agitados e perturbados; e não se permitam ficar temerosos, intimidado, acovardados e agitados].

JOÃO 14:27

Jesus fez essa declaração depois da Sua morte e ressurreição, antes da Sua ascensão ao céu. Há muitas coisas que Ele poderia ter ensinado aos Seus discípulos, mas Jesus escolheu falar a respeito da paz. Esse único fato me lembra do quanto a paz é importante.

Algumas pessoas não têm paz com Deus porque não nasceram de novo e ainda precisam confiar em Jesus Cristo como seu Salvador. Mas até alguns cristãos ainda não desfrutam uma paz consistente porque simplesmente não responderam à direção do Espírito Santo e se desviaram, seguindo a desobediência prolongada, os maus hábitos e a preocupação constante. Talvez eles tenham orado por alguma coisa, e ela não aconteceu. Talvez outra pessoa tenha recebido o que eles queriam. Talvez alguém a quem eles amavam tenha morrido, e eles não entendem por quê.

Às vezes, nós causamos a nossa própria infelicidade porque não *confiamos* o bastante. Queremos sempre que Deus mude as circunstâncias que nos afligem, mas Ele está mais interessado em *nos* transformar do que em transformar a nossa situação. Muitas pessoas têm fé para pedir a Deus que as *livre de* alguma coisa, mas não têm fé suficiente para levá-las a *atravessar* coisa alguma. Jó disse: "Ainda que Ele me mate, nele confiarei" (ver Jó 13:15).

Há muitos, muitos motivos pelos quais as pessoas não confiam em Deus, mas para desfrutar da paz, precisamos aprender a confiar nele em todas as coisas. Sei que isso nem sempre é fácil, mas podemos fazer isso. Precisamos confiar que Deus é total e completamente justo, o que significa que Ele sempre corrigirá as situações se continuarmos a depender dele. Deus é perfeito; Ele nunca faz nada errado. Ele é digno da nossa confiança.

Confie Nele Se você está pedindo a Deus alguma coisa e não a recebe, quero encorajá-lo a acreditar que Deus sabe mais do que você. Confie em Deus em todas as coisas para poder desfrutar a paz.

2 de Agosto
Siga a Paz

E que a paz (a harmonia de alma que vem) de Cristo governe (atue como árbitro continuamente) em seus corações [decidindo e

3 de Agosto
Confiando em Deus Dia a Dia

definindo com determinação todas as questões que surgirem na sua mente, naquele estado pacífico] ao qual como [membros do] corpo [de Cristo] vocês também foram chamados [a viver]. E sejam gratos (reconheçam), [dando sempre louvor a Deus].

COLOSSENSES 3:15

O texto bíblico citado diz que devemos deixar a paz de Cristo "governar (atuar como árbitro continuamente)" em nossos corações. A presença da paz nos ajuda a decidir e a definir com determinação todas as questões que surgirem em nossa mente. Se você permitir que a Palavra faça habitação em seu coração e em sua mente, ela lhe dará percepção, inteligência *e* sabedoria (ver v. 16). Você não terá de se perguntar "Devo ou não devo? Não sei se isto é certo. Não sei o que fazer". Se você é um discípulo de Cristo, Ele o chamou para seguir a paz.

Meu marido Dave e eu estávamos tentando tomar uma decisão a respeito de uma compra grande que precisávamos fazer. Chamamos alguns dos membros da nossa diretoria no ministério e apresentamos a necessidade a eles, perguntando: "O que vocês acham?" Todos deram a sua opinião, mas enquanto eu os ouvia, de repente eu soube que não sentia paz quanto a prosseguir com o plano. Aprendemos pela experiência a esperar se não sentimos paz com relação a alguma decisão. Dave e eu concordamos em esperar em Deus para que Ele nos desse toda a paz antes de prosseguirmos.

Seguir o Senhor da paz pode significar que você tenha de fazer alguns ajustes em sua vida. Talvez você não seja capaz de fazer tudo que os seus amigos fazem. Talvez você não possa comprar tudo o que quer. Talvez você não possa ter alguma coisa só porque um amigo, ou uma irmã ou um irmão a possui. Talvez você tenha de esperar. Se seguirmos a paz, acabaremos vivendo uma vida santa e desfrutando-a completamente.

Confie Nele Se você está tentando tomar uma decisão, escolha seguir a paz. Siga em frente, se você sente paz, e espere, se não sentir.

3 de Agosto
Aprenda a Manter a Sua Paz

...aprendi a estar contente (satisfeito a ponto de não me perturbar ou inquietar) em qualquer situação.

FILIPENSES 4:11

Confiando em Deus Dia a Dia

3 de Agosto

Satanás tenta causar problemas praticamente em todas as áreas das nossas vidas. Ele não ataca todas as áreas de uma vez, mas com o tempo acaba tentando atingir todas elas. Ele gera inconveniências de todo tipo, fazendo parecer que a coisa certa nunca acontece na hora certa. Os problemas nunca vêm quando estamos prontos para lidar com eles. Ele pode atacar as pessoas em suas finanças, em seus relacionamentos, em sua saúde física, em sua mente, em suas emoções, em seus empregos, em sua vizinhança ou em seus projetos.

Recentemente convidamos quatro homens diferentes de quatro partes distintas do país para o nosso programa de televisão. Esses homens estavam envolvidos na restauração da moralidade nos Estados Unidos. Todos eles estavam orando por um avivamento. Dave e eu também estamos muito interessados nisso, razão pela qual queríamos impactar a nação com uma programação especial nesse sentido.

Dois dos quatro convidados tiveram atrasos importantes em seus voos: o voo de um deles foi cancelado, e ele chegou muito atrasado, e o avião de outro ficou parado na pista de decolagem por duas horas e meia, sem nenhuma explicação da companhia aérea, exceto o fato de que estava chovendo. O que Satanás estava tentando fazer? Ele não queria que esses homens viessem, mas já que eles estavam vindo, ele queria que eles estivessem irritados quando chegassem.

O fato de dois dos quatro convidados terem esse tipo de problema é mais do que coincidência. Satanás arma ciladas para nos deixar irritados! Ele quer roubar a nossa paz, porque o nosso poder está ligado a ela. Aprendi que o meu ministério não tem muito efeito se eu não estiver ministrando com o coração em paz, por isso me esforço para permanecer em paz em todo o tempo. Satanás tenta roubar a minha paz, e com a ajuda de Deus, tento mantê-la.

Paulo disse que ele havia aprendido a estar contente (satisfeito a ponto de não se inquietar ou perturbar). Parece-me que ele sempre mantinha a sua paz, independentemente do que estivesse acontecendo em sua vida. Esse é um exemplo que devemos procurar seguir.

Confie Nele Com que frequência você deixa Satanás roubar a sua paz? Independentemente das suas circunstâncias, confie em Deus para ajudá-lo a manter a sua paz.

4 de Agosto

Escolha a Paz e a Alegria em Vez do Temor

Então Eu lhes disse: Não se espantem, nem os temam.
DEUTERONÔMIO 1:29

Provavelmente uma das melhores maneiras de demonstrarmos a nossa confiança em Deus é vivendo a vida um dia de cada vez. Provamos a nossa confiança nele desfrutando o hoje e não permitindo que a preocupação com o amanhã interfira. Quando comecei a adquirir a percepção do Espírito Santo a respeito do problema do temor, isso fez uma grande mudança em minha vida. A verdade a respeito de viver um dia de cada vez aumentou grandemente a minha paz e alegria, e ela fará o mesmo por você.

Aprendi que, na verdade, não era o evento que eu estava enfrentando que era tão ruim — era o pavor que eu sentia que o tornava tão apavorante. As nossas atitudes fazem toda a diferença do mundo. Aprenda a encarar a vida com uma atitude de "Posso fazer tudo o que preciso fazer por meio de Cristo". Não diga que você detesta coisas como dirigir para o trabalho no trânsito, ir ao mercado, limpar a casa, colocar a roupa para lavar, trocar o óleo do carro ou cortar a grama. Essas tarefas fazem parte da vida, e é inútil detestá-las.

Não permita que os eventos da vida ditem o nível da sua alegria. É a alegria do Senhor que é a sua força. Fique alegre porque você vai para o céu; seja grato porque você tem alguém que sempre o ama, aconteça o que acontecer. Olhe para o que você *tem* e concentre-se nisso, e não no que você *não tem*.

Todos precisam cuidar de alguns detalhes desagradáveis na vida. Não tenha pavor deles, mas aprenda o quanto a paz de Deus é valiosa nessas circunstâncias.

Algumas coisas com certeza são mais agradáveis naturalmente e mais fáceis de fazer que outras, mas isso não significa que não podemos escolher deliberadamente desfrutar as outras tarefas menos agradáveis. Podemos escolher ter atitudes de alegria e paz. Geralmente, se não sentimos vontade de fazer alguma coisa, presumimos automaticamente que não podemos gostar dela ou ter paz durante esse tempo, mas isso é um engano. Crescemos espiritualmente quando fazemos coisas difíceis com uma atitude positiva.

Confie Nele Temer as coisas não glorifica a Deus. Mostre a sua confiança nele encarando cada dia com uma atitude positiva.

5 de Agosto

Bendiga ao Senhor em Todo o Tempo

Bendirei ao Senhor em todo o tempo; o Seu louvor estará continuamente em meus lábios.

SALMOS 34:1

Às vezes, parece que o mundo inteiro vive com medo e pavor, mas os filhos de Deus não devem fazer o mesmo. Devemos nos comportar de modo diferente das pessoas do mundo; devemos deixar a nossa luz brilhar. O simples fato de ser positivos em uma circunstância negativa é uma maneira de fazer isso. O mundo perceberá quando formos estáveis em todo tipo de situação. Decida-se agora mesmo que tudo na vida não precisa fazer você se sentir bem para que você a enfrente com paz e alegria. Tome a decisão de que você não vai temer nada que precise fazer. Faça tudo com uma atitude de gratidão.

Nunca considerei o ato de descer a rua de carro para tomar uma xícara de café um grande privilégio, até ser hospitalizada com câncer de mama e passar por uma cirurgia. Quando tive alta, pedi a meu marido para me levar para tomar um café e dar uma volta de carro por um parque local. Foi incrível a alegria que senti. Eu estava fazendo algo muito simples que antes podia fazer todos os dias, mas nunca havia visto como um privilégio.

Nosso filho participou de uma campanha comunitária com uma equipe de pessoas que visitam desabrigados todas as sextas-feiras à noite, e depois de ajudar nesse ministério, ele ficou impressionado consigo mesmo por causa das coisas das quais murmurou no passado, quando viu a forma como algumas pessoas estavam vivendo e se comparou com elas. Todos nós sentiríamos exatamente o mesmo. Aqueles que não têm um lugar para viver adorariam ter uma casa para limpar, enquanto nós detestamos limpar a nossa. Eles teriam prazer em ter um carro para dirigir, ainda que fosse velho, ao passo que nós reclamamos por precisar lavar o nosso carro ou levá-lo para uma troca de óleo.

O ponto é que na maior parte do tempo perdemos de vista o quanto somos abençoados, mas devemos nos esforçar para manter isso diante dos nossos pensamentos. Seja grato porque você pode fazer qualquer coisa em Cristo, e não deteste aquilo que você precisa fazer.

Confie Nele Quais são as suas razões para ser grato? Se a sua confiança está nele, você pode enfrentar qualquer coisa com paz, alegria e gratidão em seu coração.

Encare a Vida com Ousadia e Coragem

Então você prosperará, se tomar o cuidado de guardar e cumprir os estatutos e ordenanças que o Senhor encarregou a Moisés com relação a Israel. Seja forte e corajoso. Não tema nem tenha pavor.

1 CRÔNICAS 22:13

Recentemente um grupo de pastores me fez uma pergunta: além do próprio Deus, o que havia me ajudado a avançar de onde comecei no ministério para o nível de sucesso que desfruto atualmente? Eu disse imediatamente: "Eu me recusei a desistir!" Houve milhares de vezes em que senti vontade de desistir, pensei em desistir, e até fui tentada a desistir, mas eu sempre prossegui.

Não permita que a vida derrote você. Encare-a com ousadia e coragem, e declare que você desfrutará cada aspecto dela. Você pode fazer isso porque tem o incrível poder de Deus habitando em seu interior. Deus nunca fica frustrado e infeliz. Ele sempre tem paz e alegria, e como Ele vive em nós e nós vivemos nele, com certeza podemos alcançar o mesmo.

Quando você está com dor, não precisa ficar focado na dor e deixar que ela estrague o seu dia. Você ainda pode fazer o que precisa fazer com a graça de Deus, sem precisar temer sentir o mesmo amanhã. Muitas vezes ministrei a outras pessoas enquanto eu estava sentindo dor. Seja o que for que estejamos passando, Deus sempre estará conosco. Escolha acreditar que Jesus é Aquele que o cura e que o Seu poder de cura está operando no seu corpo agora!

Quando é tentado a se preocupar, Dave sempre diz: "Não estou impressionado". Ele acredita que deveríamos estar mais impressionados com a Palavra de Deus do que com os nossos problemas. Ele diz que se não ficarmos **impressionados**, não ficaremos **deprimidos**, e depois **oprimidos**, e finalmente talvez até **possuídos** pelas nossas dificuldades.

Não importa o que você esteja enfrentando agora, Deus tem uma vida incrível planejada para você. Ela inclui prosperidade e progresso em todas as áreas da vida. Também inclui grande paz, alegria indizível, e todas as coisas boas que você puder imaginar. Recuse-se a se contentar com qualquer coisa menos que o melhor de Deus para você!

Confie Nele Confiar em Deus significa acreditar que Ele vive em você, e que tudo o que é dele é seu. Seja forte e corajoso e nunca desista, e você terá tudo o que Ele quer que você tenha na vida.

Confiando em Deus Dia a Dia   7 de Agosto

7 de Agosto

Uma Maneira Melhor de Viver

Mas o homem natural, não espiritual, não aceita nem recebe
ou admite em seu coração os dons, ensinamentos e revelações
do Espírito de Deus, pois eles são loucura (coisas sem sentido)
para ele...

1 CORÍNTIOS 2:14

Certa vez, um homem para quem eu trabalhava me ajudou a fazer o meu imposto de renda. Quando ele observou que dávamos 10% da nossa renda à igreja todos os anos, ele me disse de imediato que estávamos dando demais, que isso não era necessário, e que deveríamos parar. Ele estava olhando para as nossas ofertas do ponto de vista natural, e não via razão pela qual poderíamos querer fazer tal coisa. Nós, porém, víamos as ofertas de acordo com o nosso conhecimento da Palavra de Deus. Entendíamos espiritualmente o que estávamos fazendo e acreditávamos que, se déssemos, Deus sempre cuidaria de nós.

Tentei explicar a ele os princípios de Deus da semeadura e da colheita, mas ele insistiu que mesmo se quiséssemos dar, não precisava ser tanto, principalmente porque não nos restava muito depois de ofertar à igreja e pagar as nossas contas. Esse é um exemplo de um homem natural que não entende o homem espiritual. 1 Coríntios 2:14 explica que o homem natural não pode entender as coisas espirituais, porque elas devem se discernir espiritualmente. Isso significa simplesmente que as coisas espirituais acontecem no espírito nascido de novo do homem interior, e não na mente natural.

Esse é o motivo pelo qual as pessoas que dependem do seu intelecto têm dificuldade em crer em Deus. Elas não o veem, não o sentem, e muitos dos Seus princípios não fazem sentido para a mente natural delas. Naturalmente falando, que sentido faz dizer às pessoas que elas receberão mais se derem uma parte do seu dinheiro? Não faz sentido algum.

A Bíblia diz que os primeiros serão os últimos, e os últimos serão os primeiros. Isso não faz sentido para a minha mente, mas sei pelo entendimento espiritual que significa que quando tentamos nos colocar na frente, no primeiro lugar, acabamos no último. Mas quando esperamos em Deus para nos promover, ainda que comecemos por último, acabaremos onde deveríamos estar.

231

8 de Agosto — Confiando em Deus Dia a Dia

Confie Nele Como crente em Jesus Cristo, cheio do Seu Espírito, você pode tomar decisões corajosamente, porque pode confiar no que está em seu coração. Seja grato pelo discernimento e pelo entendimento espiritual que vêm da confiança em Deus.

8 de Agosto
Permaneça em Cristo

Assim como nenhum ramo pode dar fruto de si mesmo sem permanecer na videira (estando vitalmente unido a ela), vocês também não podem dar fruto se não permanecerem em Mim.

JOÃO 15:4

Toda vez que volto para casa depois de ministrar em conferências, renovo minhas forças permanecendo em Jesus. Oro, medito na Sua Palavra, e passo tempo com Ele. Digo: "Obrigada, Senhor, por me fortalecer e me reabastecer. Preciso de Ti, Jesus. Não posso fazer nada sem Ti".

Sei que preciso permanecer nele se eu quiser dar bons frutos. Permanecer nele reabastece a energia que uso nas minhas conferências. Durante muitos anos eu ministrava nas conferências, voltava para casa e ia direto para o escritório ou saía para outra viagem, sem passar o tempo que precisava com o Senhor. Quando eu fazia isso, geralmente acabava esgotada, deprimida, chorando e querendo desistir.

Se dirigirmos o nosso carro sem encher o tanque, em algum momento ficaremos sem gasolina e ele irá parar. Como pessoas, podemos passar pelo mesmo processo. Iremos quebrar mentalmente, fisicamente, emocionalmente e espiritualmente se não permanecermos cheios de Jesus.

Dave e eu desenvolvemos o hábito de passar tempo todas as manhãs com o Senhor orando, lendo, meditando, refletindo, escrevendo, descansando, confiando e permanecendo nele. Às vezes, as pessoas vêm até nós para "colher" alguma coisa, e quando elas fazem isso, queremos que elas colham bons frutos. Quando chega a hora de enfrentar a minha família ou as minhas responsabilidades no trabalho, estou cheia de bons frutos, caso alguém tenha uma necessidade. Encorajo você a desenvolver o que gosto de chamar de o "Hábito de Deus". Faça do tempo com Ele a sua prioridade, acima de qualquer outra coisa, e tudo o mais se encaixará no lugar e funcionará muito melhor.

Jesus disse que se permanecermos nele, Ele permanecerá em nós. Se vivermos nele, Ele viverá em nós. Ele disse que não podemos dar fruto sem

Confiando em Deus Dia a Dia   9 de Agosto

permanecer nele. Mas se *vivermos* — o que implica permanecer diariamente — nele *daremos fruto com abundância* (ver João 15:4-5). Quer seja ensinando ou qualquer outra coisa que faço na vida, aprendi por experiência
que preciso dele e não posso fazer nada de real valor sem Ele.

Confie Nele Você precisa passar mais tempo permanecendo em
Cristo? Quanto mais você relaxar e confiar nele, mais está permanecendo nele.

9 de Agosto
Relaxe no Poder de Preservação de Deus

Pois Ele dará ordens [especiais] aos Seus anjos para os acompa-
nharem, defenderem e preservarem em todos os seus caminhos [de
obediência e serviço].

SALMOS 91:11

Uma mulher que trabalha para mim diz que ela não tem um "grande"
testemunho. Ela simplesmente cresceu na igreja, amando a Deus. Depois se
casou, foi cheia com o Espírito Santo, e depois veio trabalhar para nós. Por
meio do nosso ministério, ela foi tocada pelos testemunhos de viciados e
de pessoas que sofreram abuso. Um dia ela perguntou a Deus: "Senhor, por
que eu não tenho um testemunho?" Ele disse: "Você tem um testemunho.
Seu testemunho é que Eu a preservei de tudo isso". Deus a havia preserva-
do da dor que resulta de estar separada dele.

O poder de preservação de Deus é um grande testemunho! Algumas
pessoas são impedidas de passar por coisas trágicas. Algumas pessoas são
guardadas enquanto passam por coisas trágicas. O plano dele para cada um
de nós é perfeito, e podemos confiar no Seu poder preservador!

O Salmo 91 ensina que Ele dará ordens aos Seus anjos a nosso respeito, e que eles nos protegerão e defenderão. É verdade que algumas coisas
acontecem em nossas vidas das quais não gostamos, mas de quantas coisas
Deus nos guardou sem que nunca soubéssemos que Satanás havia planejado contra nós? Precisamos agradecer a Deus pelo Seu poder preservador.
Podemos relaxar, sabendo que Ele é quem nos guarda.

Não sei como fiz o que fiz nesses últimos anos. Olho para trás, para os
meus calendários e vejo o quanto trabalhei. Leio alguns dos meus diários
de oração e me lembro de algumas das coisas que passei com pessoas, e da
dor que senti. Penso: *Como passei por isso?* Mas Deus me sustentou. Ele

10 de Agosto

Confiando em Deus Dia a Dia

me fortaleceu. Ele me guardou. E posso ver agora que eu me preocupei com muitas coisas com as quais não tinha de me preocupar, porque elas acabaram bem de qualquer maneira. Deus fará o mesmo por você à medida que você confiar nele.

Deus tem um plano e Ele está colocando esse plano em ação. Podemos confiar nisso e relaxar. O Salmo 145:14 diz: "O Senhor sustenta todos aqueles [dos Seus] que estão caindo e levanta todos os que estão prostrados".

Confie Nele A Bíblia diz que Deus nunca dorme nem tosqueneja. Quando você vai dormir à noite, Ele fica acordado e cuida de você. Relaxe e confie nele para fortalecê-lo e guardá-lo por todos os dias da sua vida.

10 de Agosto
Boa Atitude, Boa Vida

...que não haja contenda, eu lhe peço, entre você e eu, ou entre os seus pastores e os meus pastores.

GÊNESIS 13:8

Gênesis 12 relata a aliança de paz que Deus fez com Abraão e seus herdeiros. Abraão ficou extremamente rico e poderoso porque Deus o abençoou. Deus o escolheu para ser o homem por meio de quem Ele abençoaria todas as nações da terra.

Acho interessante que exatamente no capítulo seguinte, Gênesis 13, houve contenda entre os pastores de Ló e os que pastoreavam o gado de Abraão (ver v. 7). A contenda é o extremo oposto da paz. Deus deu paz a Abraão, e Satanás foi imediatamente atiçar a contenda. Deus quis abençoar Abraão, e Satanás quis roubar a bênção.

Às vezes, a abundância de Deus pode causar problemas que levam à contenda. Ele havia abençoado Abraão e Ló com tantos bens e tanto gado que a terra não podia mais alimentar e sustentar a ambos. A Bíblia diz que Abraão foi até Ló e disse: "Que não haja contenda, eu lhe peço, entre você e eu, ou entre os seus pastores e os meus pastores". Ele disse a Ló que eles teriam de se separar, de modo que Ló deveria escolher a terra que ele queria, e Abraão ficaria com o que restasse. Abraão adotou uma posição de humildade para evitar contenda, sabendo que se ele fizesse o que era certo, Deus sempre o abençoaria. Mas Ló, que não teria tido nada se Abraão não tivesse dado a ele, escolheu a melhor parte: o vale do Jordão. Abraão não

Confiando em Deus Dia a Dia   11 de Agosto

disse nada; ele simplesmente ficou com a terra que restava. Ele sabia que
Deus o abençoaria se ele permanecesse em paz.

Deus levou Abraão ao alto de um monte e disse: "Agora, olhe para o norte, para o sul, para o leste e para o oeste — e tudo que você vê, Eu o darei
a você" (ver vv. 14-15). Que grande negócio! Deus honrou a humildade de
Abraão e o abençoou abundantemente com uma terra frutífera.

Creio que Deus tem um bom plano para todos nós, mas as atitudes de
orgulho podem nos impedir de ter tudo o que Deus quer que tenhamos.
Uma atitude negativa é uma das coisas mais importantes que podemos
trabalhar com Deus para vencer.

Confie Nele Confie nas promessas de Deus para a sua vida, e saiba
que a maneira de agradar a Deus é se humilhando e evitando a contenda.

11 de Agosto

Desfrute a Graça de Deus Enquanto Você Espera

*...a Minha graça (o Meu favor, bondade e misericórdia) é o bastante para você [suficiente contra qualquer perigo e o capacita a
suportar os problemas bravamente]; porque a Minha força e poder
se aperfeiçoam (são realizados e completados) e se mostram mais
eficazes na [sua] fraqueza.*

2 CORÍNTIOS 12:9

As obras da carne são tentativas de realizar por meio da sua própria energia coisas que são trabalho de Deus. Ficamos frustrados quando tentamos
alcançar pelas obras uma vida que Deus não apenas trouxe à existência, mas
planejou que fosse recebida pela graça. A graça é o poder de Deus para suprir
as nossas necessidades e resolver os nossos problemas (ver Tiago 4:6).

Eu estava vivendo uma vida frustrada, complicada e sem alegria há muitos anos, antes de começar a buscar a Deus seriamente para ter respostas
para o meu problema de falta de paz e alegria. Quando eu tinha um problema ou uma necessidade, tentava ajudar a mim mesma a resolver as coisas
do meu modo, o que nunca produzia nenhum bom resultado. A Palavra de
Deus e a minha experiência pessoal me ensinaram que a maneira de evitar
a frustração das obras da carne é pedir ajuda a Deus. Às vezes, todos nós
somos culpados de tentar lidar com as circunstâncias por nós mesmos, em
vez de confiar em Deus para cuidar delas para nós. Não é sinal de fraqueza

admitir que não podemos ajudar a nós mesmos — é simplesmente a verdade. Jesus disse: "Sem Mim, [separados da união vital comigo] vocês não podem fazer nada" (João 15:5).

Você pode estar frustrado, com dificuldades e infeliz, simplesmente porque está tentando consertar uma coisa acerca da qual não pode fazer nada. Talvez você esteja em uma situação em sua vida que não desejou, e está tentando se livrar dela. Talvez haja alguma coisa que você queira e está tentando muito conseguir, mas nada do que você faz funciona, e isso está frustrando você. Em todo caso, a única coisa que você pode fazer é abandonar as suas próprias obras e confiar em Deus. Enquanto você está esperando que Ele cuide da situação, encorajo-o a aproveitar o tempo da espera.

Quando você parar e considerar todas as maneiras como Deus o abençoou por meio da Sua generosa graça, em vez de ficar frustrado, você ficará cheio de gratidão.

Confie Nele Confiar em Deus para fazer o que só Ele pode fazer sempre leva à alegria, porque "o que é impossível ao homem é possível para Deus" (Lucas 18:27).

12 de Agosto

Só Deus Pode nos Transformar — e Isso É Bom!

E Jesus disse [você Me diz]: se posso fazer alguma coisa? [Ora], tudo pode ser (é possível) àquele que crê!

MARCOS 9:23

Suponhamos que você sinta que não pode esperar para se casar, então você decide encontrar a pessoa perfeita por conta própria, da sua maneira, em vez de esperar em Deus para resolver isso para você. Seria um erro terrível ficar tão desesperado a ponto de se contentar com alguém que não é a pessoa certa para você. Seria muito melhor esperar até que Deus lhe traga uma conexão divina. É sempre melhor não fazer nada que você não sinta a paz de Deus no seu coração para fazer.

Talvez você seja casado e esteja pensando: *quero que o meu cônjuge mude. Não consigo mais suportá-lo.* Você não pode mudar o seu cônjuge; só Deus pode. Mas Deus não se move na sua vida quando você luta e tenta tomar as coisas nas suas próprias mãos. Ele se move quando você confia nele. Portanto, sugiro que você ore, lance as suas ansiedades sobre o Senhor, tire as mãos da situação, confie em Deus, siga em frente e desfrute a sua vida.

Confiando em Deus Dia a Dia

13 de Agosto

Talvez não seja uma situação conjugal que você quer ver transformada. Talvez você queira que os seus filhos mudem, ou quer mais dinheiro, ou um emprego diferente. Todos nós temos alguma coisa acontecendo em nossas vidas que gostaríamos de ver mudar para melhor. Desejar mudar é simplesmente parte da vida. Portanto, se você quer uma vida agradável, mais cedo ou mais tarde precisará aprender a deixar de tentar fazer as coisas acontecerem por si mesmo.

Por inúmeras vezes tive dificuldades enquanto tentava mudar o meu marido, tentava mudar os meus filhos, tentava mudar a mim mesma. No entanto, eu falhava todas as vezes. Provavelmente tinha mais dificuldades em mudar a mim mesma do que qualquer coisa ou qualquer pessoa. A verdade é que você não pode realmente mudar a si mesmo. Você só pode dizer a Deus que deseja mudar e que está disposto a isso. Não pode fazer nada além de abrir a sua vida escancarando-a para Ele todos os dias, orando e estudando a Sua Palavra, e deixando o resto com Ele. O esforço que fazemos deveria ser feito "em Cristo", dependendo dele, e não da carne (a nossa própria força, separados de Deus).

Confie Nele Você pode viver tentando cuidar de si mesmo, ou pode viver confiando em Deus. Você pode tentar fazer as coisas acontecerem, ou pode acreditar em Deus para fazer as coisas acontecerem. A escolha é sua.

13 de Agosto

Obras que Não Funcionam

O meu povo cometeu dois males: eles abandonaram a Mim, a Fonte de águas vivas, e cavaram para si mesmos cisternas, cisternas rotas, que não retêm as águas.

JEREMIAS 2:13

A Bíblia ensina que o povo de Deus cavou poços para si que não podiam reter as águas. Sei como é trabalhar duro sem resultados. Passei muitos anos da minha vida cavando poços vazios como esses, e posso lhe dizer que isso realmente deixa qualquer um esgotado.

Talvez você esteja cavando um poço vazio agora mesmo. Pode estar trabalhando em algum sonho, ou em alguém. Você pode ter o seu próprio projeto em andamento. Talvez esteja seguindo o seu próprio plano, tentando fazer as coisas acontecerem na sua própria força ou capacidade. Nesse caso,

237

14 de Agosto

Confiando em Deus Dia a Dia

seu plano não vai funcionar se você deixou Deus de fora dele. Muitas vezes fazemos um plano e depois oramos para que ele dê certo. Deus quer que oremos antes e peçamos a Ele que nos dê o plano dele. Depois que tivermos o plano de Deus, então Ele quer que confiemos nele para executá-lo, na medida em que seguimos a Sua direção e trabalhamos em parceria com Ele.

Nossa atividade originada na carne impede Deus de se mostrar forte em nossas vidas. A Bíblia descreve esse tipo de atividade como "obras da carne" (ver Gálatas 5:19-21). Eu as chamo de "obras que não funcionam". Essa não é a maneira de viver a vida que Deus preparou para nós.

Confie Nele Quando esperamos em Deus e confiamos nele, Ele faz acontecer de acordo com a Sua vontade aquilo em que estamos acreditando — não importa quanto tempo demore.

14 de Agosto
O Amor Encontra um Jeito

[O amor] não se alegra com a injustiça, mas se alegra quando a retidão e a verdade prevalecem.

1 CORÍNTIOS 13:6

Você acredita que alguma coisa deveria ser feita com relação às crianças que passam fome? Alguém deveria ajudar as mais de um milhão de pessoas que não têm água potável para beber? As pessoas deveriam morar nas ruas e debaixo das pontes? Uma família com quem você frequentou a igreja durante vários anos deveria passar por uma tragédia, e nem sequer receber um telefonema de alguém preocupado em descobrir por que eles não têm ido à igreja há três meses? Se uma igreja ou outra denominação da sua cidade sofre um incêndio, é adequado apenas orar e não fazer nada de prático para ajudar? Você acredita que alguém deveria fazer alguma coisa acerca das injustiças?

Acho que você concordaria que a resposta para todas as perguntas é "Não!" Então tenho uma última pergunta: o que *você* vai fazer? Você vai ser o "alguém" que faz o que precisa ser feito? Sempre conseguiremos encontrar uma desculpa para a razão pela qual não fazemos nada acerca desses problemas. Mas, no fim, a indiferença dá uma desculpa, mas o amor encontra um jeito.

Quando eu pergunto o que você vai fazer, você sente medo porque se pergunta o que será necessário para "fazer alguma coisa"? Entendo esse tipo

Confiando em Deus Dia a Dia   15 de Agosto

de sentimento de pânico. Afinal, se eu realmente decidir me esquecer de mim mesma e começar a tentar ajudar os outros com determinação, o que vai acontecer comigo? Quem vai cuidar de mim se eu não cuidar de mim mesma? Deus disse que Ele faria isso, então acho que deveríamos descobrir se Ele realmente estava falando sério. Por que não se aposentar dos "cuidados consigo mesmo", e ver se Deus pode fazer um trabalho melhor do que você tem feito?

Se cuidarmos dos negócios dele, que é ajudar as pessoas que estão sofrendo, creio que Ele cuidará dos nossos.

Confie Nele Você confia em Deus para cuidar de você? Então pense em uma maneira de demonstrar essa confiança ajudando amorosamente alguém necessitado. Ao fazer isso, você experimentará mais do amor de Deus por você.

15 de Agosto
"Deus, Esta Não é Uma Boa Hora!"

...Félix ficou alarmado e aterrorizado e disse: vá embora por enquanto; quando eu tiver uma oportunidade conveniente, mandarei chamá-lo.

ATOS 24:25

A Bíblia conta a história de um homem que não seguiu a Deus, porque fazer isso teria sido inconveniente. Esse homem, Félix, pediu a Paulo para ir pregar o Evangelho para ele. Mas quando Paulo começou a convencê-lo a respeito da vida reta, da pureza de vida e de controlar as suas paixões, Félix ficou alarmado e amedrontado. Ele disse a Paulo para ir embora, que ele o chamaria em uma hora mais conveniente (ver Atos 24:24-25).

Acho isso extremamente divertido, não porque seja realmente engraçado, mas porque retrata claramente a maneira como somos. Não nos importamos de ouvir o quanto Deus nos ama e dos bons planos que Ele tem para as nossas vidas, mas quando Ele começa a nos repreender ou a nos corrigir de alguma maneira, tentamos dizer a Deus que "agora" não é uma boa hora. Duvido que em algum momento Deus escolha uma hora que consideraríamos "uma boa hora", e creio que Ele faz isso de propósito!

Quando os israelitas estavam viajando pelo deserto, eles eram guiados por uma nuvem durante o dia e uma coluna de fogo durante a noite. Quando a nuvem se movia, eles tinham de se mover. E quando ela ficava parada,

16 de Agosto

Confiando em Deus Dia a Dia

eles ficavam onde estavam (ver Números 9:15-23). A Bíblia diz que, às vezes, ela se movia durante o dia e, às vezes, ela se movia à noite. Às vezes, ela parava por alguns dias e, às vezes, ela parava por um dia.

Duvido seriamente que à noite todos eles penduravam avisos de *Não Perturbe* na abertura de suas tendas, para que Deus soubesse que eles não queriam ser incomodados. Quando Deus decidia que era hora de partir, eles simplesmente faziam as malas e o seguiam. E quando Deus decidir que é hora de nos movermos e passarmos para o próximo nível da nossa jornada com Ele, nunca devemos dizer "Esta não é uma boa hora!"

Deus sabe o que é melhor, e o tempo dele é sempre exato. O fato de eu não me *sentir* pronta para lidar com alguma coisa em minha vida não significa que não estou pronta. O tempo de Deus é perfeito, e os caminhos dele não são os nossos caminhos, mas eles são mais altos e melhores que os nossos (ver Isaías 55:9).

Confie Nele Você já disse para Deus: "Esta não é uma boa hora"? Comprometa-se a seguir a vontade de Deus para a sua vida no tempo dele. O tempo de Deus pode não ser o seu tempo, mas você pode confiar nele, porque Ele sabe o que é melhor.

16 de Agosto

"Você Quer Isso ou Não?"

E Ele lhes disse: Venham após Mim [como discípulos — deixando que Eu seja o seu Guia], sigam-Me, e Eu os farei pescadores de homens!

MATEUS 4:19

Pedro, André, Tiago, João e os outros discípulos foram grandemente honrados. Eles foram escolhidos para serem os doze discípulos, os homens que aprenderiam com Jesus e depois levariam o Evangelho ao mundo. O que acho interessante é que eles estavam todos ocupados quando Jesus os chamou. Eles tinham vidas, famílias e negócios para cuidar. Sem qualquer aviso, Jesus apareceu e disse: "Sigam-Me".

A Bíblia diz que Pedro e André estavam lançando as suas redes no mar quando Jesus os chamou, e que eles deixaram as suas redes e o seguiram (ver Mateus 4:18-21). Isso sim é que é uma interrupção! Ele não lhes disse que eles podiam orar a respeito, pensar a respeito ou ir para casa e falar com as suas esposas e filhos. Ele apenas disse: "Sigam-Me", e eles o seguiram.

Confiando em Deus Dia a Dia

17 de Agosto

Os discípulos não perguntaram por quanto tempo eles ficariam longe, ou qual seria o pacote salarial. Eles não perguntaram dos benefícios, da remuneração pela viagem ou em que tipo de hotel eles ficariam. Eles nem sequer perguntaram a Jesus qual seria a descrição de cargo deles. Simplesmente deixaram tudo para trás e o seguiram. Mesmo quando leio isto agora, devo admitir que parece um pouco rigoroso, mas talvez quanto maior a oportunidade, maior deve ser o sacrifício.

Lembro-me de um tempo em que eu estava reclamando de algumas coisas que Deus parecia estar exigindo de mim, porque eu sentia que outros não tinham as mesmas exigências sobre eles. Ele disse simplesmente: "Joyce, você me pediu muito. Você quer isso ou não?" Eu pedi para poder ajudar pessoas em todo o mundo, e estava aprendendo que o privilégio de fazer isso frequentemente seria inconveniente e desconfortável.

O rei Salomão disse que se esperarmos até que todas as condições estejam favoráveis para semearmos, nunca colheremos (ver Eclesiastes 11:4). Em outras palavras, precisamos dar e obedecer a Deus quando não é conveniente e quando for custoso, se quisermos colher a nossa recompensa.

Confie Nele O que você pediu a Deus? Você pensou no que seria necessário para que Ele lhe desse isso? Não importa o que Deus lhe peça, você pode confiar que não é mais do que você pode suportar, e que você colherá o que semear seguindo a Cristo.

17 de Agosto

Esteja Pronto para Ser Interrompido

Eu Sou o Bom Pastor. O Bom Pastor arrisca e entrega sua [própria] vida pelas ovelhas.

JOÃO 10:11

Quanto mais estudo os homens e mulheres da Bíblia que consideramos ser "grandes", mais vejo que todos eles fizeram sacrifícios enormes e que não havia nada conveniente no que Deus pediu a eles que fizessem.

Abraão teve de sair do seu país, deixar os seus parentes, a sua casa, e ir para um lugar que Deus nem sequer quis lhe dizer onde seria. José salvou uma nação da inanição, mas não antes de ser violentamente retirado de sua casa confortável e colocado em um lugar inconveniente por muitos anos. Ester salvou os judeus da destruição, mas Deus certamente interrompeu o seu plano para que ela pudesse fazer isso.

241

18 de Agosto — Confiando em Deus Dia a Dia

A lista de pessoas que entraram em um nível de obediência sacrificial poderia continuar indefinidamente. A Bíblia as chama de pessoas "de quem o mundo não era digno" (ver Hebreus 11:38). Essas pessoas a respeito de quem lemos sofreram inconveniências para que a vida de outras pessoas pudesse ser mais fácil. Jesus morreu para que pudéssemos ter vida, e vida abundante. Soldados morrem para que os civis pudessem permanecer seguros em casa. Os pais vão para o trabalho para que as suas famílias possam ter vidas melhores, e as mães passam pela dor do parto para trazer outra vida ao mundo. Parece bastante óbvio que alguém geralmente tem de sentir dor ou inconveniência para que outra pessoa ganhe alguma coisa.

Se você tomar a decisão de que não se importa com a inconveniência ou com a interrupção, então Deus poderá usá-lo. Você pode fazer a diferença no mundo. Mas se permanecer viciado em seu próprio conforto, Deus terá de passar por você em busca de alguém que esteja mais disposto a suportar as coisas difíceis na vida para fazer a vontade dele.

Confie Nele Pense em uma situação na qual Deus está lhe pedindo para fazer algumas coisas que você preferiria não fazer — continuar em uma situação, sair de uma situação, passar tempo com alguém com quem você não convive bem... Você está disposto a confiar na "interrupção" de Deus para fazer a vontade dele?

18 de Agosto

Você É um Canal, Não um Reservatório

Eis que esta foi a iniquidade da sua irmã Sodoma: orgulho, superabundância de alimento, tranquilidade próspera e ociosidade tinham ela e suas filhas; nem fortaleceu ela a mão do pobre e do necessitado.

EZEQUIEL 16:49

Você provavelmente ouviu falar de Sodoma e Gomorra e da terrível maldade daquelas cidades. Mas o que elas realmente fizeram que desagradou tanto a Deus? Costumamos ter a ideia de que a perversão sexual das cidades finalmente foi a gota d'água para Deus, fazendo com que Ele as destruísse, mas na verdade foi uma situação muito diferente que motivou o Senhor a agir contra elas. Fiquei chocada quando percebi a verdade por trás da destruição. Descobri isso enquanto pesquisava passagens bíblicas a respeito da necessidade de alimentar os pobres.

Confiando em Deus Dia a Dia   19 de Agosto

O problema de Sodoma e Gomorra era que elas tinham demais e não estavam compartilhando com os necessitados. Elas estavam ociosas e viviam um estilo de vida excessivamente conveniente, que as levou a cometer atos abomináveis. Vemos claramente a partir disso que a ociosidade e a conveniência excessiva não são boas para nós, e nos levam a problemas cada vez maiores. Deixar de compartilhar o que temos com aqueles que têm menos do que nós não é bom para nós, e na verdade, é perigoso, porque esse tipo egoísta de estilo de vida abre a porta para o mal progredir. Essas coisas não apenas não são boas para nós, como também são ofensivas a Deus. Ele espera que sejamos canais para Ele fluir através de nós, e não reservatórios que guardam tudo o que têm para si mesmos.

Gostamos de todas as conveniências que estão disponíveis a nós hoje, mas de várias maneiras creio que Satanás as está usando para destruir qualquer disponibilidade de sofrermos inconveniências para obedecer a Deus ou para ajudar outros que estão passando por necessidades. Nós nos viciamos na facilidade, e precisamos tomar muito cuidado. Como a maioria das pessoas, gosto de coisas boas e confortáveis, mas tenho feito o esforço de não reclamar quando não tenho as coisas da maneira que quero. Também entendo que a inconveniência quase sempre está presente quando queremos ajudar outros, e sei que fui chamada por Deus para ajudar pessoas e para fazer isso com uma atitude positiva.

Confie Nele Você está disposto a sofrer inconveniências por Deus? Deus quer que você seja um canal do Seu amor para o mundo. Peça a Ele para ajudá-lo a encontrar equilíbrio em todas as coisas, para confiar nele com os recursos que Ele lhe deu, e para manter uma atitude positiva.

19 de Agosto

Os Verdadeiros Relacionamentos Valem a Pena

Porque Eu lhes dei isto como exemplo, para que vocês [por sua vez] façam o que Eu fiz a vocês.

JOÃO 13:15

Jesus não desperdiçava Seu tempo, de modo que podemos presumir que tudo que Ele fazia era significativo e contém uma grande lição a ser aprendida. Vamos pensar na vez que Ele decidiu lavar os pés dos Seus discípulos (ver João 13:1-17). De que se tratava tudo aquilo?

243

20 de Agosto

Confiando em Deus Dia a Dia

Jesus era e é o Filho de Deus. Na verdade, Ele é Deus manifestado na segunda pessoa da Trindade. Portanto, basta dizer que Ele é realmente importante e certamente não teria de lavar os pés de ninguém, principalmente daqueles que eram Seus alunos. Mas Jesus fez isso porque queria ensinar-lhes que eles podiam estar em uma posição de autoridade e ainda ser servos ao mesmo tempo.

Pedro, o discípulo mais veemente, se recusou resolutamente a deixar Jesus lavar os seus pés, mas Jesus disse que se não lavasse os pés de Pedro, eles dois não podiam ser amigos de verdade. Em outras palavras, eles tinham de estar fazendo coisas um pelo outro para que o relacionamento deles fosse saudável e forte.

Decidi há alguns anos que eu não estava mais disposta a ter relacionamentos unilaterais — relacionamentos nos quais sou a única pessoa que dá e a outra pessoa só recebe. Esse tipo de interação não é a verdadeira amizade, e sempre acaba gerando ressentimento e amargura em algum momento. Não apenas deveríamos fazer coisas uns pelos outros, como na verdade *precisamos* fazer coisas uns pelos outros. Isso faz parte da arte de manter bons relacionamentos.

Dar nem sempre tem de ser uma resposta a uma necessidade desesperada. Podemos ser guiados a fazer alguma coisa por pessoas que não parecem precisar do que podemos fazer por elas. Se não existe uma necessidade, então por que fazer alguma coisa? Simplesmente porque dar em qualquer nível nos impede de ser gananciosos, além de encorajar as pessoas e as fazerem se sentir amadas — e todos nós precisamos nos sentir amados, independentemente de quantas "coisas" tenhamos.

Confie Nele Confie em Deus o suficiente para estar disposto a fazer sacrifícios para servir e abençoar os outros, e Ele sempre cuidará de você!

20 de Agosto

As Pequenas Coisas Significam Muito

Assim, à medida que a ocasião e a oportunidade surgirem, façamos o bem [moralmente] a todas as pessoas...

GÁLATAS 6:10

Levamos a banda *Delirious?* à Índia conosco em uma viagem missionária, e Stu, o baterista na época, recebeu uma pequena faixa de couro de uma

Confiando em Deus Dia a Dia

21 de Agosto

menina pobre como bracelete. O pequeno gesto de amor de alguém que tinha tão pouco transformou a vida dele. Stu disse publicamente que, enquanto ele viver, nunca se esquecerá da lição que esse gesto lhe ensinou. Se alguém que tem tão pouco estava disposto a dar, o que ele poderia fazer? Sim, as pequenas coisas podem exercer um enorme impacto.

Que pequena coisa você poderia fazer? A seguir encontra-se uma lista parcial de algumas das coisas que a Bíblia diz que podemos e devemos fazer uns pelos outros:

- Cuidar uns dos outros
- Orar uns pelos outros
- Ser amigáveis e hospitaleiros
- Ser pacientes uns com os outros
- Tolerar as falhas e fraquezas dos outros
- Perdoar uns aos outros
- Consolar uns aos outros
- Edificar uns aos outros — encorajá-los e amá-los em meio a suas fraquezas
- Ficar felizes pelas pessoas quando elas forem abençoadas
- Crer no melhor uns dos outros
- Suprir as necessidades das pessoas

Esta é uma lista parcial. O amor tem muitas faces ou muitas formas de ser visto. As ideias relacionadas aqui são coisas relativamente simples que todos nós podemos fazer se estivermos dispostos. Não temos de fazer planos especiais para a maioria delas, mas podemos realizá-las ao longo do dia, à medida que encontrarmos oportunidade.

Confie Nele Que pequenas coisas você fará hoje para ser uma bênção para alguém? Deus quer que você seja uma bênção para os outros, e até as pequenas coisas significam muito. Comece a procurar pessoas para quem você possa ser uma bênção e confie em Deus para usar essas bênçãos na promoção do Seu Reino.

21 de Agosto

O Amor Precisa Fazer Alguma Coisa

Mas se alguém possuir os bens deste (os recursos para sustento da vida) deste mundo e vê seu irmão crente passar necessidade, mas

22 de Agosto
Confiando em Deus Dia a Dia

fechar o seu coração de compaixão para ele, como pode o amor de Deus viver e permanecer nele?

1 JOÃO 3:17

Costumamos pensar no amor como uma coisa ou um sentimento, mas a palavra *amar* é um verbo. O amor precisa *fazer* alguma coisa para permanecer sendo o que é. Parte da natureza do amor é que ele exige uma expressão. A Bíblia pergunta: se vemos uma necessidade e fechamos o nosso coração à compaixão, como pode o amor de Deus viver e permanecer em nós? O amor se torna cada vez mais fraco se ele não puder ser demonstrado; na verdade, ele pode se tornar totalmente inativo. Se o mantivermos ativo deliberadamente ao fazermos coisas pelos outros, podemos impedir que nos tornemos egoístas, ociosos e infrutíferos.

O ato mais sublime de amor foi Jesus entregar a própria vida por nós. E nós deveríamos entregar a nossa vida uns pelos outros. Isso parece extremo, não é mesmo? Felizmente, a grande maioria de nós nunca será chamada para abrir mão de sua vida física por outra pessoa. Mas temos oportunidades todos os dias de "entregar" a nossa vida pelos outros. Todas as vezes que você coloca de lado o seu próprio desejo ou necessidade, e o substitui por um ato de amor por outra pessoa, você está entregando a sua vida por um instante, uma hora ou um dia.

Se estivermos cheios do amor de Deus — e estamos, porque o Espírito Santo enche os nossos corações de amor no novo nascimento — então precisamos deixar o amor fluir para fora de nós. Se ele ficar estagnado pela inatividade, para nada servirá. Deus amou o mundo de tal maneira que deu o Seu único Filho (ver João 3:16). Você entendeu? O amor de Deus o levou a *dar!*

Confie Nele Coloque um enorme cartaz em sua casa, talvez em diversos lugares, perguntando: "O que fiz para ajudar alguém hoje?" Não passe o seu dia sem aumentar a alegria de alguém. Confie no exemplo de Cristo de entregar a Sua vida por você e o tenha como um modelo de vida!

22 de Agosto
Estenda as Velas e Seja Livre

E porque vocês são [realmente] filhos [dele], Deus enviou o Espírito [Santo] do Seu Filho aos nossos corações, clamando Aba (Pai)! Pai!

GÁLATAS 4:6

Confiando em Deus Dia a Dia

23 de Agosto

Certa vez li que nós crentes somos como navios que Deus quer lançar ao mar para navegar, por onde quer que o vento e as ondas nos levem. Esse mar representa a liberdade que temos em Deus, e o vento é um símbolo do Espírito Santo. Mas como novos crentes, estamos presos ao cais, porque esse é o único lugar onde podemos evitar naufragar até aprendermos a segui-lo. Quando aprendemos a seguir esses apelos internos do Espírito Santo, podemos ser desamarrados do cais e navegar os mares da vida sob a Sua direção, sem medo de nos perdermos.

A direção de Deus não contradiz as leis que Ele ordenou. Quando somos novos crentes, aprendemos a seguir as leis de Deus definidas na Palavra. E à medida que amadurecemos, desenvolvemos a habilidade de ser guiados pelo Espírito do Deus vivo. Quando o Espírito de Deus está em você, a lei de Deus está escrita no seu coração. Você não tem mais de memorizar a lei, porque pode seguir a direção do Espírito Santo, que o guiará na direção certa.

Algumas pessoas se sentem muito mais seguras seguindo a lei do que sendo guiadas pelo Espírito. Acreditam que estão bem, desde que estejam seguindo um plano prescrito que todos os outros estão seguindo. Mas seguir o Espírito pode levar as pessoas a fazerem alguma coisa de modo um pouco diferente do que todos os outros estão fazendo. Será preciso fé para deixar a segurança da multidão, porque Deus não guia todos nós a servi-lo exatamente no mesmo lugar ou na mesma capacidade.

Não podemos seguir a direção do Espírito Santo simplesmente obedecendo a leis, regras e regulamentos. A lei de Deus é o nosso tutor, mas ela não deve ser o nosso senhor. Para viver com tranquilidade e ser cheio de alegria, precisamos aprender a seguir o Espírito Santo em oração.

Confie Nele Deus quer que você estenda as velas e seja livre do cativeiro. Para fazer isso, você precisa confiar na direção do Espírito Santo quando Ele falar ao seu coração e o conduzir à direção certa.

23 de Agosto
Simplesmente Creia

Portanto todo aquele que se humilhar e se tornar como esta criança [confiante, humilde, amorosa, perdoadora] é o maior no Reino dos céus.

MATEUS 18:4

23 de Agosto

Confiando em Deus Dia a Dia

Eu costumava ser uma pessoa muito complicada. Minha maneira de ver e fazer as coisas era tão elaborada que me impedia de desfrutar qualquer coisa. Dizemos que vivemos em uma sociedade complicada, mas acredito que nós é que somos complicados, e que complicamos a vida. Servir a Deus não deveria ser complicado, no entanto, pode se tornar muito complicado e complexo. A preocupação, o medo, a ansiedade, os ciúmes, o ressentimento e a amargura são muito complicados. As criancinhas, porém, não têm nada disso.

Pense na maneira simples e descomplicada de uma criança encarar a vida. Eis algumas coisas que as crianças parecem ter em comum: elas procuram sempre se divertir, se isso for possível de alguma forma. Elas são despreocupadas e completamente livres de apreensões. E acreditam no que lhes é dito. É da natureza delas confiar, exceto se tiveram uma experiência que lhes ensinou o contrário.

Lembre-se de que Jesus nos disse em João 3:16: "Deus amou o mundo de tal maneira que deu o Seu Filho unigênito, para que todo aquele que nele *crê* não pereça, mas tenha vida eterna" (grifo da autora). Tudo o que Ele quer nos ouvir dizer é: "Eu creio!"

Crer simplifica a vida, liberando a alegria e nos deixando livres para desfrutar as nossas vidas enquanto Deus cuida das circunstâncias ao redor. Quando Deus diz alguma coisa em seu coração, ou quando você lê alguma coisa na Bíblia, você deveria dizer: "Eu creio. Se Deus diz que quer nos abençoar, então devemos acreditar. Se Ele diz que colheremos o que plantamos, devemos acreditar. Se Ele diz para perdoarmos os nossos inimigos, embora não faça sentido algum, devemos acreditar — em vez de ficar ressentidos. Vamos fazer diligentemente o que Deus diz. Se Ele disser para orarmos pelos nossos inimigos, vamos acreditar e ser obedientes. Se Ele diz para "chamarmos à existência as coisas que não existem como se existissem" (Romanos 4:17), devemos responder como filhos e simplesmente fazer o que Ele diz.

Embora a vida possa ficar complicada, podemos simplificá-la, encarando-a como uma criança. Coloque toda a sua confiança em Deus e seja obediente.

Confie Nele Deus tem um plano para romper as barreiras de sua vida — e a sua parte nesse plano é confiar nele. Diga várias vezes ao longo de cada dia: "Pai, eu confio em Ti!"

Confiando em Deus Dia a Dia

24 de Agosto

Você Pode Lidar Com Tudo o Que a Vida lhe Trouxer

Porém em meio a todas estas coisas somos mais que vencedores e obtemos uma vitória inigualável através daquele que nos amou.

ROMANOS 8:37

Durante anos, refleti acerca do que significa ser "mais que vencedor". Estou certa de que outras pessoas têm outras perspectivas, mas cheguei à conclusão de que ser mais que vencedor significa ter tamanha confiança que, independentemente do que aconteça em sua vida, você sabe que pode lidar com isso por intermédio de Cristo. Você sabe, antes mesmo de se deparar com um problema, que você terá vitória sobre ele.

Portanto, você não teme as circunstâncias, não tem medo do desconhecido, não vive ansioso acerca do que vai acontecer em situações incertas. Não importa realmente quais são os detalhes da situação, você sabe que pode lidar com ela por meio de Cristo. Para você, a derrota não é uma opção!

Comece a pensar todos os dias: *Posso lidar com tudo que a vida me trouxer. Posso fazer qualquer coisa por meio daquele que me enche de força interior.* Até mesmo antes de sair da cama pela manhã, deixe que esses pensamentos tomem conta da sua mente sem parar, e a sua confiança aumentará vertiginosamente e você descobrirá que, na verdade, pode fazer tudo o que precisar fazer na vida.

O pensamento correto é o primeiro passo para uma vida melhor. Desejar não funciona. Sentir inveja de alguém que tem o que você deseja não adianta nada. A autocomiseração é uma perda de tempo e energia. Descobrir a vontade de Deus por meio do conhecimento aprimorado da Sua Palavra e começar a pensar como Ele pensa é o começo de uma nova vida, para qualquer pessoa que a deseje.

Confie Nele Em que situação específica você precisa acreditar que é mais que vencedor? Confie que, por meio de Cristo, você é capaz de qualquer coisa.

25 de Agosto

Lembre-se: Deus o Ama Incondicionalmente

Assim como [no Seu amor] Ele nos escolheu [realmente nos separou para Si como propriedade Sua] em Cristo antes da fundação

26 de Agosto

Confiando em Deus Dia a Dia

do mundo, para que fôssemos santos (consagrados e separados para Ele) e irrepreensíveis aos Seus olhos, acima de qualquer censura, perante Ele em amor.

EFÉSIOS 1:4

Frequentemente nos comparamos com outras pessoas, e se não somos o que elas são, ou não podemos fazer o que elas podem fazer, então supomos que há algo errado conosco. Porém, há um antídoto para esse tipo de pensamento venenoso. É pensar frequentemente: *Deus me ama incondicionalmente!*

Saber que Deus nos ama incondicionalmente é uma necessidade absoluta para progredirmos em nossa caminhada com Ele. Jesus não morreu para que fôssemos religiosos; Jesus morreu para que pudéssemos ter um relacionamento profundo, íntimo, pessoal com Deus por meio dele. A religião nos oferece regras e regulamentos a seguir para estarmos próximos de Deus. Mas o relacionamento nos diz que podemos estar perto dele porque Ele nos escolheu.

Não poderemos nos aproximar de Deus se tivermos medo de que Ele esteja insatisfeito conosco. É vital que você aprenda a separar o quanto você é importante para Deus das coisas certas ou erradas que você faz. Como podemos esperar ter um relacionamento íntimo com Deus, com o Seu Filho Jesus e com o Espírito Santo, se não temos confiança de que somos amados incondicionalmente?

Os bons relacionamentos devem se basear em amor e aceitação, e não no medo. Com frequência somos enganados e levados a pensar que a nossa aceitação se baseia no nosso desempenho.

Somos amados e aceitos por Deus, e justificados perante Ele porque colocamos a nossa fé em Jesus Cristo e na obra que Ele realizou por nós na cruz. Ele pagou pelos nossos pecados e delitos. Ele nos absolveu da culpa e nos reconciliou com Deus. Agora, quando comparecemos diante de Deus, temos "retidão" e não "erro". E temos isso porque o recebemos como um presente, não porque o tenhamos merecido. Bem-aventurado o homem que sabe que está justificado diante de Deus, apesar das obras que pratica.

Confie Nele Confie em Deus e creia que Ele o ama incondicionalmente, e que não está zangado com você!

26 de Agosto
A Fonte da Sua Confiança

Por amor a nós Ele fez que Cristo, que não conheceu pecado, se tornasse [praticamente] pecado, para que nele e através dele nos

Confiando em Deus Dia a Dia

27 de Agosto

tornássemos [dotados da, vistos como estando na, e exemplos da] justiça de Deus [o que deveríamos ser, aprovados, aceitáveis e justificados perante Ele, pela Sua bondade].

2 CORÍNTIOS 5:21

Saber que somos amados e aceitos, mesmo em nossa imperfeição, é um grande alívio! Servir a Deus por desejo e não por obrigação é incrivelmente libertador e gera grande paz e alegria em nossas vidas. A Bíblia diz que nós o amamos porque Ele nos amou primeiro (ver 1 João 4:19). Ter certeza do amor incondicional de Deus nos dá confiança e ousadia.

Nossa confiança não deveria estar em nada nem em ninguém, senão em Jesus — não na educação, no privilégio externo, nas posições que ocupamos, nas pessoas que conhecemos, em nossa aparência, em nossos dons e talentos. Tudo neste mundo é abalável, para dizer o mínimo, portanto não deveríamos colocar a nossa confiança nele. Deus é o mesmo ontem, hoje e eternamente (ver Hebreus 13:8). Podemos contar com Ele para ser sempre fiel e fazer o que Ele diz que fará — e Ele diz que *sempre* nos amará. Ele diz que somos justos aos Seus olhos, e precisamos tomar a decisão de simplesmente crer nisso.

Nós nos tornamos aquilo que acreditamos que somos; portanto, à medida que nos convencermos de que estamos justificados com Deus, o nosso comportamento melhorará. Faremos mais coisas certas e com menos esforço. À medida que nos concentramos em nosso relacionamento com Deus e não em nosso desempenho, nós descansamos, e o que Deus fez em nosso espírito quando nascemos de novo é gradualmente operado em nossas almas e finalmente visto em nossa vida diária.

Não importa o que as outras pessoas possam ter lhe dito, Deus tem prazer em lhe dizer na Sua Palavra quem você é nele: amado, valioso, precioso, talentoso, dotado, capaz, poderoso, sábio e redimido. Eu o encorajo a tirar um instante e repetir estas nove coisas em voz alta. Diga: "Sou amado, sou valioso, sou precioso, sou talentoso, sou dotado, sou capaz, sou poderoso, sou sábio e sou redimido". Ele tem um bom plano para você! Entusiasme-se com a sua vida. Você foi criado à imagem de Deus, e você é incrível!

Confie Nele Você confia na Palavra de Deus, que diz que você é amado incondicionalmente?

27 de Agosto

Sua Conta Foi "Liquidada"

Mas todas as coisas vêm de Deus, que através de Jesus Cristo reconciliou-nos com Ele [nos recebeu em Seu favor, nos colocou em

251

28 de Agosto — Confiando em Deus Dia a Dia

harmonia com Ele] e nos deu o ministério da reconciliação [para que por palavras e atos pudéssemos ansiar por levar outros à harmonia com Ele].

2 CORÍNTIOS 5:18

O que significa ser reconciliado com Deus? Significa que "a sua conta foi liquidada". Você não deve nada!

Certa vez vi um adesivo na mala de um carro que dizia *"Devo, não nego, trabalho para pagar"*. Imediatamente percebi que essa era a mentalidade na qual vivi por anos. Eu sentia que devia alguma coisa a Deus por todo o mal que eu havia feito, e tentava todos os dias fazer boas obras para compensar os meus erros. Eu queria ser abençoada por Ele, mas sentia que precisava merecer as Suas bênçãos. Finalmente aprendi que não podemos pagar pelos presentes de Deus, do contrário, eles não seriam presentes.

Deus vê o coração do homem, e a maneira como Ele trata conosco se baseia no tipo de coração que temos. Não faço tudo certo, mas amo muito a Deus. Lamento muito pelos meus pecados, e me entristeço quando sei que o decepcionei. Quero a vontade dele em minha vida. Talvez, assim como eu, você tenha sido atormentado por anos de sentimentos de culpa e medo, mas saber que Deus o ama incondicionalmente o liberta dessas emoções negativas para desfrutar a si mesmo enquanto você está mudando.

Em 2 Coríntios 5:20, Paulo enfatiza novamente a reconciliação e o favor que Deus nos estende, e nos encoraja a acreditar nessas coisas: "De modo que somos embaixadores de Cristo, fazendo Deus o Seu apelo como se através de nós. Nós [como representantes pessoais de Cristo] lhes pedimos em Seu nome que tomem posse do favor divino [que agora lhes é oferecido] e se reconciliem com Deus". Paulo está, na verdade, pedindo aos crentes do seu tempo para lançarem mão do que Deus está oferecendo, e eu o incentivo a fazer o mesmo. Não espere mais um só instante para acreditar que Deus o aceita, o vê justificado perante Ele, e o ama incondicionalmente.

Confie Nele Você acredita realmente que está reconciliado com Deus? Confie que Ele está completamente satisfeito com quem você é; você não deve nada a Ele, exceto o seu amor.

28 de Agosto
Pegue o Medo Primeiro

Tenham domínio próprio e estejam alertas. O seu inimigo, o diabo, anda ao derredor como leão que ruge procurando alguém

Confiando em Deus Dia a Dia

28 de Agosto

para devorar. Resistam-lhe, firmes na fé, porque vocês sabem que seus irmãos em todo o mundo estão passando pelo mesmo tipo de sofrimentos.

1 PEDRO 5:8-9

Nos Estados Unidos, há uma medicação que é vendida sem receita, anunciada como o remédio a ser tomado diante do primeiro indício de um resfriado, para impedir que ele piore e se instale. Eu tomo muita vitamina C, se estiver com a garganta irritada ou com o nariz escorrendo, porque isso geralmente impede que eu piore. Pegar algo antes que ele vá longe demais é sabedoria.

Recomendo que, todas as vezes que você começar a sentir medo de alguma coisa, você comece imediatamente a orar e a confessar: "Não viverei com medo". Você verá resultados impressionantes. Quando oramos, Deus ouve e responde. Quando confessamos a Sua Palavra, renovamos as nossas mentes e entramos em concordância com os Seus planos para nós. Independentemente do que Deus quer fazer por nós, precisamos concordar com Ele para recebê-lo e desfrutá-lo (ver Amós 3:3). Precisamos aprender a pensar como Deus pensa e a falar como Ele fala — e nenhum dos Seus pensamentos ou palavras é de medo.

Este pensamento — *Não viverei com medo* — o ajudará a se tornar corajoso em vez de medroso. Chame-o à mente no instante que você começar a sentir medo, e medite nele até durante os momentos em que você não estiver com medo. Fazendo isso, você estará ainda mais preparado para resistir ao medo quando ele vier.

Lembre-se de que isso levará tempo; esteja comprometido em permanecer firme até ver mudanças. Ainda digo: "Não viverei com medo". Diga isso assim que se sentir temeroso acerca de alguma coisa, e você poderá impedir que o medo o controle. Você ainda pode sentir medo, mas pode ir além do medo, entendendo que ele é apenas a tentativa do diabo de impedir que você desfrute a vida ou faça qualquer tipo de progresso. Faça o que você acredita que deve fazer, ainda que tenha de fazer "com medo".

Confie Nele O que você pode fazer para "pegar o medo primeiro" e não deixar que o medo o controle? Confie que Deus não quer que você viva com medo.

253

29 de Agosto

Não Tema — Vá em Frente

Se Deus é por nós, quem [pode ser] contra nós? [Quem pode ser nosso inimigo, se Deus está do nosso lado?].

ROMANOS 8:31

Precisamos aprender a lidar com o medo antes que ele vá longe demais, porque ele nunca desaparecerá completamente. Sentir medo faz parte de estar vivo. Podemos sentir medo quando estamos fazendo alguma coisa que nunca fizemos antes, ou quando os obstáculos parecem insuperáveis, ou quando não temos a ajuda natural que sentimos que precisamos. Nada disso significa que somos covardes. Quer dizer que somos humanos. Só podemos ser covardes quando permitimos que os nossos medos ditem os nossos atos ou decisões, em vez de seguir o nosso coração, e de fazer o que sabemos que é certo para nós.

Precisamos aceitar o fato de que o medo nunca desaparecerá completamente, mas também sabemos que podemos viver com ousadia e corajosamente, porque Deus nos disse que Ele está sempre conosco. Por causa desse conhecimento, podemos optar por ignorar o medo que sentimos. Não há problema em sentir medo, há problema em agir com base nesse sentimento. A palavra *medo* significa "fugir" ou "correr de", e ela faz com que queiramos fugir do que Deus quer que enfrentemos.

A única atitude aceitável a um cristão com relação ao medo é: "Não temerei". Não recue de nada por causa do medo. Você pode estar prosseguindo com alguma coisa que sente que Deus lhe disse para fazer. Então, alguma coisa acontece para fazer parecer que isso não está funcionando ou que as pessoas não estão a favor disso. Você percebe que se fizer o que Deus quer que você faça, pode se arriscar a perder alguns amigos, alguns recursos ou sua reputação.

Quando você sente esse medo, o primeiro impulso é recuar, não é mesmo? Deus sabe disso, e é por isso que Ele diz: "Não tema". Quando nos diz para não temermos, o que Deus quer dizer é que não importa como você se sinta, continue colocando um pé na frente do outro e fazendo o que acredita que Ele lhe disse para fazer, porque essa é a única maneira de derrotar o medo e progredir.

Confie Nele Confie mais na Palavra de Deus do que nas mentiras do diabo, e continue progredindo!

Confiando em Deus Dia a Dia
30 de Agosto

30 de Agosto
O Principal

Confie (dependa, conte com e tenha confiança) no Senhor e faça o bem...

SALMOS 37:3

Quando o Senhor me levou a estudar esse versículo, fiquei perplexa ao perceber que eu só tinha a metade do que precisava saber para me relacionar adequadamente com Deus. Eu tinha a parte da fé (a confiança), mas não a parte do "faça o bem". Eu queria que coisas boas acontecessem comigo, mas não estava muito preocupada em ser boa para os outros, principalmente quando eu estava sofrendo ou passando por um tempo de provações.

Eu não apenas estava deixando a desejar nessa área, mas percebia que a maioria dos outros cristãos que eu conhecia provavelmente estava na mesma situação. Estávamos todos ocupados "acreditando" em Deus para ter as coisas que queríamos. Orávamos juntos e liberávamos a nossa fé através da oração de concordância, mas não nos reuníamos e falávamos sobre o que podíamos fazer pelos outros enquanto esperávamos que as nossas necessidades fossem atendidas. Tínhamos fé, mas ela não estava sendo fortalecida pelo amor!

Não quero soar como se eu estivesse totalmente interessada em mim mesma, porque não era esse o caso. Eu estava no ministério e queria ajudar as pessoas, mas misturado ao meu desejo de ajudar havia muitos motivos impuros. Estar no ministério me dava uma sensação de valor próprio e importância. Isso me dava posição e certa influência, mas Deus queria que eu fizesse tudo o que fazia com uma motivação pura, e eu ainda tinha muito a aprender nesse sentido.

Havia vezes em que eu fazia atos de bondade para ajudar as pessoas, mas ajudar os outros não era a minha motivação principal. Eu precisava ser muito mais determinada e resoluta em amar os outros; isso precisava ser a principal coisa em minha vida, e não um trabalho secundário. Deus me ajudou a mudar nessa área, e sou muito mais feliz por isso.

Pergunte a si mesmo o que o motiva mais do que qualquer coisa, e responda sinceramente. É o amor? Se não é, você está disposto a mudar o seu foco para o que é importante para Deus?

Confie Nele Confiar em Deus é apenas a metade do que Ele quer de você. Não se esqueça de que Deus também quer que você faça o bem pelos outros, enquanto você espera nele para resolver o seu problema.

255

31 de Agosto

Você É uma Testemunha

Conduzam-se adequadamente (honradamente, retamente) entre os gentios, para que, embora eles possam difamá-los como malfeitores, [no entanto] eles possam, testemunhando os seus bons atos, [vir a] glorificar a Deus no dia da inspeção [quando Deus os contemplará como um pastor contempla o seu rebanho].

1 PEDRO 2:12

Creio que o mundo está observando os cristãos, e o que as pessoas nos veem fazendo é muito importante. Nesse versículo, Pedro encorajou os crentes a se conduzirem adequadamente e honradamente entre os gentios, os incrédulos daquele tempo. Ele disse que embora os incrédulos estivessem inclinados a difamar os crentes, com o tempo eles passariam a glorificar a Deus se vissem as suas boas obras e seus atos de amor.

Se os seus vizinhos sabem que você frequenta a igreja todos os domingos, posso lhe garantir que eles também observam o seu comportamento. Quando eu era pequena, nossos vizinhos iam à igreja religiosamente. Na verdade, eles iam várias vezes na semana, mas também faziam muitas coisas que não deveriam. Lembro-me de que meu pai dizia: "Eles não são melhores do que eu; eles se embriagam, falam palavrões, contam piadas sujas e têm ataques de mau humor, então eles são apenas um bando de hipócritas". É claro que meu pai estava procurando uma desculpa para não servir a Deus, e o comportamento daquelas pessoas apenas acrescentava mais lenha à fogueira.

Eu certamente entendo que, como cristãos, não temos um comportamento perfeito, e que as pessoas que querem uma desculpa para não acreditar em Jesus ou praticar o Cristianismo sempre nos observarão e nos criticarão. Mas devemos fazer o melhor que pudermos para não dar a eles motivos de nos julgarem.

Confie Nele Você está se conduzindo adequadamente para que, quando as pessoas olharem para você, possam ver o caráter de Deus? Peça a Deus para ajudá-lo a ser uma boa testemunha em todo o tempo.

256

Confiando em Deus Dia a Dia — 1.º de Setembro

1.º de Setembro

A Recompensa Certa

Deem, e lhes será dado; boa medida, recalcada, sacudida e transbordante os homens colocarão em seu regaço. Porque com a mesma medida com que medirem, vocês serão medidos.

LUCAS 6:38

Dar e viver sem egoísmo produz uma colheita em nossas vidas. Não há nada de errado em desejar e esperar uma colheita. Nossa motivação para ajudar os outros não deveria conseguir alguma coisa para nós mesmos, mas Deus nos diz que colheremos o que plantarmos, e podemos esperar ansiosamente por esse benefício.

Deus promete recompensar aqueles que o buscam diligentemente (ver Hebreus 11:6). A palavra *recompensa* no texto original grego do Novo Testamento significa "salário recebido nesta vida", ou "compensação". Na linguagem hebraica, na qual o Antigo Testamento foi escrito, a palavra *recompensa* significa "fruto, ganhos, produto, preço ou resultado". A palavra *recompensa* é usada 68 vezes na versão *Amplified Bible*. Deus quer que aguardemos ansiosamente as recompensas da nossa obediência e das nossas boas escolhas.

Se nos importarmos com aqueles que são pobres e oprimidos, Deus promete que nada nos faltará, mas se escondermos os nossos olhos da necessidade deles, teremos "muitas maldições" em nossas vidas (Provérbios 28:27). O escritor de Provérbios até diz que, quando damos aos pobres, estamos emprestando a Deus (ver Provérbios 19:17). Não consigo imaginar que Deus não pague juros altos pelo que é emprestado a Ele. Incentivo você a se esforçar para fazer justiça aos oprimidos. Isso significa simplesmente que quando você vê alguma coisa que sabe que não é certo, você deve se esforçar para consertar.

Confie Nele Você está emprestando a Deus ao cuidar dos pobres? Concentre-se em dar aos outros e em corrigir a injustiça do mundo, e você pode confiar em Deus para trazer uma colheita de bênçãos à sua vida.

2 de Setembro

A Chave para Estar Satisfeito

Então a sua luz brilhará como a manhã...

ISAÍAS 58:8

2 de Setembro

Confiando em Deus Dia a Dia

Todos nós provavelmente queremos mais luz em nossas vidas. Isso significaria mais clareza, melhor entendimento, e menos confusão. O profeta Isaías declarou que se dividíssemos o nosso pão com os famintos, levássemos os pobres desabrigados para nossas casas, cobríssemos os nus, e parássemos de nos esconder das necessidades que nos cercam, a nossa luz brilharia (ver Isaías 58:7-8). Ele também disse que a nossa cura e restauração e o poder de uma nova vida brotariam rapidamente. Isso me parece bom, e estou certa de que para você também.

Isaías também escreveu a respeito de justiça, e ele disse que ela iria adiante de nós e nos conduziria à paz e à prosperidade, e que a glória do Senhor seria a nossa retaguarda. Se estivermos ajudando ativamente os oprimidos, Deus vai adiante de nós e também guarda as nossas costas! Gosto desse sentimento de segurança e certeza.

Isaías ainda disse que se derramássemos aquilo que sustenta as nossas vidas para suprir os famintos, e satisfizéssemos as necessidades dos aflitos, a nossa luz se ergueria nas trevas, e qualquer escuridão que experimentássemos seria comparável ao sol ao meio-dia (ver Isaías 58:10). O sol brilha muito forte ao meio-dia, então me parece que ajudar as pessoas é a maneira de viver na luz.

O Senhor nos guiará continuamente e até nos tempos de seca nos satisfará. Ele fortalecerá os nossos ossos e as nossas vidas serão como um jardim regado (ver Isaías 58:11). Tudo isso acontece em resultado de vivermos para levar justiça aos oprimidos.

Espero que você esteja vendo o que estou vendo nessas promessas. Creio que a maioria de nós desperdiça muito de nossas vidas tentando receber o que Deus daria com alegria, se simplesmente fizéssemos o que Ele está nos pedindo para fazer: cuidar dos pobres, dos famintos, dos destituídos, dos órfãos, das viúvas, dos oprimidos e dos necessitados. Viva a sua vida para ajudar os outros, e Deus lhe satisfará de todas as maneiras possíveis.

Confie Nele Quando você se importa com os filhos de Deus, pode confiar nele para liberar mais luz em sua vida. Se você seguir as instruções dele, como está escrito em Sua Palavra, de como viver uma vida piedosa — vivendo a sua vida para ajudar os outros — Ele lhe dará com alegria tudo o que prometeu.

Confiando em Deus Dia a Dia   3 de Setembro

3 de Setembro

Todas as Pessoas São Dignas de Respeito

*E Pedro abriu a sua boca e disse: com toda certeza agora percebo e
entendo que Deus não tem parcialidade e não faz acepção de pessoas.*

ATOS 10:34

A Bíblia diz em diversas passagens que Deus não faz acepção de pessoas
(ver Atos 10:34, Romanos 2:11; Efésios 6:9). Ele não trata algumas pessoas
melhor do que outras por causa do que vestem, do nível de renda delas, das
posições que ocupam ou por quem elas conhecem. Ele não apenas trata a
todos do mesmo modo, como parece que se dedica a tratar especialmente
bem aqueles que estão sofrendo.
O apóstolo Pedro disse:

Pratiquem a hospitalidade uns para com os outros (os da família da
fé) [Sejam hospitaleiros, amem os estrangeiros, com afeto fraternal
pelos hóspedes desconhecidos, os pobres e todos os outros que cruzarem o seu caminho que fazem parte do corpo de Cristo]. E [em
cada caso] façam isso com generosidade (cordialmente e graciosamente, sem reclamar, mas como quem o representa).

— 1 Pedro 4:9

Antes que você passe correndo por essa parte, reflita sobre o quanto você
é amigável com as pessoas que não conhece, e principalmente com aquelas
que são totalmente diferentes de você. Algumas pessoas são naturalmente
amigáveis e extrovertidas por temperamento, mas aquelas de nós que não
parecem ter o "gene da amizade" precisam tomar a decisão de ser amigáveis, porque a Bíblia diz que devemos fazer isso.
O apóstolo Tiago advertiu a igreja a não prestar atenção especial a pessoas que vestiam roupas esplêndidas para irem à sinagoga, nem para dar
a elas os lugares de preferência quando elas entrassem. Ele disse que se as
pessoas agissem assim e quisessem receber tratamento especial, elas tinham
motivações erradas (ver Tiago 2:1-4). Em outras palavras, devemos tratar
todas as pessoas como sendo dignas de respeito.
Jesus pôs um fim à distinção entre as pessoas, e disse que somos todos
um nele (ver Gálatas 3:28). Precisamos vê-las simplesmente como pessoas
valiosas — não ricas ou pobres, altamente educadas ou sem instrução, não
as etiquetas em suas roupas, seus penteados, os carros que elas dirigem,
a profissão ou os títulos delas — apenas pessoas por quem Jesus morreu.

259

4 de Setembro

Confiando em Deus Dia a Dia

Confie Nele Deus sabia o que estava fazendo quando enviou o Seu Filho Jesus para morrer por *todos* nós. Se Ele estava disposto a fazer isso, você pode confiar que Ele quer que você trate cada pessoa por quem Ele morreu com igual respeito.

4 de Setembro

A "Fome Muito Maior"

Portanto vamos ansiar definitivamente e buscar avidamente o que serve para a harmonia e para a edificação mútua (desenvolvimento) uns dos outros.

ROMANOS 14:19

Madre Teresa disse: "Ser indesejado, não amado, não cuidado, esquecido por todos — creio que essa é uma fome muito maior, uma pobreza muito maior que a da pessoa que não tem o que comer".

Descobri que a maioria das pessoas com quem entramos em contato em nossa vida diária não tem ideia do seu infinito valor como filho de Deus. Creio que o diabo se esforça muito para fazer as pessoas se sentirem desvalorizadas e inúteis, mas podemos neutralizar o efeito das mentiras dele e de suas insinuações, edificando as pessoas, encorajando-as e levantando-as. Uma maneira de fazer isso é com um elogio sincero, que é um dos presentes mais valiosos deste mundo.

A maioria das pessoas é rápida em se comparar com os outros, e ao fazer isso, elas costumam deixar de ver as próprias habilidades e o próprio valor. Fazer outra pessoa se sentir valiosa não é caro e não precisa consumir muito tempo. Tudo que precisamos fazer é tirar nós mesmos da nossa mente por tempo suficiente para pensar em outra pessoa, e depois encontrar algo encorajador para dizer. Fazer as pessoas se sentirem valiosas não custará dinheiro algum, mas dá a elas algo que vale mais do que qualquer dinheiro pode comprar. Fazer um elogio sincero pode parecer uma coisa pequena, mas dá uma grande força a alguém.

Creio em ter objetivos. Quando eu estava trabalhando com Deus para desenvolver bons hábitos na área de encorajar os outros, eu me desafiava para elogiar pelo menos três pessoas todos os dias. Recomendo que você faça alguma coisa semelhante para ajudar a se tornar um encorajador frequente.

Confie Nele O que você está fazendo para garantir que as pessoas com quem entra em contato se sintam valiosas? Como um filho

Confiando em Deus Dia a Dia   5 de Setembro

de Deus, você tem valor, mas muitas pessoas que você encontra não o conhecem nem confiam no Seu amor. Comece a ajudar as pessoas a verem o próprio valor fazendo um elogio sincero a elas.

5 de Setembro

Você Foi Adotado Como Propriedade dele

Embora meu pai e minha mãe tenham me abandonado, o Senhor me acolherá [me adotará como Seu filho].

SALMOS 27:10

Passei a entender que multidões de pessoas que encontramos diariamente estão apenas tentando sobreviver até que alguém as resgate — e esse alguém poderia ser você ou eu.

Minha mãe tinha um medo profundo do meu pai, por essa razão ela era incapaz de me salvar dos vários tipos de abuso que ele fazia contra mim. Sentia-me muito sozinha, esquecida e abandonada no pesadelo em que vivia. Finalmente decidi que ninguém iria me ajudar, então prossegui tentando "sobreviver" às circunstâncias até poder fugir delas.

A Bíblia diz que no amor de Deus, "Ele nos escolheu [na verdade nos separou para Si mesmo como propriedade Sua] em Cristo antes da fundação do mundo" (Efésios 1:4). Ele planejou em amor que fôssemos adotados como Seus próprios filhos.

Essas lindas palavras trouxeram uma cura profunda à minha alma ferida. Deus adota os abandonados e os solitários e Ele os ergue e lhes dá valor. Ele trabalha por meio da Sua Palavra, por meio do Espírito Santo e por meio de pessoas guiadas pelo Espírito, que vivem para ajudar outras.

Madre Teresa sentia que cada pessoa que ela encontrava era "Jesus *disfarçado*". Simplesmente tente imaginar como nós trataríamos as pessoas de modo diferente se realmente olhássemos para elas como ela olhava.

Jesus disse que se fazemos bem ou mal até "às menores" das pessoas, fazemos isso para Ele (ver Mateus 25:45). Em outras palavras, Ele interpreta a maneira como tratamos os outros de modo pessoal. Se alguém insultasse, desprezasse ou desvalorizasse um dos meus filhos, eu interpretaria isso como um insulto pessoal, então por que é tão difícil entender que Deus sente o mesmo? Vamos nos esforçar para edificar as pessoas, para fazer com que todos os que encontramos se sintam melhor, e para agregar valor à vida delas.

6 de Setembro
Confiando em Deus Dia a Dia

Confie Nele Se você sente que não pode confiar em ninguém e precisa cuidar de si mesmo para sobreviver, comece a confiar em Deus, porque Ele o escolheu e o adotou como propriedade dele. Quando conhecer essa verdade por si mesmo, você poderá começar a ajudar outros a conhecerem-na por si mesmos também.

6 de Setembro

Deus Quer Que Você Ria

Um coração feliz é bom remédio e uma mente alegre traz cura, mas o espírito quebrantado resseca os ossos.

PROVÉRBIOS 17:22

Uma das coisas incríveis que percebi ao ensinar e ministrar é que Deus ama fazer as pessoas rirem. Não pretendo ser engraçada quando falo, mas o Espírito Santo fala através de mim — e fico impressionada com a maneira como Ele acrescenta pequenos pensamentos ou ilustrações engraçadas. Ele conhece claramente a importância do humor e o efeito curador que ele gera.

Deus quer nos ver rir, e que façamos as outras pessoas rirem também. Não significa que devemos nos tornar palhaços ou rir em horas inadequadas, mas sem dúvida podemos ajudar uns aos outros a enfrentar a vida de uma forma mais leve. Todos nós estaríamos muito melhor se aprendêssemos a rir de nós mesmos às vezes, em vez de nos levarmos tão a sério.

Nas últimas três vezes que usei calças brancas, derramei café em mim mesma. Posso pensar que sou uma desajeitada, que não consigo segurar nada e começar a me desvalorizar, ou posso rir disso e tentar não me sujar na próxima vez. Durante anos, ouvi pessoas se diminuírem verbalmente por qualquer erro que cometiam, e creio que isso entristece Deus. Se sabemos qual é o nosso valor em Cristo, *nunca* devemos dizer coisas a respeito de nós mesmos que desvalorizem o que Deus criou.

Por que não criar o hábito de ajudar as pessoas a verem que todos nós cometemos erros bobos, e podemos escolher rir em vez de ficar chateados? Dê às pessoas permissão para não serem perfeitas. Deus nos ama incondicionalmente, e isso significa que Ele nos aceita da maneira que somos, e depois nos ajuda a ser tudo o que podemos ser. Ajudar as pessoas a rirem de si mesmas é uma maneira de dizer: "Eu aceito você, com falhas e tudo".

Lembre-se de aproveitar todas as oportunidades para rir — principalmente de si mesmo — porque isso melhorará a sua saúde e você desfrutará muito mais a vida.

Confiando em Deus Dia a Dia   7 de Setembro

Confie Nele Você se aceita, com falhas e tudo? Deus sim! Se confia nele para amá-lo exatamente como você é (foi Ele quem o criou!), então você pode relaxar, aceitar que não é perfeito, e ser um exemplo para os outros que precisam de mais riso em suas vidas.

7 de Setembro
Você É Conhecido pelo Seu Fruto

Ou faça a árvore boa (saudável), e o seu fruto bom (saudável), ou faça a árvore má (doente), e o seu fruto mau (doente). Pois a árvore é conhecida e julgada pelo seu fruto.

MATEUS 12:33

Jesus disse que nós seríamos conhecidos pelo nosso fruto, o que significa que as pessoas podem dizer quem realmente somos por dentro pelo que produzimos com as nossas vidas e com as nossas atitudes.

Jesus não apenas falava acerca do amor, Ele demonstrava amor com Seus atos. Atos 10:38 diz que Ele se levantava diariamente e ia por toda parte fazendo o bem e curando todos aqueles que eram assediados e oprimidos pelo diabo. Seus discípulos o viam diariamente ajudando as pessoas, ouvindo-as ou permitindo que os planos dele fossem interrompidos para ajudar alguém que ia a Ele com uma necessidade. Os discípulos o viam garantir que eles sempre tivessem dinheiro separado para ajudar os pobres. Eles também testemunhavam que Ele era rápido em perdoar e em demonstrar paciência com os fracos. Ele era gentil, humilde e encorajador, e nunca desistia de ninguém. Jesus não falava meramente de amar as pessoas, Ele demonstrava a todos que o cercavam como amar. Nossas palavras são importantes, mas os nossos atos carregam mais peso do que as nossas palavras.

O maior problema que temos no Cristianismo é que ouvimos as pessoas nos dizerem o que fazer — e até dizemos aos outros o que fazer — e depois saímos do prédio da igreja e dos estudos bíblicos e não fazemos nada. Não importa o que *pensamos* que sabemos. A prova do que sabemos está no que fazemos.

Devo perguntar constantemente a mim mesma: "O que estou fazendo para realmente demonstrar amor?" Podemos ser enganados pelo conhecimento, de acordo com o apóstolo Paulo (ver 1 Coríntios 8:1). Podemos ficar cegos pelo orgulho do que sabemos, a ponto de nunca reconhecer que não estamos realmente praticando nada disso. Todos nós deveríamos nos certificar de que não haja distância entre o que dizemos e o que fazemos.

263

8 de Setembro　　　　　　　　　Confiando em Deus Dia a Dia

Confie Nele Peça a Deus para lhe revelar se existe distância entre o que você diz e o que você faz. Seja o que for que Ele lhe revelar, confie que Ele está fazendo isso para ajudá-lo a colher frutos bons e saudáveis.

8 de Setembro

Seja Alguém Que Não Se Ofende Facilmente

Grande paz têm aqueles que amam a Tua lei; nada os ofenderá ou os fará tropeçar.

SALMOS 119:165

As pessoas que querem viver vidas poderosas devem se tornar especialistas em perdoar àquelas que as ofendem e magoam. Quando alguém fere os meus sentimentos, ou é rude e insensível comigo, acho útil dizer depressa: "Não vou ficar ofendida". Tenho de dizer essas palavras silenciosamente em meu coração se a pessoa ainda estiver na minha presença, mais tarde, porém, quando a lembrança do que ela fez volta para me assombrar, eu as repito em voz alta. Quando digo: "Não vou ficar ofendida", sempre oro para Deus me ajudar, entendendo que não posso fazer nada sem Ele.

Meu marido Dave sempre foi uma pessoa que não se ofende facilmente. Quando ele está com pessoas que poderiam feri-lo ou em situações em que poderia se ofender, ele diz: "Não vou deixar que pessoas negativas controlem o meu estado de espírito. Elas têm problemas e não vão passar os problemas delas para mim".

Por minha vez, passei muitos anos tendo os meus sentimentos feridos regularmente e vivendo com a agonia da ofensa, mas não estou disposta a viver mais assim. Estou ocupada adotando uma nova mentalidade. Você está disposto a se juntar a mim e se tornar uma pessoa que não se ofende facilmente? Se estiver, você abrirá a porta para ter mais paz e alegria do que jamais conheceu.

Desenvolver a mentalidade de alguém que não se ofende facilmente tornará a sua vida muito mais agradável. As pessoas estão por toda parte e você nunca sabe o que elas poderão dizer ou fazer. Por que entregar o controle do seu dia a outras pessoas? Ficar magoado e ofendido não muda as pessoas, apenas a nós mesmos. Isso só nos deixa infelizes e rouba a nossa paz e alegria, portanto, por que não nos prepararmos mentalmente para não cairmos na armadilha de Satanás? Desenvolver a mentalidade de ser alguém que não se ofende facilmente tornará a sua vida muito mais agradável.

Confiando em Deus Dia a Dia

9 de Setembro

Confie Nele Você fica com os sentimentos feridos facilmente? Confie em Deus para ajudá-lo a se tornar uma pessoa que não se ofende com facilidade.

9 de Setembro

Ore por Aqueles que Magoaram Você

Mas amem os seus inimigos, façam o bem a eles, e emprestem a eles sem esperar nada em troca. Então a sua recompensa será grande...

LUCAS 6:35

Um dos motivos pelos quais achamos difícil perdoar os outros quando somos ofendidos é porque dissemos a nós mesmos, provavelmente milhares de vezes, que perdoar é difícil. Nós nos convencemos e predispomos nossa mente a falhar em uma das ordenanças mais importantes de Deus, que é perdoar e orar pelos nossos inimigos e por aqueles que nos ferem e abusam de nós (ver Lucas 6:35-36). Meditamos excessivamente no que o ofensor nos fez, e não entendemos o que estamos fazendo a nós mesmos quando engolimos a isca de Satanás.

Embora orar pelos nossos inimigos e abençoar aqueles que nos amaldiçoam possa parecer extremamente difícil ou quase impossível, podemos fazer isso se firmarmos nossa mente nessa ideia. Ter a mentalidade adequada é vital se quisermos obedecer a Deus. Ele nunca nos diz para fazer algo que não seja bom para nós ou que não possamos fazer. Deus está sempre disponível para nos dar a força que precisamos para realizar a tarefa. Nem sequer precisamos pensar no quanto é difícil; simplesmente precisamos fazê-la!

Deus é justo! A justiça é um dos Seus traços de caráter mais admiráveis. Ele faz justiça quando esperamos nele e confiamos nele para ser o nosso defensor, quando fomos magoados ou ofendidos. Ele simplesmente nos pede para orar e perdoar, deixando que Ele faça o resto. Ele faz até a nossa dor cooperar para o nosso bem (ver Romanos 8:28). Ele nos justifica, nos inocenta e nos recompensa. Ele nos compensa pela nossa dor se seguimos as Suas ordens de perdoar os nossos inimigos e diz que "em lugar da afronta receberemos o dobro" (ver Isaías 61:7).

À medida que renovarmos a nossa mente com pensamentos do tipo *Eu perdoo rapidamente e liberalmente*, perdoar e liberar as ofensas se tornará mais fácil do que nunca. O motivo pelo qual isso é verdade é porque "aonde a mente vai, o homem segue". À medida que concordamos com Deus

265

10 de Setembro · Confiando em Deus Dia a Dia

verbalmente e mentalmente, obedecendo à Sua Palavra, nós nos tornamos uma equipe imbatível com Ele.

Confie Nele Em que áreas você costuma engolir a isca de Satanás e cair na armadilha de ficar ofendido? Pare de dizer que é difícil demais e simplesmente confie que se você orar e perdoar, Deus fará o resto.

10 de Setembro

"Porque Eu Estou em Cristo!"

Assim como o oriente está distante do ocidente, assim Ele afastou de nós as nossas transgressões. Como um pai ama e se compadece dos seus filhos, assim o Senhor ama e se compadece daqueles que o temem [com reverência, adoração e assombro].

SALMOS 103:12-13

Colocamos muito mais pressão sobre nós mesmos do que Deus jamais colocaria sobre nós. Deus remove tudo o que nos torna injustos (nossas transgressões) e envia tudo isso para tão longe quanto o oriente está distante do ocidente. Qual é a distância entre o oriente e o ocidente? Imensa!

Quando meu filho era mais novo, ele decidiu fazer algo bom para mim. Ele pegou uma tigela de água e foi até a varanda. Depois ele veio até mim e disse: "Mamãe, eu lavei as janelas para você". A entrada estava molhada. Ele estava molhado. As janelas estavam manchadas. Mas ele fez aquilo porque me amava. Deus me lembrou disso uma vez. Ele disse: "Você se lembra do que fez depois? Você mandou seu filho se limpar e depois limpou a sujeira quando ele não estava olhando". Deus me mostrou que Ele faz o mesmo conosco.

Deus está ciente das nossas imperfeições, porém recebe o que fazemos por amor a Ele. Deus limpa as nossas sujeiras, e até faz com que elas cooperem para o bem, porque Ele nos ama com um amor perfeito. Ele vê a nossa fé nele e por meio dela considera que estamos "em Cristo".

Se Deus perguntar: "Por que Eu deveria deixar você entrar no céu?", a única resposta correta é: "Porque eu estou em Cristo". Se Deus perguntar: "Por que Eu deveria atender às suas orações?" a resposta certa é: "Porque eu estou em Cristo". Se Deus perguntar: "Por que Eu deveria ajudar você?", a única resposta certa é: "Porque eu estou em Cristo".

Jesus quer que nos apresentemos destemidamente, confiantemente e ousadamente diante do Pai para receber misericórdia pelas nossas falhas

Confiando em Deus Dia a Dia · 11 de Setembro

e graça para cada necessidade que temos. Ele entende as nossas fraquezas e falhas. Ele entende que não vamos manifestar perfeição todos os dias. Mas podemos pedir a Deus para nos perdoar pelos erros que cometemos e depois comparecer com ousadia diante do trono, a fim de pedir a Deus que supra as nossas necessidades.

Confie Nele Faça tudo por amor pelo seu Pai celestial. Você pode confiar nele para atender às suas orações e para limpar as suas sujeiras.

11 de Setembro

Acredite no Melhor das Pessoas

O amor resiste a toda e qualquer coisa que vier, está sempre pronto para acreditar no melhor de cada pessoa; suas esperanças não esmorecem sob qualquer circunstância, e ele suporta tudo [sem enfraquecer].

1 CORÍNTIOS 13:7

Crer no melhor a respeito das pessoas é muito útil no processo de perdoar aqueles que nos magoaram ou ofenderam. Como seres humanos, tendemos a desconfiar dos outros e costumamos nos magoar devido às nossas próprias imaginações. É possível acreditar que alguém o magoou de propósito, quando a verdade é que a pessoa nem sequer estava ciente de que havia feito alguma coisa, e nunca teve a intenção de aborrecer você.

Lembro-me de que durante os primeiros anos do nosso casamento, eu me concentrava em tudo o que considerava negativo em Dave, e ignorava as características positivas dele. Meus pensamentos eram mais ou menos assim: *nós simplesmente não concordamos em nada. Dave é tão teimoso, e ele tem de estar certo o tempo todo. Ele é insensível, e simplesmente não se importa com os meus sentimentos. Ele nunca pensa em ninguém, exceto em si mesmo.* Na verdade, nenhum desses pensamentos era verdade! Eles só existiam em minha própria mente; e o meu pensamento errado causou muita ofensa e discórdia que poderiam ter sido facilmente evitadas se a minha mentalidade fosse mais positiva.

Com o tempo, conforme cresci no meu relacionamento com Deus, aprendi o poder de acreditar no melhor das pessoas e de meditar nas características que eram boas. À medida que isso aconteceu, o meu pensamento passou a ser assim: *Dave geralmente é muito fácil de conviver; ele tem suas áreas de teimosia, mas eu também tenho. Dave me ama e jamais feriria os*

267

12 de Setembro

Confiando em Deus Dia a Dia

meus sentimentos de propósito. Dave é muito protetor comigo e sempre cuida para que eu seja bem cuidada. A princípio, tive de ter esses pensamentos de propósito, mas agora eu realmente me sinto desconfortável quando tenho pensamentos negativos, e os pensamentos positivos vêm mais naturalmente porque eu me disciplinei a pensar neles.

Ainda há vezes em que as pessoas ferem os meus sentimentos, mas então eu me lembro de que posso escolher se vou ficar magoada ou se vou "superar". Posso acreditar no melhor ou posso acreditar no pior, então por que não acreditar no melhor e desfrutar o meu dia?

Confie Nele Você acredita no melhor das pessoas? Existe alguém em particular acerca de quem você precisa acreditar no melhor? Confie em Deus para ajudá-lo a meditar no melhor acerca de todas as pessoas, até que os pensamentos positivos venham naturalmente.

12 de Setembro
Todo Dia É Precioso

> *Porque se vocês perdoarem as transgressões das pessoas [os pecados negligentes e voluntários delas, deixando-os, esquecendo-os, e abrindo mão do ressentimento], seu Pai celestial também os perdoará.*
>
> MATEUS 6:14

Aprendi que qualquer dia que passo zangada e ofendida é um dia perdido. A vida é curta demais e preciosa demais para desperdiçarmos qualquer parte dela. Quanto mais as pessoas envelhecem, mais elas costumam perceber isso, porém fico triste em dizer que algumas pessoas nunca aprendem esse princípio. A sociedade em que vivemos hoje está cheia de pessoas iradas, que se ofendem facilmente, que estão estressadas e cansadas na maior parte do tempo. Mas Jesus nos ensina uma maneira melhor de viver.

Quero encorajar você a fazer o máximo com o hoje — e com todos os dias — porque a vida é um dom precioso de Deus. Todo dia está cheio de maravilhosas promessas e possibilidades. Desfrute este dia! Não o desperdice ficando irado ou ofendido.

Podemos optar por viver de acordo com a Palavra de Deus em vez de viver do jeito do mundo, ou ceder aos pensamentos e emoções carnais. Uma pessoa sábia se recusa a viver com os sentimentos feridos ou com a ofensa em seu coração. A vida é curta demais para desperdiçar um dia ficando irado, amargurado e ressentido. A boa notícia do Evangelho de Jesus Cristo é

Confiando em Deus Dia a Dia   13 de Setembro

que os nossos pecados são perdoados, e creio que recebemos a capacidade de perdoar aqueles que pecam contra nós. Qualquer coisa que o Senhor tenha nos dado, tal como o perdão e a misericórdia, Ele espera que estendamos a outros. Se algo veio *até nós*, deve fluir *através* de nós — esse deve ser o nosso objetivo.

Quando ficamos ofendidos, precisamos trazer rapidamente à nossa mente o fato de que Deus nos perdoou livremente e completamente, portanto devemos perdoar os outros do mesmo modo.

Confie Nele Você tem guardado alguma ofensa em seu coração? Nesse caso, confie em Deus — entregue-a a Ele — e perdoe. Não desperdice nem mais um minuto no qual você poderia estar desfrutando a vida.

13 de Setembro

Faça um Favor a Si Mesmo e Perdoe

E não deveria você ter piedade e misericórdia do seu próximo, assim como eu tive misericórdia de você?

MATEUS 18:33

Em Mateus 18:23-35, Jesus conta uma história a respeito de um homem que se recusou a perdoar outro. No final, ele defende a ideia clara e forte de que aqueles que não perdoam os outros são "entregues aos torturadores" (v. 34). Se você tem, ou já teve, dificuldade em perdoar os outros, estou certa de que pode confirmar essa verdade. Abrigar pensamentos de ódio e amargura contra outra pessoa em sua mente é realmente torturante.

Talvez você tenha ouvido o ditado: *"Recusar-se a perdoar é como tomar veneno e esperar que a outra pessoa morra"*. Não estamos ferindo aquele que nos magoou quando ficamos irados contra ele. A verdade é que, na maior parte do tempo, as pessoas que nos ofendem nem sequer sabem como nos sentimos. Elas continuam seguindo com as suas vidas, enquanto nós tomamos o veneno da amargura. Quando você perdoa aqueles que o ofendem, na verdade está ajudando a si mesmo mais do que a eles, por isso eu digo: "Faça um favor a si mesmo e perdoe!"

Geralmente pensamos: *Mas é tão injusto eu perdoá-los e então eles simplesmente não serem punidos pelo que fizeram. Por que eu deveria sofrer a dor enquanto eles ficam livres?* A verdade é que perdoando estamos liberando-os para que Deus possa fazer o que só Ele pode fazer. Se eu estiver no

269

14 de Setembro

Confiando em Deus Dia a Dia

caminho — tentando me vingar ou cuidar da situação eu mesmo em vez de confiar em Deus e obedecer a Ele — Ele pode ficar sentado e permitir que eu tente lidar com a situação na minha própria força. Mas se eu permitir que Deus trate com aqueles que me ofenderam perdoando-os, Ele pode extrair o bem dessa situação para ambas as partes.

O livro de Hebreus nos diz que Deus resolve as causas do Seu povo. Quando perdoamos, envolvemos Deus na nossa causa (ver Hebreus 10:30).

Confie Nele Existe alguma situação em sua vida da qual você está tentando cuidar em vez de confiar em Deus para resolvê-la? Nesse caso, faça um favor a si mesmo e perdoe, a fim de que Deus possa resolvê-la para você.

14 de Setembro
Os Benefícios do Perdão

Mas se vocês não perdoarem, tampouco o seu Pai que está no céu perdoará as suas faltas e transgressões.

MARCOS 11:26

A passagem de Marcos 11:22-26 nos ensina claramente que a falta de perdão impede a nossa fé de operar, portanto podemos concluir que o oposto também é verdade: o perdão permite que a nossa fé opere. O Pai não pode perdoar os nossos pecados se não perdoarmos as outras pessoas (ver Mateus 6:14-15).

Ainda existem mais benefícios relacionados ao perdão. Por exemplo, fico mais feliz e me sinto melhor fisicamente quando não estou cheia de falta de perdão. Podemos ser mais saudáveis quando perdoamos rapidamente. Doenças graves podem se desenvolver em resultado do estresse e da pressão que resultam da amargura, do ressentimento e da falta de perdão.

Nossa comunhão com Deus flui livremente quando estamos dispostos a perdoar, mas a falta de perdão atua como um grande bloqueio à comunhão com Deus. Também acredito que é difícil amar as pessoas enquanto abrigamos a ira. Quando temos amargura em nosso coração, ela respinga para fora em todas as nossas atitudes e relacionamentos.

É bom lembrar que até as pessoas que queremos amar podem sofrer quando retemos a amargura, o ressentimento e a falta de perdão. Por exemplo, eu era muito irada e amarga contra o meu pai por abusar de mim, e acabava maltratando o meu esposo, que não tinha nada a ver com a dor que

Confiando em Deus Dia a Dia   15 de Setembro

eu sentia. Eu sentia que alguém precisava pagar pela injustiça em minha vida, mas estava tentando cobrar de alguém que não podia pagar e não tinha a responsabilidade de fazer isso.

Deus promete nos compensar pela nossa antiga afronta se entregarmos a situação a Ele. Porém, quando não o fazemos, permitimos que Satanás perpetue a nossa dor e a leve de um relacionamento para o outro. Em Efésios 4:26-27, a Bíblia nos diz para não deixarmos que o sol se ponha sobre a nossa ira e para não darmos ao diabo nenhuma base de apoio ou oportunidade. Lembre-se de que o diabo precisa ter uma *base* de apoio para poder criar uma *fortaleza*. Não ajude Satanás a torturar você. Seja rápido em perdoar quando você for ofendido.

Confie Nele Os benefícios em sua vida não terão fim se você confiar na Palavra de Deus que lhe diz para perdoar, não sete vezes, mas setenta vezes sete (Mateus 18:22).

15 de Setembro

O Que Deus Me Diz Todos os Dias

Um novo mandamento Eu lhes dou; que vocês se amem uns aos outros. Assim como Eu os amei, vocês também devem amar uns aos outros.

JOÃO 13:34

O filósofo romano Sêneca fez uma declaração que todos nós precisamos lembrar: "Onde existir um ser humano, haverá uma oportunidade de bondade". Eu acrescentaria a isso: "Onde existir um ser humano, haverá uma oportunidade de expressar amor". Todos na terra precisam de amor e bondade. Mesmo quando não temos nada a oferecer aos outros em termos de dinheiro ou bens, podemos dar amor a eles e demonstrar bondade.

Parece que Deus me diz todos os dias: "Pare de pensar em si mesma e nos seus problemas e passe o dia de hoje fazendo alguma coisa para amar outra pessoa". Do começo ao fim, de todas as maneiras possíveis, a Palavra de Deus nos encoraja e nos desafia a amar as outras pessoas. Amar os outros é o "novo mandamento" que Jesus nos deu em João 13:34, e é o exemplo que Ele deixou para nós ao longo de Sua vida e ministério na terra. Se quisermos ser como Jesus, precisamos amar os outros com o mesmo tipo de amor gracioso, perdoador, generoso e incondicional que Ele estende a nós.

16 de Setembro — Confiando em Deus Dia a Dia

Nada mudou a minha vida mais drasticamente do que aprender a amar as pessoas e a tratá-las bem. Incorpore este pensamento à sua vida: *Amo as pessoas e gosto de ajudá-las.*

Confie Nele O que você está fazendo para demonstrar amor pelos outros? Confie no exemplo do amor incondicional de Deus para ser o seu guia.

16 de Setembro
O Amor Verdadeiro É Mais do que Palavras — É Ação

...não amemos [meramente] em teoria ou verbalmente, mas de fato e de verdade (na prática e na sinceridade).

1 JOÃO 3:18

Algumas pessoas pensam no amor como um sentimento maravilhoso — uma sensação de empolgação ou emoções efusivas que fazem com que nos sintamos calorosos e emotivos. Embora o amor sem dúvida tenha os seus sentimentos maravilhosos e as suas emoções poderosas, ele é muito mais que isso. O verdadeiro amor tem pouco a ver com emoções adocicadas e borboletas no estômago; ele tem tudo a ver com as escolhas que fazemos e a maneira que tratamos as pessoas. O verdadeiro amor não é teoria ou retórica; ele é ação. É uma decisão com relação à maneira como vamos nos portar em nossos relacionamentos com as outras pessoas. O verdadeiro amor supre necessidades, mesmo quando é necessário sacrifício para fazer isso.

Fico impressionada quando penso com que frequência sabemos qual é a atitude correta a fazer, mas nunca conseguimos fazê-la. O apóstolo Tiago disse que se ouvimos a Palavra de Deus e não a praticarmos, estamos enganando a nós mesmos com um raciocínio que não está de acordo com a verdade (ver Tiago 1:21-22). Em outras palavras, sabemos o que é certo, mas damos uma desculpa a nós mesmos. Encontramos motivos para nos eximirmos de fazer o que dizemos aos outros que eles deveriam fazer. Se realmente quisermos andar em amor, *faremos* o que é certo.

Você assumiria um compromisso diante de Deus e sinceramente em seu coração de fazer pelo menos uma coisa por outra pessoa todos os dias? Pode parecer simples, mas para fazer isso, você terá de pensar nisso e escolher fazê-lo deliberadamente. Talvez seja preciso até mesmo ir além do grupo normal de pessoas que fazem parte da sua vida e fazer coisas por pessoas

Confiando em Deus Dia a Dia   17 de Setembro

com quem você normalmente não se relacionaria, ou até por estranhos. Existem muitas pessoas no mundo que nunca tiveram ninguém que fizesse algo de bom por elas, e estão desesperadas por algumas palavras ou gestos de amor. Deixe que o amor seja o tema principal de sua vida, e você terá uma vida que vale a pena viver. A Bíblia diz que sabemos que passamos da morte para a vida se amamos uns aos outros (ver 1 João 3:14).

Confie Nele O que você vai fazer para colocar o amor em ação hoje? Confie em Deus para trazer pessoas para a sua vida que precisam conhecer o amor dele, e depois deixe que elas o vejam através de você.

17 de Setembro

Deus Lhe Dará a Verdade Quando Você a Pedir

Aquele que não ama não conhece a Deus [não o conhece nem nunca o conheceu], porque Deus é amor.

1 JOÃO 4:8

Passei muitos anos da minha vida sendo uma pessoa muito infeliz e insatisfeita, e desperdicei muito tempo pensando que a minha infelicidade era culpa de alguém ou de alguma coisa. Pensamentos do tipo: *Se eu simplesmente tivesse mais dinheiro, eu seria feliz,* ou *Se as pessoas fizessem mais por mim, eu seria feliz,* ou *Se eu não tivesse de trabalhar tanto, eu seria feliz,* ou *Se eu me sentisse melhor fisicamente, eu seria feliz,* enchiam a minha mente. A lista dos motivos que eu acreditava serem a razão da minha infelicidade parecia interminável, e não importava o que eu fizesse para me distrair, nada dava certo para mim.

À medida que cresci no meu relacionamento com Deus, literalmente passei a ficar desesperada para ter paz, estabilidade, verdadeira felicidade e alegria. Esse tipo de fome por uma mudança geralmente exige que encaremos algumas verdades — talvez algumas verdades desagradáveis ou coisas que não gostamos de admitir — a respeito de nós mesmos, e aprendi que se realmente quisermos a verdade, Deus a dará a nós. Quando comecei a buscar a Deus para saber qual era a causa da minha infelicidade, Ele me mostrou que eu era muito egoísta e egocêntrica. Meu foco estava no que os outros podiam fazer e deviam fazer por mim, e não no que eu podia e devia fazer por eles. Não foi algo fácil de aceitar, mas fazer isso foi o começo de uma jornada transformadora com Deus.

273

18 de Setembro — Confiando em Deus Dia a Dia

Deus me ajudou a começar a ver a mim mesma como uma pessoa que podia dar e ajudar. Eu tinha de mudar o meu modo de pensar de *E eu?* para *O que posso fazer por você?* Eu gostaria de dizer que essa foi uma mudança fácil de ser feita, mas a verdade é que foi muito difícil e levou muito mais tempo do que gosto de admitir.

Tudo o que Deus faz é para o nosso bem; todas as Suas ordens pretendem nos ajudar a ter a melhor vida que possamos ter. Ele nos ordena que amemos e sejamos bondosos com os outros, o que significa tirar o foco de nós mesmos, calar a voz que pergunta "E eu?", e aprender a seguir o exemplo de Jesus de ser bondoso, generoso e amoroso com os outros.

Confie Nele Peça a Deus para lhe mostrar a causa ou causas de qualquer infelicidade em sua vida. Confie nele e esteja disposto a encarar a verdade a respeito de si mesmo, ainda que você não goste dela. Este é o primeiro passo para uma vida melhor!

18 de Setembro
Pense em Algo Bom

Quanto ao mais, irmãos, tudo o que é verdadeiro, tudo o que é digno de reverência e é honroso e decente, tudo o que é justo, tudo o que é puro, tudo o que é amável e digno de amor, tudo o que é bondoso e agradável e gracioso, se alguma virtude e excelência há, se existe algo digno de louvor, pensem nessas coisas, poderem sobre elas e tomem-nas em consideração [foquem suas mentes nelas].

FILIPENSES 4:8

Um dia, lembro-me de ter orado: "Deus, não posso continuar combatendo os meus pensamentos o dia inteiro. Assim que eu capturo esses pensamentos errados, eles voltam. O que devo fazer?" Ao lutar a batalha em sua mente, você talvez se veja fazendo a mesma oração, por isso quero compartilhar com você a resposta simples que Deus me deu. Ele disse que tudo o que eu precisava fazer era pensar em outra coisa!

Quando você pensa em algo bom, não sobra espaço para os pensamentos errados entrarem em sua mente. Concentrar-se em tentar não ter pensamentos errados pode realmente aumentá-los, mas simplesmente encher a sua mente com coisas boas não deixa espaço para as coisas más entrarem.

A Bíblia diz que se andarmos no Espírito, nós não cumpriremos as concupiscências da carne (ver Gálatas 5:16), e isso significa simplesmente que

Confiando em Deus Dia a Dia

19 de Setembro

se nos concentrarmos nas coisas que Deus deseja, não teremos espaço em nossas vidas para o que o diabo deseja. Essa foi uma revelação transformadora para mim. Percebi que eu não podia esperar que algo bom simplesmente caísse dentro da minha mente. Eu tinha de *escolher* os meus pensamentos *de propósito*. A Bíblia diz em Deuteronômio 30:19 que Deus coloca diante de nós a vida e a morte, a bênção e a maldição. Se você e eu não escolhermos pensamentos que conduzem à vida, o inimigo fará a escolha por nós — e ele escolherá pensamentos que conduzem à morte. Mas quando escolhemos pensamentos que levam à vida, as nossas vidas são abençoadas.

Dedique tempo para remoer pensamentos bons sem parar na sua mente e isso o ajudará a formar o hábito de ter bons pensamentos. Você precisa acreditar que pode fazer alguma coisa ou nem mesmo tentará. Portanto, eu repito: "Você pode escolher os seus próprios pensamentos!" Você pode "vencer (dominar) o mal com o bem" (Romanos 12:21).

Confie Nele Dedique um instante para pensar em alguma coisa boa. Concentre-se naquilo que Deus deseja, e confie nele para ajudá-lo a vencer os pensamentos errados.

19 de Setembro

Invista nos Seus Pensamentos

Porque os Meus pensamentos não são os seus pensamentos, nem os seus caminhos são os Meus caminhos, diz o Senhor.

ISAÍAS 55:8

Se pudermos aprender a concordar com Deus em nossos pensamentos — a pensar como Ele quer que pensemos — então podemos *ter* o que Ele quer que tenhamos, *ser* quem Ele quer que sejamos, e *fazer* o que Ele quer que façamos. Mas isso não vai acontecer por acaso. Temos de ser deliberados. Temos de investir em nossos pensamentos, em vez de desperdiçá-los.

Eu disse muitas vezes: "Temos de pensar no que estamos falando", e creio mais nisso agora do que nunca. Se você está de mau humor, pergunte a si mesmo em que você estava pensando, e provavelmente descobrirá a raiz do seu mau humor. Se você está com pena de si mesmo, pense no que estava pensando, você perceberá que sua atitude pode precisar de um ajuste. Lembre-se: "Aonde a mente vai, o homem segue". Nosso humor está diretamente ligado aos nossos pensamentos, de modo que bons pensamentos produzirão bom humor.

20 de Setembro

Confiando em Deus Dia a Dia

Precisamos assumir a responsabilidade pelos nossos pensamentos. Precisamos parar de agir como se não houvesse nada que pudéssemos fazer a respeito. Deus nos deu o poder para resistir ao diabo escolhendo pensar nas coisas piedosas e boas. Quando percebo que posso garantir uma vida melhor tendo bons pensamentos, isso me dá uma grande esperança. Isso é empolgante!

Deus nos mostrará o que fazer para "limpar" os nossos pensamentos, mas Ele não fará o trabalho por nós. Ele nos dá a Sua Palavra para nos ensinar, e o Seu Espírito para nos ajudar, mas só nós podemos tomar a decisão de fazer o que devemos fazer. Você pode aprender a pensar adequadamente e poderosamente se quiser; isso levará tempo, mas é um investimento que rende ótimos resultados. A Bíblia é um registro dos pensamentos de Deus, dos Seus caminhos e atos. Ao concordarmos com ela, estamos concordando com Deus!

Confie Nele Você assumiu a responsabilidade pessoal pelos seus pensamentos e atitudes? Está investindo neles? Se não, assuma o compromisso de começar a confiar em Deus para lhe dar o poder de pensar responsavelmente.

20 de Setembro
Pensamento Deliberado

Mas Jesus, conhecendo (vendo) os pensamentos deles, disse: Por que vocês pensam o mal e abrigam a malícia em seus corações?
MATEUS 9:4

É impressionante a velocidade com a qual os pensamentos podem mudar o nosso humor e o quanto isso pode acontecer completamente. O pensamento negativo de qualquer espécie rouba rapidamente a minha alegria e gera uma grande quantidade de atitudes negativas. Quando nos sentimos negativos e deprimidos, as outras pessoas não gostam de estar conosco. Quando os nossos pensamentos estão para baixo, tudo o mais cai com eles. O nosso humor, a nossa fisionomia, a nossa conversa, e até o nosso corpo pode começar a adotar uma posição para baixo. Mãos penduradas, ombros caídos, tendência a olhar para baixo e não para cima. As pessoas propensas a serem negativas em seus pensamentos e conversas geralmente são infelizes, e raramente ficam contentes com qualquer coisa por muito tempo.

276

Confiando em Deus Dia a Dia
21 de Setembro

Ainda que alguma coisa de empolgante aconteça, elas logo encontram algo de errado com isso. Assim que veem alguma coisa errada, elas tendem a focar a mente nela; qualquer alegria é bloqueada por se concentrarem no aspecto negativo. Elas podem ocasionalmente experimentar um entusiasmo momentâneo, mas ele rapidamente se evapora e a tristeza mais uma vez toma conta de todo o seu comportamento. Essas pessoas provavelmente não entendem que poderiam ser felizes se simplesmente mudassem a sua maneira de pensar. Precisamos parar de meramente *esperar* que algo de bom aconteça e tomar uma atitude para garantir que algo de bom *realmente* aconteça.

Fico verdadeiramente impressionada quando penso no fato de que temos a capacidade de nos fazer felizes ou tristes pelo que escolhemos pensar. A Bíblia diz que nos satisfaremos das consequências das nossas palavras, quer sejam elas boas ou más (ver Provérbios 18:20).

Nossas palavras começam com os nossos pensamentos, de modo que o mesmo princípio que se aplica às nossas bocas também se aplica à nossa mente. Precisamos estar satisfeitos com as consequências dos nossos pensamentos, porque eles detêm o poder da vida e da morte. Eu acrescentaria que eles detêm o poder do contentamento e do descontentamento, da alegria e da tristeza.

Confie Nele Deus nos proporcionou a capacidade de fazer escolhas sobre muitas coisas na vida, inclusive os nossos pensamentos, e precisamos ser responsáveis por fazer essas escolhas cuidadosamente. Confie nele para ajudá-lo a escolher pensamentos positivos e a pensar deliberadamente.

21 de Setembro

Foque Sua Mente e Mantenha-a Focada

E foquem suas mentes e mantenham-nas focadas no que está no alto (as coisas superiores), e não nas coisas que são da terra.
COLOSSENSES 3:2

O concreto molhado pode ser movido com facilidade, e é muito moldável antes que seque ou seja espalhado. Mas quando ele endurece, fica no mesmo lugar. Ele não pode mais ser facilmente moldado ou modificado. O mesmo princípio se aplica a focar a sua mente.

Focar a sua mente é determinar decisivamente o que você vai pensar, em que você acredita, e o que você fará ou não fará — e focá-la de tal maneira

22 de Setembro

Confiando em Deus Dia a Dia

que você não possa ser facilmente influenciado ou persuadido do contrário. A partir do momento em que você firmar a sua mente de acordo com a verdade dos princípios de Deus para uma boa vida, precisará mantê-la focada e não permitir que forças externas remodelem o seu pensamento. Focar a sua mente nas coisas de Deus significa estar firme em sua decisão de concordar com os caminhos de Deus para a vida, independentemente de quem possa tentar convencê-lo de que você está errado.

A razão pela qual focar a sua mente e mantê-la focada é tão importante, é porque realmente não há muita esperança de resistir à tentação se você não se convencer antecipadamente com relação ao que fará quando for tentado. Você será tentado; esse é simplesmente um fato da vida. Portanto, precisa pensar antecipadamente sobre as situações que podem representar problemas para você. Se esperar até que esteja no meio de uma situação para decidir se vai permanecer firme ou não, então é certo que você vai desistir.

Decida-se antecipadamente a ir até o fim com Deus. Algumas pessoas passam a vida inteira começando e desistindo. Elas nunca seguem até o fim. Podem tomar uma decisão, mas quando a tentação chega — quando as coisas ficam difíceis — elas não mantêm a mente focada. Encorajo você firmemente a ser uma pessoa que termina o que começa, mantendo a sua mente focada na direção certa o tempo todo, até a vitória.

Confie Nele Seja qual for o seu maior desafio nessa área, decida-se agora a focar sua mente para a vitória total. Confie em Deus para lhe dar a força para ir até o fim.

22 de Setembro

Renove a Sua Mente

Não se conformem com este mundo (esta era), [moldado segundo os seus costumes externos e superficiais e adaptado a eles], mas sejam transformados (mudados) pela [total] renovação da sua mente [através dos seus novos ideais e da sua nova atitude], para que vocês possam provar [por si mesmos] qual é a boa, aceitável e perfeita vontade de Deus, até mesmo aquilo que é bom e aceitável e perfeito [aos olhos dele para vocês].

ROMANOS 12:2

Confiando em Deus Dia a Dia

23 de Setembro

Renovar a sua mente não é como renovar a sua licença de motorista ou o seu cartão da biblioteca, o que pode ser feito rapidamente e não precisa se repetir por meses ou anos. Renovar a sua mente é mais semelhante ao trabalho de renovar e remobiliar uma velha casa. Não acontece rapidamente; requer tempo, energia e esforço, e há sempre alguma coisa que precisa de atenção. Não caia na armadilha de acreditar que você pode renovar a sua mente tendo pensamentos corretos uma única vez. Para ter a mente renovada, será preciso ter pensamentos corretos vez após vez, até que eles fiquem enraizados no seu modo de pensar — até que os pensamentos corretos venham a você com mais facilidade e mais naturalmente que os pensamentos errados.

Você terá de se disciplinar para pensar adequadamente, e terá de se proteger para não cair em velhos padrões de pensamento, o que pode acontecer muito facilmente. Quando isso acontecer, não se sinta mal — apenas comece a pensar corretamente outra vez. Com o tempo, você acabará chegando a um ponto em que os pensamentos errados o deixarão desconfortável — eles simplesmente não se encaixarão mais nos seus processos mentais.

Deixe-me ser rápida em dizer que você não deve se sentir condenado se estiver tendo dificuldades com a sua vida mental atualmente, ou se enfrentar dificuldades nos próximos dias. A condenação só enfraquece você; ela nunca o ajuda a progredir. Todas as vezes que reconhecemos que estamos permitindo a entrada de pensamentos errados em nossa mente, devemos pedir a Deus que nos perdoe e continuar avançando rumo ao nosso objetivo.

Celebre cada vitória, porque isso o ajuda a não se sentir oprimido pelo que ainda falta ser conquistado, lembrando-se de que Deus é muito paciente e longânimo. Ele é compreensivo e nunca desistirá de você.

Confie Nele Em que áreas da sua vida a sua mente necessita ser renovada? Confie que Deus será paciente com você, enquanto você pratica a maneira correta de pensar.

23 de Setembro

"Cinja" a Sua Mente

Portanto, cinjam os lombos da sua mente, sejam sóbrios e coloquem a sua esperança totalmente na graça que lhes será trazida na revelação de Jesus Cristo.

1 PEDRO 1:13

24 de Setembro

Confiando em Deus Dia a Dia

Você e eu não estamos acostumados a ouvir a expressão "cingir" hoje em dia. Nos tempos bíblicos, porém, os homens e mulheres usavam roupas longas, semelhantes a saias. Se eles tentassem correr com aquelas roupas, havia uma boa chance dos seus pés se emaranharem nos longos tecidos, fazendo-os tropeçar. Quando eles precisavam se mover rapidamente, levantavam o tecido de suas roupas e os puxavam para cima, para poderem andar ou correr livremente. Em outras palavras, eles "cingiam" as suas roupas.

Quando a Bíblia nos diz para "cingir os lombos" da nossa mente, creio que isso significa tirar a nossa mente de tudo que nos poderia fazer tropeçar ao corrermos a corrida que Deus colocou diante de nós. Creio que também pode se referir a concentrar-se naquilo que está diante de nós, em vez de permitir que os nossos pensamentos perambulem por toda parte. Deus tem um bom plano para cada um de nós, mas precisamos percorrer o caminho que nos leva a ele.

Foco e concentração são desafios reais em nosso mundo de hoje. Temos muita informação vindo até nós o tempo todo, e manter a nossa mente naquilo que é o nosso propósito requer grande determinação e até treinamento.

Você pode se levantar na segunda-feira e ter toda a intenção de começar o seu dia passando tempo com Deus em oração e estudo bíblico. Depois você pretende terminar três projetos específicos naquele dia: você precisa ir ao mercado, levar o seu carro ao mecânico para uma manutenção e terminar de limpar um armário no qual você começou a trabalhar na semana passada. Sua intenção é boa, mas se você não focar nesses projetos, sem dúvida será atraído por outras coisas ou pessoas. Cingir a sua mente é outra maneira de dizer "fique focado no que você precisa fazer".

Confie Nele Você desenvolveu a habilidade de se concentrar e focar o que precisa fazer? Para permanecer na rota de Deus para a sua vida, você precisa se manter focado e confiar nele para ser o seu guia.

24 de Setembro

A Felicidade Vem de Servir ao Senhor

Depois desses eventos, Deus testou e provou Abraão e lhe disse: Abraão! E ele disse: Eis-me aqui. [Deus] disse: Tome agora o seu filho, o seu único filho, Isaque, a quem você ama, e vá à região de Moriá; e ofereça-o ali como oferta queimada sobre um dos montes

Confiando em Deus Dia a Dia — 25 de Setembro

do qual eu lhe direi. Então Abraão levantou-se cedo de manhã, selou a sua mula, e levou dois de seus jovens com ele e seu filho Isaque; e ele rachou a lenha para a oferta queimada, e depois iniciou a viagem até o lugar que Deus havia lhe dito.

GÊNESIS 22:1-3

Creio que Deus estava testando as prioridades de Abraão nesse versículo. Isaque provavelmente havia se tornado muito importante para Abraão, de modo que Deus testou Abraão para ver se ele abriria mão de Isaque para Deus em fé e obediência. Quando Deus viu a disposição de Abraão em obedecer, providenciou um cordeiro para Abraão sacrificar em vez de Isaque (Gênesis 22:12-13).

Todos nós passamos por testes. Como aconteceu com Abraão, esses testes destinam-se a experimentar, provar e desenvolver a nossa fé. Um dos testes que tive de enfrentar foi: "E se eu nunca tiver o ministério que sonhei por tanto tempo? E se eu nunca conseguir ministrar para mais de cinquenta pessoas de uma vez? Ainda poderei amar a Deus e ser feliz?"

E você? Talvez você queira se casar. E se você nunca se casar? Você pode ser feliz mesmo assim? Talvez você queira que certa pessoa da sua família mude. E se essa pessoa nunca mudar? Você pode ser feliz mesmo assim? Talvez você queira mais dinheiro. E se você nunca tiver mais dinheiro do que o que tem agora? Você pode ser feliz mesmo assim?

Se você não conseguir o que deseja, ainda poderá amar a Deus? Você ainda irá servi-lo por todos os dias da sua vida, ou está apenas tentando conseguir alguma coisa dele? Uma linha tênue divide as motivações do coração entre egoísmo e altruísmo; devemos sempre garantir que entendamos de que lado da linha nós estamos.

Confie Nele O que você deseja? Se você nunca conseguir isso, ainda poderá amar a Deus e confiar que Ele tem um plano melhor para a sua vida?

25 de Setembro

Confie Sua Vida a Deus

Portanto, [herdar] a promessa é o resultado da fé e depende [inteiramente] da fé, para que pudesse ser dada como um ato de graça (favor imerecido)...

ROMANOS 4:16

26 de Setembro

Confiando em Deus Dia a Dia

No início da minha caminhada cristã, eu trabalhava continuamente para tentar mudar por mim mesma. Mas muitas das mudanças que aconteceram em minha vida começaram no dia em que eu finalmente entendi que só Deus poderia fazer essas mudanças.

Naquele dia, eu simplesmente me sentei na presença de Deus, chorando e dizendo a Ele: "Se Tu não me mudares, Senhor, nunca serei diferente, porque fiz tudo o que qualquer pessoa pode fazer para mudar. Tentei tudo o que sei. Segui cada fórmula. Repreendi todos os demônios. Jejuei. Orei. Chorei. Implorei e supliquei. E nada disso funcionou. Portanto, Senhor, Tu terás de me aceitar do jeito que sou e eu terei de ficar assim para sempre. Se eu tiver de ser diferente, Tu terás de me transformar. Eu desisto".

Quando terminei de falar, o Espírito Santo falou em meu coração: "Bom. Agora finalmente posso fazer alguma coisa".

Eu havia chegado a um ponto em que não me importava se meu ministério crescesse ou não. Eu só queria um pouco de paz. Finalmente havia chegado a um ponto em que não me importava se Dave ou meus filhos mudassem ou não. Eu só queria um pouco de paz. Por fim entendi que eu teria de parar de tentar mudar tudo e a todos ao meu redor, inclusive a mim mesma, e deixar Deus lidar com isso, se eu quisesse ter paz.

Você nunca irá desfrutar a promessa da nova vida (ver Romanos 4:16) que Jesus morreu para lhe dar até que você mude a sua maneira de pensar. Não se trata do que você pode fazer — trata-se do que Jesus fez por você.

Tentar enfrentar todos os desafios da vida diária pode fazer você focar nas obras humanas, que tiram de você a paz, a sua alegria, o respeito próprio e a confiança. As obras prendem você na armadilha de sempre se esforçar para *ser* melhor, para você se *sentir* melhor consigo mesmo. Mas se você tentar fazer as coisas sozinho, será incapaz de gerar as mudanças positivas que deseja.

Confie Nele Se você tentou tudo e ainda está desesperado por paz, mude a sua maneira de pensar e entregue a sua vida a Deus.

26 de Setembro

Pare de Analisar Excessivamente as Coisas

Ó, [homens, como é pequena a confiança que vocês têm em Mim, como] é pequena a sua fé!

MATEUS 16:8

Confiando em Deus Dia a Dia   27 de Setembro

Se você quer ter alegria, precisa parar de tentar entender tudo. Você precisa parar de deixar os seus problemas ficarem remoendo em sua mente. Precisa parar de procurar ansiosamente uma resposta para a sua situação, tentando descobrir o que deve fazer a respeito dela.

Quando Jesus viu que os Seus discípulos estavam tentando "entender" o que fazer sobre o fato de eles terem se esquecido de levar pão para alimentar a multidão, Ele lhes disse: Ó homens de pequena fé, porque vocês estão debatendo entre vocês?" (Mateus 16:8).

Passei muitos anos tentando resolver os meus próprios problemas, e finalmente descobri que não é a vontade de Deus para mim que eu faça isso. Tudo o que os meus esforços fizeram foi me deixar frustrada, além de mais egoísta e egocêntrica. Eu focava em mim mesma e esperava que todos os outros focassem em mim também. Eu contava com os outros (e comigo mesma) para fazerem por mim o que só Deus podia fazer.

Nós racionalizamos e tentamos entender as coisas, perguntando: "Por que, Deus, por quê?" e "Quando, Deus, quando?" Queremos saber as respostas para as nossas situações para que não seja necessário confiar em Deus. Não queremos surpresa alguma; queremos estar no controle, porque temos medo de que as coisas não saiam do jeito que queremos. Esse desejo impulsivo de estar "no controle" geralmente produzirá uma coisa — uma mente permeada de raciocínios excessivos.

"Por que, Deus, por quê?" e "Quando, Deus, quando?" são duas perguntas que podem nos manter frustrados e nos impedir de desfrutar a vida que Jesus morreu para nos dar. Muitas vezes não entendemos o que Deus está fazendo, mas é nisso que se resume a confiança. Ninguém diz que temos de saber tudo; ninguém nunca nos disse que temos de entender tudo. Precisamos estar satisfeitos em conhecer Aquele que sabe, que é Deus. Precisamos aprender a confiar em Deus, e não em nós mesmos.

Confie Nele Pare de analisar excessivamente as coisas. Confiança significa não precisar saber "por que" e "quando" para estar em paz.

27 de Setembro

Você Não Precisa Ter Todas as Respostas Para Parar de Se Preocupar

Porque Deus não é o autor da confusão, mas da paz...
1 CORÍNTIOS 14:33

27 de Setembro

Confiando em Deus Dia a Dia

Eu estava ministrando em uma reunião em Kansas City, e veio ao meu coração perguntar à audiência quantos deles estavam confusos. Havia cerca de 300 pessoas naquela reunião, e pude observar que 298 deles ergueram as mãos. E meu marido foi um dos dois que não o fizeram.

Posso lhe dizer que Dave nunca esteve confuso em sua vida, porque ele não se preocupa. Ele não tenta entender nada. Ele não está interessado em ter todas as respostas para tudo, porque ele confia em Deus. Quando você confia em Deus, pode relaxar e desfrutar a vida. Você não tem de passar pela vida se preocupando e tentando entender como resolver todos os seus problemas. Pense em todas as coisas com as quais você se preocupou em sua vida e em qual foi o resultado delas. Isso deve ajudar você a entender que preocupar-se e racionalizar são uma perda de tempo e energia.

Tenho quatro filhos adultos. Fico impressionada quando olho para trás, para tudo o que passei com eles enquanto estavam crescendo — quando não tiravam boas notas na escola, quando eu era chamada ao gabinete do diretor por causa deles, quando o vizinho reclamava deles, quando parecia que eles nunca iriam querer trabalhar ou fazer nada que valesse a pena, ou que nunca seriam capazes de lidar com suas finanças. Eu pensava: *Como eles vão lidar com a vida quando estiverem longe de mim? Eles não conseguem nem lidar com as mesadas deles!* Eu desperdiçava muito tempo me preocupando com eles, e no fim todos eles acabaram bem.

Estou compartilhando essas histórias com você para ajudá-lo a entender onde seus filhos, seus relacionamentos, suas finanças, seu emprego e sua saúde estão agora não é onde eles vão terminar. E preocupar-se com essas coisas só ajuda a aumentar o problema; não ajuda a alcançar a resposta. Pare de se preocupar. Pare de complicar a sua vida tentando entender tudo. Simplesmente admita que você sabe que não é capaz, que você precisa de Deus. Então continue vivendo e desfrutando a vida, enquanto Deus está lhe dando as respostas.

Confie Nele Ore e confie em Deus, e Ele lhe mostrará o que fazer na hora certa. Ele lhe mostrará porque Ele é um Deus que nunca falha com os Seus filhos (ver Deuteronômio 36:1, 8). Ele é um Deus fiel, e sempre vem em nosso socorro.

Propósito e Bênçãos

E Simão (Pedro) respondeu: Mestre, trabalhamos a noite inteira [exaustivamente] e não pegamos nada [em nossas redes]. Mas com base na Tua palavra, lançarei as redes [outra vez].

LUCAS 5:5

Amo a história de Lucas 5 — Pedro e seus companheiros voltando de uma viagem de pesca malsucedida. Depois que Jesus terminou de falar às multidões que haviam se reunido junto à praia, "Ele disse a Simão (Pedro): 'Faça-se ao mar alto, e lance as suas redes para a pesca'" (v. 4). Quando li isto há alguns anos, chamou minha atenção porque eu estava procurando por um *carregamento* de bênçãos em minha vida. Eu tinha mensagens em áudio cristãs, camisetas cristãs, livros cristãos, adesivos cristãos, um broche de Jesus e podia falar "evangeliquês" tão bem quanto qualquer um. Mas me faltava a vida abundante que a Bíblia diz que Deus quer que eu tenha, porque eu não entendia os propósitos de Deus.

Depois que Jesus disse a Pedro para se lançar ao mar alto, Pedro disse: "Mestre, trabalhamos a noite inteira [exaustivamente] e não pegamos nada [em nossas redes]. Mas com base na Tua palavra, lançarei as redes [outra vez]" (Lucas 5:5). Veja o que aconteceu nos versículos 6 e 7: "E quando eles fizeram isso, pegaram uma grande quantidade de peixes. E como suas redes estavam a ponto de romper-se, fizeram sinal aos seus companheiros no outro barco para virem e as segurarem com eles. E eles foram e encheram os dois barcos, de modo que começavam a afundar".

Eis o que me faltava: se Pedro estivesse vivendo com base nos seus sentimentos, ele não teria voltado a pescar, porque ele e seus homens estavam exaustos. Em vez disso, ele escolheu viver com base na Palavra.

Deus me mostrou que a mesma coisa acontece conosco. Se quisermos um "carregamento" de provisão em nossas vidas, precisamos viver em um nível mais profundo do que o que queremos, pensamos e sentimos. Precisamos viver de acordo com a Palavra de Deus e fazer o que ela diz — quer sintamos vontade ou não, quer entendamos ou não, quer queiramos ou não, quer achemos que é boa ideia ou não. Precisamos tomar a decisão de parar de correr atrás de coisas que não têm a capacidade de nos fazer feliz. Não importa o que temos, se não sabemos e entendemos o nosso propósito na vida — que é glorificar a Deus.

29 de Setembro   Confiando em Deus Dia a Dia

Confie Nele Você deseja a vida abundante que a Bíblia promete? Ela está disponível a você. Tudo que você tem a fazer é confiar em Deus e fazer o que a Sua Palavra diz. Sua obediência glorificará a Deus e trará um carregamento de bênçãos para a sua vida.

29 de Setembro

A Simplicidade Gera Alegria

...verdadeiramente Eu lhes digo, se vocês não se arrependerem (mudarem, voltarem) e se tornarem como crianças [confiantes, humildes, amorosas, perdoadoras], vocês nunca poderão entrar no Reino dos céus [de modo algum].

MATEUS 18:3

Os cristãos têm à sua disposição a qualidade abundante da vida que vem de Deus, que não está cheia de medo, estresse, preocupação, ansiedade ou depressão. Deus não é impaciente nem está com pressa; Ele dedica tempo para desfrutar a Sua criação. E Ele quer que façamos o mesmo.

Infelizmente, não creio realmente que a maioria das pessoas esteja desfrutando suas vidas. Quando você lhes pergunta como elas estão, a resposta é quase sempre: "Ocupado! Estou muito ocupado com o trabalho, com as crianças, com a igreja e com as atividades da escola".

Vivemos em um mundo estressante, que parece estar ficando mais estressante a cada dia que passa. As pessoas estão correndo para todo lado. Elas são rudes, ríspidas, e é fácil ver que muitas pessoas estão frustradas e sob pressão. Elas estão passando por estresse financeiro, estresse conjugal, e pelo estresse de criar filhos no mundo de hoje.

Tenho um pensamento para você considerar: *a simplicidade gera alegria, mas a complicação a bloqueia.* Mateus 18:3 diz que Deus quer que encaremos a vida com a fé simples de uma criança. Ele quer que cresçamos em nosso comportamento, mas que permaneçamos infantis em nossa atitude para com Ele com relação à confiança e à dependência. Ele quer que saibamos que somos os Seus filhinhos preciosos. Demonstramos fé nele quando vamos a Ele dessa maneira, que permite que Ele cuide de nós.

Não podemos ter paz e desfrutar a vida sem a fé de uma criança. Quando você começa a viver a sua vida com toda a simplicidade de uma criança, isso muda todo o seu panorama de um modo impressionante.

Comece a identificar de que maneiras você complica as coisas e peça ao Espírito Santo para lhe ensinar a simplicidade nessas áreas. Ele vive em

Confiando em Deus Dia a Dia   30 de Setembro

você, e embora Ele seja extraordinariamente poderoso, também é extraordinariamente simples. Ele lhe ensinará a simplicidade se você realmente quiser aprender.

Confie Nele Dedique tempo para observar uma criança e observe como ela encara as coisas com simplicidade. Aproxime-se de Deus com o mesmo tipo de inocência e completa dependência. Confie nele para cuidar de todas as suas necessidades, a fim de que você possa desfrutar a sua vida.

30 de Setembro
Empurrado para Fora do Ninho

Como a águia alvoroça o seu ninho e move-se sobre os seus filhotes, Ele abre as Suas asas e toma-os, e os leva sobre as Suas asas.
DEUTERONÔMIO 32:11

Os filhotes de águia passam os três primeiros meses de suas vidas no ninho confortável que seus pais prepararam. Mas os filhotes têm uma grande surpresa quando alcançam as doze semanas de vida. A mãe, de repente, começa a jogar todos os brinquedos deles para fora do ninho.

Em seguida, ela começa a retirar todo o material confortável de dentro dele — as penas e as peles de animais — e deixa os bebês sentados sobre espinhos e gravetos. É isso que a Bíblia quer dizer quando ela menciona que a mamãe águia "alvoroça o seu ninho". O motivo pelo qual ela alvoroça o ninho é porque ela quer que os seus bebês saiam dele e voem.

Não demora muito, a mamãe águia começa a empurrá-los para fora do ninho. Os pequenos filhotes, que não têm ideia de como voar, caem céu abaixo, provavelmente muito assustados. Logo, porém, eles ouvem um "vuuuuuuuuuuuuuu", enquanto a mamãe águia desce rápido por baixo deles para pegá-los. Em seguida, a mamãe águia leva os filhotes de volta para o ninho e depois os empurra para fora outra vez. Ela continua repetindo o processo, uma vez após a outra, até que eles finalmente entendem que não têm escolha, exceto voar.

A mamãe águia faz isso porque ela os ama e quer que seus filhotes tenham a melhor vida que possam ter. A maioria dos filhotes não sairá do ninho sem um empurrão. Do mesmo modo, a maioria de nós também escolherá o conforto ao desafio, a não ser que não tenhamos escolha.

Você sente que Deus está trabalhando em sua vida da mesma maneira que a mamãe águia faz com os filhotes? O Senhor tem retirado um pouco do acolchoamento do seu ninho, fazendo com que você se veja sentado sobre galhos espinhosos? Ele está lhe dizendo: "Vamos, é hora de voar"? Nesse caso, lembre-se das intenções da mamãe águia e saiba que você pode confiar nas boas intenções de Deus para você.

Confie Nele Você sente como se Deus estivesse empurrando-o para fora do seu ninho confortável? Confie nele. Ele não está tentando lhe fazer mal — Ele está ensinando você a voar!

1.º de Outubro
Faça o Seu Vizinho Feliz

Que cada um de nós pratique agradar (fazer feliz) o seu próximo para o seu bem e para o seu verdadeiro bem-estar, edificá-lo [fortalecê-lo e levantá-lo espiritualmente].

ROMANOS 15:2

A Bíblia ensina que, se formos fortes na fé, devemos suportar as falhas dos fracos e viver para agradar os outros. Cada um de nós deve praticar agradar e fazer nosso próximo feliz para o bem dele, edificá-lo, fortalecê-lo e levantá-lo (ver Romanos 15:1-2).

Esse é um conselho maravilhoso, mas frequentemente fazemos o contrário. Queremos que os outros vivam para nos fazer felizes e para fazer o que nos agrada. O resultado é que não importa o que as pessoas façam, nunca estamos felizes e satisfeitos.

Você vai ser sincero e fazer algumas perguntas a si mesmo que podem ser difíceis de responder, mas que o colocarão face a face com a sua situação no que diz respeito a amar as pessoas?

- Quanto você faz pelos outros?
- Você está tentando descobrir o que as pessoas querem e precisam para poder ajudar?
- Você está tentando sinceramente conhecer as pessoas que fazem parte da sua vida de forma genuína?
- Até que ponto você realmente conhece as pessoas da sua própria família?

Ao responder a essas perguntas há alguns anos, fiquei horrorizada com o nível de egoísmo da minha vida, embora eu fosse uma ministra cristã havia

Confiando em Deus Dia a Dia   2 de Outubro

muitos anos. A verdade começou a abrir os meus olhos acerca da razão pela qual eu ainda estava infeliz e não realizada, embora eu tivesse todos os motivos para ser realmente feliz. O ponto principal era que eu era egoísta e egocêntrica, e precisava mudar. Essas mudanças não aconteceram rapidamente ou facilmente, nem estão completas até agora, mas à medida que prossigo diariamente, estou progredindo e estou mais feliz o tempo todo.

Confie Nele Confie em Deus o suficiente para depositar-se a si mesmo nas mãos dele, e confie nele para suprir todas as suas necessidades, enquanto você está ocupado suprindo as necessidades dos outros.

2 de Outubro

Dê a Si Mesmo uma Vantagem Inicial

Ele me desperta a cada manhã, Ele desperta o meu ouvido para ouvir como discípulo [como alguém que é ensinado].

ISAÍAS 50:4

Nada preparará você para enfrentar o que você precisa enfrentar no trabalho, em casa, nos relacionamentos ou na vida diária, como dedicar algum tempo a ter comunhão com Deus, antes que o seu dia atarefado comece.

Quando entendi que eu precisava me preparar para enfrentar cada dia passando tempo com Deus, alguns de meus filhos reclamaram. Eles eram adolescentes naquela época, por isso eu disse a eles: "Ouçam, vocês são grandes o suficiente para colocarem cereal em uma tigela e derramar leite nela. E vocês devem ficar felizes por eu ir fazer o meu estudo todas as manhãs. Vocês terão um dia muito melhor se eu tirar esse tempo para estar com Deus!"

Ontem pela manhã, eu disse à minha filha Sandra que ia passar a primeira parte da minha manhã com o Senhor, e ela respondeu: "Você vai ficar gentil?" Ambas rimos, porque aprendemos que até algo simples como ser gentil com os outros pode ser impossível sem essa preparação diária na presença de Deus e na Palavra.

Sei que muitas pessoas se sentem extremamente pressionadas pelo tempo, e a simples ideia de adicionar algo mais à sua programação faz você tremer. Tudo o que eu tenho a dizer é, quanto mais você tem a fazer, e quanto mais ocupado estiver, mais você realmente precisa passar tempo com Deus. Não sei como você precisará ajustar a sua programação, mas sei que o tempo que você dá a Deus não é diferente do dinheiro que você dá a Ele. Se você lhe der tempo, Ele vai dar tempo de volta para você.

Deus está no comando do tempo; Ele sabe quanto tempo você precisa para realizar as coisas que realmente precisa fazer, e Ele pode proteger você e ajudá-lo a administrá-lo, se você passar tempo com Ele em primeiro lugar. Pare de tentar encaixar Deus na sua agenda e tome a decisão de colocá-lo em primeiro lugar, depois organize o resto da sua agenda ao redor dele.

Confie Nele Você tem passado tempo com Deus se preparando para as situações que possam acontecer durante o seu dia? A vida não tem de oprimir você ou pegá-lo de surpresa. Prepare-se para os desafios que você enfrentará a cada dia, confiando o seu tempo a Ele.

3 de Outubro

Deus Esquece!

Porque Eu perdoarei a iniquidade deles, e dos seus pecados não mais me lembrarei [seriamente].

JEREMIAS 31:34

Deus não apenas *perdoa*, mas também *esquece* todos os seus pecados. Ele não perdoa você e depois diz: "Ah!, puxa, Eu me lembro de quando tive de perdoar o Joãozinho por puxar o cabelo de sua irmã e fazê-la chorar. Agora ele quer que eu o perdoe por colar na prova de matemática. A lista de pecados perdoados dele está ficando incrivelmente longa".

Na verdade, se o Joãozinho fosse até Deus e dissesse: "Sei que o Senhor já me perdoou por puxar o cabelo da minha irmã, mas agora eu preciso do Teu perdão por colar em uma prova", Deus diria: "O cabelo da sua irmã? Você me pediu para perdoar você por isso? Eu não me lembro disso de forma alguma; não há registro disso em lugar algum".

Essa passagem de Jeremias e muitas outras que você encontrará na Bíblia (Hebreus 10:14-17, por exemplo), não está falando de um perdão que acontece no dia em que recebemos a Cristo e que trata apenas de todos os nossos pecados *anteriores*. O perdão de Deus é contínuo por toda a duração das nossas vidas; ele é para todos os dias.

Quando Jesus morreu na cruz, há 2 mil anos, Ele não apenas perdoou tudo o que fizemos no nosso passado, como também se comprometeu a perdoar todos os pecados que cometeríamos no futuro. Ele sabe todas as decisões erradas que vamos tomar, e todas elas estão cobertas. Tudo que

Confiando em Deus Dia a Dia

4 de Outubro

temos de fazer é admitir nossos pecados, estar dispostos a nos afastar deles, e permanecer tendo um relacionamento com Ele. Quando Deus olha para os nossos pecados, Ele vê a nossa fé em Jesus, que é o nosso sacrifício perfeito — não o pecado que acabamos de cometer. Por isso, o que Deus realmente quer de nós não é um desempenho perfeito, um comportamento perfeito ou atitudes perfeitas, porque Ele já vê essas coisas em Jesus a nosso favor. O que Deus quer de nós é um coração que o ama verdadeiramente.

Confie Nele Deus não se surpreende com nada que você faz. Você pode confiar no Seu amor e no Seu perdão, porque Ele sabia dos seus erros muito antes de você cometê-los, e quer você perto dele mesmo assim. Hoje, decida-se a parar de se lembrar do que Deus esqueceu e concentre-se, em vez disso, em amá-lo.

4 de Outubro

Você Pode Orar ou Se Preocupar, Mas Não Faça as Duas Coisas!

[Pois Abraão], não tendo mais motivo de esperança, esperou com fé se tornar o pai de muitas nações, como lhe havia sido prometido, tão numerosos seriam os seus descendentes.

ROMANOS 4:18

Quando Deus prometeu um filho a Abraão e a sua esposa Sara, eles eram muito velhos, e tinham passado há muito da idade de gerar filhos. Eles tinham uma situação bastante impossível. Romanos 4:19 diz que Abraão não enfraqueceu na fé, mesmo quando olhou para si mesmo e viu que era impossível. Tanto o seu corpo quanto o ventre de Sara estavam praticamente mortos. No entanto, o versículo 20 diz: "Nenhuma incredulidade ou falta de confiança o fez vacilar (questionando com dúvidas) quanto à promessa de Deus, mas ele se fortaleceu e foi revestido de poder pela fé enquanto dava louvor e glória a Deus". Abraão esperou por vinte longos anos que Deus cumprisse a Sua promessa, e ele nunca desistiu!

Gosto de usar esta história a respeito de Abraão como exemplo, porque o fato de ele ter uma tarefa tão imensa me impressiona — realmente uma situação impossível. No entanto, ele viu além da tarefa-problema, enquanto se agarrava à promessa de Deus. É exatamente isso que devemos fazer.

5 de Outubro

Confiando em Deus Dia a Dia

Seja qual for a situação em que você esteja agora em sua vida — quer seja algo com seus filhos, ou com o seu casamento, ou com as suas finanças, ou quer você pense que nunca vai se recuperar do seu passado, ou quer você esteja lutando contra um vício, ou contra um pecado que continua tentando assediá-lo — saiba que Deus é maior que qualquer problema que você tenha. Evite se preocupar, porque quando você ora e depois se preocupa, a preocupação anula a sua oração. A oração é algo que você faz *em vez de se preocupar*. Não é algo que você faz *com* preocupação. A preocupação diz que não achamos realmente que Deus vai vir em nosso socorro, então precisamos ter um plano reserva caso Ele não apareça. A oração diz que confiamos em Deus para resolver a situação.

Não precisamos saber o que Deus vai fazer, ou quando Ele vai fazer; só precisamos saber que Ele está conosco. Deus está trabalhando em sua vida agora de várias maneiras que você não vê e não entende. Só porque o que está acontecendo em sua vida agora não é agradável, isso não significa que Deus não está trabalhando. Ele está!

Confie Nele Não importa o que você esteja atravessando, eleve isso a Deus e diga: "Deus, eu confio que Tu estás trabalhando em minha vida agora, e estou na expectativa de algo bom".

5 de Outubro
Em Lugar da Vergonha, Dupla Honra

Em lugar da sua [antiga] vergonha vocês terão dupla recompensa; em lugar da desonra e da acusação [o seu povo] se alegrará na sua porção. Portanto na sua terra eles possuirão o dobro [do que eles haviam perdido]; alegria eterna será deles.

ISAÍAS 61:7

Olhe comigo a primeira parte da passagem: "Em lugar da sua [antiga] vergonha vocês terão dupla recompensa". A palavra *recompensa* significa "compensação" ou "pagamento pelas dores passadas".

Recompensa me faz lembrar a palavra *compensação*. Quando penso na compensação de um trabalhador, penso no pagamento feito a uma pessoa que sofreu um acidente de trabalho. Do mesmo modo, se nos ferimos enquanto trabalhamos para Deus, Ele cuida de nós. Se alguém se levanta contra nós, nos fere, nos rejeita ou nos machuca, precisamos continuar

Confiando em Deus Dia a Dia   6 de Outubro

servindo a Deus e a fazer o que é certo, e Ele garantirá que recebamos a compensação devida no final.

Entender que eu não tinha de cobrar das pessoas que me feriram foi transformador para mim. A verdade é que elas não podiam me pagar. Elas não podiam me devolver o que haviam tirado de mim, mas Deus sempre pode lhe dar mais do que as pessoas tiram de você. Encontramos outra promessa de recompensa em Joel: "E Eu lhes restituirei ou substituirei os anos que o gafanhoto comeu... *E vocês comerão abundantemente e ficarão satisfeitos* e louvarão o nome do Senhor, o seu Deus, que tratou com vocês maravilhosamente. E o Meu povo nunca será envergonhado" (Joel 2:25-26, grifo da autora).

Observe as palavras *vocês comerão abundantemente e ficarão satisfeitos.* Essa parte da promessa significa muito para mim, porque passei muitos anos me sentindo insatisfeita e descontente. Não importava o que eu tinha, eu não estava satisfeita. Não importava o que ninguém fizesse por mim, eu não estava satisfeita. Não importava o que eu realizasse, eu não estava satisfeita. Por quê? Porque eu estava contando com as pessoas para me satisfazerem, mas só Deus pode nos satisfazer realmente.

Seja o que for que você tenha perdido em sua vida, Deus restaurará. Isso é uma promessa. À medida que você confiar nele, Ele garantirá que você "coma abundantemente e fique satisfeito".

Confie Nele Você não está na folha de pagamento do mundo; você está na folha de pagamento de Deus. Confie nele e Ele lhe pagará com dupla honra em lugar da sua vergonha.

6 de Outubro

Seja uma Bênção Para os Outros

E vamos considerar e prestar atenção contínua em cuidar uns dos outros, estudando como podemos ativar (estimular e incitar) o amor, os atos úteis e as atividades nobres...

HEBREUS 10:24

Pedi a centenas de pessoas para compartilharem comigo algumas maneiras práticas pelas quais elas acreditavam que poderiam demonstrar amor. Li livros, pesquisei na internet, e fui muito determinada em minha própria jornada para encontrar formas criativas de incorporar esse conceito de amar as pessoas em minha vida diária. Eu gostaria de compartilhar com você algumas das coisas que aprendi. Eis algumas ideias que reuni:

293

7 de Outubro

Confiando em Deus Dia a Dia

- Quando ficar óbvio que você e outra pessoa querem a mesma vaga de estacionamento, deixe que a outra pessoa fique com ela, e faça isso com um sorriso no rosto.
- Corte a grama de um vizinho idoso ou retire a neve da calçada dele no inverno.
- Faça as compras de mercado para uma família que acaba de ganhar um bebê recém-nascido.
- Dê uma carona para alguém que não tem transporte até a igreja, ou até outro evento, mesmo que você tenha de sair do seu trajeto para fazer isso.
- Ouça verdadeiramente outra pessoa sem interromper.
- Segure uma porta aberta para um estranho e deixe que ele passe na sua frente.
- Deixe que alguém que está apenas com algumas mercadorias passe na sua frente quando você estiver na fila de uma loja ou supermercado.
- Tome conta das crianças de uma mãe ou pai solteiro para dar a essa pessoa algum tempo livre ou para que ela termine um projeto em paz.
- Convide uma pessoa que não tem família na cidade para passar o Natal em sua casa.
- Envie cartões e/ou flores para demonstrar o seu apreço.

Comece com essa lista simples, mas permita que o Espírito Santo lhe mostre mais ideias. Fazer coisas aleatórias pelas pessoas apenas para ser uma bênção é uma maneira incrível de demonstrar o amor de Deus.

Confie Nele Se você confia que o amor de Deus por você é ilimitado, não terá problemas em demonstrar amor aos outros e até em sair do seu caminho para ser uma bênção para eles. Amamos porque Ele nos amou primeiro (ver 1 João 4:19)!

7 de Outubro

Peça a Deus com Ousadia!

Até este momento vocês não pediram uma [única] coisa em Meu Nome [como quem apresenta tudo o que EU SOU]; mas agora peçam e continuem pedindo e vocês receberão, para que a sua alegria (prazer, deleite) possa ser completa e total.

JOÃO 16:24

Confiando em Deus Dia a Dia

8 de Outubro

Creio que existem pessoas que não estão recebendo de Deus o que Ele quer que elas tenham, porque elas não pedem a Ele com ousadia. Elas fazem pedidos fracos, sem fé. Pessoas já vieram me pedir oração e disseram: "Posso pedir duas coisas?" A incerteza delas me parece triste, porque Jesus nos disse claramente para pedirmos, a fim de que a nossa alegria seja completa.

Quero tudo o que Deus quiser me dar espiritualmente, emocionalmente, financeiramente, fisicamente, socialmente e mentalmente. Oro com ousadia, mas não faço isso porque acredito que *sou* digna. Sei que tenho falhas, mas também sei que Deus me ama, e a minha confiança não está em mim mesma — está nele. Minha alegria não está em ter coisas que Deus me dá, mas em amar a Deus intimamente e em saber que Ele quer que eu seja totalmente dependente dele para tudo o que preciso. Levanto-me todos os dias e faço o melhor que posso, e pela fé quero receber tudo o que Deus quer que eu possua.

Há alguns anos, eu dei um passo de fé e fiz uma oração ousada que até me parecia meio louca. Eu disse: "Deus, estou Te pedindo para permitir que eu ajude todas as pessoas da face da terra". Minha mente dizia: "Ora, isso é estúpido". Mas eu continuei fazendo essa oração assim mesmo, e o nosso ministério na televisão se expandiu grandemente desde aquela época. Deus fez com que houvesse um incrível crescimento; um canal de TV que incorporamos depois dessa oração aumentou a nossa abrangência para 600 milhões de pessoas apenas na Índia.

Não sei *como* Deus vai permitir que eu ajude todas as pessoas na face da terra, mas vou continuar confiando nele. Eu prefiro pedir muito e receber apenas parte disso do que pedir pouco e receber tudo o que pedi.

Confie Nele O que você está pedindo a Deus? Deus quer que você confie nele para lhe dar toda e qualquer coisa que Ele queira lhe dar. Vá com ousadia diante do trono e peça a Ele para suprir as suas necessidades, a fim de que a sua alegria possa ser completa.

8 de Outubro
Receba o Seu Perdão

Que diremos então? Continuaremos a pecar, para que a graça possa abundar?

ROMANOS 6:1

8 de Outubro

Confiando em Deus Dia a Dia

Em geral, temos sentimentos e emoções fortes que não parecemos capazes de controlar! A verdade é que você não tem de tomar decisões com base nos seus sentimentos! Você tem o livre-arbítrio, portanto pode escolher acreditar mais na Palavra de Deus do que acredita em como você se sente no momento. Quando você começar a viver com base na Palavra de Deus e no que sabe por meio dele, em vez de viver com base no que sente, os seus sentimentos eventualmente mudarão e se alinharão com a Palavra.

Satanás usou a culpa para me roubar durante anos, e geralmente era uma falsa culpa, porque na maior parte do tempo eu não tinha nada para me sentir culpada. Eu tinha me arrependido, havia pedido a Deus para me perdoar, e até acreditava que Ele me perdoara. E, no entanto, ainda vivia a minha vida me sentindo mal e culpada. Eu carregava o fardo da culpa por toda parte que eu ia. Na verdade, eu não me sentia bem se não me sentisse mal! Às vezes, eu até me sentia muito espiritual, porque eu sempre me sentia mal com o meu comportamento; agora entendo que Deus não quer que eu me sinta assim.

Todas as manhãs, quando eu ia orar e ter o meu tempo com Deus, eu relembrava uma dessas duas coisas: todos os meus problemas ou todos os meus erros. A Bíblia diz: peça e *receba* para que a sua alegria seja completa. Eu estava pedindo perdão, mas nunca aproveitava para receber. Eu gostaria de encorajar você a, de agora em diante, quando pedir a Deus para perdoar os seus pecados por alguma coisa que você tenha feito de errado, a tirar um instante e dizer: "Eu recebo o Teu perdão agora". Não peça apenas, peça e *receba*, para que você possa dar o próximo passo e ser cheio de alegria.

Certa manhã, quando eu estava tentando passar um tempo com Deus, Ele falou ao meu coração e disse: "Você vai ter comunhão comigo esta manhã, ou com os seus problemas e os seus pecados?" Você passa mais tempo com os seus pecados do que com Deus? Você passa mais tempo pensando no que fez de errado do que no que Ele fez certo? Lembre-se de que onde abunda o pecado, a graça, o perdão e a misericórdia abundam muito mais.

Confie Nele Quando você for a Deus em oração hoje, peça a Ele para perdoá-lo pelo que você necessite ser perdoado, receba o perdão dele, e confie na Sua graça enquanto prossegue com alegria em direção ao que Ele tem para você.

Confiando em Deus Dia a Dia   9 de Outubro

9 de Outubro

Lance as Suas Ansiedades

Todos os dias dos desanimados e aflitos são maus [por causa dos pensamentos e pressentimentos ansiosos], mas aquele que tem o coração alegre tem uma festa contínua [independentemente das circunstâncias].

PROVÉRBIOS 15:15

Você tem alguma coisa em sua vida acerca da qual poderia ficar muito preocupado e muito ansioso? A maioria das pessoas enfrenta essa preocupação, e se você não tem algo que o aflige hoje, poderá ter algo amanhã ou no dia seguinte. Isso não é ser negativo, é apenas reconhecer o fato de que a vida é real, e você nunca sabe exatamente o que vai aparecer no seu caminho. Mas conhecemos a Deus e não temos de viver com medo. Ele está conosco e está do nosso lado.

Muitas coisas ruins aconteceram comigo nos primeiros anos da minha vida, e cheguei a ponto de ter medo que coisas ruins acontecessem. Provérbios 15:15 chama isso de "pressentimentos ruins", que significa ter essa sensação de estar esperando pelo próximo desastre. Aprendi, em vez de fazer isso, a esperar que algo de bom aconteça em minha vida e a esperar por isso deliberadamente.

Você pode escolher os seus próprios pensamentos. Não precisa simplesmente pensar no que lhe vem à mente. Você pode expulsar as coisas erradas e escolher os pensamentos certos. A fé começa em nosso coração, como um dom de Deus, mas ela é liberada quando nós pensamos e falamos as coisas certas. Quando temos um problema, podemos fazer o que o diabo quer que façamos, que é nos preocuparmos com ele, ficarmos ansiosos e tentarmos resolver as coisas sozinhos, ou podemos fazer o que Deus quer que façamos, que é pensar nas promessas que estão na Sua Palavra.

A Bíblia nos ensina a lançar todas as nossas ansiedades em Deus, porque Ele cuida de nós (1 Pedro 5:7).

Ao longo da nossa vida de casados, todas as vezes que tínhamos um problema em nossa casa, Dave tinha uma resposta: "Lance as suas ansiedades". Não é errado ter consciência dos nossos problemas, mas precisamos dizer aos problemas onde eles estão em relação a Deus. A preocupação vê o problema, mas a fé vê o Deus que pode lidar com o problema.

Confie Nele Você vai se preocupar e ficar ansioso hoje, ou vai lançar as suas ansiedades e optar por confiar em Deus?

10 de Outubro

Deixe a Escolha com Deus

Mas logo Ele falou com eles, dizendo: Animem-se! SOU EU! Parem de ter medo!

MATEUS 14:27

Deus fará uma destas duas coisas se você tiver um problema: Ele removerá o problema (o que é sempre a nossa primeira opção), ou lhe dará a força, a graça e a capacidade de passar pelo problema. Sei que não gostamos da parte de passar pelo problema, mas se for isso que Deus escolher, precisamos confiar nele.

Se Deus nos permitir passar por alguma coisa, então Ele tem um propósito em mente; há algo que vamos extrair disso e que necessitamos. Se não confiarmos em Deus, ficaremos infelizes. As únicas opções que temos são confiar e ser feliz, ou não confiar e ficar infeliz!

Confiar em Deus é algo que nos traz paz. É tão maravilhoso poder dizer "Não entendo isto, mas creio que Deus vai resolver". Quando você estiver em uma situação difícil, creia que Deus está com você, e que Ele lhe dará direção na hora certa. Creia que você está crescendo espiritualmente, embora possa estar sofrendo agora.

Passei muitos anos tentando ter fé suficiente para impedir que eu tivesse problemas, e quando eu tinha problemas, tentando ter fé suficiente para resistir ao diabo e acreditar que Deus faria o meu problema desaparecer. Para ser sincera, eu estava sob tanta pressão e estresse que isso começou a afetar negativamente a minha saúde. Finalmente decidi: "Ah! Eu tenho de confiar em Deus. E se Deus não se livrar do meu problema, então vou confiar em Deus para me levar a atravessá-lo". Ao crer em Deus, entrei no descanso dele!

Confiamos no tempo de Deus, em Sua sabedoria e em Seus caminhos, e ao fazer isso, podemos desfrutar cada dia da jornada. Não temos de simplesmente ficar felizes quando não tivermos problemas; também podemos desfrutar a vida enquanto estamos "passando" por eles.

Confie Nele Se você puder dizer: "Deus, sei que farás uma destas duas coisas — Tu removerás isto ou me darás a graça para lidar com isto", e confiar em Deus para deixar essa escolha com Ele, você colherá a recompensa.

Confiando em Deus Dia a Dia   11 de Outubro

11 de Outubro

Faça o Que Você Pode Fazer

E havia um homem chamado Zaqueu, chefe dos coletores de impostos, e [ele era] rico. Ele estava tentando ver Jesus, quem Ele era, mas não podia por causa da multidão, porque ele era de baixa estatura.

LUCAS 19:2-3

Você não pode acrescentar nada à sua vida se preocupando. Gosto de pessoas que não se preocupam, ao contrário, são confiantes e realmente sabem quem são em Cristo. É por isso que Zaqueu é uma das minhas pessoas favoritas na Bíblia (ver Lucas 19).

Jesus estava indo à cidade e Zaqueu queria vê-lo, mas ele era tão baixo que não podia ver acima de todas as pessoas da enorme multidão. Amo o que ele fez. Zaqueu não foi se sentar e sentir pena de si mesmo por ser baixinho. Em vez disso, ele correu na frente da multidão e subiu em um sicômoro. Quando Jesus passou, disse: "Zaqueu, desça aqui. Vou à sua casa jantar!"

Em vez de choramingar pelo que ele pensava ser um problema em sua vida, Zaqueu teve uma atitude positiva sobre isso. Em vez de se preocupar com o que não podia fazer, ele encontrou algo que podia fazer. E Deus amou tanto esse espírito de determinação que disse: "De todas estas pessoas, vou à sua casa com você!"

Pare de se preocupar com o que você não pode fazer. Pare de se comparar com todo mundo e de desejar ser eles, de ficar com ciúmes e inveja deles. Sejam quais forem as suas incapacidades, diga: "As coisas são como são. Vou lidar com isso. Seja o que for que eu não tenha, Deus vai me compensar de outra maneira".

Gosto de falar; sou uma boa comunicadora e isso está funcionando muito bem. Tenho muito bom senso e alguma prática em negócios, e sou boa em administrar pessoas, mas acima de tudo, eu falo. Encorajo você a começar a usar as habilidades que tem, e a não se preocupar com aquelas que você não tem.

Confie Nele Se você já desperdiçou muito da sua vida se preocupando, comparando ou reclamando, tome a decisão hoje de confiar em Deus. Faça o que você pode fazer e confie nele para fazer o restante.

299

12 de Outubro

Esperar em Deus Significa Ser um Com Ele

Mas aqueles que esperam no Senhor [que têm expectativa, contam com Ele e esperam por Ele] mudarão e renovarão sua força e poder; eles erguerão suas asas e subirão [para perto de Deus] como águias [subirão até o sol]; eles correrão e não se cansarão, eles andarão e não desmaiarão ou se cansarão.

ISAÍAS 40:31

Creio que Deus escolheu nos assemelhar a águias para nos motivar, a fim de podermos alcançar o nosso potencial na vida e para que Ele possa nos encorajar a esperar nele. Quando o sucesso não vem facilmente, quando nos encontramos frustrados e esgotados em nossos esforços, podemos ser renovados esperando no Senhor.

O que realmente significa esperar no Senhor? É simplesmente passar tempo com Ele, estar na Sua presença, falar com Ele, ouvir, meditar na Sua Palavra, adorá-lo, mantê-lo no centro de nossas vidas, enquanto esperamos que Ele faça alguma coisa assombrosa. Um dos significados da palavra *esperar* é "ser entrelaçados ou trançados juntos". Se pensarmos em uma trança no cabelo de alguém, entendemos que o cabelo é trançado para que não possamos saber onde uma parte termina e a outra começa. Essa é a maneira como Deus quer que estejamos em nossa união com Ele — tão intimamente interligados e entrelaçados com Ele que verdadeiramente sejamos um. À medida que esperamos nele, nós nos tornamos cada vez mais semelhantes a Ele.

Um relacionamento íntimo com Deus fortalecerá você na parte mais íntima do seu ser. Fortalecerá o seu coração e o fará passar pelos momentos difíceis da vida, com uma sensação de paz e confiança de que tudo está bem, independentemente do que esteja acontecendo. Isso lhe dará a força para suportar as situações difíceis de tal maneira que muitas das pessoas que o cercam não serão capazes de detectar o menor estresse em sua vida.

Quando você espera no Senhor pela fé, extrai tudo o que precisa dele. Ele é o seu refúgio, Aquele que o capacita, a sua alegria, a sua paz, a sua justiça, a sua esperança. Ele lhe dá tudo que você precisa para viver em vitória acima de qualquer circunstância.

Confie Nele Você está pronto para subir até o nível do seu potencial? Você fará isso quando puder esperar em Deus. Quando espera nele, a sua força se renova outra vez; você pode voar como as águias fazem, sobre as tempestades da vida; você pode andar e correr e não desmaiar, porque a sua confiança está nele.

Confiando em Deus Dia a Dia | 13 de Outubro

13 de Outubro

Resista ao Diabo Desde o Começo

Orem para que vocês não caiam em [nenhuma] tentação.

LUCAS 22:40

A tentação de desistir faz parte do ser humano, mas precisamos resistir a essa tentação e nunca desistir. É importante reconhecermos as mentiras de Satanás, e resistir a ele no começo do seu ataque. A tentação é uma das realidades da vida cristã e um impedimento ao sucesso que precisamos nos esforçar para vencer. Jesus disse: "A tentação virá", portanto esteja precavido contra ela.

Existem muitos tipos de tentação, de modo que nem sempre reconhecemos o desânimo e os pensamentos de desistência como sendo uma tentação do diabo. Alguns pensamentos que o inimigo pode plantar em sua mente para tentá-lo a desistir podem ser estes:

- Isto é difícil demais.
- Realmente não estou qualificado para fazer isto.
- Estou enfrentando muitos problemas, e não posso resolver todos eles.
- Não tenho ninguém para me ajudar.
- Meus amigos e minha família acham que sou louco por fazer isto.
- Não tenho dinheiro para fazer isto.
- Isto está demorando demais.

Encorajo você a começar a reconhecer as tentações como obras do inimigo; e quero que você comece a resistir a cada tentação com tudo o que há em você. Não considere nenhuma tentação insignificante. Não permita que o diabo o seduza a ficar passivo ou a esperar até que você esteja deprimido e sem esperança por três dias, ouvindo o inimigo enumerar os motivos para você abandonar a sua causa. Resista ao diabo desde o começo! Declare guerra contra todas as formas de tentação. Não demonstre qualquer misericórdia para com o inimigo.

Confie Nele No *instante* em que você se sentir tentado a desistir, precisa dizer em voz alta: "Não vou desistir. Recuso-me a desistir. Confio em Deus e terminarei o que Ele me chamou para fazer".

301

14 de Outubro

"Talvez Estivesse Precisando de Uma Bênção"

Vejam que ninguém pague a outrem mal por mal, mas procurem sempre demonstrar bondade e procurem fazer o bem uns aos outros e a todos.

1 TESSALONICENSES 5:15

Esse versículo de 1 Tessalonicenses nos diz para *sempre* demonstrarmos bondade. Viver dessa maneira generosa é agradável a Deus. Há muitas outras passagens da Bíblia que também nos dizem para sermos bons para todos, e não apenas para aqueles que consideramos pensar como nós, ou que estão em nossa igreja, mas para *todos*.

Ainda que alguém seja o seu empregado e lhe sirva, você deve pensar em formas de servir a ele também. Quando você for pegar o seu café de manhã, leve um para ele. Recolha as suas coisas e não gere mais trabalho extra para ele. Devemos sempre demonstrar apreço pelas pessoas que nos ajudam em nossas vidas.

Minha filha certa vez escreveu um bilhete de agradecimento para os coletores de lixo e deu a eles um valor para eles almoçarem. Acho que essas coisas não apenas abençoam as pessoas, mas muitas vezes podem ser chocantes, porque elas raramente acontecem. O mundo está cheio de pessoas que trabalham duro em empregos não muito agradáveis e, no entanto, ninguém nota.

Certa vez, vi uma mulher limpando o banheiro de uma loja de departamentos onde costumo comprar, dei algum dinheiro a ela, e disse: "Parece que você trabalha duro e eu pensei que talvez estivesse precisando de uma bênção". Sorri e saí rapidamente. Alguns minutos depois, ela me encontrou na seção de sapatos e expressou a sua gratidão e me disse como aquele gesto de bondade a levantou. Ela me disse que realmente trabalhava duro, e achava que ninguém prestava muita atenção a isso.

Você ficará impressionado com a maneira como a sua alegria pode aumentar se você criar o hábito de observar aqueles que geralmente não são notados. Deus cuida deles, e Ele terá prazer em ver você se disponibilizar como parceiro dele nesse empreendimento.

Confie Nele Seja parceiro de Deus para ser uma bênção para todos aqueles com quem entrar em contato, principalmente as pessoas que geralmente são ignoradas. Confie nos apelos que Ele fizer ao seu coração de fazer o bem a outros.

Confiando em Deus Dia a Dia   15 de Outubro

15 de Outubro

Busque a Deus Primeiro e Ele Acrescentará as Outras Coisas

Mas busquem (anseiem por e esforcem-se para ter) em primeiro lugar o Seu Reino e a Sua justiça (a Sua maneira de agir e de estar certo), e depois todas essas coisas juntas lhes serão dadas.

MATEUS 6:33

Esse texto de Mateus nos diz que quando buscamos em *primeiro* lugar o Reino de Deus e a Sua justiça, Ele nos dará tudo o que necessitamos. É uma questão de colocar Deus em primeiro lugar em nossas vidas. É simples? Sim. É fácil? Não necessariamente!

Embora queiramos que Deus nos ajude, às vezes é difícil colocá-lo consistentemente em primeiro lugar. Pode parecer fácil confiar a sua vida a Ele quando você está na igreja no domingo de manhã, mas na segunda-feira você pode ser tentado a assumir o controle outra vez. Buscar a Deus e colocá-lo em primeiro lugar exige que construamos um relacionamento íntimo com Ele, que nos sustente todos os dias da semana. Deus sabe o que precisamos melhor do que nós, e anseia por nos dar isso, mas Ele requer que façamos dele a prioridade máxima em nossas vidas.

Há muitos anos, quando iniciei o meu relacionamento com Deus, eu não levava isso realmente a sério. Como muitos outros cristãos, eu investia o meu tempo na igreja no domingo. Até fazia parte da diretoria da igreja, e meu marido Dave era um presbítero. O problema era que quando eu estava em casa ou no trabalho, era difícil dizer a diferença entre um incrédulo e eu. Eu havia aceitado Cristo, estava indo para o céu, e amava a Deus. Mas não o amava de *todo* o meu coração — havia muitas áreas em minha vida que eu não entregara ao Senhor. O resultado é que eu me sentia frustrada, e minha vida não tinha vitória ou alegria.

Finalmente, clamei a Deus por ajuda, e felizmente, Ele ouviu e respondeu à minha oração. Ele começou a me mostrar que eu precisava deixá-lo sair da minha "Caixa de Domingo de Manhã" e permitir que Ele fosse o primeiro em todas as áreas da minha vida. Desde que fiz isso, vivo sempre impressionada com as maneiras como Deus supre tudo o que necessito.

Confie Nele Você busca a Deus em primeiro lugar? Dê a Ele o primeiro lugar em todas as áreas da sua vida por meio da confiança e da comunhão, e experimente a felicidade e a estabilidade que vêm de uma vida transformada — uma vida com as prioridades adequadas!

303

16 de Outubro

Testemunho Começa com "Teste"

Considerem motivo de alegria, meus irmãos, sempre que estiverem envolvidos em provações ou encontrarem provações de qualquer espécie ou caírem em várias tentações.

TIAGO 1:2

Sei que você conhece pessoas com histórias incríveis da maneira como Deus trabalhou na vida delas. Sempre gosto de ouvir um grande testemunho, mas também sei que por trás de todo relato extraordinário na vida de alguém está algum tipo de desafio ou dificuldade. Ninguém tem um testemunho sem um teste.

Precisamos passar por todo tipo de testes à medida que enfrentamos a vida, e passar neles faz parte de nunca desistir. É vital entendermos o papel importante que os testes e as provações exercem em nossas vidas, porque entendê-los nos ajuda a suportá-los e a realmente sermos fortalecidos por eles.

Tudo o que Deus permite que atravessemos, no fim será bom para nós — não importa o quanto doa, o quanto seja injusto ou o quanto seja difícil. Quando nos deparamos com testes e provações, se os abraçarmos e nos recusarmos a fugir deles, aprenderemos algumas lições que nos ajudarão no futuro e nos tornarão mais fortes.

Uma razão pela qual precisamos passar por provações é para testar a nossa qualidade (1 Pedro 4:12). Em geral, nos vemos desejando ter a fé da irmã Fulana de Tal, ou do Irmão Sicrano de Tal. Posso lhe garantir que, se eles têm uma fé forte e vibrante, eles não a desenvolveram facilmente. Assim como os músculos são fortalecidos por meio do exercício, a fé firme é desenvolvida na fornalha da aflição.

Às vezes, as pessoas me dizem: "Ah, eu gostaria de ter o tipo de ministério que você tem, Joyce". Bem, eu não o recebi por desejar. Essas pessoas não viram quando eu estava sentindo que não podia suportar mais nem um segundo, implorando a Deus que me ajudasse a não desistir. Elas não sabem os testes e as provações que enfrentei ao longo do caminho.

Ninguém que faz qualquer coisa que valha a pena para Deus percorreu uma estrada fácil. Fazer grandes coisas para Deus requer caráter, e o caráter é desenvolvido passando pelos testes da vida e permanecendo fiel a Ele em meio às provações.

Confie Nele Deus tem um plano único para a sua vida. Confie nele quando você passar por testes, sabendo que eles estão fortalecen-

Confiando em Deus Dia a Dia   17 de Outubro

do-o e preparando-o para as grandes coisas que Ele planejou especificamente para você.

17 de Outubro

O Porquê Por Trás do O Quê

A luz do Senhor penetra o espírito humano, expondo cada motivo oculto.

PROVÉRBIOS 20:27

Gosto de definir um motivo como "o porquê por trás do o quê". Um motivo é a razão pela qual fazemos o que fazemos. Costumamos dizer que estamos fazendo as coisas para Deus, mas, às vezes, não entendemos por que as fazemos. Só sabemos o *que* estamos fazendo, mas não dedicamos tempo para realmente entender o *porquê*.

Os motivos impuros podem causar muitos problemas, um dos quais é se comprometer com atividades demais, o que resulta em um estresse desnecessário em nossas vidas. Sem dúvida não viveremos com estresse extremo se estivermos obedecendo a Deus e fazendo somente o que Ele quer que façamos. Nunca concorde em fazer alguma coisa para impressionar as pessoas, ou porque você teme o que elas possam pensar ou dizer sobre você se não o fizer. Deus quer que ajudemos e abençoemos as pessoas, mas um "bom trabalho" feito com uma motivação errada deixa de ser um bom trabalho. Não diga "sim" com a sua boca se o seu coração estiver gritando "não".

Faça o teste da motivação com tanta frequência quanto possível. Comece a se fazer perguntas que o ajudarão a avaliar os seus motivos, como:

*   Por que concordei em fazer parte daquela comissão?
*   Por que eu disse que lideraria o grupo de missões da igreja? Tenho realmente um coração voltado para o evangelismo e o anseio de servir a Deus, ou quero que as pessoas falem sobre o bom membro da igreja que sou, ou tenho medo do que elas dirão se eu não concordar em ajudar?
*   Por que realmente quero tanto essa promoção no trabalho? Isso é motivado por Deus ou pela ambição mundana?

Ao avaliar os seus motivos, você começará a ver o que está no seu coração. Passe no teste certificando-se de que os seus motivos são puros e retos perante Deus — ainda que isso signifique mudar o "o quê". O teste da

305

18 de Outubro

Confiando em Deus Dia a Dia

motivação é um teste para a vida toda. Costumo reavaliar frequentemente os meus motivos e deixar de fazer certas coisas se descubro que as estou fazendo com a motivação errada, e isso me ajuda a manter as prioridades em ordem.

Confie Nele Dê uma olhada na razão pela qual você está fazendo o que está fazendo. Confiar em Deus o ajudará a manter as suas prioridades em ordem e lhe dará a liberdade para fazer apenas o que Ele quer que você faça, o que é essencial para viver uma vida livre de estresse.

18 de Outubro

Use Seus Talentos para Demonstrar Amor

E aquele que recebeu cinco talentos lhe trouxe mais cinco, dizendo: Mestre, tu me confiaste cinco talentos; eis aqui, ganhei outros cinco talentos.

MATEUS 25:20

Deus concedeu a cada um de nós habilidades, e devemos usá-las para beneficiar uns aos outros. Seja qual for o seu talento específico, ofereça-o como um dom gratuito ocasionalmente, em vez de querer ou sempre esperar um pagamento por ele.

Por exemplo, se você é fotógrafo, ofereça-se para tirar fotos gratuitas do casamento de um amigo ou de alguém que está com o orçamento apertado. Se você é cabeleireira, ofereça-se para ir a um abrigo para idosos ou a uma casa de repouso para cortar os cabelos uma vez por mês ou mais, se estiver disposta. Uma amiga minha é pintora decorativa, e ela recentemente doou três dias do seu tempo para pintar uma casa de apoio para jovens mulheres.

Certa vez conheci uma mulher que tinha pouco dinheiro, mas queria sustentar missões. Ela fazia isso vendendo os quitutes que cozinhava para levantar dinheiro para missões. Sua história enfatiza o ponto de que se nos recusarmos a não fazer nada, poderemos encontrar algo que possamos fazer, e quando todos se envolverem, não demorará muito até que o bem em nosso mundo supere o mal.

Dizer que não podemos fazer nada, não é verdade. Podemos dar desculpas, mas as desculpas não são nada mais que uma maneira de enganarmos a nós mesmos, e de nos justificarmos por não fazermos nada. Você ficará cheio de vida como nunca se estender a mão com determinação para ajudar outros.

Confiando em Deus Dia a Dia

Não nos esqueçamos das palavras de Jesus: "Eu lhes dou um novo mandamento: que vocês amem uns aos outros" Assim como Eu os amei, vocês também devem amar uns aos outros" (João 13:34). Sem dúvida, esse é o nosso propósito e a vontade de Deus para as nossas vidas.

Confie Nele Qual é o seu talento? Deus o dotou com talentos para que você os use para os Seus propósitos: demonstrar amor ao mundo. Se você confiar nele e se recusar a não fazer nada, poderá fazer a diferença.

19 de Outubro

Ajude as Pessoas a Se Sentirem Bem Consigo Mesmas

Que haja em vocês esta mesma atitude, propósito e mente [humilde] que havia em Cristo Jesus: [Que Ele seja o seu exemplo de humildade]...

FILIPENSES 2:5

Sou muito disciplinada nos meus hábitos alimentares, e recentemente passei uma semana com uma amiga que realmente tem dificuldades nessa área. Ela mencionou diversas vezes o quanto eu era disciplinada e o quanto ela era indisciplinada. Todas as vezes que ela fazia isso, eu minimizava minha capacidade de me disciplinar dizendo: "Eu tenho áreas de fraquezas também, e você superará isso se continuar a orar e a se esforçar".

Houve um tempo em minha vida em que eu não teria sido tão sensível aos sentimentos da minha amiga. Provavelmente teria lhe passado um sermão acerca dos benefícios da disciplina e dos perigos de comer em excesso e da má nutrição. Entretanto, eu não teria tido êxito em nada, exceto fazer minha amiga se sentir culpada e condenada. Quando ela me pediu para compartilhar ideias que pudessem ajudá-la, eu fiz isso, mas com uma atitude que não fez com que ela sentisse que eu sabia de tudo e ela era um fracasso. Descobri que uma maneira de amar as pessoas é ajudá-las a não se sentirem pior acerca das coisas que já as fazem se sentir mal.

A mansidão e a humildade são dois dos mais belos aspectos do amor. Paulo disse que o amor não se gaba nem se porta arrogantemente (ver 1 Coríntios 13:4). A humildade serve e sempre faz coisas para levantar os outros. A Bíblia nos ensina a ter a mesma atitude e a mente humilde que Jesus tinha (ver Filipenses 2:5). Ele era um com Deus, mas se despiu de todos os

20 de Outubro

Confiando em Deus Dia a Dia

privilégios e se humilhou para se tornar um ser humano e morrer em nosso lugar, levando a punição que merecíamos como pecadores (ver Filipenses 2:6-9). Jesus nunca fazia as pessoas se sentirem mal por não estarem no nível dele, mas, em vez disso, Ele se inclinava até o nível delas. Paulo fazia o mesmo, e precisamos seguir esses exemplos bíblicos.

Confie Nele Se você acredita na Palavra de Deus quando ela diz que Jesus foi exaltado porque se humilhou, você pode confiar que Deus o abençoará quando você levantar outros, ainda que tenha de ficar abaixo deles para fazer isso.

20 de Outubro

Todos Nós Precisamos de Coisas Diferentes

Para os fracos (a quem falta discernimento) tornei-me fraco (a quem falta discernimento), para que pudesse ganhar os fracos e os excessivamente meticulosos. [Em suma] Tornei-me tudo para todos os homens, para que eu pudesse por todos os meios (a todo custo e de todas as maneiras) salvar alguns [ganhando-os para a fé em Jesus Cristo].

1 CORÍNTIOS 9:22

Todos nós somos diferentes, e cada um de nós tem necessidades diferentes. Incentivo você a caminhar a segunda milha e a descobrir o que as pessoas realmente necessitam em vez de simplesmente dar a elas o que você quer lhes dar, ou o que você pensa que elas necessitam.

Gosto de dar presentes, de modo que costumo fazer isso para demonstrar amor. Certa vez, tive uma assistente que não parecia gostar muito dos meus presentes. Isso realmente me incomodava, porque ela parecia ingrata, mas quando passei a conhecê-la melhor, ela me disse que o mais importante para ela era ouvir palavras que transmitiam amor.

Eu queria dar presentes a ela, porque isso era mais fácil para mim do que dizer as palavras que ela queria ouvir. Costumo demonstrar apreço pelo trabalho duro de alguém com presentes, mas ela precisava que eu lhe dissesse como ela estava fazendo um bom trabalho e o quanto eu a valorizava.

Ao dar presentes, eu estava tentando demonstrar-lhe amor, mas o impressionante é que ela não se sentia amada. Por eu gostar de dar e receber presentes, presumi que ela também gostasse disso. Creio que isso acontece com mais frequência do que percebemos, simplesmente porque não apren-

Confiando em Deus Dia a Dia

21 de Outubro

demos o bastante sobre as pessoas para poder dar a elas o que elas realmente necessitam; simplesmente queremos dar-lhes o que nós queremos, porque isso é mais fácil para nós. Contudo, não podemos esperar que todos gostem do que nós gostamos. Precisamos dedicar tempo para conhecer as pessoas e depois ministrar a elas de acordo com suas necessidades. Quando esperamos que todos sejam como nós, acabamos pressionando as pessoas para ser algo que elas não sabem como ser. Deus em Sua graça coloca muitos tipos diferentes de pessoas em nossas vidas, porque precisamos de todas elas. Cada um de nós tem um dom que podemos aprender a usar em benefício de outros que nos cercam. Valorize as pessoas por quem elas são, e ajude-as a se tornarem tudo que elas puderem ser.

Confie Nele Peça a Deus para colocar pessoas em sua vida que você necessite, assim como aquelas que necessitam de você. Dedique tempo para realmente saber o que elas querem e precisam, e dê isso a elas humildemente.

21 de Outubro

Ame, Mesmo Quando Não Merecerem!

Mas Deus mostra e prova claramente o Seu [próprio] amor por nós pelo fato de que enquanto ainda éramos pecadores, Cristo (o Messias, o Ungido) morreu por nós.

ROMANOS 5:8

Uma das coisas mais belas que a Bíblia diz é que quando ainda éramos pecadores, Cristo morreu por nós. Ele não esperou que nós merecêssemos o Seu amor; Ele nos ama incondicionalmente. Para ser sincera, é difícil para muitos de nós compreendermos isso, porque estamos acostumados a ter de conquistar e merecer tudo na vida.

Deus é rico em misericórdia, e para satisfazer o grande, maravilhoso e intenso amor com o qual Ele nos ama, Ele derramou a Sua vida por nós livremente (ver Efésios 2:4). *Isto* é amor revolucionário! O amor verdadeiro e revolucionário precisa se dar, pois ele nunca pode se satisfazer com nada menos que isso.

É o amor incondicional de Deus que nos atrai a Ele, e é o nosso amor incondicional pelos outros em Seu nome que atrairá os outros a Deus. Ele quer que amemos as pessoas em Seu lugar, e que façamos isso da mesma maneira que Ele faria se estivesse aqui fisicamente.

22 de Outubro

Confiando em Deus Dia a Dia

O amor humano acha impossível amar incondicionalmente, mas temos o amor de Deus em nós como crentes em Jesus Cristo, e podemos deixar esse amor fluir livremente, sem condições. O amor do homem falha, mas o de Deus não. O amor do homem chega ao fim, mas o amor de Deus é infinito. Às vezes, vejo que embora eu não consiga amar determinada pessoa na minha própria força humana, sou capaz de amá-la com o amor de Deus.

O verdadeiro amor de Deus não depende de sentimentos, ele se baseia em uma decisão. Vou ajudar qualquer pessoa que precise de ajuda, exceto se ajudá-la acabar por lhe fazer mal. Elas não precisam merecer isso. Na verdade, às vezes, penso que quanto menos elas merecem, mais belo e impactante é esse amor. É absolutamente libertador poder amar as pessoas sem parar para perguntar se elas merecem isso.

Confie Nele Você ama as pessoas incondicionalmente? Deus quer que você ame a todos, mas você não precisa fazer isso na sua própria força. Confie na força dele e ame os outros com o amor dele.

22 de Outubro

Acredite no Melhor

O amor (o amor de Deus em nós) não insiste nos seus próprios direitos ou na sua própria maneira, pois ele não é egocêntrico. Ele não é melindroso ou ressentido; ele não leva em consideração o mal que lhe é feito [ele não presta atenção no mal sofrido].

1 CORÍNTIOS 13:5

Se quisermos amar as pessoas, precisaremos deixar Deus transformar a maneira como pensamos acerca das pessoas e das coisas que elas fazem. Podemos acreditar no pior e desconfiar de tudo que as pessoas dizem e fazem, ou podemos acreditar no melhor. O verdadeiro amor sempre acredita no melhor.

O que pensamos e acreditamos é uma escolha. A raiz de muitos dos nossos problemas na vida é que não controlamos ou disciplinamos os nossos pensamentos. Se não disciplinarmos os nossos pensamentos, provavelmente acabaremos ficando desconfiados e acreditando nas coisas ruins que não glorificam a Deus.

O profeta Jeremias perguntou ao povo: "Por quanto tempo vocês vão permitir que os seus... pensamentos altamente ofensivos se abriguem dentro de vocês?" (Jeremias 4:14). Os pensamentos que as pessoas escolhiam pensar eram ofensivos a Deus. Quando escolhemos acreditar no melhor,

Confiando em Deus Dia a Dia   23 de Outubro

somos capazes de esquecer tudo o que poderia ser prejudicial aos bons relacionamentos. Quando as pessoas fazem alguma coisa que o fere, você pode acreditar que elas não perceberam o que estavam fazendo. Nesse caso, você poupará muita energia que, de outra maneira, gastaria ficando irado. Quando os seus sentimentos forem feridos, você ficará irado, mas pode escolher dizer a si mesmo: "Embora o que eles disseram ou fizeram tenha me ferido, escolho acreditar que o coração deles era reto". Continue falando consigo mesmo até que os seus sentimentos de ira comecem a se dissipar. Dizer coisas do tipo "Não acredito que eles realmente tenham entendido como os seus atos me afetaram. Não acredito que eles tentaram me ferir de propósito. Talvez eles apenas estejam tendo um dia ruim hoje".

Sei, por experiência própria, que guardar uma lista mental das ofensas envenena as nossas vidas e não muda realmente a outra pessoa. Muitas vezes desperdiçamos um dia ficando irados com alguém que nem sequer percebe que fez alguma coisa que nos incomodou. Se quisermos guardar uma lista, por que não guardar uma lista das coisas boas que as pessoas fazem, e não dos erros que elas cometem?

Confie Nele Escolha acreditar no melhor de todas as pessoas e confie em Deus para tratar com qualquer ofensa. Fazer isso o ajudará a desfrutar a vida diária.

23 de Outubro

Deus se Importa Até Com Controles Remotos e Chaves de Carro

Mas o Conselheiro, o Espírito Santo, a quem o Pai enviará em Meu nome, lhes ensinará todas as coisas e lhes lembrará de tudo que Eu lhes disse.

JOÃO 14:26

Inúmeras vezes, ao longo dos anos, o Espírito Santo me lembrou de onde estavam as coisas que esqueci onde coloquei e de fazer aquilo que eu havia me esquecido de fazer. Ele também me manteve no caminho certo, lembrando-me do que a Palavra de Deus diz acerca de certas coisas em momentos decisivos da minha vida.

Aprendi que eu podia confiar em Deus para me ajudar nas grandes decisões, mas que também poderia levar a Ele pequenas necessidades. Certa

311

24 de Outubro

Confiando em Deus Dia a Dia

vez, tínhamos alguns convidados da família e queríamos assistir a um filme, mas não conseguíamos encontrar o controle remoto. Procuramos em toda parte por ele, mas não conseguíamos encontrá-lo. Decidi orar. Então eu disse silenciosamente em meu coração: "Espírito Santo, mostra-me onde está o controle remoto, por favor". Imediatamente, em meu espírito, pensei no banheiro e, como era de se esperar, lá estava ele.

O mesmo aconteceu comigo com relação às chaves do meu carro um dia, quando eu precisava sair. Estava em cima da hora e não conseguia encontrar as minhas chaves. Procurei freneticamente sem sucesso e então decidi orar. No meu espírito, vi as chaves no banco da frente do meu carro, e era exatamente ali que elas estavam.

Um dos dons do Espírito Santo mencionados em 1 Coríntios 12 é a palavra de conhecimento. Deus me deu uma palavra de conhecimento sobre o controle remoto, assim como sobre as chaves perdidas. Podemos contar com o Espírito Santo para nos lembrar de coisas que precisamos ser lembrados. Se não precisássemos de ajuda, sempre nos lembraríamos perfeitamente de tudo e nunca precisaríamos ser lembrados; mas se formos sinceros, todos nós sabemos que esse não é o caso.

Se o Senhor se importa o bastante para nos falar de controles remotos e chaves perdidas, pense no quanto Ele deve estar ansioso para falar conosco acerca de coisas mais íntimas.

Confie Nele Se você precisa de ajuda para aprender a confiar em Deus com relação às grandes decisões da sua vida, como eu, comece levando as suas pequenas necessidades a Ele. Deus se importa com todas as suas necessidades, por mais insignificantes que elas possam parecer!

24 de Outubro

Receba Jesus em Sua Vida Diária

Se vivemos pelo Espírito [Santo], andemos também pelo Espírito. [Se pelo Espírito Santo temos a nossa vida em Deus, sigamos em frente andando alinhados, tendo a nossa conduta controlada pelo Espírito.]
GÁLATAS 5:25

Perguntamos às pessoas o tempo todo se elas receberam a Jesus, sem nem sequer realmente pensar no que isso significa. Se nós o recebemos, então o que fazemos com Ele? Certamente não devemos colocá-lo em uma pequena

Confiando em Deus Dia a Dia

caixa marcada "Domingo de manhã", tirá-lo dali nesse dia, cantar algumas canções para Ele, falar um pouco com Ele e depois colocá-lo de volta na caixa até o próximo domingo. Se o recebemos, então Ele deve estar sempre conosco.

Não é agradável a Deus que as pessoas o deixem de fora de suas vidas diárias, enquanto fazem uso de fórmulas religiosas para tentar conseguir o que precisam. Não faça as coisas por fazer. Tenha um relacionamento verdadeiro com Deus que seja vivo e significativo, ou encare o fato de que você não tem relacionamento algum com Ele, e faça o que for preciso para ter um.

Faça estas perguntas a si mesmo, e você descobrirá como está espiritualmente:

- Você está crescendo diariamente no seu conhecimento de Deus e dos Seus caminhos?
- Você aguarda com expectativa ir à igreja, ou isso é algo que você faz por obrigação? Você fica esperando que o culto termine para poder finalmente ir almoçar?
- Você se sente próximo de Deus?
- Em sua vida, você está manifestando o fruto do Espírito — amor, alegria, paz, paciência, bondade, benignidade, fidelidade, mansidão (humildade, gentileza) e domínio próprio (ver Gálatas 5:22-23)?
- Você tem áreas em sua vida nas quais não deixou Deus entrar?

Se você não está satisfeito com suas respostas a essas perguntas, lance a sua vida inteiramente em Deus e peça ao Espírito Santo para se envolver em cada aspecto dela. Se você fizer isso com honestidade e sinceridade, Ele começará a trabalhar em você de uma maneira poderosa e empolgante.

Confie Nele Você está apenas fazendo as coisas por fazer, ou entregou a sua vida completamente a Cristo, confiando tudo a Ele, para que Ele possa fazer uma obra poderosa em você?

25 de Outubro

"Se Você Se Perder de Mim, Eu a Encontrarei"

O Senhor diz a vocês: "Não tenham medo nem se espantem por causa desta grande multidão, porque a batalha não é sua, mas de Deus".

2 CRÔNICAS 20:15

26 de Outubro

Confiando em Deus Dia a Dia

Deus quer que aprendamos a depender inteiramente dele; essa é a verdadeira fé. É complicado demais tentar permanecer na vontade de Deus em nosso próprio poder. Quem de nós pode dizer que sabe com certeza absoluta o que deve fazer todos os dias? Você pode fazer tudo o que sabe que deve fazer para tomar uma decisão correta. Você pode estar certo, mas existe a possibilidade de estar errado. Como você pode saber se está certo ou não? Você não pode. Precisa confiar em Deus para mantê-lo na Sua vontade, para endireitar qualquer caminho tortuoso diante de você, para manter você no caminho estreito que leva à vida, e fora do caminho largo que leva à destruição (ver Mateus 7:13).

Sei algumas coisas sobre a vontade de Deus para a minha vida, mas não sei tudo, de modo que aprendi a permanecer em descanso e paz dependendo de Deus, orando para que a vontade dele seja feita, e confiando nele para me guardar. Aprendi isso quando Deus estava tratando comigo para que eu tomasse certa decisão. Eu agonizava: "Mas, oh Deus, e se eu estiver errada, e se eu cometer um erro? E se eu me perder de Ti, Deus?"

Ele disse: "Joyce, se você se perder de Mim, Eu a encontrarei".

Apoiar-se em alguém é bom, desde que estejamos nos apoiando em alguma coisa ou em alguém que não desmorone quando menos esperarmos! Deus é uma boa escolha para nos servir de apoio. Ele tem um registro comprovado de fidelidade para com aqueles que entregam as suas vidas a Ele.

Confie Nele Ter fé em Jesus é "apoiar toda a sua personalidade nele em absoluta confiança no Seu poder, sabedoria e bondade" (Colossenses 1:4). Você está se apoiando nele?

26 de Outubro

Dê um Passo de Fé para Descobrir

Os planos da mente e do pensamento organizado pertencem ao homem, mas do Senhor vem a resposta [sábia] da língua.

PROVÉRBIOS 16:1

Costumamos achar difícil confiar no que acreditamos que pode ser a direção do Senhor. Não é que não confiemos nele, mas não confiamos em nossa capacidade de ouvi-lo.

Eventualmente descobri que eu tinha de dar um passo de fé, e depois eu descobriria por experiência própria como reconhecer a direção do Espírito Santo. "Dê um passo de fé e descubra", é o que sempre digo. Quando es-

Confiando em Deus Dia a Dia   27 de Outubro

tamos aprendendo a ser dirigidos pelo Espírito Santo, estamos propensos a cometer alguns erros, mas Deus sempre nos ajuda a voltar à rota certa, e aprendemos com os nossos erros. O processo de aprender a ser guiado por Deus não é diferente do processo pelo qual os bebês passam quando estão aprendendo a andar. Todos eles caem nesse processo, mas desde que se levantem e tentem outra vez, com o tempo eles acabarão não apenas andando, mas também correndo a toda velocidade.

Tiago, capítulo 1, começa nos dizendo como lidar com as provações da vida. Há uma maneira natural de lidar com os problemas, mas também há uma maneira espiritual de lidar com eles:

> Se algum de vocês é deficiente em sabedoria, que peça ao Deus doador [que dá] a todos liberalmente e de bom grado, sem reclamar ou apontar erros, e lhe será dado. Apenas deve pedir com fé e sem vacilar (sem hesitar, sem duvidar). Pois aquele que vacila (hesita, duvida) é como as ondas do mar que são sopradas para um lado e para o outro e levadas pelo vento.
>
> — Tiago 1:5-6

Jesus está dizendo aqui: "Se você está com dificuldades, pergunte a Deus o que deve fazer". Talvez você não receba uma resposta imediatamente ao fazer o seu pedido, mas descobrirá, à medida que estiver cuidando das suas coisas, que a sabedoria de Deus está operando por meio de você, pois a Sua sabedoria é divina e está além do seu conhecimento natural.

Confie Nele Se você está tendo dificuldades em confiar na sua capacidade de ouvir a Deus, "dê um passo de fé e descubra"! Aprender a discernir a voz de Deus é um processo. Mesmo que você caia, pode confiar nele para ajudá-lo a encontrar o caminho outra vez.

27 de Outubro

O Espírito Santo Lhe Dá Força

Então, por amor a Cristo, me agrado e tenho prazer nas enfermidades, nos insultos, nas dificuldades, nas perseguições, nas perplexidades e nos sofrimentos; pois quando sou fraco [na força humana], então sou [verdadeiramente] forte (capaz, poderoso na força divina).

2 CORÍNTIOS 12:10

315

28 de Outubro

Confiando em Deus Dia a Dia

Quando precisei fazer uma cirurgia, passei por todos os momentos de dúvida e medo que geralmente surgem antes de uma cirurgia grave. Naturalmente, todos os membros da minha família e todos os que me cercavam me diziam para confiar em Deus. Eu queria confiar, mas às vezes achava isso mais difícil que outras. Às vezes, sentia-me segura, e de repente um espírito de medo me atacava, e sentia-me novamente amedrontada com a cirurgia.

Isso continuou até que, uma manhã, por volta das 5 horas, durante um tempo em que eu não conseguia dormir, a voz do Senhor falou ao meu coração: "Joyce, confie em Mim; Eu vou cuidar de você". Daquele momento em diante eu não tive medo, porque quando Deus fala conosco de uma forma pessoal, a fé vem com o que Ele diz (ver Romanos 10:17).

Se soubéssemos que poderíamos ir ao médico e conseguir uma receita de pílulas que nos dessem força instantânea todas as vezes que nos sentimos fracos, provavelmente não hesitaríamos em fazer isso. Estou lhe dizendo, com base na Bíblia, que essa força está disponível a você por meio do poder do Espírito Santo.

O apóstolo Paulo considerava a força de Deus tão maravilhosa, que em 2 Coríntios 12:9-10 ele realmente disse que se gloriaria nas suas fraquezas. Colocando isso em nossa linguagem de hoje, Paulo estava dizendo que ficava satisfeito quando estava fraco, porque ele podia experimentar a força de Deus. Esse versículo em particular realmente ministrou a mim ao longo dos anos.

Agradeço a Deus porque eu não preciso desistir só porque me sinto fraca ou cansada mentalmente, fisicamente ou até espiritualmente. Posso pedir a Deus para me fortalecer pelo poder do Espírito Santo que habita em mim (ver Efésios 3:16) — e você pode fazer o mesmo!

Confie Nele Você pode confiar em Deus para ser a sua força, e pode até ter prazer nas suas fraquezas, porque elas permitem que você o veja operando em você!

28 de Outubro

Permaneça Sensível ao Espírito

E Eu derramarei sobre a casa de Davi e sobre os habitantes de Jerusalém o Espírito de graça ou de favor imerecido e súplicas.
ZACARIAS 12:10

De acordo com esse versículo, o Espírito Santo é o Espírito de Súplicas. Isso significa que Ele é o Espírito de Oração. Todas as vezes que sentimos um desejo de orar, é o Espírito Santo nos dando esse desejo.

Confiando em Deus Dia a Dia — 29 de Outubro

Reconheço que quando estamos sendo guiados pelo Espírito Santo a orar, em geral essa é uma lição que levamos muito tempo para aprender. Costumamos atribuir muitas coisas à coincidência ou ao acaso, em vez de entendermos que Deus está tentando nos guiar pelo Seu Espírito. Uma segunda-feira, comecei a pensar em um amigo a quem respeito e valorizo tanto, que pensar nele não é raro para mim. Mas durante um período de três dias, ele continuava me vindo à mente. Eu ficava adiando ligar para ele porque estava ocupada (isto lhe soa familiar?).

Na quarta-feira, eu estava a caminho de um compromisso quando me encontrei com a assistente desse amigo. Imediatamente perguntei a ela como ele estava passando. Soube que ele estivera doente, e que ao voltar da consulta com o médico, ele havia recebido um telefonema, dizendo que o seu pai fora diagnosticado com câncer, que estava se espalhando por todo o corpo.

Percebi depressa por que o meu amigo havia estado no meu coração por tanto tempo naquela semana. Devo admitir que eu não dediquei tempo para orar por ele. Eu *pensei* nele, mas não tomei nenhuma atitude para ligar ou orar por ele. Estou certa de que Deus trabalhou por meio de outra pessoa para preparar o meu amigo para a semana que ele estava enfrentando, já que eu estava deixando passar o chamado do Espírito. Mas se eu tivesse orado imediatamente na segunda-feira, e talvez tivesse ligado para ele naquele dia, eu teria o prazer de saber que Deus havia me usado para ministrar encorajamento a alguém que estava prestes a enfrentar uma experiência difícil.

Deus quer nos usar como Seus ministros e representantes, mas precisamos aprender a ser mais sensíveis ao Espírito de Súplicas.

Confie Nele Você está sintonizado com o Espírito que o impulsiona a orar? Dê as boas-vindas ao Espírito de Súplicas em sua vida, e confie em Deus para falar com você e por meio de você. É maravilhoso observar as coisas milagrosas que acontecem em resposta à oração.

29 de Outubro

Você É Exatamente Como Seu Pai

Embora meu pai e minha mãe tenham me abandonado, o Senhor me acolherá [me adotará como Seu filho].

SALMOS 27:10

29 de Outubro

Confiando em Deus Dia a Dia

Quando conheci meu marido Dave, eu tinha 23 anos de idade e tinha um bebê de nove meses de um casamento no qual entrara aos dezoito anos. Quando Dave me pediu em casamento, respondi com estas palavras: "Bem, você sabe que eu tenho um filho, e que se você me receber, irá recebê-lo também".

Dave me disse algo maravilhoso: "Não conheço o seu filho tão bem assim, mas sei que eu a amo, e também vou amar qualquer coisa ou qualquer pessoa que seja parte de você".

Essa história tem muito a ver com a razão pela qual Deus nos adota. Como crentes em Cristo, somos parte dele — e Deus Pai decidiu, antes da fundação do mundo, que qualquer pessoa que amasse a Cristo seria amada e aceita por Ele. O Senhor decidiu que adotaria todos aqueles que aceitassem a Jesus como seu Salvador (ver Efésios 1:3-6).

Pelo novo nascimento, fomos trazidos para a família de Deus. Ele se tornou o nosso Pai. Assim como nossos filhos herdam as nossas características, devemos ter o jeito e as características de Deus. O caráter dele deve ser duplicado em nós — Seus filhos e filhas. Em João 14:9 Jesus disse: "Se vocês Me viram, vocês viram o Pai" (paráfrase).

Um filho adotado pode não ser parecido com o pai adotivo inicialmente, assim como nós não nos parecemos com Deus de modo algum antes da nossa adoção por Ele. Mas até mesmo um filho adotado começa a assumir as características dos pais adotivos. As pessoas ficam absolutamente impressionadas quando descobrem que nosso filho mais velho, David, foi adotado por Dave. As pessoas dizem repetidamente o quando ele se parece com seu pai, o que, naturalmente, é impossível, porque ele não tem nenhum gene de Dave em seu sangue.

Quando fui adotada na família de Deus, eu não agia em nada como meu Pai celestial, mas ao longo dos anos eu mudei, e felizmente, as pessoas agora podem vê-lo em mim.

Confie Nele Você se parece com Deus? Se você precisa se convencer de que é um filho de Deus, um coerdeiro legal com Cristo, confie no Espírito de Adoção, o maravilhoso Espírito Santo, para trabalhar no seu coração. Alegre-se à medida que você começar a se parecer cada vez mais com Ele todos os dias.

30 de Outubro

Convide-o a Entrar em Todos os Cômodos da Sua Casa

Jesus, cheio do Espírito Santo, voltou ao Jordão e foi levado pelo Espírito ao deserto...

LUCAS 4:1

Depois que eu fui cheia do Espírito Santo, encontrei Deus em áreas da minha vida às quais eu não o havia convidado ainda. Ele tratou comigo em todas as áreas; não havia nada em que Ele não estivesse envolvido. Eu gostei disso, mas não gostei, se que é você me entende. Foi empolgante, mas assustador.

Deus se envolveu na maneira como eu falava com as pessoas e como eu falava sobre elas. Ele se envolveu em como eu gastava o meu dinheiro, em como eu me vestia, em quem eu tinha como amigos, no que eu fazia para me divertir. Ele se envolveu na minha vida mental e nas minhas atitudes. Percebi que Ele conhecia os segredos mais profundos do meu coração, e que nada estava oculto a Ele. Deus tinha as chaves de cada cômodo da minha casa (o meu coração), e Ele entrava sem avisar — sem sequer bater ou tocar a campainha. Em outras palavras, eu nunca sabia quando Ele poderia aparecer e dar uma opinião acerca de um assunto, mas isso parecia acontecer cada vez com mais frequência. Como eu disse, foi empolgante, mas percebi depressa que muitas coisas iam mudar.

Todos nós queremos mudança, mas quando ela chega, é assustador. Queremos que nossas vidas mudem, mas não o nosso estilo de vida. Não gostamos do que temos, mas pensamos: *E seu eu gostar menos ainda daquilo que virá em seguida?* Ficamos assustados quando parece que estamos sem o controle e nas mãos de outra pessoa.

Ser cheio do Espírito Santo significa viver as nossas vidas para a glória e o prazer de Deus, e não para a nossa própria glória e prazer. Significa abrir mão da vida que havíamos planejado e descobrir e seguir o plano dele para nós. Quando damos a Deus o assento do motorista de nossas vidas, as coisas podem mudar depressa. Embora as mudanças que Deus faça possam parecer assustadoras a princípio, no fim entenderemos que elas foram para o nosso bem.

Confie Nele Convidar Deus para habitar em todas as áreas da sua vida pode ser assustador, mas se você realmente quer se tornar a pessoa que Ele o criou para ser, precisa confiar que Ele sabe o que é melhor e fará com que tudo coopere em seu benefício.

31 de Outubro

Confiando em Deus Dia a Dia

31 de Outubro

Mudança, a Evidência Mais Visível

Então o Espírito do Senhor virá poderosamente sobre você, e você será profeta com eles; e será transformado em outro homem.

1 SAMUEL 10:6

As evidências mais importantes de que o Espírito Santo encheu a sua vida são a mudança de caráter e o desenvolvimento do fruto do Espírito Santo, descrito em Gálatas 5:22-23 (paciência, bondade, domínio próprio, etc.). Deus batiza as pessoas no Espírito Santo para capacitá-las a viver ousadamente para Ele. E quando você andar no poder do Seu Espírito, haverá a evidência apropriada do batismo no Espírito Santo. Falar em línguas foi uma das evidências do derramamento do Espírito Santo em Pentecostes, mas a evidência mais importante naquele tempo foi, e sempre será, homens e mulheres transformados.

No julgamento de Jesus, Pedro negou Cristo três vezes por medo dos judeus (ver Lucas 22:56-62), mas depois de ser cheio do Espírito Santo no Dia de Pentecostes, ele se levantou e pregou uma mensagem extremamente ousada. O resultado da pregação de Pedro naquele dia foram 3 mil almas acrescentadas ao Reino de Deus (ver Atos 2:14-41). O batismo no Espírito Santo transformou Pedro; ele o transformou em outro homem. O seu medo de repente desapareceu, e ele se tornou ousado.

Na verdade, não foi apenas Pedro quem tomou uma posição ousada naquele dia. Todos os demais apóstolos fizeram o mesmo. Todos eles estavam escondidos atrás de portas fechadas por medo dos judeus, quando Jesus apareceu a eles depois da Sua ressurreição (ver João 20:19-22). De repente, depois de serem cheios com o Espírito Santo, todos eles se tornaram destemidos e ousados.

O mundo está cheio de pessoas que vivem atormentadas pelo medo diariamente. Infelizmente, a maioria delas nem sequer percebe que há ajuda disponível para elas por meio do enchimento do Espírito Santo. O batismo no Espírito Santo transformou Saulo; ele transformou Pedro e os discípulos; ele me transformou, e ele continua a transformar aqueles que buscam com sinceridade em todo o mundo.

Confie Nele Se você tem o desejo de viver para Deus e quer glorificá-lo, deixe que a sua vida seja a evidência. Confie no Espírito Santo dentro de você para transformá-lo em um seguidor de Cristo destemido e ousado.

320

1.º de Novembro

Abra as Portas para Cristo

Eis que estou à porta e bato; se alguém ouvir e escutar e der ouvidos à Minha voz e abrir a porta, Eu irei a ele e comerei com ele, e ele [comerá] comigo.

APOCALIPSE 3:20

Jesus está batendo à porta de muitos corações agora mesmo, mas precisamos lembrar que a maçaneta está do nosso lado. O Espírito Santo é um cavalheiro; Ele não forçará a entrada em nossas vidas. Precisamos recebê-lo. Abra a porta do seu coração para Ele aumentando um pouco a sua fé. Seja como Pedro — a única pessoa do grupo que saiu do barco e andou sobre as águas. Pedro provavelmente estava com o estômago enjoado quando saiu daquele barco, mas enquanto ele manteve os olhos em Jesus, ele se saiu bem (ver Mateus 14:23-30).

Deus tem uma vida ótima, grandiosa e maravilhosa planejada para você e para mim, mas se formos de dura cerviz, como Ele chamou os israelitas (ver Êxodo 33:3), ou duros de coração (como dizemos hoje), então perderemos o que Deus tem para nós. A teimosia faz com que nos apeguemos aos nossos antigos caminhos, e nunca paramos de nos perguntar se os nossos caminhos são realmente os caminhos de Deus ou não.

No livro de Ageu, no Antigo Testamento, o povo estava vivendo em falta e tendo muitos problemas, então Deus lhes disse para considerarem os seus caminhos (ver Ageu 1:5). Muitas vezes, quando as pessoas não são realizadas na vida, elas procuram a razão em tudo e em todos, exceto nelas mesmas. Se você não está satisfeito com a sua vida, faça como Deus disse ao povo de Judá: "Considerem os seus caminhos". Assim como eu, você pode descobrir que precisa fazer algumas mudanças.

Eu era teimosa, obstinada, cabeça dura, orgulhosa e tudo o mais que me impedia de progredir. Mas, graças a Deus, Ele me transformou! Oro para que Deus continue a me transformar até que eu seja exatamente como Ele — e essa será a jornada de uma vida inteira.

Atenda a essa batida na porta do seu coração e permita que o Espírito Santo entre em sua vida em toda a Sua plenitude.

Confie Nele Deus não forçará a entrada em sua vida — você precisa abrir a porta para Ele. Dê um passo de fé e coloque a sua confiança nele, a fim de que Ele possa fazer grandes coisas por meio de você e para você.

2 de Novembro
Deixe o Espírito Santo Guiar Você

Porque este Deus é o nosso Deus para todo o sempre; Ele será o nosso guia até a morte.

SALMOS 48:14

Em geral, quando meu marido e eu viajamos, contratamos um guia para nos mostrar os melhores e mais importantes lugares para ver. Uma vez, porém, decidimos explorar por nós mesmos; assim poderíamos fazer o que quiséssemos, quando quiséssemos.

Descobrimos depressa que as nossas viagens independentes foram praticamente desperdiçadas. Geralmente passávamos uma grande parte do dia nos perdendo e depois tentando encontrar o caminho outra vez. Descobrimos que a melhor maneira de usar o nosso tempo era seguir um guia, em vez de perambular sem destino para encontrar os lugares sozinhos.

Creio que esse exemplo se relaciona com a maneira como vivemos a vida. Queremos seguir o nosso próprio caminho para podermos fazer o que quisermos e quando quisermos, mas acabamos nos perdendo e desperdiçando as nossas vidas. Precisamos do Espírito Santo nos guiando a cada dia do nosso tempo aqui nesta terra. Deus está comprometido em nos guiar até quando deixarmos esta vida, de modo que parece importante aprender a ouvir o que Ele tem a dizer.

O Espírito Santo conhece a mente de Deus e o plano individual dele para você. O mapa da estrada que Deus tem para você não é necessariamente igual ao de outra pessoa, portanto, não funciona tentar padronizar a sua vida segundo a vida de alguém ou segundo o que essa pessoa ouviu de Deus. Deus tem um plano único para você, e o Espírito Santo sabe qual é esse plano, e Ele o revelará a você.

Talvez você seja como eu era e tenha desperdiçado muitos anos percorrendo o seu próprio caminho sem buscar a direção de Deus. A boa notícia é que não é tarde demais para voltar e seguir por uma nova direção — rumo ao plano e ao propósito de Deus para a sua vida. Não é tarde demais para aprender a ouvir Deus. Se você estiver sinceramente disposto a obedecer, Ele o guiará em uma jornada empolgante de aprender a ouvi-lo todos os dias da sua vida.

Confie Nele Seguir um guia requer que confiemos em alguém ou em alguma coisa além de nós mesmos para nos mostrar o caminho. Deus nunca falhará com você, portanto você pode confiar nele para ser o seu Guia na vida.

Confiando em Deus Dia a Dia

3 de Novembro

Deus Está Preparando Você para o Futuro

Quando o Espírito da verdade vier, Ele os guiará a toda a verdade. Ele não falará de si mesmo, mas lhes dirá o que ouviu. Ele lhes falará sobre o futuro.

JOÃO 16:13

Vemos muitos exemplos na Bíblia em que Deus deu às pessoas informações acerca do futuro. Noé foi avisado para se preparar para um dilúvio que viria e destruiria as pessoas da terra (ver Gênesis 6:13-17). Moisés foi avisado para ir a Faraó e pedir a libertação dos israelitas, mas ele também foi avisado de que Faraó não os deixaria ir (ver Êxodo 7). Obviamente, Deus não nos diz tudo que acontecerá no futuro, mas a Bíblia diz que Ele nos dirá as coisas que estão por vir.

Há momentos em que posso sentir dentro do meu espírito que alguma coisa boa ou algo desafiador vai acontecer. É claro, quando sinto que uma situação desafiadora está para acontecer, sempre espero que seja apenas a minha imaginação. Mas se eu estiver certa, então ter o conhecimento antes do tempo age como um amortecedor em minha vida. Se um automóvel com bons amortecedores atinge um buraco na estrada, os amortecedores suavizam o impacto para os passageiros, a fim de que ninguém se machuque. O fato de Deus nos dar informações antecipadas funciona da mesma maneira.

Lembro-me de muitas vezes quando Deus me informou acerca de coisas que aconteceriam. Uma vez em particular foi quando eu senti fortemente dentro do meu coração que um de meus filhos estava realmente tendo dificuldades com algo importante. Quando perguntei ao meu filho a respeito disso, ele me disse que tudo estava bem, mas pelo Espírito eu sabia que algo estava errado. Vários dias depois recebi uma notícia dolorosa e desanimadora — mas teria sido muito mais difícil se eu não tivesse uma advertência prévia.

Confie Nele Deus se importa tanto com você que Ele o prepara para as coisas que estão por vir. Na próxima vez que você tiver uma sensação em seu espírito acerca de fatos que estão por vir, agradeça a Deus por preparar você e confie na Sua promessa de que Ele nunca lhe dará mais do que você pode suportar.

323

4 de Novembro

Chega de "Audição Seletiva"

Mas a casa de Israel não o ouvirá nem lhe obedecerá, uma vez que eles não Me ouvirão nem Me obedecerão, porque toda a casa de Israel é insolente e de coração obstinado.

EZEQUIEL 3:7

Deus me ensinou que quando *não estamos dispostos* a ouvir em uma área, isso pode nos tornar *incapazes* de ouvir em outras áreas. Às vezes, optamos por fazer ouvidos surdos para o que sabemos que o Senhor está nos dizendo claramente. Só conseguimos ouvir o que queremos ouvir; isso se chama "audição seletiva".

Uma mulher certa vez compartilhou comigo que pediu a Deus para lhe revelar qual era a vontade dele para ela, em outras palavras, o que Ele queria que ela fizesse. Deus colocou no coração dela claramente que Ele queria que ela perdoasse a sua irmã por uma ofensa que havia acontecido entre elas.

Como a mulher não estava disposta a fazer isso, ela passou a evitar o seu tempo de oração. Quando ela buscou o Senhor novamente para outra coisa, Ele respondeu: "Perdoe a sua irmã primeiro".

Durante um período de dois anos, todas as vezes que ela pedia ao Senhor direção para outro acontecimento, Ele lembrava a ela suavemente: "Quero que você perdoe a sua irmã". Finalmente, ela percebeu que nunca cresceria espiritualmente se não fizesse aquilo que Deus havia lhe dito para fazer.

Ela se ajoelhou e orou: "Senhor, dá-me o poder para perdoar a minha irmã". Instantaneamente ela entendeu muitos aspectos do ponto de vista de sua irmã que ela não havia considerado, e dentro de um curto período o relacionamento delas foi curado e se tornou mais forte do que nunca.

Se realmente queremos ouvir a Deus, não podemos nos aproximar dele com a audição seletiva, esperando limitar os tópicos somente ao que queremos ouvir. As pessoas querem a direção de Deus quando *elas* têm problemas que querem resolver. Mas não procure a Deus e fale com Ele apenas quando você quiser ou precisar de alguma coisa; passe tempo com Ele apenas ouvindo. Ele lhe revelará muitos assuntos se você ficar quieto diante dele e simplesmente ouvir.

Confie Nele Existe algo que Deus lhe disse e que você ainda não obedeceu? Por que você está hesitando? Confie em Deus para lhe

Confiando em Deus Dia a Dia

dar a força para fazer o que quer que Ele tenha pedido, sabendo que Ele sempre tem o seu melhor interesse em mente. A sua obediência conduzirá à bênção.

5 de Novembro
Conheça o Caráter de Deus

Porque o Meu jugo é benéfico (útil, bom — não é duro, difícil, rígido ou opressor, mas confortável, gracioso e agradável), e o Meu fardo é leve e fácil de levar.

MATEUS 11:30

Sentei-me diante do meu computador hoje e estava pronta para começar a trabalhar quando senti que o Senhor queria que eu "tirasse alguns minutos e simplesmente esperasse nele". Esperei por um breve momento, depois comecei a dar um telefonema.

O Senhor me impeliu suavemente a não dar o telefonema, mas a esperar nele como Ele havia me direcionado a fazer. Nossa carne é tão cheia de energia que é difícil ficar simplesmente parados, mas é muito importante aprender a ser obedientes a Deus imediatamente, mesmo quando Ele está nos pedindo para ficar parados.

Talvez você pergunte: "Joyce, como você sabe com certeza que Deus a estava direcionando — que a sua mente não estava simplesmente criando isso?" A resposta é que eu sentia paz acerca do que estava recebendo. Havia um sentimento de certeza dentro de mim. Meu espírito confirmava que aquilo realmente vinha do Senhor. Sabemos coisas a respeito de Deus pelo Espírito, e não necessariamente com a mente. Em minha mente eu queria começar a trabalhar, mas em meu espírito eu sabia que devia esperar. Você está seguindo a sua própria mente na maior parte do tempo, ou está discernindo espiritualmente o que Deus o está levando a fazer?

Satanás vai tentar nos enganar e nos levar à direção errada, mas se conhecemos o caráter de Deus, reconheceremos qualquer voz ou direção que não vem da parte dele. Quando senti que eu não devia dar o telefonema, não senti culpa ou condenação, porque essa não é a natureza de Deus. Senti um suave lembrete da parte de Deus de que eu não estava seguindo as instruções dele. Ele não é grosseiro, duro, rígido ou opressor, mas é manso e amoroso.

Há muitos aspectos do caráter de Deus, e cada um deles parece mais maravilhoso que o outro. Ele é fiel, verdadeiro, amoroso, gentil, paciente e hones-

6 de Novembro

Confiando em Deus Dia a Dia

to — entre muitos outros atributos maravilhosos. Conheça a Deus, conheça o Seu caráter, e você não se desviará, pois a Palavra de Deus diz que as Suas ovelhas conhecem a Sua voz, e elas não seguirão a voz de um estranho.

Confie Nele À medida que você crescer na Palavra e estudar o Seu caráter, passará a conhecer intuitivamente a Sua voz. Confie na voz que você sabe que é dele.

6 de Novembro

Honre a Voz de Deus Acima de Todas as Outras

Mas quanto a vocês, a unção (a nomeação sagrada) que vocês receberam dele permanece [permanentemente] em vocês; [portanto] vocês não têm necessidade de que ninguém os instrua. Mas assim como a unção dele lhes ensina com relação a tudo e é verdadeira e não é falsa, vocês devem permanecer nele (viver nele, nunca se afastar dele) [estando arraigados nele, unidos a Ele], assim como [unção dele] lhes ensinou [a fazer].

1 JOÃO 2:27

Esse versículo não está dizendo que não precisamos que ninguém nos ensine a Palavra. Do contrário, Deus não indicaria alguns para ensinar no corpo de Cristo. Mas ele diz que, se estamos em Cristo, temos uma unção que permanece dentro de nós para nos guiar e dirigir as nossas vidas. Podemos ocasionalmente perguntar a alguém que nos fale da sua sabedoria, mas não precisamos ir constantemente a outras pessoas para perguntar a elas a respeito das decisões que precisamos tomar em nossas vidas.

Às vezes, damos mais consideração ao que as pessoas falam do que ao que Deus nos diz. Se orarmos diligentemente, recebermos direção de Deus, mas depois começarmos a perguntar a todas as pessoas o que elas pensam, estaremos honrando as opiniões das pessoas acima da Palavra de Deus. Essa atitude impedirá que desenvolvamos um relacionamento no qual somos constantemente guiados pelo Espírito Santo.

Precisamos ter uma atitude que diga: "Deus, não importa o que ninguém mais está me dizendo, não importa o que eu mesmo penso, não importa qual é o meu próprio plano, se eu Te ouvir dizer algo, e souber que és Tu, vou honrar-te e vou honrar o que Tu disseres acima de qualquer coisa".

Quando as pessoas me pedem um conselho, estou disposta a ajudá-las, mas também quero que elas tenham confiança no fato de que elas podem

Confiando em Deus Dia a Dia

ser guiadas pelo Espírito de Deus. Se quisermos desenvolver a capacidade de ouvir de Deus e de ser guiados pelo Seu Espírito, precisamos começar a tomar as nossas próprias decisões e confiar na sabedoria que Deus depositou em nossos corações.

Confie Nele Jeremias 17:7 diz: "Bem-aventurado o homem que crê, confia e depende do Senhor".

7 de Novembro
O Tipo de Amor de Deus

O amor nunca falha [nunca desfalece nem se torna obsoleto ou chega ao fim].

1 CORÍNTIOS 13:8

O amor humano depende dos sentimentos. Amamos as pessoas porque elas foram boas para nós, elas nos ajudaram ou nos amaram primeiro. Elas fazem com que nos sintamos bem com nós mesmos, ou tornam as nossas vidas mais fáceis, então dizemos que as amamos. Ou nós as amamos porque queremos que elas nos amem. Mas esse tipo de amor se baseia no que elas estão fazendo, e se elas pararem de fazê-lo, provavelmente deixaremos de amá-las.

Esse tipo de amor vem e vai; ele é quente e depois frio. Esse é o tipo de amor que sentimos no mundo. Muitos casamentos e outros relacionamentos pessoais se baseiam nesse tipo de amor. Amamos sorvete porque tem um gosto bom, e amamos as pessoas porque elas nos dão bons presentes no Natal.

O amor de Deus é totalmente diferente — ele não se baseia em nada, exceto no próprio Deus. E quando recebemos Cristo como nosso Salvador, o amor de Deus é derramado em nossos corações pelo Espírito Santo (ver Romanos 5:5). Como parceiros de Deus na terra, Ele espera que sejamos os Seus representantes, por isso nos equipa com o amor que precisamos para fazer a obra que Ele nos pede que façamos. Quando o amor humano termina, o que geralmente acontece, o amor de Deus que está em nós permanece disponível para terminar o que precisa ser feito.

O tipo de amor de Deus não pode ser captado com a mente; ele é um assunto do coração. O amor humano sempre chega ao fim, mas felizmente o amor de Deus nunca se acaba. Deus nos promete que o Seu amor nunca falha!

8 de Novembro · Confiando em Deus Dia a Dia

Confie Nele Se você confia no amor que Deus derramou em seu coração, então poderá amar com o tipo de amor de Deus — incondicionalmente e sem fim.

8 de Novembro

Deus Está Falando com Você

Porque Deus [revela a Sua vontade; Ele] fala não apenas uma vez, mas mais de uma vez.

JÓ 33:14

Deus fala conosco de muitas maneiras, inclusive por meio de uma voz audível. Ouvir a voz audível de Deus é raro para a maioria das pessoas, e é algo inexistente para muitos. Ouvi a voz audível de Deus três ou quatro vezes em minha vida.

Duas dessas vezes foram à noite, quando fui despertada pela Sua voz, simplesmente chamando o meu nome. Tudo que ouvi foi "Joyce", mas eu sabia que era Deus me chamando. Ele não disse o que queria, mas eu soube instintivamente que tinha algo a ver com um chamado para o ministério em minha vida, embora a clareza nessa área não tenha vindo até vários anos depois.

Ouvi a voz audível de Deus no dia em que fui cheia com o Espírito Santo, em fevereiro de 1976. Naquela manhã clamei a Deus, confessando o quanto a minha vida era terrível, dizendo-lhe que faltava alguma coisa no meu relacionamento com Ele. Eu sentia que estava no fim das minhas forças. A Sua voz pareceu encher todo o meu carro, e Ele disse simplesmente: "Joyce, tenho lhe ensinado a paciência". Como aquela era a primeira vez que eu ouvia algo dessa magnitude, isso me chocou e me eletrizou.

Eu soube instintivamente o que Ele queria dizer. Vários meses antes disso eu havia pedido a Deus para me ensinar a paciência, não percebendo que a lição incluiria um longo período sentindo que a minha vida estava em compasso de espera. A frustração desse sentimento chegou ao ápice naquela manhã de fevereiro, quando clamei a Deus em desespero, pedindo a Ele para fazer alguma coisa e para me dar o que quer que estivesse me faltando.

Quando ouvi a voz de Deus, de repente fui cheia de fé de que Ele faria algo maravilhoso em minha vida. Aquele evento foi o começo de um novo nível no meu relacionamento com Deus. Acho que é seguro dizer que todo novo nível em Deus é precedido por Ele falando conosco de algum modo. Ele pode não falar audivelmente; pode ser por meio de uma revelação na

Sua Palavra, ou de uma circunstância divina que só Deus poderia promover. A Sua voz pode ser simplesmente um sussurro na sua alma, mas eu incentivo você a acreditar que Deus realmente fala ao Seu povo ainda hoje.

Confie Nele Peça a Deus para ajudar você a ser sensível à Sua voz. Ele quer falar com você. É seu privilégio e seu direito como um crente em Jesus Cristo nascido de novo ter comunhão diariamente com Deus Pai, com Seu Filho Jesus Cristo, e com o Espírito Santo.

9 de Novembro

As Provações Revelam o Seu Caráter

Estejam certos e entendam que a prova e o teste da sua fé geram resistência, firmeza e paciência.

TIAGO 1:3

As provações nos provam, e os testes nos testam. Na maior parte do tempo, o propósito deles é nos mostrar quem realmente somos, revelar o caráter que há em nós.

Podemos ter todo tipo de bons pensamentos acerca de nós mesmos, mas até que sejamos testados, não sabemos se esses pensamentos se tornarão realidades em nós ou não. Podemos nos considerar generosos, honestos ou profundamente comprometidos com uma verdade ou ideal específico, mas a profundidade dessas dinâmicas só se revela quando estão sob pressão. Quando passamos por provações, aprendemos se realmente temos ou não o caráter e o comprometimento que pensamos que temos.

Creio que é muito importante realmente conhecer a nós mesmos; os testes são bons para nós porque eles confirmam os nossos pontos fortes e revelam as nossas fraquezas. Não tenha medo de encarar suas fraquezas. A força de Deus está disponível a você especificamente para supri-las.

Devo dizer que antes das minhas provações gerarem a firmeza e a paciência em minha vida, elas trouxeram para fora muitas outras qualidades, mentalidades e atitudes negativas, que eu não sabia que tinha. Uma razão pela qual Deus permite que passemos pelos testes e provas é para que as coisas ocultas em nossos corações possam ser expostas. Até que elas sejam reveladas, não podemos fazer nada a respeito delas. Mas quando nós as vemos, podemos começar a encará-las e pedir a Deus que nos ajude.

Deus não permite que passemos por tempos difíceis porque Ele gosta de nos ver sofrer. Ele apenas os usa para reconhecermos a nossa necessidade dele. Tudo que você enfrenta, no fim, coopera para o seu bem, porque: o torna mais forte e constrói a sua resistência, desenvolve o caráter divino, ajuda você a se conhecer e a ser capaz de lidar com as coisas em um nível honesto com Deus e a cuidar dessas coisas para poder chegar à maturidade espiritual.

Confie Nele Como você se comporta quando está sob pressão? Na próxima vez que você se deparar com alguma espécie de prova ou teste, decida-se a acreditar que é para o seu bem. Colocar a sua confiança em Deus abre a porta para Ele operar milagres a partir do caos — transformando as suas fraquezas em um caráter divino.

10 de Novembro

A Receita Mais Simples

Sacrifício e oferta não desejas, nem tens prazer neles. Tu me deste a capacidade de ouvir e obedecer; [à Tua lei, um culto mais valioso que] ofertas queimadas e ofertas pelo pecado [os quais] Tu não requeres.

SALMOS 40:6

Deus tem prazer em nossa obediência. Naturalmente, não adianta nada Deus nos instruir se não estivermos dispostos a ouvir e a obedecer.

Fui tocada pela história de um pastor de uma grande igreja que ministrou em uma conferência para pastores em Tulsa, Oklahoma. Centenas de pastores compareceram de toda a nação para ouvir aquele homem contar o que ele fizera para construir sua igreja. Ele lhes disse simplesmente: "Eu oro, e obedeço. Eu oro, e obedeço".

Um dos ministros que participou da conferência compartilhou comigo sua decepção com a mensagem do pastor. Ele disse: "Gastei todo aquele dinheiro e viajei por toda aquela distância para ouvir este líder de renome mundial me dizer como o seu ministério havia crescido até o ponto onde está agora. Durante três horas, de várias maneiras, ele disse a mesma coisa: 'Eu oro, e obedeço. Eu oro, e obedeço. Eu oro, e obedeço. Eu oro, e obedeço'. Eu fiquei pensando: *Sem dúvida, deve haver algo mais*".

Olhando para trás, para mais de três décadas andando com Deus, eu teria de concordar que se traduzisse em palavras a explicação mais simples para o sucesso que tenho desfrutado, também diria o mesmo: aprendi a orar, a ouvir de Deus, e depois a fazer o que Deus me diz para fazer da melhor maneira possível.

Confiando em Deus Dia a Dia

11 de Novembro

Ao longo dos anos, tenho buscado a Deus para ter orientação sobre o chamado que está sobre a minha vida, e prosseguido adiante no que sinto que Ele tem me dito para fazer. A essência de tudo é que, quando tentei fazer as coisas do meu jeito só tive derrotas e frustração. Levei alguns anos, mas finalmente aprendi a orar e obedecer. Agir assim nem sempre fez com que eu fosse popular com as outras pessoas, mas orei, obedeci — e isso funcionou. O plano de Deus não é difícil; *nós* é que o tornamos difícil. Se você quer a vontade de Deus para a sua vida, posso lhe dar a receita para isso na sua forma mais simples: *ore e obedeça*. Deus lhe deu a capacidade de fazer as duas coisas.

Confie Nele Confiar em Deus é simples — apenas ore e obedeça. Se você fizer isso, antes que se dê conta, você terá entrado no Seu plano perfeito para a sua vida.

11 de Novembro

Você É Amigo de Deus

Portanto vamos nos aproximar destemidamente, confiantemente e com ousadia do trono da graça (o trono do favor imerecido de Deus a nós, pecadores), para que possamos receber misericórdia [pelos nossos erros] e encontrar graça para socorro em tempo oportuno para cada necessidade [ajuda adequada e socorro em boa hora, vindo exatamente quando precisamos].

HEBREUS 4:16

Quando você recebe Deus como o seu parceiro na vida e não está interessado em fazer nada sem Ele, então você é um verdadeiro amigo de Deus. Algumas pessoas não estão tendo as suas necessidades atendidas porque elas estão inseguras quanto ao seu relacionamento com Deus, e não oram com ousadia e com confiança.

Mas quando você sabe que é amigo de Deus, isso lhe dá a ousadia para se aproximar dele a qualquer momento, para qualquer coisa. Essa amizade faz você prosseguir para receber as bênçãos que você sabe que são suas, de acordo com a Palavra de Deus. Ter o conhecimento de que você é amigo de Deus faz com que você seja persistente sem sentir vergonha até sentir a vitória em seu espírito. Quando isso acontece, você sente uma libertação que lhe permite seguir em frente e desfrutar a vida, sabendo que Deus está atendendo à sua oração.

12 de Novembro

Confiando em Deus Dia a Dia

Infelizmente, muitas pessoas têm medo de esperar qualquer coisa de Deus. Mas não há nada de errado em pedir coisas grandes a Deus e ter expectativa de recebê-las. A amizade com o Senhor envolve oração, e a oração tem tudo a ver com se mover em fé e conseguir que as situações mudem. É uma conversa íntima entre você e Deus Pai. É em nossa vida de oração — esses momentos particulares de conversa a sós com Ele — que desenvolvemos a nossa amizade.

Se você tentar esperar até ser perfeito para desenvolver essa amizade divina, ela nunca acontecerá, porque sempre estaremos crescendo espiritualmente. Nunca seremos perfeitos. Tudo que Deus está pedindo é que façamos o nosso melhor todos os dias para segui-lo. O apóstolo Tiago disse: "Vocês não têm porque não pedem" (ver Tiago 4:2). Comece a pedir!

Confie Nele Permita que Jesus seja o seu melhor amigo. Ele quer ajudá-lo em todas as áreas da vida. Confie que Ele ouve as suas orações e responderá da melhor maneira na hora certa.

12 de Novembro
Deus Vive em Você

Que através da sua fé Cristo possa [realmente] habitar (se instalar, permanecer, fazer o Seu lar permanente) em seus corações!

EFÉSIOS 3:17

Durante muitos anos eu acreditava em Jesus Cristo como o meu Salvador, mas não desfrutava uma comunhão íntima com Deus. Eu sentia que estava sempre procurando por Ele, mas não conseguia realizar o meu objetivo. Um dia, quando estava diante de um espelho penteando o cabelo, fiz uma pergunta simples a Ele: "Deus, por que eu me sinto constantemente como se o estivesse procurando e chegando perto, sem nunca encontrá-lo?"

Imediatamente, ouvi estas palavras dentro do meu espírito: "Joyce, você está me procurando do lado de fora, quando deveria me procurar no seu interior". A Palavra de Deus diz que Ele vive em nós, mas muitas pessoas acham essa verdade difícil de entender. Eu também achei, por muito tempo.

Lembro-me de um dia quando eu estava andando pela casa com a cabeça baixa — eu estava abatida! Estava murmurando e reclamando, dizendo: "Deus, estou tão cansada de todas as lutas que tenho. Quando o Senhor vai fazer alguma coisa? Quando vou ver uma mudança?"

Confiando em Deus Dia a Dia

13 de Novembro

Naquele instante, Deus me lembrou de que Ele vivia dentro de mim, e que esse fato deveria ser suficiente para me manter alegre. Se você nasceu de novo, Jesus habita em você pelo poder do Espírito Santo. Mas será que Deus está confortável no seu interior e se sente em casa dentro de você? Levei muito tempo para entender que Deus vive em mim, juntamente com todas as outras coisas que estão acontecendo na minha vida interior. Pelo fato de muitos cristãos não estarem dispostos a se submeter aos apelos internos do Espírito Santo, eles não estão cheios de paz. A vida interior deles está constantemente tumultuada. Mas se quisermos ser uma casa confortável para o Senhor, precisamos aprender a permanecer em paz e alegria, confiando nele para cuidar de nós.

Confie Nele Deus está confortável em você? Se quiser ser uma casa confortável para o Senhor, abandone tudo que você acredita que o deixa desconfortável e encha-se de gratidão, de paz e de alegria — e simplesmente confie nele.

13 de Novembro

O Amor Nos Liberta para Perdoar

Acima de tudo tenham amor intenso e infalível uns pelos outros, pois o amor cobre uma multidão de pecados [perdoa e ignora as ofensas dos outros].

1 PEDRO 4:8

O apóstolo Pedro disse que o amor cobre uma multidão de pecados. O amor não apenas cobre um erro, ele cobre uma multidão. O amor de Deus por nós não apenas cobriu os nossos pecados, ele realmente pagou o preço para removê-los completamente. O amor é um agente de limpeza poderoso. Quero que você observe que Pedro disse que devemos amar "acima de tudo".

Quando Pedro perguntou a Jesus quantas vezes era esperado que ele perdoasse um irmão pela mesma ofensa, Jesus disse-lhe para continuar fazendo isso quantas vezes fosse necessário (ver Mateus 18:21-22). Pedro sugeriu sete vezes, e muitas vezes me perguntei se ele já estava na sexta e achava que só tinha dentro dele a capacidade para se esforçar mais uma vez.

Precisamos entender que é exigido que perdoemos muitas vezes. Na verdade, isso provavelmente fará parte da nossa experiência diária. Algumas das falhas que precisamos perdoar podem ser menores e bastante fáceis, mas ocasionalmente acontece algo grande e começamos a nos perguntar se

333

14 de Novembro

Confiando em Deus Dia a Dia

um dia conseguiremos superar isso. Lembre-se simplesmente de que Deus nunca nos diz para fazer nada que Ele não nos dê a capacidade para fazer. Podemos perdoar qualquer pessoa por qualquer coisa, se permitirmos que o amor de Deus flua através de nós.

A Bíblia conta a história de um homem chamado José, que foi vendido como escravo por seus irmãos. Quando os irmãos de José descobriram, anos depois, que ele estava vivo e no comando do suprimento de alimentos do qual eles dependiam desesperadamente, eles tiveram medo. Eles se lembraram do quanto haviam tratado José mal, e José também se lembrou, mas optou por não revelar isso a ninguém. Ele falou com seus irmãos em particular e simplesmente lhes disse que não era Deus — e que a vingança pertencia a Deus, não a ele. José os perdoou livremente, incentivou-os que não tivessem medo, e fez além, suprindo o sustento deles e de suas famílias. Não é de admirar que José tenha sido um poderoso líder que encontrava favor em todo lugar aonde ia. Ele conhecia o poder do amor e a importância do completo perdão!

Confie Nele A Bíblia nos diz para amar, e para fazer isso precisamos perdoar uma multidão de pecados. Confie em Deus para lhe dar a capacidade de perdoar todas as coisas, e agradeça a Ele por perdoar você.

14 de Novembro
Tudo que Você Precisa

Como a corça anseia pelas correntes das águas, assim a minha alma anseia por Ti, ó Deus.

SALMOS 42:1

Como uma corça que esteve correndo pelos campos o dia inteiro, um cão parado sob o sol quente do verão ou como um homem no deserto, nós também temos sede. Nossa maior sede é por mais de Deus, mas se não soubermos que é por Ele que estamos ansiando, podemos ser enganados facilmente.

Podemos pensar que a nossa ansiedade é por comida, ou pela aprovação das pessoas, ou por coisas materiais. Mas essas coisas não vão nos satisfazer. Se colocarmos a nossa mente em buscar a Deus — se dermos a Ele o primeiro lugar em nossos desejos, pensamentos, conversas e escolhas — a nossa sede será realmente saciada e não nos desviaremos.

Confiando em Deus Dia a Dia   15 de Novembro

Davi expressou o seu anseio pelo Senhor no Salmo 42. O versículo 2 diz: "O meu ser interior tem sede de Deus, do Deus vivo. Quando finalmente irei e contemplarei a face de Deus?" Temos necessidades, mas Deus diz: "Eis-me aqui. Eu tenho tudo que você precisa". Devemos buscar Deus como um homem sedento no deserto. Em que um homem sedento pensa? Em nada, exceto água! Ele não está preocupado com nada mais, apenas quer encontrar o que é necessário para aliviar a sua sede. Devemos buscar a Deus do mesmo modo, acima de tudo o mais para saciar a nossa sede.

Se estivermos procurando apenas por coisas materiais, ou por uma melhora em nossas circunstâncias, em vez de procurarmos por Deus, Satanás poderá criar uma miragem (uma falsa imagem) para nos colocar no caminho errado. Mas se estivermos buscando a Deus, o diabo não poderá nos enganar, porque Deus prometeu que aqueles que o buscam de todo o coração o encontrarão. Deus diz essencialmente: "O Meu povo não será guiado por uma miragem, mas eles saberão me buscar, a Água Viva. Aqueles que vêm a Mim nunca mais terão sede" (ver João 4:10, 14).

Enquanto o nosso desejo por Deus não for maior que todas as outras coisas, Satanás terá vantagem sobre nossas vidas. Mas podemos transformar essa vantagem em desvantagem, redefinindo as nossas prioridades. Busque em primeiro lugar o Reino de Deus, e todas as demais coisas serão acrescentadas (ver Mateus 6:33).

Confie Nele Deus projetou você para ansiar por Ele, e só Ele pode satisfazer esse anseio. Confie nele para saciar a sua sede enquanto você continua a estudar, a ler e a ouvir a Palavra de Deus, e você nunca mais terá sede novamente.

15 de Novembro

Pronto para Qualquer Coisa

Eu Te glorifiquei aqui na terra tendo consumado a obra que Tu Me deste a fazer. E agora, Pai, glorifica-Me juntamente contigo e restaura-Me à mesma majestade e honra que Eu tinha na Tua presença antes de o mundo existir.

JOÃO 17:4-5

Essa passagem capturou o meu coração um dia, e irrompi em lágrimas. Pensei: *Ó Deus, se tão somente eu puder comparecer diante de Ti no Último Dia, olhar nos Teus olhos e não me sentir envergonhada, mas poder dizer:*

16 de Novembro
Confiando em Deus Dia a Dia

"Senhor, eu consegui. Com a Tua ajuda eu cheguei até o fim. Concluí o que Tu me deste para fazer".

Percebi que a verdadeira alegria vem de ser um vaso usado por Deus para a Sua glória: deixar que Ele escolha onde irá me levar, o que fará comigo, quando o fará — sempre me submetendo a Ele. Uma coisa é estar disposto a fazer algumas coisas para o Senhor, mas outra coisa inteiramente diferente é estar disposto a fazer *qualquer coisa* para a glória de Deus.

Podemos pensar erroneamente que algumas situações simplesmente são difíceis demais, mas Deus nos dará a força por meio de Cristo para fazer tudo que Ele nos pede. Quando você sentir que Deus o está direcionando a fazer algo que assusta ou impressiona você, simplesmente dê o primeiro passo de fé, e você descobrirá que o poder de Deus está disponível quando você der o passo seguinte.

Muitas vezes me sinto incapaz, mas aprendi a confiar em Deus mais do que nos meus sentimentos. Se Deus nos pede para fazer alguma coisa, Ele definitivamente nos dará a graça para fazer isso um dia de cada vez. Não pare antes de concluir a obra que Deus lhe deu para fazer; glorifique-o prosseguindo até o fim.

Confie Nele Tome a decisão hoje de glorificar a Deus, concluindo cada tarefa que Ele lhe der. Confie nele para lhe dar tudo o que você precisa para fazer isso. Ele nunca falhará com você!

16 de Novembro

Pare e Sinta o Perfume das Rosas

Venham a Mim, todos vocês que trabalham e estão sobrecarregados, e Eu lhes darei descanso...

MATEUS 11:28

Grande parte do mundo está com pressa, sempre correndo; porém, poucas pessoas sabem realmente para onde estão indo na vida. As pessoas correm para chegar a mais um evento que não tem qualquer significado para elas, ou do qual elas na verdade nem sequer querem participar. Nós corremos tanto que, por fim, chegamos a um ponto em que não conseguimos mais desacelerar.

Lembro-me de um tempo em que eu trabalhava tanto e corria tanto que, mesmo se tirasse férias, quando eu conseguia desacelerar o suficiente para realmente poder descansar, elas estavam quase no fim. A pressa constante

Confiando em Deus Dia a Dia
17 de Novembro

definitivamente me impedia de ter paz em minha vida, e ela ainda pode fazer isso se eu não ficar atenta à sua pressão. A vida é preciosa demais para passarmos por ela correndo.

Às vezes, percebo que um dia se passou sem que eu me desse conta; à noite, sei que eu estive muito ocupada o dia inteiro, porém não consigo realmente me lembrar de ter desfrutado de nada, se é que desfrutei de alguma coisa. Mas comprometi-me a aprender a fazer tudo no ritmo de Deus, e não no compasso do mundo.

Jesus nunca tinha pressa quando estava aqui na terra, e Deus absolutamente não tem pressa agora. Eclesiastes 3:1 afirma: "Tudo tem o seu tempo determinado, e há tempo para todo propósito debaixo do céu...". Devemos permitir que cada coisa em nossa vida tenha o seu tempo, entendendo que podemos desfrutar esse tempo sem correr para o próximo.

Nosso ritmo de vida afeta a qualidade de nossas vidas. Quando comemos depressa demais, não digerimos adequadamente o alimento; quando passamos correndo pela vida, nós também não a digerimos adequadamente. Deus nos deu a vida como um presente, e é lamentável não fazermos nada, exceto atravessar os dias correndo sem nunca, como dizem, "parar para sentir o perfume das rosas". Cada coisa que fazemos na vida tem uma doce fragrância, e deveríamos aprender a inspirá-la e desfrutar o aroma.

Confie Nele Você está com pressa? Se quer estar em paz consigo mesmo e desfrutar a vida, você precisa parar de correr o tempo todo. Confie em Deus para lhe dar a graça, a energia e o tempo para fazer tudo que você precisa fazer em um ritmo que lhe permita desfrutar a jornada.

17 de Novembro
Você Pode Estar Contente em Todas as Circunstâncias

Aprendi a estar contente (satisfeito a ponto de não me perturbar ou inquietar) em qualquer estado em que eu esteja.
FILIPENSES 4:11

O povo de Deus deveria ser um povo pacífico, alegre, grato e contente. Em Filipenses 4:11, Paulo disse que ele "aprendeu a estar contente". Bem, não sei quanto a você, mas passei muitos anos, mesmo como crente, até *aprender* o contentamento, e creio que há muitas outras pessoas que têm dificuldades, como eu tive, em tentar encontrá-lo. Talvez você seja uma delas.

Eu sabia estar satisfeita se conseguisse que todas as coisas acontecessem como eu planejara — se tudo estivesse funcionando exatamente do

18 de Novembro

Confiando em Deus Dia a Dia

meu jeito — mas com que frequência isso acontece? Muito raramente, na minha experiência.

Eu não sabia absolutamente nada acerca de como lidar até mesmo com as dificuldades comuns que acontecem na vida de quase todo mundo. Eu não sabia como me adaptar às outras pessoas e situações. Descobri que uma pessoa que só consegue estar satisfeita quando não há perturbações na vida, passará muito tempo descontente.

Finalmente, o meu desejo por estabilidade se tornou grande o suficiente, a ponto de eu estar disposta a aprender o que fosse necessário para alcançá-la. Eu queria estar *satisfeita*, independentemente do que estivesse acontecendo ao meu redor.

A *Amplified Bible* define a palavra *contente* como "satisfeito a ponto de não me perturbar ou inquietar em qualquer estado em que eu esteja". Gosto dessa definição, porque ela não diz que preciso estar satisfeita a ponto de nunca querer mudar, mas que posso estar satisfeita e não precisar ficar ansiosa ou perturbada. Eu queria desesperadamente esse tipo de paz, e agora desfruto dela. E você?

Confiar em Deus e recusar-se a reclamar durante os tempos difíceis são atitudes que honram grandemente ao Senhor. De nada adianta falar do quanto confiamos em Deus apenas quando tudo vai bem. Mas quando a dificuldade vem, é então que devemos dizer: "Confio em Ti, Senhor", e realmente falar sério. Ele tem prazer em um filho contente. Passei a acreditar que estar contente é uma das maneiras mais incríveis de glorificar a Deus. Esteja contente onde você está, enquanto espera por aquilo que deseja ou precisa.

Confie Nele Não espere até que tudo esteja perfeito para decidir desfrutar a sua vida diária. Confie em Deus e esteja contente, independentemente das circunstâncias.

18 de Novembro
Você É Perfeito em Cristo

Portanto, vocês devem ser perfeitos [crescendo rumo à maturidade completa de santidade de mente e caráter, tendo atingido o nível adequado de virtude e integridade], assim como o seu Pai celestial é perfeito.

MATEUS 5:48

Temos uma ordem (ou talvez seja uma promessa) em Mateus 5:48: "Vocês, porém, devem ser perfeitos, como é perfeito o vosso Pai no céu" (NVI).

Confiando em Deus Dia a Dia — 19 de Novembro

Porque Deus é perfeito e está operando em nós, também podemos ter a expectativa de compartilhar da Sua perfeição.

O apóstolo Paulo disse que, embora não tivesse atingido a perfeição, ele prosseguia para o alvo. Em seguida ele disse que aqueles de nós que somos imperfeitos devemos ter essa mesma intenção, de esquecer o que ficou para trás (nossos erros) e seguir em frente. Em essência, Paulo estava dizendo que, aos olhos de Deus, pela fé em Jesus Cristo, ele era *perfeito*, mas ainda não havia sido totalmente *aperfeiçoado* (ver Filipenses 3:12-15). Precisamos aprender a nos ver em Cristo, e não em nós mesmos. Corrie ten Boom ensinou que se você olhar para o mundo, ficará oprimido; se você olhar para si mesmo, ficará deprimido; mas se você olhar para Jesus, terá descanso. Essa afirmação é totalmente verdadeira, pois se olharmos para nós mesmos — para o que somos em nossas próprias habilidades — só podemos ficar deprimidos e totalmente desanimados. Mas quando olhamos para Cristo, o Autor e Consumador (aperfeiçoador) da nossa fé, podemos entrar no Seu descanso e crer que Ele está continuamente trabalhando em nós (Hebreus 12:2, NVI).

Dizemos sempre que "ninguém é perfeito". O que queremos dizer com isso é que ninguém manifesta um comportamento perfeito, e essa é uma afirmação correta. Nosso comportamento, porém, é muito diferente da nossa identidade.

A Bíblia diz que a fé em Jesus nos torna justos, mas em nossos atos nem sempre fazemos a coisa certa. Durante anos eu disse: "O nosso ser é diferente do nosso fazer". Não fazemos tudo certo, mas Deus sempre nos ama. Ele sempre nos vê "em Cristo", por meio da nossa fé nele, como perfeitos em Cristo, enquanto ainda estamos sendo transformados pelo Seu poder.

Confie Nele Neste exato momento, você é perfeito aos olhos de Deus e está a caminho da perfeição, não por alguma coisa que tenha feito, mas por quem você é em Cristo. Confie em Deus para trabalhar continuamente em você, para ajudá-lo a amadurecer, a crescer e a mudar.

19 de Novembro

A Melhor Coisa para Você

Tendo dons (faculdades, talentos, qualidades) que diferem de acordo com a graça que nos foi concedida, vamos usá-los...

ROMANOS 12:6

19 de Novembro

Confiando em Deus Dia a Dia

Todos nós temos diferentes dons, e não devemos nos comparar ou ter inveja dos dons das outras pessoas. Lembro-me de ouvir um pregador falar a respeito de quantas vezes ele via Jesus. Eu nunca havia visto Jesus, então, perguntava-me o que havia de errado comigo. Outra pessoa que eu conhecia orava quatro horas todas as manhãs. Eu não conseguia encontrar assunto para orar por quatro horas, e sempre acabava ficando entediada e sonolenta, então, perguntava-me o que havia de errado comigo. Eu não tinha o dom de memorizar grandes trechos da Bíblia como alguém que conhecia, que memorizou todos os Salmos e Provérbios, assim como outros livros inteiros da Bíblia, então, perguntava-me o que havia de errado comigo.

Finalmente entendi que não havia nada de errado comigo.

Seja o que for que não possamos fazer, há muitas outras coisas que podemos. Seja o que for que outra pessoa possa fazer, também há coisas que estão fora da habilidade dela. Não deixe o diabo enganar você. Não se compare com ninguém de modo algum, principalmente no aspecto espiritual. Podemos ver o bom exemplo de outras pessoas e ser encorajados por elas, mas elas nunca devem se tornar o nosso padrão. Ainda que aprendamos a fazer alguma coisa com alguém, mesmo assim não a faremos exatamente da mesma maneira.

Em um momento ou outro, creio que todos nós cairemos na armadilha de nos perguntarmos por que não somos como outras pessoas que conhecemos ou por que não temos as mesmas experiências que elas, mas isso é uma armadilha — e uma armadilha perigosa. Ficamos presos em um laço armado por Satanás quando entramos em competição e comparação espiritual, e ficamos insatisfeitos com o que Deus nos deu.

Devemos confiar que Deus fará o melhor para cada um de nós, e temos de deixar que Ele escolha o que é melhor. Se confiarmos em Deus desse modo, poderemos abandonar os nossos medos e inseguranças com relação a nós mesmos. Estou certa de que todos nós gostaríamos de ver na dimensão espiritual e de ter uma abundância de experiências sobrenaturais, mas ficar frustrados por não tê-las tira a nossa paz, e com certeza não produz visões de Jesus.

Confie Nele Que dons espirituais Deus lhe deu? Lembre-se do que Romanos 12:6 diz: "use-os". Seja você mesmo. Você é único. Confie que Deus tem um plano só para você e para os dons que Ele lhe deu.

20 de Novembro

Deus Lhe Dá Graça para Hoje

O nosso pão de cada dia dá-nos hoje.

MATEUS 6:11

Deus quer que oremos *todos os dias* por toda e qualquer provisão que necessitemos para aquele dia. Deus lhe dará toda a graça que você necessita para hoje, e também lhe dará graça para amanhã; mas a graça de amanhã não aparecerá até amanhã. Devemos aprender a viver as nossas vidas um dia de cada vez. Eu costumava ficar frustrada quando me levantava de manhã. Estava sempre com muita pressa. Independentemente do que eu estivesse fazendo, estava sempre com a mente voltada para a próxima coisa que eu precisava fazer. Eu corria para arrumar a cama, mas por nunca estar com a mente no que estava fazendo, eu já estava ansiosa com a atividade seguinte que precisava fazer.

Quando eu começava a arrumar a cama, pensava: *É melhor colocar um pouco de carne para descongelar para o jantar.* Então deixava a cama pela metade e descia as escadas correndo para tirar a carne do freezer, mas quando do estava a caminho da cozinha via uma pilha de roupas sujas e pensava: *É melhor colocar essas roupas na lavadora para começar a batê-las.*

Enquanto eu colocava o sabão na máquina, o telefone tocava, e então eu corria para atender ao telefone. Enquanto falava ao telefone, lembrava-me de que precisava colocar a louça para lavar, então colocava alguns pratos na lavadora enquanto falava. Mas então a pessoa com quem eu estava ao telefone dizia: "Você gostaria de ir à cidade comigo?" e eu pensava: *Bem, eu preciso comprar alguns selos para postar algumas cartas*, assim eu corria para me vestir para ir à cidade.

O meu dia transcorria assim, sem eu nunca terminar nada do que havia começado, porque minha mente ficava passando de uma tarefa à outra. Essa não é a maneira de desfrutar a sua vida. É um desafio desfrutar completamente cada instante que Deus nos dá, mas quando aprendermos a fazer isso, desfrutaremos os nossos dias. Se não desfrutarmos cada parte do dia, perderemos a vida que Deus pretendeu que tivéssemos.

Confie Nele Você desfrutou o seu dia? Todos os momentos dele? Deus quer que você faça isso! Eu o desafio a examinar a sua vida e perguntar a si mesmo: "Quanto da minha vida estou desperdiçando ficando ansioso ou simplesmente não prestando atenção?" Faça da confiança em Deus a sua prioridade número um, e Ele lhe dará paz para desfrutar cada momento de cada dia.

21 de Novembro

Pratiquem a Cortesia

[O amor] não é rude (grosseiro) e não age de forma inconveniente.
1 CORÍNTIOS 13:5

Ser cortês é uma maneira de demonstrar gentileza e respeito pelos outros. Uma maneira de ser cortês é sempre dizer "por favor" e "obrigado". Essas são duas formas de cortesia que encorajo você a praticar.

Quero encorajá-lo especialmente a ser cortês em casa, com a sua família. Estou tentando me lembrar de sempre dizer "por favor" quando peço a Dave para fazer alguma coisa para mim, e "obrigada" quando ele a faz. É muito importante não acharmos que as ações dos nossos entes queridos são uma obrigação deles ou algo comum em nossas vidas. Ter boas maneiras em público deveria ser uma continuação do que fazemos normalmente por trás das portas fechadas.

O amor não é rude, de acordo com 1 Coríntios 13:5. A grosseria geralmente é resultado do egoísmo, e uma maneira de combatê-la é usando as boas maneiras em todo o tempo. Nossa sociedade está cheia de grosseria, aspereza e brutalidade, mas isso não demonstra o caráter de Deus. Jesus disse que Ele não é "áspero, duro, severo ou opressor" (Mateus 11:30), e precisamos seguir o exemplo dele.

Sem dúvida precisamos tomar a decisão de ser gratos e expressar a nossa gratidão. Em diversas passagens, a Bíblia deixa claro que devemos ser gratos e dizer isso. Podemos pensar que somos pessoas gratas e agradecidas, mas o que está no coração realmente sai pela nossa boca (ver Mateus 12:34). Se realmente somos pessoas que reconhecem o que os outros fazem por nós, expressar gratidão deve ser algo natural em nossas vidas.

Confie Nele Você diz "por favor" e "obrigado"? Não considere as cortesias "comuns" de sua vida como algo sem importância. Confie que demonstrar gentileza e respeito pelos outros é agradável a Deus e revela o Seu caráter.

22 de Novembro

Você Não Precisa Ficar Esgotado

E Jesus lhes disse: "O Sábado foi feito para o bem do homem..."
MARCOS 2:27

Confiando em Deus Dia a Dia   22 de Novembro

Você está excessivamente cansado o tempo todo, e mesmo depois de dormir, acorda se sentindo cansado outra vez? Talvez você esteja experimentando alguns dos sintomas da exaustão, ou o que geralmente chamamos de "esgotamento". Longos períodos de excesso de exaustão e estresse podem gerar fadiga constante, dores de cabeça, insônia, problemas gastrointestinais, tensão, sentimento de estar amarrado com nós e incapacidade de relaxar. Alguns outros sinais de esgotamento são chorar, irar-se com facilidade, negatividade, irritabilidade, depressão, ceticismo (ridicularizar e zombar das virtudes dos outros), e amargura para com as bênçãos dos outros e até para com a boa saúde deles.

O esgotamento, conhecido também como síndrome de *burnout*, pode nos impedir de exercer o domínio próprio, e quando isso acontece, deixamos de produzir bons frutos em nossas vidas diárias. O esgotamento rouba a nossa alegria, tornando a paz impossível de ser encontrada. Quando o nosso corpo não está em paz, tudo parece estar tumultuado.

Deus estabeleceu e lei do descanso no Sábado para impedir o *burnout* em nossas vidas. A lei do Sábado diz simplesmente que podemos trabalhar seis dias e descansar um dia. Precisamos descansar, adorar e nos divertir. Até Deus descansou depois de seis dias de trabalho. Ele, é claro, nunca se cansa, mas nos deu esse exemplo para que seguíssemos o padrão. Em Êxodo 23:10-12, vemos que até a terra tinha de descansar depois de seis anos, e os israelitas não deviam plantar nela no sétimo ano. Durante esse descanso, tudo se recuperava e se preparava para a produção futura.

Atualmente, nos Estados Unidos, quase todos os negócios ficam abertos sete dias por semana. Alguns deles ficam abertos até por 24 horas por dia, sete dias por semana. Quando ficamos disponíveis em todo o tempo, corremos o risco de sofrer um esgotamento. As pessoas hoje são rápidas em argumentar que não podem se dar o luxo de tirar um dia de folga, mas eu digo que elas não podem se dar o luxo de não fazer isso.

Confie Nele Algumas pessoas se sentem culpadas todas as vezes que têntam descansar, mas esse sentimento de culpa não procede de Deus. Deus quer que vivamos vidas equilibradas, e se não fazemos isso, abrimos uma porta para o diabo gerar algum tipo de destruição (ver 1 Pedro 5:8). Confie em Deus quando Ele diz que o seu tempo de descanso é tão valioso quanto o de trabalho.

343

23 de Novembro

Determinando as Suas Prioridades

Pois onde estiver o seu tesouro, ali também estará o seu coração.

MATEUS 6:21

A melhor maneira que encontrei de determinar se Deus está em primeiro lugar em minha vida é desacelerando e fazendo a mim mesma algumas perguntas simples:

- Em que coisas eu mais penso?
- Qual é a primeira coisa em minha mente pela manhã e a última coisa à noite?
- Em que eu mais falo? O que faço com o meu tempo?

Se passamos apenas alguns minutos por semana orando e cinco a dez horas por semana fazendo compras, então fazer compras é uma prioridade que está acima de Deus. Se passamos trinta minutos lendo a Bíblia por semana, mas passamos quinze horas por semana assistindo a programas esportivos e de entrevistas, então a televisão é uma prioridade que está acima de Deus. A verdade é que reservamos tempo para o que realmente queremos fazer. Faça do seu tempo com Deus uma prioridade e você desfrutará muito mais o restante das coisas que faz.

E quanto ao dinheiro? É fácil gastar dinheiro em uma roupa nova, joias e sapatos, ou em algo para a sua casa ou carro, mas é difícil obedecer a Deus na hora das ofertas? Você acha mais fácil gastar dinheiro comendo fora do que em materiais de ensino cristão e em músicas que alimentam o seu espírito?

O dinheiro em si não é mau — é o "amor pelo dinheiro que é a raiz de todos os males" (1 Timóteo 6:10). Se você ama mais a Deus do que o dinheiro, pode fazer com o seu dinheiro o que Deus lhe disser para fazer, e ficar em paz com isso. Entretanto, se você ama mais o seu dinheiro do que ama a Deus, provavelmente ficará contrariado ou agirá como se não ouvisse quando Ele lhe pedir para fazer algo com seu dinheiro que você não quer fazer.

Eu o desafio a parar regularmente e dar uma boa olhada em sua vida. Peça ao Espírito Santo para lhe mostrar onde as suas prioridades estão desalinhadas. Depois, permita que a convicção do Senhor o motive a buscar um relacionamento mais profundo com Ele.

Confiando em Deus Dia a Dia — 24 de Novembro

Confie Nele Se você precisa ajustar as suas prioridades, confie em Deus e faça as mudanças que forem necessárias a fim de manter o Senhor em primeiro lugar em sua vida.

24 de Novembro
Em Vez de Ficar Esgotado, Viva com Paixão

Vejam cuidadosamente como vocês andam! Vivam de forma deliberada, digna e precisa, não como néscios e insensatos, mas como sábios (pessoas sensíveis e inteligentes).

EFÉSIOS 5:15

Uma das razões pelas quais eu costumava viver estressada, esgotada e doente era por não saber dizer "não". Eu queria aproveitar todas as oportunidades de ministrar que apareciam, mas isso simplesmente não era possível. Todos nós precisamos aprender a deixar que o Espírito de Deus nos guie, e não o desejo das outras pessoas (ou o nosso próprio).

Frequentemente as pessoas me dizem que Deus mostrou a elas que eu devo ir à igreja delas ou à conferência delas como palestrante. Houve um tempo em que isso me pressionava porque eu pensava: *Se eu disser não, então na verdade estou dizendo que não ouvi a voz de Deus.*

Mas outras pessoas não podem ouvir Deus por nós. Somos indivíduos e temos o direito de ouvir Deus nós mesmos. Comecei a entender que, independentemente do que os outros achavam que haviam ouvido, eu não podia assumir o compromisso com paz se não tivesse ouvido Deus a respeito disso por mim mesma.

Você está dizendo "sim" com a sua boca enquanto o seu coração está gritando "não"? Nesse caso, você acabará ficando estressado, esgotado, e possivelmente doente. Simplesmente não podemos continuar assim para sempre sem acabar estilhaçando sob a pressão.

Não importa a quantas pessoas você agrade, sempre haverá alguém que não ficará satisfeito. Aprenda que você pode desfrutar a sua vida, ainda que alguém não ache que você é maravilhoso. Não se vicie na aprovação das pessoas; se Deus aprovar, isso é tudo que realmente importa.

Estar comprometido é muito bom, mas comprometer-se além do seu limite é muito perigoso. Conheça os seus limites e não hesite em dizer "não", se você sabe que precisa dizê-lo. Deus designou um período de vida para cada um de nós, e embora não saibamos exatamente quanto tempo temos na terra, devemos certamente desejar viver a plenitude dos nossos anos.

25 de Novembro

Confiando em Deus Dia a Dia

Queremos arder em chamas, e não ficar esgotados. Devemos viver com paixão e zelo, e não com exaustão; devemos ser bons exemplos para os outros.

Confie Nele Você está comprometido ou está indo além dos seus limites? Ninguém vai comparecer diante de Deus e prestar contas da sua vida; só você fará isso. Esteja preparado para ser capaz de dizer a Ele: "Confiei em Ti e segui o meu coração da melhor maneira possível".

25 de Novembro

Você Pode Viver em uma Atmosfera de Paz

Ele próprio se retirava [em isolamento] para o deserto e orava.

LUCAS 5:16

Vivemos em uma sociedade barulhenta. Algumas pessoas precisam ter um pouco de barulho no ambiente o tempo todo. Gostam de ter sempre uma música tocando, a televisão ou o rádio ligados. Elas querem ter alguém com elas o tempo todo com quem possam falar. Cada uma dessas coisas, se feita com equilíbrio, é boa, mas também precisamos de silêncio total e do que chamo de "tempo a sós".

Para desfrutar de uma atmosfera pacífica, precisamos criá-la. A paz exterior desenvolve a paz interior. Encontre um lugar onde você possa ir que seja silencioso, um lugar onde você não será interrompido, e aprenda a desfrutar simplesmente do silêncio por algum tempo.

Tenho uma cadeira na minha sala de estar onde costumo me sentar e me recuperar. É uma cadeira reclinável branca que fica em frente a uma janela que dá para o nosso terreno, que é cheio de árvores. Na primavera e no verão, posso ver os pássaros, os coelhos e os esquilos. Houve um tempo em que eu teria considerado isso monótono, mas não agora — agora eu amo esses momentos. Quando volto de uma conferência, vou para casa, tomo um banho quente, e depois me sento nessa cadeira.

Às vezes, fico sentada ali várias horas. Posso ler um pouco, orar ou apenas olhar pela janela que dá para o quintal, mas o ponto é que *estou sentada tranquila e desfrutando o silêncio*. Descobri que o silêncio me ajuda a me recuperar.

Ficar em silêncio tem um efeito calmante em nós. Se encontrarmos lugares calmos e ficarmos ali por algum tempo, começaremos a sentir a tranquilidade envolver a nossa alma. Esperar em Deus em silêncio contribui para restaurar o nosso corpo, a nossa mente e as nossas emoções mais do que qualquer outra coisa.

Confiando em Deus Dia a Dia

26 de Novembro

Precisamos regularmente de um tempo de silêncio para esperar em Deus. Insista em tê-lo; não permita que ninguém o tire de você. Jesus garantia que Ele tivesse momentos de paz e tempos a sós. Ele ministrava às pessoas, mas se esquivava regularmente das multidões para estar a sós e orar (ver Lucas 5:15-16). Se Jesus precisava desse tipo de estilo de vida, nós também precisamos.

Confie Nele Onde é o seu lugar silencioso? Aceite a minha sugestão e experimente ter doses regulares de "tempos a sós". Descanse na presença de Deus, confiando nele e ficando em silêncio, e você levará a paz dele com você quando voltar às suas atividades normais.

26 de Novembro

Siga o Plano de Deus para a Sua Vida

A mente do homem planeja o seu caminho, mas o Senhor dirige os seus passos e os torna seguros.

PROVÉRBIOS 16:9

Eu estava refletindo nesta manhã a respeito do futuro do nosso ministério. Estamos no ministério desde 1976, e muitas situações mudaram durante esses anos. Entendo que as coisas não serão as mesmas daqui a dez anos, mas não sei exatamente como serão. Dave e eu estamos envelhecendo, e percebemos que nem sempre seremos capazes de manter a rotina de viagens pesada que temos agora.

Quando tento olhar para o futuro com minha mente racional, devo admitir que não vejo nada definido. Pretendo continuar fazendo o que estou fazendo, ajudando as pessoas com dedicação cada vez mais. E creio que seja o que for que Deus faça com o nosso ministério, será bom.

Creio que é importante para muitos dos nossos leitores entender que, mesmo os ministros e autores como eu, nem sempre recebem uma direção exata do Senhor. Nós andamos por fé, assim como todo mundo.

Ter fé significa que não vemos nem temos qualquer prova natural do que o amanhã nos reserva. Cremos em coisas boas, temos expectativa de coisas boas e esperamos em Deus. Podemos ficar decepcionados ocasionalmente, mas em Cristo podemos sacudir a decepção ou o desânimo para longe e seguir em frente com o que Deus está fazendo — não com o que gostaríamos que Ele fizesse.

347

27 de Novembro

Confiando em Deus Dia a Dia

Confio que Deus sempre cuidará de nós, que Ele sempre fará a coisa certa. Deus não comete erros — as pessoas sim. Muitas vezes cometemos os nossos erros por planejarmos excessivamente, o que se torna tão importante para nós que perdemos o que Deus quer fazer.

O plano de Deus é sempre melhor que o nosso, de modo que devemos tomar cuidado para não fazermos demais os nossos próprios planos. Sempre digo: "Faça um plano e siga o seu plano, mas esteja pronto para abandoná-lo depressa se Deus lhe mostrar outra coisa". Deus deveria ter sempre a preferência e o direito de interferir em nossos planos a qualquer momento.

Confie Nele Quanto tempo mental você passa planejando o que vai fazer amanhã, ou mesmo durante o restante de sua vida? Tente passar mais tempo confiando na vontade de Deus e pedindo a Ele para fazer os planos dele para você se realizarem, e depois colha os benefícios da sua fé.

27 de Novembro

Confiança É Melhor do que Conhecimento

Nele todos os tesouros da sabedoria [divina], (percepção abrangente dos caminhos e propósitos de Deus) e [todas as riquezas do] conhecimento e iluminação [espiritual] estão armazenados e escondidos.

COLOSSENSES 2:3

Às vezes, pensamos que gostaríamos de conhecer o futuro; porém, em muitos casos, se soubéssemos tudo o que o futuro nos reserva, ficaríamos infelizes e até com medo de prosseguir. Confiar em Deus nos permite lidar com a vida um dia de cada vez. Deus nos dá o que precisamos. Não temos tudo o que precisamos agora para o nosso futuro, porque esse tempo ainda não chegou, de modo que se conhecêssemos o futuro — sem ter as ferramentas que precisamos para ter êxito — todos nós nos sentiríamos oprimidos.

Descobri que posso perder a paz por saber demais. O conhecimento não é tão bom como se diz. É melhor não sabermos algumas coisas. Por exemplo, não quero saber se alguém não gosta de mim e tem falado mal de mim; tudo que esse conhecimento faz é me deixar infeliz. Às vezes, estamos em plena paz e então recebemos uma informação, e de repente perdemos a nossa paz por causa do que acabamos de saber.

Confiando em Deus Dia a Dia   28 de Novembro

Eu gostaria de saber todas as coisas maravilhosas e empolgantes que vão acontecer no meu futuro, mas não quero saber as coisas difíceis ou decepcionantes que vão acontecer. Entretanto, entendo que ambas farão parte do meu futuro. Como todo mundo, terei bons e maus momentos. Realmente acredito que posso lidar com o que vier, se eu viver um dia de cada vez, mas saber tudo agora seria demais para mim. É por isso que Deus retém informações de nós e nos diz para simplesmente confiarmos nele. A confiança é realmente melhor do que o conhecimento. A confiança ministra paz, e isso é muito importante. Suponho que possamos fazer esta pergunta a nós mesmos: "Quero ter paz ou conhecimento?" Eu escolho a paz. E você?

Confie Nele Você quer a paz ou o conhecimento? Deus tem um motivo para não lhe dar conhecimento acerca do seu futuro. Confie em Deus, e você poderá lidar com todas as bênçãos e decepções da vida, um dia de cada vez, na Sua paz.

28 de Novembro

Assuma a Responsabilidade pela Sua Felicidade

Não aponte o dedo para alguém nem tente passar a culpa a outro!

OSEIAS 4:4

Todos nós temos padrões pessoais aos quais esperamos que as outras pessoas atendam, e ficamos decepcionados quando elas deixam de agir como esperávamos. Mas é realmente o que elas fazem que nos fere, ou são as nossas próprias expectativas irrealistas que nos predispõem para a dor que sentimos, quando as pessoas não agem de acordo com os nossos padrões?

Por exemplo, a minha alegria não é responsabilidade do meu marido — embora durante muitos anos eu pensasse que fosse. Se ele não estivesse fazendo o que me fazia feliz, eu ficava zangada. Achava que ele deveria estar mais preocupado com a minha felicidade e fazer as coisas de forma diferente. Mas era *o que eu achava* que era o problema, e não o que ele fazia.

Dave e eu temos poucas discussões agora, que sei que a minha alegria é responsabilidade minha, e não dele. Dave deve fazer algumas coisas por mim que me fazem feliz, assim como eu devo tentar agradá-lo, mas houve muitos anos em minha vida em que teria sido praticamente impossível qualquer pessoa me fazer feliz. Os meus problemas estavam em mim; eles eram resultado do tratamento abusivo que sofri na minha infância. No en-

349

29 de Novembro

Confiando em Deus Dia a Dia

tanto, eu estava colocando sobre Dave a responsabilidade de me compensar pela dor que ele não havia causado.

Com o tempo, percebi que por pior que eu agisse, Dave permanecia feliz. Isso me irritava, mas também servia como exemplo. Finalmente, passei a ficar faminta por ter a paz e a alegria que eu via na vida dele, que não dependiam de nenhuma das circunstâncias. Em outras palavras, ele nunca tentou me tornar responsável pela alegria dele. Se Dave dependesse de mim para fazê-lo feliz, ele nunca teria desfrutado a vida, porque na maior parte do tempo eu não dava a ele nenhum motivo para se alegrar.

É possível que você esteja tentando tornar alguém responsável por situações a respeito das quais só você pode fazer alguma coisa? Vamos assumir a responsabilidade e parar de esperar que as pessoas façam por nós o que, na verdade, nós deveríamos fazer por nós mesmos, ou confiar em Deus para fazer.

Confie Nele Coloque a sua confiança em Deus e assuma a responsabilidade pelas suas atitudes e atos, e pare de culpar os outros. Se você não é feliz, sugiro que olhe para dentro de você antes de olhar em volta na tentativa de encontrar alguma coisa ou alguém para culpar.

29 de Novembro

Seja Autoconsciente e Faça o que É Certo

Portanto, você não tem desculpa, defesa ou justificativa, ó homem, quando julga e condena outro. Pois ao se colocar em posição de juiz e decretar sentença sobre outro, você condena a si mesmo, porque você, que julga, está praticando habitualmente exatamente as mesmas coisas [que censura e denuncia].

ROMANOS 2:1

O autoengano é um dos nossos maiores problemas como seres humanos. Vemos fácil e rapidamente o que está errado com os outros, mas raramente vemos o que está errado conosco — se é que o fazemos. Julgamos os outros, e o Senhor nos diz que não há justificativa para isso.

Por que julgaríamos alguém pela mesma coisa que fazemos? Porque olhamos para os outros através de uma lente de aumento, mas vemos a nós mesmos através de óculos cor de rosa, um vidro colorido que torna tudo adorável, quer seja assim realmente ou não. Em nosso modo de pensar, não existe nenhuma justificativa para o comportamento errado dos outros, mas

Confiando em Deus Dia a Dia   30 de Novembro

para nós sempre há. Parece que sempre temos algum motivo válido pelo qual nos comportamos mal, que nos isenta de sermos responsáveis.

Por exemplo, alguém pode agir de forma grosseira conosco, e achamos indesculpável a pessoa nos tratar assim. Podemos ter tratado alguém da mesma maneira em outro momento, mas justificamos isso porque nos sentíamos mal ou tivemos um dia ruim no trabalho. Na verdade, devemos julgar honestamente o nosso próprio comportamento em vez de julgar o comportamento dos outros, porque a Palavra nos diz que não nos pedirão para prestar contas da vida deles, mas da nossa (ver Romanos 14:10).

Quando Deus me adverte pelo meu comportamento em um relacionamento, isso é particularmente difícil para mim se eu sinto que a outra pessoa faz a mesma coisa que Deus está me pedindo para mudar. Eu já disse a Deus mais de uma vez: "Isto não é justo. E a outra pessoa?" Deus sempre me lembra de que *quando* e *como* Ele vai corrigir a outra pessoa é problema dele. Nossa responsabilidade é seguir a Deus e obedecer-lhe, e não apontar os defeitos das outras pessoas ou a maneira como elas vivem suas vidas.

Confie Nele Sejamos tão perdoadores com os outros quanto somos com nós mesmos. Não se preocupe com os erros dos outros, mas confie em Deus para corrigir o comportamento deles da maneira e no tempo dele, e ouça quando Ele escolher corrigir o seu.

30 de Novembro
Deus o Encontra Onde Você Está

Seja qual for o seu modo de crer a respeito das coisas, que isso permaneça entre você e Deus.

ROMANOS 14:22

Tento fazer refeições razoavelmente saudáveis, e tenho estudado nutrição e os seus efeitos sobre o corpo. Consequentemente, tenho opiniões fortes sobre como devemos cuidar de nós mesmos. Eu como doces, mas apenas pequenas quantidades, e geralmente me preocupo quando vejo alguém consumindo regularmente grandes quantidades de doces e de outros alimentos que sei que não são saudáveis.

Procuro informar as pessoas quando as vejo comendo mal, mas elas não têm recebido bem o meu conselho, para dizer o mínimo. Uma pessoa chegou a me dizer: "Se vamos passar um tempo juntas, não quero que você fique me dizendo o que devo comer o tempo todo e fazendo eu me sentir culpada quando como alguma coisa que você não aprova".

1.º de Dezembro
Confiando em Deus Dia a Dia

A pessoa continuou dizendo: "Sei que não como direito, mas simplesmente não estou em um momento da minha vida em que eu esteja pronta para fazer alguma coisa a respeito. Tenho muitas coisas erradas em mim que sinto que são mais urgentes que o meu apetite. Então estou me concentrando no que sinto que Deus está tratando comigo agora, e não tenho tempo para prestar atenção no que você está dizendo".

Todos nós tendemos a transmitir nossas convicções aos outros; achamos que se elas são prioridades para nós, então devem ser prioridades para todos.

Romanos 14 compartilha um exemplo quando fala das pessoas que estavam em um dilema se deveriam ou não comer carne que havia sido oferecida aos ídolos. Alguns achavam que isso seria pecado, e outros diziam que os ídolos não eram nada e, portanto, não podiam fazer mal à carne. Alguns não podiam comer por causa de sua fé fraca, e outros comiam por causa da fé forte deles. Paulo disse a eles que cada um estivesse convencido no seu coração, e não tentasse impor suas convicções pessoais aos outros.

Deus parece encontrar cada um de nós exatamente onde estamos em nossa fé. Ele começa conosco naquele ponto e nos ajuda a crescer gradualmente e continuamente. Seja guiado pelo Espírito Santo, e deixe que os outros façam o mesmo.

Confie Nele Aceite o momento em que você está agora, assim como Deus o aceita. Confie em Deus para levar você a um novo nível de vida que seja certo para você, e não para outra pessoa.

1.º de Dezembro
O Que Gera Contentamento?

Que o Deus da sua esperança os encha de toda alegria e paz no crer [através da experiência da sua fé] para que pelo poder do Espírito Santo vocês possam abundar e transbordar (borbulhando) de esperança.

ROMANOS 15:13

Na minha busca por contentamento, descobri quatro coisas que precisamos eliminar das nossas vidas para estarmos contentes.

O problema número um que leva a sentimentos de descontentamento é a *ganância*. Você já conheceu alguém que simplesmente não conseguia estar contente por mais que tivesse coisas? Eu mesma fui assim um dia. É claro que, na época, não considerava que isso era ser gananciosa; eu

Confiando em Deus Dia a Dia   2 de Dezembro

simplesmente queria mais do que tinha. Precisamos aprender a desfrutar o lugar em que estamos em cada área da vida, enquanto avançamos para onde estamos indo. Isso significa que podemos encontrar a nossa satisfação em Deus enquanto estamos a caminho da realização das nossas esperanças e sonhos. Também creio que o *medo* faz com que muitos de nós sejamos infelizes e descontentes. Temos medo de não receber o que desejamos, e isso nos deixa impacientes.

Com o tempo, aprendi que eu podia fazer as coisas que Deus queria que eu fizesse, que podia confiar e esperar no tempo perfeito dele para trazer até mim essas coisas que Ele sabia que eram o melhor para mim. Quando aprendemos a confiar em Deus e a dar um passo de fé mesmo quando temos medo, Deus nos dá a coragem e a ousadia que precisamos para vencer o medo.

A falta de confiança em Deus é outra causa de descontentamento, enquanto simplesmente confiar em Deus nos leva a um estado de descanso, alegria e paz. *Procurar o contentamento em todos os lugares errados* é a minha quarta razão para o descontentamento. Não cometa o erro de procurar o contentamento nas coisas. Se fizer isso, o resultado será que você nunca o encontrará nem nunca ficará verdadeiramente satisfeito.

A resposta para a nossa frustração vem quando recebemos a revelação de que a nossa satisfação deve estar em Jesus, na Sua vontade e no tempo dele para as nossas vidas. Quando estamos com pressa de encontrar contentamento, isso não faz Deus se apressar. Ele tem um plano, e somente a confiança nele nos permitirá desfrutá-lo.

Confie Nele Você está contente? Confie em Deus e encontre satisfação nele, e você ficará contente e terá paz.

2 de Dezembro

Por Favor, Não Me Faça Esperar!

Espero pelo Senhor, espero com expectativa, e na Sua Palavra espero.
SALMOS 130:5

Esperar! Essa é uma grande parte da nossa vida diária, e a maioria de nós não a aprecia particularmente... nem tem tempo para ela. Especialmente as pessoas ocupadas, que geralmente têm mais coisas para fazer em um dia do que podem realizar! Mas posso lhe dizer por experiência própria que a nossa atitude acerca da espera pode fazer toda a diferença do mundo.

353

3 de Dezembro

Confiando em Deus Dia a Dia

Como os israelitas, que passaram quarenta anos fazendo uma viagem de onze dias, eu estava estagnada no meu próprio deserto dos dias atuais. Eu tinha muitas atitudes erradas que contribuíam para o impedimento do meu progresso, mas uma das maiores barreiras para mim era um comportamento impaciente que me fazia querer gritar: "Por favor, não me faça esperar por nada. Eu mereço tudo imediatamente!" Eu tinha uma longa e interessante jornada antes de aprender que a espera faz parte da nossa caminhada com Deus. Vamos esperar — isto é um fato — mas é a maneira como esperamos que determina o quanto difícil será a espera.

Quando você chega para uma consulta com o seu médico ou dentista, tem de esperar a sua vez. A primeira coisa que a recepcionista lhe diz é "Por favor, sente-se enquanto espera". Estar sentado indica que a pessoa está descansando, e é exatamente isso que devemos fazer, tanto no consultório médico quanto nas experiências nos desertos de nossas vidas. Enquanto estamos esperando que Deus faça o que pedimos a Ele, devemos descansar nele.

Outra atitude que me impedia de progredir era "Vou fazer do meu jeito ou não vou fazer nada". Essa atitude obstinada é um problema com o qual muitas pessoas têm de lidar. Se não for tratado, a vida na Terra Prometida se torna uma imagem nebulosa e nunca uma realidade — algo que vemos lá no futuro, mas nunca experimentamos.

Mas não precisa ser assim. Quando levamos a sério a mudança de atitude e permitimos que o Espírito Santo nos ajude, podemos tomar um atalho no deserto em vez de seguir pelo caminho mais longo!

Confie Nele Ter uma atitude positiva em uma situação de provação é pelo menos 90% da batalha. Sempre haverá provas na vida, mas à medida que confiamos em Deus e continuamos a fazer o que Ele está nos mostrando que devemos fazer, sempre sairemos vitoriosos.

3 de Dezembro
Não Deixe Deus de Fora

Direi do Senhor, Ele é o meu Refúgio e a minha Fortaleza, o meu Deus; conto com Ele e nele me apoiarei, e nele confiarei!

SALMOS 91:2

Quando estamos frustrados, geralmente é porque estamos tentando fazer alguma coisa em nossa própria força, em vez de colocar a nossa fé em Deus e de receber a Sua graça e socorro. Vamos aprender a orar pelas áreas nas

Confiando em Deus Dia a Dia

4 de Dezembro

quais gostaríamos de ser transformados, e então lançar a nossa ansiedade sobre Deus. Se Ele o conduzir a tomar alguma espécie de ação, faça isso; mas se Ele não fizer isso, então espere em paz.

Tive de praticar a confiança em Deus para muitas coisas, mas particularmente para as finanças. A certa altura, no início do meu ministério, Deus me pediu para confiar nele para suprir a minha família financeiramente sem que eu trabalhasse fora de casa. Eu sabia que precisava de tempo para me preparar para o ministério para o qual Ele havia me chamado. E trabalhar em tempo integral, além de ser uma esposa e mãe de três filhos pequenos, não deixava muito tempo para eu me preparar para ser uma mestra internacional da Bíblia.

Como um ato de fé, e com o consentimento do meu marido, deixei o meu emprego e comecei a aprender a confiar em Deus para nos sustentar. Dave tinha um bom emprego, mas para que seu salário cobrisse pelo menos as nossas contas, ainda faltavam 40 dólares. Isso significava que precisávamos de um milagre de Deus a cada mês.

Lembro-me da luta que foi não voltar a trabalhar — afinal, eu era uma mulher responsável e queria fazer a minha parte. Mas eu sabia que Deus estava me pedindo para continuar me preparando para o ministério para o qual Ele estava me chamando e para confiar nele para cuidar da minha provisão. A cada mês, Ele supria as nossas necessidades financeiras, e ver a Sua fidelidade era empolgante, mas eu estava acostumada a cuidar de mim mesma — todo esse negócio de "andar pela fé" estava crucificando a minha carne.

Confiar em Deus para os quarenta dólares por mês que precisávamos para pagar as nossas contas e para qualquer coisa a mais que precisássemos muitas vezes era difícil, mas isso nos ajudou a adquirir um fundamento forte que nos favoreceu ao longo de nossas vidas. Encorajo você firmemente a obedecer a Deus e a confiar nele em todas as áreas da vida. Cada vitória que você tiver aumentará a sua fé para o próximo desafio que você enfrentar.

Confie Nele Uma pequena fé pode se tornar uma grande fé quando vemos a fidelidade de Deus ao suprir as nossas necessidades. Você pode se tornar uma pessoa que desfruta uma grande paz quando aprender a confiar em Deus.

4 de Dezembro

A Beleza da Submissão

Sujeitem-se uns aos outros por reverência a Cristo...

EFÉSIOS 5:21

5 de Dezembro

Confiando em Deus Dia a Dia

Meu marido Dave é ungido para ser o cabeça da nossa família, mas se eu tiver uma atitude negativa e rebelde para com ele, perderei o melhor de Deus para a minha vida. Por outro lado, se eu permanecer sob a cobertura de Dave, orar por ele e respeitar a sua autoridade, Deus poderá abençoar toda a nossa família. A Palavra de Deus diz que onde há unidade, há bênção (ver Salmos 133).

Vamos aprender a orar por aqueles que têm autoridade sobre nós, em vez de ficarmos irados e sermos rebeldes. Tiago 5:16 diz: "A oração ardente (sincera e contínua) de um justo disponibiliza um tremendo poder [dinâmica em operação]...". Pense nisso: um poder tremendo é disponibilizado quando oramos! Imagine a paz e o contentamento que desfrutaríamos em nossas vidas se orássemos constantemente por aqueles que estão em posições de liderança.

No mercado de trabalho, imagine o que poderia acontecer se orássemos pelo nosso chefe em vez de murmurar, apontar defeitos e reclamar dele, da maneira como a empresa é dirigida ou de como achamos que somos mal remunerados! E se as nossas orações resultassem no chefe ser tão abençoado que ele se tornasse uma pessoa mais feliz, mais contente... e toda essa felicidade e contentamento transbordassem até nós. Que vidas gloriosas e cheias de alegria poderíamos ter se vivêssemos como Jesus nos instruiu.

Creio que há beleza na submissão segundo o padrão divino. Mesmo quando discordamos de alguém, podemos aprender a discordar em concordância. Podemos demonstrar respeito pela pessoa e pela sua posição de autoridade, mesmo quando ela faz alguma coisa que achamos que faríamos de modo diferente. Creio que uma atitude rebelde é muito perigosa, e incentivo todos a se submeterem primeiro a Deus, e depois à autoridade sob a qual Ele os colocou.

Confie Nele Ore pelas figuras de autoridade em sua vida — quer sejam seus pais, seu cônjuge, seu chefe ou seu pastor — e confie em Deus para abençoá-lo por meio delas.

5 de Dezembro

O Espírito da Graça

Como cooperadores de Deus, nós os incentivamos a não receber a graça de Deus em vão.

2 CORÍNTIOS 6:1

Confiando em Deus Dia a Dia

6 de Dezembro

Uma das leis espirituais do Reino de Deus é: "Usar ou perder". Deus espera que usemos o que Ele nos dá. Quando usamos a graça oferecida a nós, então cada vez mais graça nos é disponibilizada. Em Gálatas 2:21 Paulo afirmou: "Não torno inútil a graça de Deus...". O que ele quis dizer com isso? Para descobrir, vamos olhar o que ele disse no versículo anterior, na *Amplified Bible*: "...não sou mais eu quem vive, mas Cristo (o Messias) vive em mim; e a vida que agora vivo no corpo, vivo pela fé (pela união, dependência e total confiança) no Filho de Deus, que me amou e se entregou por mim". Então ele prosseguiu com a sua afirmação sobre não tornar inútil a graça de Deus. Como você vê, se Paulo tivesse tentado viver a sua vida por si só, ele teria tornado a graça de Deus inútil, mas ele havia aprendido a viver pelo poder de Cristo que habitava nele, que sabemos que é o Espírito Santo.

Estou certa de que a maioria de nós sabe como é frustrante tentar ajudar alguém que continua nos afastando. Imagine uma pessoa que está se afogando e que luta resistindo freneticamente ao salva-vidas que tenta salvá-la. A melhor coisa que essa pessoa pode fazer é relaxar totalmente e permitir que o salva-vidas a coloque em segurança; do contrário, ela pode se afogar. Você e eu muitas vezes somos como o nadador que está se afogando. O Espírito Santo está em nós. Como o Espírito da Graça, Ele tenta nos ajudar a viver nossas vidas com muito mais facilidade, mas nós lutamos freneticamente para nos salvarmos e para mantermos a nossa independência.

Vamos ser sábios o suficiente para tirar plena vantagem de tudo o que nos é oferecido. Vamos dar as boas-vindas ao Espírito Santo em nossas vidas diariamente. Ao fazer isso, estaremos permitindo que Ele saiba que precisamos dele e que estamos muito, muito felizes por Ele ter nos escolhido como a Sua casa.

Confie Nele Não aja como a pessoa que está se afogando, lutando contra Aquele que está tentando salvar você. Em vez disso, confie a sua vida a Deus e deixe que Ele o coloque em segurança.

6 de Dezembro

O Espírito de Amor

Nenhum homem jamais viu a Deus. Mas se amarmos uns aos outros, Deus habita (vive e permanece) em nós e o Seu amor (esse amor que é essencialmente Seu) é aperfeiçoado (é levado à plena maturidade, percorre todo o seu percurso) em nós!

1 JOÃO 4:12

7 de Dezembro

Confiando em Deus Dia a Dia

Esse texto de 1 João é um dos meus versículos favoritos. Amo lê-lo e simplesmente dedicar tempo para refletir nele: o amor de Deus é aperfeiçoado em nós! Ele me ajuda a entender por que eu me senti como se tivesse sido encharcada de amor quando fui batizada com o Espírito Santo. Naquele momento, uma medida extra do amor de Deus foi derramada em meu coração (ver Romanos 5:5). Tive de receber esse amor por mim, e depois pude começar a devolvê-lo a Deus, e finalmente, pude começar a permitir que ele fluísse de mim para os outros.

Não podemos dar o que não temos. É inútil tentar amar outra pessoa se nunca recebemos o amor de Deus para nós mesmos. Devemos amar a nós mesmos de uma maneira equilibrada, e não de uma maneira egoísta. Ensino que devemos amar a nós mesmos, mas não sermos "apaixonados" por nós mesmos. Em outras palavras, creia no amor que Deus tem por você; saiba que ele é eterno e incondicional. Deixe que o amor dele faça você se sentir seguro, mas não comece a pensar mais em si mesmo do que deveria (ver Romanos 12:3). Creio que amar a nós mesmos de forma equilibrada é o que nos prepara para deixar o amor fluir para os outros que nos cercam.

Andar em amor é o objetivo supremo do Cristianismo. Essa deve ser a principal busca pela qual todos nós nos esforçamos. Jesus deu a ordem para que nos amássemos uns aos outros assim como Ele nos ama. Quando penso no que posso fazer por mim mesma ou em como posso fazer os outros me abençoarem, estou cheia de *mim mesma*. Quando penso nas outras pessoas e em como eu posso abençoá-las, estou cheia do Espírito Santo, que é o Espírito de Amor.

Confie Nele Quando o Espírito Santo vem habitar em você, o amor vem habitar em você. Confiar no amor de Deus por você lhe possibilitará amar a si mesmo de uma maneira saudável, e permitirá que o amor flua através de você para os outros.

7 de Dezembro

Seja uma Pessoa de Excelência

Se vocês pertencessem ao mundo, o mundo os trataria com afeto e os amaria como seus. Porém, porque vocês não são do mundo [não são mais um com ele], mas eu os escolhi (selecionei) tirando-os do mundo, o mundo os odeia (detesta).

JOÃO 15:19

Confiando em Deus Dia a Dia

8 de Dezembro

Muitas passagens na Bíblia dizem que, embora estejamos *no* mundo, não temos de ser *do* mundo. Como crentes, não pertencemos a este mundo, mas devemos ser uma luz nele. Os nossos padrões como cristãos devem ser muito superiores aos padrões do mundo.

Faça algumas destas perguntas a si mesmo:

* Você assaltaria um banco?
* Você faria uma fofoca maldosa a respeito de um irmão ou uma irmã no Senhor?
* Você mentiria para os seus filhos ou para os seus amigos?
* Você se candidata para trabalhar no berçário da igreja e não aparece?
* Você exagera para fazer uma história parecer mais incrível?

Você respondeu "sim" a qualquer dessas perguntas? Sem dúvida, a maioria de nós nem sequer pensaria em assaltar um banco. Mas quantos de nós fazemos concessões com coisas que consideramos ser de menor importância — coisas que Jesus, o nosso padrão de integridade, não faria? Não devemos nos inclinar para os caminhos do mundo.

Integridade é ser comprometido com uma vida de excelência. Nosso Deus é excelente. Precisamos ser comprometidos com a excelência se quisermos representá-lo para o mundo. Mateus 5:41 diz que devemos caminhar a segunda milha — e não fazer simplesmente o que temos de fazer. Creio que o Senhor me levou a entender que a verdadeira excelência é fazer o que é mais excelente, mesmo quando ninguém está olhando — mesmo quando ninguém está por perto para nos recompensar, para nos observar ou para nos reconhecer como pessoas excepcionais.

Seja uma pessoa de excelência. Faça da integridade um hábito. Provérbios 20:7 diz: "O justo anda na sua integridade; bem-aventurados (felizes, afortunados, invejáveis) são os seus filhos depois dele".

Confie Nele Deus criou você para a excelência. Confie nele o suficiente para sempre caminhar a segunda milha e fazer tudo da melhor maneira possível.

8 de Dezembro

Há Potencial para Coisas Grandes em Você

Portanto, deixemos a fase elementar dos ensinamentos e da doutrina de Cristo (o Messias), avançando firmemente rumo à plenitude e à perfeição que são próprias da maturidade espiritual.

HEBREUS 6:1

9 de Dezembro

Confiando em Deus Dia a Dia

Estou convencida de que a maioria das pessoas tem um potencial para coisas grandes, mas apenas ter potencial não basta se você não estiver disposto a correr riscos, a dar passos de fé, e a deixar Deus trabalhar em sua vida. A palavra *potencial* define-se como "existente em possibilidade, mas não na realidade; poderoso, porém não em uso".

Ter potencial não significa necessariamente que algo vai acontecer. Significa apenas que *pode* acontecer *se* acrescentarmos os outros "ingredientes" certos a ele. Por exemplo, se eu tenho uma mistura para bolo na prateleira da minha cozinha, então tenho o potencial para ter um bolo. Mas apenas porque a mistura para bolo está na prateleira da cozinha, isso não garante que eu terei um bolo. Há algumas coisas que preciso fazer para que ela deixe de ser uma mistura para bolo na prateleira e passe a ser um bolo na mesa.

O mesmo acontece conosco. Muitas pessoas estão desperdiçando o seu potencial porque não estão desenvolvendo o que Deus colocou dentro delas. Em vez de desenvolver o que têm, elas se preocupam com o que não têm, e o potencial delas é desperdiçado. Elas poderiam ter feito algo grande, mas deixaram a oportunidade passar. Você pode fazer a diferença no mundo se expandir o que tem. Mas isso requer tempo, determinação e trabalho árduo para desenvolver o potencial e transformá-lo em ação ou resultado.

Nunca estamos realizados até nos tornarmos tudo o que podemos ser. Cada um de nós tem um destino, e se não prosseguirmos para o cumprimento dele, ficaremos frustrados na vida. Passar para o próximo nível requer uma decisão de seguir em frente, de esquecer o que ficou para trás, e de se recusar a ser mediano. Creio que Deus quer fazer mais com a sua vida do que você jamais imaginou. Também acredito que Deus está procurando por pessoas a quem possa promover. Você pode ser uma delas. Há potencial para coisas grandes em você!

Confie Nele Você está vivendo à altura do seu potencial? Deus o criou com um potencial — potencial para coisas grandes! Se você declarar o que pode fazer, e confiar nele para fazer o que não pode fazer, você crescerá para ser a pessoa que Deus lhe deu o potencial para ser!

9 de Dezembro
Levante-se por Dentro

Os maus fogem quando ninguém os persegue, mas os [irremediavelmente] retos são ousados como um leão.

PROVÉRBIOS 28:1

Confiando em Deus Dia a Dia   10 de Dezembro

Certa vez ouvi a história de um garotinho que estava na igreja com sua mãe, e ele ficava se levantando nas horas erradas. Sua mãe lhe dizia repetidamente para sentar-se, e finalmente ela foi bastante dura com ele, dizendo enfaticamente: "Sente-se agora ou você vai ter problemas quando chegarmos em casa!" O garotinho olhou para ela e disse: "Vou me sentar, mas ainda vou estar em pé por dentro".

Você já percebeu que sempre existe alguém em nossa vida tentando fazer com que fiquemos sentados? Ao longo dos anos, muitas pessoas tentaram me impedir de assumir o chamado que estava sobre a minha vida. Havia aqueles que não entendiam o que eu estava fazendo ou por que eu estava fazendo aquilo, então eles me julgaram erroneamente. Às vezes, a crítica e o julgamento deles me faziam querer "sentar" e esquecer a minha visão dada por Deus. Houve outros que ficaram constrangidos por ter uma "pregadora mulher" como amiga ou parente; eles queriam que eu me "sentasse" para que a reputação deles não fosse afetada negativamente.

Muitos me rejeitaram, e a dor da rejeição deles me fez pensar em me "sentar". Mas Deus estava em pé dentro de mim, e "sentar-me" não era uma opção. Ele fez eu me levantar por dentro e estar determinada a seguir, independentemente do que os outros pensassem, dissessem ou fizessem. Nem sempre foi fácil, mas aprendi por experiência própria que ficar frustrada e não realizada por estar fora da vontade de Deus é muito mais difícil que avançar em meio a toda a oposição externa.

Levantar-se por dentro não significa ser rebelde ou ter uma atitude irada para com aqueles que não nos entendem. Significa ter uma confiança interior tranquila que nos leva até a linha de chegada. Confiança significa saber que, apesar do que está acontecendo exteriormente, tudo vai ficar bem, porque Deus está com você, e quando Ele está presente, nada é impossível.

Confie Nele Você pode ser bem-sucedido em realizar tudo o que Deus tem para você fazer. Confiando nele, você pode continuar em pé interiormente.

10 de Dezembro
A Chave para o Seu Futuro É a Esperança

O Senhor é bom para aqueles que esperam nele com esperança e expectativa, para aqueles que o buscam [perguntam por Ele e o solicitam por direito de necessidade e na autoridade da Palavra de Deus].

LAMENTAÇÕES 3:25

10 de Dezembro

Confiando em Deus Dia a Dia

Você percebe o quanto a esperança é importante para a sua saúde mental, emocional, espiritual e física? As pessoas que não têm esperança em suas vidas estão destinadas a ser infelizes e deprimidas, sentindo-se como se estivessem trancadas na prisão do seu passado. Para sair dessa prisão e ser livres para seguir em direção a um futuro mais promissor, elas precisam de uma chave — e essa chave é a esperança.

Há muitos anos, eu tinha uma atitude extremamente negativa com relação à minha vida por causa do abuso devastador que ocorrera no meu passado. O resultado foi que eu *esperava* que as pessoas me machucassem... e assim elas faziam. Eu *esperava* que as pessoas fossem desonestas... e assim elas eram. Eu tinha medo de acreditar que qualquer coisa boa pudesse acontecer em minha vida. Eu havia desistido da esperança. Na verdade, eu achava que estava protegendo a mim mesma de ser ferida ao não esperar que nada de bom acontecesse.

Quando comecei realmente a estudar a Bíblia e a confiar em Deus para me restaurar, percebi que as minhas atitudes negativas tinham de ser eliminadas. Eu precisava esquecer o meu passado e avançar para o futuro com esperança, fé e confiança em Deus. Tinha de me livrar do peso do desespero e do desânimo.

E assim o fiz. Quando mergulhei na verdade do que a Bíblia diz acerca de mim e das minhas atitudes para com a vida, comecei a transformar os meus pensamentos negativos e minhas palavras negativas em pensamentos e palavras positivos!

Podemos praticar ser positivos em todas as situações que surgirem. Ainda que as circunstâncias de sua vida no momento pareçam negativas, espere que Deus tire algo bom disso, assim como Ele prometeu na Sua Palavra. Você precisa entender que antes que a sua vida possa mudar, a sua atitude precisa mudar.

Por mais desesperadora que a sua situação pareça, ou por mais tempo que ela tenha estado assim, sei que você pode mudar — porque eu mudei. Levei muito tempo e foi necessário um compromisso sério para manter uma atitude saudável e positiva, mas valeu a pena. E vai valer a pena para você também.

Confie Nele Você está esperando com esperança e com expectativa por tudo o que Deus tem reservado para a sua vida? Aconteça o que acontecer, confie no Senhor — Ele quer ser bom para você!

Confiando em Deus Dia a Dia

11 de Dezembro

Tire a Máscara e Contemple a Glória de Deus

Em vez disso, deixem que suas vidas expressem amorosamente a verdade [em todas as coisas, falando em verdade, agindo verdadeiramente, vivendo verdadeiramente]. Envolvidos em amor, cresçamos de todas as maneiras e em todas as coisas Naquele que é o Cabeça...

EFÉSIOS 4:15

Parece que muitas pessoas têm problemas para ser verdadeiras. Agimos de uma maneira exteriormente quando, na verdade, por dentro, somos outra pessoa. Por termos fraquezas, falhas ou medos — coisas acerca de nós mesmos que achamos que nos tornam menos desejáveis ou dignos de amor — preferimos nos esconder das outras pessoas.

O perigo de usar essas máscaras, logicamente, é que isso nos representa mal. O que as outras pessoas veem é uma mentira. Não é quem somos nem quem nós nascemos para ser. Quando chegamos à idade adulta, passamos tantos anos nos escondendo que nos esquecemos das verdades acerca de nós mesmos que nos tornam diferentes e especiais.

Que pena! Que desperdício! Cada um de nós — você, eu, e todas as pessoas — foi criado de forma exclusiva por um Pai amoroso, que se alegra com a nossa individualidade. Na verdade, são os aspectos distintos em nós, e não a nossa "mesmice", que nos tornam especiais para Ele. A garotinha com sardas, a mulher com covinhas, a vovó amada de cabeça grisalha e com um adorável sorriso — todas elas se destacam e são especiais! E você é especial também!

Sem dúvida, todos nós temos defeitos. Todos nós somos imperfeitos e gostaríamos de ser melhores. Mas você precisa saber que Deus o ama assim como você é agora, e que o amor dele por você nunca diminuirá.

Deus deseja que andemos em verdade, porque só a verdade nos libertará (ver João 8:32). Ele nos ajudará a abaixar as defesas que mantivemos erguidas por tanto tempo. Deus sabe o quanto queremos nos encaixar e ser aceitos. Confie nele para lhe conceder favor junto às pessoas, em vez de sentir que você precisa esconder o seu verdadeiro eu. Aprenda a viver de verdade sendo genuíno e verdadeiro.

Confie Nele Deus o ama e quer que você confie nele o suficiente para ser verdadeiramente quem você é!

12 de Dezembro

Você Pode Depender de Deus

Lançando todos os seus cuidados [todas as suas ansiedades, todas as suas preocupações, de uma vez por todas] sobre Ele, porque Ele se importa com vocês com afeto, e cuida de vocês com toda atenção.

1 PEDRO 5:7

Deus está sempre presente em nossas vidas — esperando para assumir os fardos pesados que temos, se nós os entregarmos a Ele. Como qualquer pai amoroso, Ele quer nos ajudar a lidar com os nossos assuntos apenas porque nos ama e se importa conosco. Se quisermos experimentar a paz que Deus deseja para cada um de nós, precisamos aprender a lançar a nós mesmos e as nossas ansiedades completamente nas mãos dele... *permanentemente.*

Em vez de entregar os nossos cuidados e fardos a Deus completamente, e deixar que eles fiquem com Ele, muitos de nós vão a Deus em oração apenas para ter algum alívio temporário. Depois de algum tempo, nós nos afastamos e logo nos damos conta de que estamos nos debatendo debaixo do peso dos mesmos velhos fardos e cuidados familiares — tentando o tempo todo ser mais independentes. A única maneira de realmente nos livrarmos desses fardos é vencendo a tentação de ser pessoas independentes, colocando-nos totalmente nas mãos de Deus.

Não devemos nos permitir tomar de volta aquilo que já entregamos a Deus. Não é nosso trabalho dar instruções, conselhos ou direções ao Senhor. Nosso trabalho é simplesmente confiar a Deus o que está acontecendo em nossas vidas, tendo fé de que Ele nos fará saber o que é melhor para nós.

Deus é Deus — e nós não. Por mais fácil que seja entender esse fato, é difícil para as pessoas que foram independentes viverem isso em suas vidas diárias. Se entregarmos a nós mesmos e os nossos fardos a Deus, e desistirmos de tentar ser tão independentes, Ele nos ensinará os Seus caminhos e cuidará de nós muito melhor do que nós jamais poderíamos cuidar de nós mesmos.

Confie Nele Você não precisa passar pela vida de forma independente. Confie-se ao cuidado de Deus todos os dias, e tenha fé que Ele lhe dirá o que é melhor para você.

Confiando em Deus Dia a Dia

13 de Dezembro

Deus Gosta de Brincar de Esconde-Esconde... Então Continue Procurando!

Peçam, e lhes será dado; busquem, e vocês encontrarão; batam, e a porta lhes será aberta. Pois todo aquele que pede recebe, e aquele que busca acha, e para aquele que bate, a porta se lhe abrirá.

MATEUS 7:7-8

Muitas pessoas me perguntaram: "Por que não consigo sentir a presença de Deus em minha vida?" Em certos momentos, fiz essa mesma pergunta a mim mesma. Algumas pessoas podem se perguntar se elas tiveram uma atitude que fez que Deus as abandonasse, mas não se trata disso.

Em Hebreus 13:5, o próprio Deus disse: "De modo algum Eu falharei com vocês ou os deixarei sem apoio... [Eu] de modo algum os deixarei desamparados ou os abandonarei...". Esse versículo deixa muito claro que Deus não nos abandona. Ele está comprometido em continuar conosco e a nos ajudar a lidar com os nossos problemas.

Embora seja verdade que Deus nunca nos deixa, Ele, às vezes, brinca de se esconder por algum tempo. Gosto de dizer que, em determinados momentos, Deus brinca de esconde-esconde com os Seus filhos. Às vezes, Ele se esconde de nós até que, finalmente, quando sentimos falta dele por tempo suficiente, começamos a buscá-lo.

Quando os filhos são pequenos, os pais ficam felizes eu cuidar deles, mas quando os filhos crescem e amadurecem, os pais querem que os seus filhos os amem por causa de quem eles são, e não pelo que eles podem fazer por eles. Se os nossos filhos crescidos só viessem nos ver quando quisessem alguma coisa, isso nos magoaria. Queremos que os nossos filhos nos visitem porque eles gostam de estar em nossa presença.

O mesmo acontece com Deus; Ele quer nos abençoar com o melhor que existe, mas quando só o buscamos pelos motivos errados — com o motivo de apenas obter alguma coisa dele — isso o entristece. Quando isso ocorre, Ele pode se esconder de nós por algum tempo. Se isso está acontecendo com você, é uma boa hora para analisar seus motivos. Você só busca a Deus quando precisa de alguma coisa dele? Ou você tem um anseio e um desejo de verdadeiramente conhecê-lo intimamente... o tempo todo?

Confie Nele Se você está cansado de brincar de esconde-esconde com Deus, diga-lhe que você confia nele e deseja ter a presença dele em sua vida. Quando você o buscar regularmente, com os motivos certos, Ele sairá do esconderijo.

14 de Dezembro
Deus Lhe Deu a Capacidade

Quanto a você, seja calmo, firme e tranquilo, aceite e sofra inabalavelmente cada dificuldade, faça a obra de um evangelista, desempenhe plenamente todos os deveres do seu ministério.

1 TIMÓTEO 4:5

Acredito que muitas pessoas têm *capacidade* porque Deus lhes deu dons, mas elas não têm *estabilidade*, e assim Deus não pode usar os dons delas publicamente no ministério ou nos negócios. Elas acabariam ferindo a causa de Cristo com um comportamento imprevisível. Creio que a estabilidade libera a capacidade.

Não podemos ser estáveis somente quando estamos conseguindo que tudo saia do nosso jeito. Temos de ser estáveis também quando temos problemas e provações, quando as pessoas se levantam contra nós ou nos criticam. Nesse versículo, Paulo sabia que a falta de estabilidade impediria Timóteo de ouvir a Deus, de modo que Paulo instruiu-o a ser calmo e firme. Não desfrutaremos a vida se não desenvolvermos a capacidade de permanecer estáveis durante a tempestade.

Quando estamos angustiados, geralmente não ouvimos. As pessoas não ouvem porque não se aquietam o suficiente para ouvir o que Deus está dizendo. Deus não vai gritar com você. Ele geralmente fala com uma voz mansa e suave, e para ouvi-lo, precisamos manter uma tranquilidade interior. Na verdade, a paz em si é uma indicação do que Deus está aprovando ou reprovando em sua vida. Todos nós precisamos aprender a seguir a paz se pretendemos seguir a Deus.

Você precisa escolher deliberadamente permanecer calmo, colocar a sua confiança em Deus, e ser um ouvinte atento à Sua voz. Em seguida, você tem de estar disposto a fazer os ajustes necessários para ter paz em sua vida.

Algumas pessoas poderiam dizer: "Bem, não é justo ser sempre eu a pessoa que está mudando e se ajustando para manter a harmonia com todos os outros". Isso pode não parecer justo, mas Deus fará justiça em sua vida se você fizer o que Ele está lhe pedindo para fazer, e a recompensa valerá o esforço que você fez.

Confie Nele Você é capaz de permanecer estável em meio às tempestades da vida? Escolha permanecer calmo, mantenha a sua confiança em Deus, e leve uma vida pacífica e abençoada.

Confiando em Deus Dia a Dia

15 de Dezembro

Confie no Tempo Perfeito de Deus

Essas coisas que planejei não acontecerão, porém, imediatamente. Devagar, firmemente e com certeza, vai se aproximando o tempo em que a visão será cumprida. Se parecer demorar muito, não se desespere, porque tudo vai acontecer mesmo! Seja paciente! O cumprimento dessa promessa não vai chegar nem um dia atrasado!

HABACUQUE 2:3

Estou certa de que você é como a maioria das pessoas — você quer que coisas boas aconteçam em sua vida, mas com frequência as quer agora... e não mais tarde. Todos nós temos a tendência de nos sentir assim, mas quando o bem que desejamos não aparece no que consideramos ser um momento oportuno, somos tentados a perguntar: "Quando, Deus, quando?"

A maioria de nós precisa crescer na área de confiar em Deus e tirar o foco da pergunta "quando". Se a sua mente se sente esgotada o tempo todo por tanto racionalizar, você não está confiando nele.

Passei grande parte da minha me sentindo impaciente, frustrada e decepcionada, porque havia coisas que eu não sabia. Deus teve de me ensinar a deixar as situações nas mãos dele. Finalmente, aprendi a confiar Naquele que sabe tudo, e comecei a aceitar que algumas perguntas nunca serão respondidas. Provamos a nossa confiança em Deus quando nos recusamos a nos preocupar.

Confiar em Deus requer que não saibamos *como* Deus vai fazer o que precisa ser feito, nem *quando* Ele o fará. Costumamos dizer: "Deus nunca se atrasa", mas Ele também nunca se antecipa. Ele usa os tempos de espera para aumentar a nossa fé nele e para gerar mudança e crescimento em nossas vidas. Aprendemos a confiar em Deus passando por muitas experiências que exigem confiança. Vendo a fidelidade de Deus vez após vez, gradualmente deixamos de confiar em nós mesmos e colocamos a nossa confiança nele.

Analisando as situações a partir dessa perspectiva, é fácil ver como o tempo exerce um papel importante no que se refere a aprender a confiar em Deus. Se Deus fizesse tudo o que pedimos imediatamente, nunca cresceríamos nem nos desenvolveríamos para nos tornarmos as pessoas que Ele quer que sejamos. Se você está esperando por alguma coisa neste momento e se sente frustrado, aprenda a ser feliz "sem saber".

Confie Nele Se você quer paz, você precisa confiar em Deus com relação a *quando* e *como* Ele se moverá em sua vida.

367

16 de Dezembro

Sejam Compreensivos Uns com os Outros

Eu, portanto, o prisioneiro do Senhor, apelo a vocês e lhes peço que andem (levem uma vida) digna do chamado [divino] para o qual foram chamados [com um comportamento que seja um crédito à convocação do serviço a Deus, vivendo como é digno de vocês] com total humildade de mente e mansidão (altruísmo, delicadeza, moderação), com paciência, suportando uns aos outros e sendo compreensivos uns com outros por causa do amor entre vocês.

EFÉSIOS 4:1-2

Se verdadeiramente amarmos uns aos outros, suportaremos uns aos outros e teremos consideração uns para com os outros. Ter em consideração não significa dar desculpas pelo comportamento errado das pessoas — se ele é errado, então é errado, e fingir ou ignorar isso não ajuda. Mas ser compreensivos uns com os outros significa que permitimos que sejamos menos que perfeitos. Enviamos uma mensagem com as nossas palavras e com a nossa atitude dizendo: "Eu não vou rejeitá-lo porque você fez isso; eu não vou desistir de você. Vou resolver isto com você e acreditar em você".

Eu disse aos meus filhos que, embora nem sempre concorde com tudo o que eles fazem, sempre tentarei compreendê-los e nunca deixarei de amá-los. Quero que eles saibam que podem contar comigo para ser uma presença constante na vida deles. Deus conhece tudo sobre as nossas falhas, e ainda assim nos escolhe. Ele sabe os erros que vamos cometer antes que os cometamos, e a postura dele a nosso respeito é: "Eu vou amar vocês na sua imperfeição".

Quando as pessoas fizerem alguma coisa que você simplesmente não entende, em vez de tentar entendê-las, diga a si mesmo: "Elas são humanas". Talvez você não as entenda simplesmente porque elas são diferentes de você.

Jesus conhecia a natureza dos seres humanos e, portanto, Ele não ficava chocado quando eles faziam coisas que Ele gostaria que eles não fizessem. Ele ainda amou Pedro, embora Pedro tivesse negado conhecê-lo. Ele ainda amou os Seus outros discípulos, embora eles não tivessem conseguido ficar acordados e orar com Ele na Sua hora de agonia e sofrimento.

O que as pessoas fazem não nos impedirá de amá-las, se entendermos antecipadamente que elas não serão perfeitas e nos prepararmos para ser compreensivos devido a essa tendência humana que todos nós temos.

Confiando em Deus Dia a Dia · 17 de Dezembro

Confie Nele Você confia que Deus o ama, independentemente de quantos erros você cometa? Ele o ama e sempre o amará. Você está disposto a fazer o mesmo pelas pessoas que fazem parte da sua vida?

17 de Dezembro

O Amor Não se Ressente do Mal

Bem-aventurada, feliz e digna de ser invejada é a pessoa cujo pecado o Senhor não levará em conta nem imputará contra ela.

ROMANOS 4:8

A Bíblia diz: "Como é feliz aquele a quem o Senhor não atribui culpa" (Romanos 4:8, NVI). Isso não quer dizer que Deus não vê o pecado. Significa que por causa do amor, Ele não o imputa contra o pecador.

O amor pode reconhecer que um mal foi feito e apagá-lo, antes que ele se aloje no coração. O amor não registra o mal, desse modo o ressentimento não tem a oportunidade de crescer. Por que não pegar todas as contas vencidas das pessoas que você guardou e marcá-las: "Liquidado"?

Alguns de nós nos preocupamos com a nossa memória, mas para ser verdadeiros provavelmente precisamos melhorar no que se refere a esquecer algumas coisas. Creio que muitas vezes nos esquecemos do que deveríamos lembrar e nos lembramos do que deveríamos esquecer. Talvez uma das coisas mais divinas que podemos fazer na vida seja perdoar e esquecer. Algumas pessoas dizem: "Eu perdoo, mas nunca mais vou esquecer". A realidade dessa afirmação é que se nos apegarmos à lembrança, não estamos realmente perdoando. Você pode perguntar como podemos esquecer as coisas que nos magoaram. A resposta é que precisamos escolher não pensar nelas. Quando essas coisas vêm à nossa mente, precisamos expulsar os pensamentos e escolher pensar no que nos beneficiará.

Limpar todos os seus registros gerará bons resultados. Isso aliviará a pressão e melhorará a qualidade da sua vida. A intimidade entre você e Deus será restaurada, e a sua alegria e a sua paz aumentarão. A sua saúde pode até melhorar, porque uma mente e um coração calmos e imperturbáveis são a vida e a saúde do corpo (ver Provérbios 14:30).

Confie Nele Se você está se ressentindo com as ofensas dos outros contra você, faça a escolha de marcá-las "Liquidado". Você pode confiar que Deus não lhe cobrará os seus pecados. Se Ele está disposto a perdoar os seus, você deve estar disposto a perdoar os dos outros.

18 de Dezembro

O Amor É Paciente

O amor suporta longamente e é paciente e bondoso...
1 CORÍNTIOS 13:4

A primeira qualidade do amor relacionada no discurso de Paulo, em 1 Coríntios 13, na Bíblia, é a paciência. Paulo escreve que o amor suporta longamente e é paciente. O amor é longânimo. Ele permanece firme e consistente quando as coisas não estão indo da maneira que você gostaria.

Tenho praticado ser paciente com vendedores lentos, que não conseguem encontrar o preço dos artigos, que ficam sem fita na caixa registradora, ou que ficam ao telefone tentando acalmar um cliente irado quando eu estou parada bem ali, esperando para ser atendida. Muitos atendentes de lojas, na verdade, me agradeceram por ser paciente. Estou certa de que eles toleram muitos abusos de clientes frustrados, impacientes, não amorosos, e decidi que não quero aumentar o problema; quero ser parte da solução.

Sem dúvida, todos nós estamos com pressa e queremos ser atendidos imediatamente, mas como o amor não é egocêntrico, precisamos aprender a colocar a maneira como o atendente se sente antes da maneira como nós nos sentimos. Recentemente, uma atendente de uma loja se desculpou por ser muito lenta, e eu disse a ela que nada que eu estava fazendo era tão importante que eu não pudesse esperar. Eu a vi relaxar visivelmente, e percebi que havia acabado de demonstrar amor por ela.

Somos encorajados na Bíblia a ser muito pacientes com todos, sempre prestando atenção em nosso humor (ver 1 Tessalonicenses 5:14). Isso não apenas é bom para o nosso testemunho às outras pessoas, como também é bom para nós. Quanto mais pacientes formos, menos estresse teremos! Pedro disse que o Senhor é extraordinariamente paciente conosco, porque é desejo dele que nenhum de nós pereça (ver 2 Pedro 3:9). Esse é o mesmo motivo pelo qual devemos ser pacientes uns com os outros — principalmente com aqueles que estão no mundo e que estão procurando por Deus.

Incentivo você a orar regularmente para que possa suportar o que vier com bom humor e paciência. Confie em mim, haverá situações que terão a capacidade de angustiá-lo, mas se você estiver preparado antecipadamente, poderá permanecer calmo ao enfrentá-las.

Confie Nele Deus é extraordinariamente paciente conosco. Confie nele para ajudá-lo a ser extraordinariamente paciente com os outros.

19 de Dezembro

Mantenha a Sua Paz

O Senhor lutará por vocês, e vocês manterão a sua paz e permanecerão descansados.

ÊXODO 14:14

Há algumas semanas, preguei a respeito da importância de se ter paciência e ser grato, independentemente das circunstâncias. Eu havia feito três grandes conferências em seis semanas além de cumprir outros compromissos, e aquela ministração de sábado pela manhã era a última daquela série de compromissos. Eu estava realmente na expectativa de chegar em casa cedo naquele dia, fazer uma boa refeição, pedir a Dave para me levar ao *shopping* por algum tempo, tomar um banho quente em casa, tomar sorvete e assistir a um bom filme. Como você pode ver, eu estava preparada para me recompensar pelo meu trabalho árduo. Eu tinha um bom plano para mim mesma!

Embarcamos no avião para voltar para casa, e o voo estava programado para ser de apenas 35 minutos. Eu estava tão animada... e então alguma coisa deu errado. A porta do avião não queria fechar adequadamente, então ficamos sentados por quase uma hora e meia, enquanto a manutenção da aeronave trabalhava na porta. Falava-se sobre a possibilidade de não podermos voar naquele dia, e talvez termos de alugar carros para dirigirmos para casa.

Não sei dizer o quanto foi difícil ser paciente. Simplesmente manter a boca fechada foi uma tremenda conquista. Eu havia pregado sobre paciência, e agora estava sendo testada.

Entendo que talvez nem sempre nos sintamos pacientes, mas ainda assim podemos nos disciplinar para reagir de forma paciente. Não posso fazer nada a respeito de como eu me sinto algumas vezes, mas posso controlar a maneira como me comporto, e você também pode. Posso lhe garantir que eu não me senti paciente sentada naquela pista de decolagem, mas fiquei orando silenciosamente: *Oh, Deus, por favor, ajuda-me a permanecer calma para que eu não seja um mau testemunho depois do que acabei de pregar.*

Deus me ajudou; e embora as coisas nem sempre saiam da maneira que quero nessas situações, naquele caso acabamos chegando em casa a tempo suficiente para eu ainda fazer todas as atividades que havia planejado.

Confie Nele Quando você se encontrar em situações difíceis ou inconvenientes, faça um esforço para manter a sua paz e confie em Deus para ajudá-lo a agir com o caráter divino.

20 de Dezembro

Ame Com os Seus Pensamentos

Sonda-me [completamente], Ó Deus, e conhece o meu coração!
Prova-me e conhece os meus pensamentos!

SALMOS 139:23

Creio que os pensamentos operam na dimensão espiritual. Isso significa que embora eles não possam ser vistos a olho nu, nossos pensamentos podem ser sentidos pelas outras pessoas. Temos pensamentos incontáveis com relação às outras pessoas, mas devemos fazer isso de forma responsável.

O que nós pensamos acerca das pessoas não apenas afeta a elas, como também afeta a maneira como as tratamos quando estamos com elas. Por exemplo, um dia eu estava fazendo compras com a minha filha, que era uma adolescente na época. Ela estava com muitas espinhas no rosto naquele dia e o seu cabelo estava um caos. Lembro-me de pensar todas as vezes que olhava para ela: *Hoje você está com uma aparência péssima.* Percebi que, à medida que o dia passava, ela parecia estar deprimida, então perguntei a ela o que havia de errado. Ela respondeu: "Eu simplesmente estou me sentindo muito feia hoje".

Deus me ensinou uma lição naquele dia acerca do poder dos pensamentos. Podemos ajudar as pessoas com pensamentos bons, amorosos e positivos, mas podemos feri-las com pensamentos maus, negativos e destituídos de amor.

Encorajo você a adotar uma pessoa por dia como um projeto de oração e praticar ter bons pensamentos a respeito dessa pessoa deliberadamente. Ao longo do dia, faça algumas "sessões de pensamentos", nas quais você medite acerca dos pontos fortes dessa pessoa — todas as boas qualidades que elas possuem e nas quais você possa pensar, em cada favor que ela lhe tenha feito, e qualquer coisa elogiável que você possa pensar com relação à aparência dela. No dia seguinte, pratique isso com outra pessoa, e continue alternando as pessoas importantes da sua vida até que você tenha adquirido o hábito de ter bons pensamentos.

Confie Nele Você está amando as pessoas com os seus pensamentos? Confie em Deus para lhe mostrar todas as vezes em que não estiver pensando com amor, e esteja disposto a mudar imediatamente.

Confiando em Deus Dia a Dia

21 de Dezembro

Ame Com os Seus Bens

Ora, a comunidade dos crentes tinha um só coração e uma só alma, e nenhum deles afirmava que nada do que possuía era [exclusivamente] seu, mas tudo o que possuíam era comum e para uso de todos.

ATOS 4:32

Tudo o que temos veio de Deus e, na verdade, tudo pertence a Ele. Somos meramente mordomos da Sua propriedade, e não proprietários. Frequentemente nos prendemos com muita força às nossas posses. Deveríamos segurá-las de leve, de modo que se o Senhor precisar delas, não seja muito difícil para nós soltá-las.

Paulo disse aos coríntios que as ofertas deles para o pobres permaneceriam e durariam para sempre, por toda a eternidade (ver 2 Coríntios 9:9). Vamos continuar lembrando a nós mesmos que os bens não possuem valor eterno. O que dura é o que fazemos pelos outros.

Deus quer que desfrutemos os nossos bens, mas Ele não quer que os nossos bens nos possuam. Talvez uma boa pergunta que deveríamos fazer a nós mesmos regularmente seja: "Será que eu possuo os meus bens ou os meus bens me possuem?"

Às vezes, tenho "crises de bondade". Tenho o desejo de ser uma bênção e quero usar os meus bens como uma forma palpável de demonstrar amor, então percorro a minha casa, minhas gavetas, meu armário e minha caixa de joias para encontrar objetos que eu possa dar. Nunca deixo de encontrar coisas. Mas fico impressionada com a maneira como sou tentada a me apegar a elas, embora eu provavelmente não tenha usado um determinado item por dois ou três anos. Nós simplesmente gostamos de possuir coisas! Mas como é melhor usar os nossos pertences para sermos uma bênção para alguém e fazer essa pessoa se sentir amada e valiosa!

Se você está tendo dificuldade em ver o que tem para dar, peça a Deus para ajudá-lo, e você logo descobrirá que tem uma série de coisas que podem ser usadas para demonstrar amor a pessoas que estão sofrendo.

Confie Nele Você é capaz de usar o que possui para abençoar as pessoas, ou acha difícil abrir mão das coisas... mesmo daquilo que você não está usando? Mostre-se um bom mordomo dos bens de Deus, e confie nele para trazer à sua vida presentes para o seu próprio uso e objetos que você pode compartilhar com os outros.

373

22 de Dezembro

A Chave para a Felicidade

A adoração religiosa externa [a religião expressa em atos externos] que é pura e irrepreensível aos olhos de Deus Pai é esta: visitar, ajudar e cuidar dos órfãos e das viúvas na sua aflição e necessidade, e manter-se imaculado e incontaminado do mundo.

TIAGO 1:27

Frequentei a igreja por trinta anos sem nunca ter ouvido um sermão a respeito da minha responsabilidade bíblica de cuidar dos órfãos, das viúvas, dos pobres e dos oprimidos. Fiquei chocada quando finalmente entendi o quanto a Bíblia fala em ajudar as outras pessoas. Passei a maior parte da minha vida cristã pensando que a Bíblia se resumia a como Deus podia me ajudar. Não é de admirar que eu fosse infeliz.

A chave para a felicidade não está apenas em ser amado; está também em ter alguém para amar. Se você realmente quer ser feliz, encontre alguém para amar. Se você quer colocar um sorriso no rosto de Deus, encontre uma pessoa que esteja sofrendo, e ajude-a.

Esteja decidido a ajudar alguém. Seja criativo! Lidere uma revolta contra viver em uma rotina religiosa, na qual você vai à igreja, volta para casa, e volta para a igreja, mas não está realmente ajudando ninguém. Não fique apenas sentado no banco da igreja cantando hinos. Envolva-se em ajudar às pessoas que estão sofrendo.

Lembre-se das palavras de Jesus:

> "Porque tive fome, e não me destes de comer; tive sede, e não me destes de beber; Sendo estrangeiro, não me recolhestes; estando nu, não me vestistes; e enfermo, e na prisão, não me visitastes. Então eles também lhe responderão, dizendo: Senhor, quando te vimos com fome, ou com sede, ou estrangeiro, ou nu, ou enfermo, ou na prisão, e não te servimos? Então lhes responderá, dizendo: Em verdade vos digo que, quando a um destes pequeninos o não fizestes, não o fizestes a mim".

— Mateus 25:42-45

Confie Nele Você está ministrando a Jesus? Jesus disse que quem ministra aos outros ministra a Ele. Confie que a vida dele na terra foi um exemplo de como você deve viver a sua vida — andando por aí e fazendo o bem pelas pessoas necessitadas.

Confiando em Deus Dia a Dia

23 de Dezembro

Você Sempre Pode Ter Paz

O Senhor lutará por vocês, e vocês manterão a sua paz e permanecerão descansados.

ÊXODO 14:14

Satanás tenta irredutivelmente roubar tudo o que Deus supriu para os Seus filhos por meio de Jesus Cristo. A paz é uma dessas grandes coisas; ela é uma bênção que o maligno trabalha com muito afinco para impedir que desfrutemos. Lembre-se, temos paz — Jesus a deu a nós — mas precisamos *tomar posse dela*. Significa que devemos recebê-la e usá-la para o nosso próprio uso. Satanás faz tudo o que pode para nos impedir de fazer isso, começando com o engano; ele quer que pensemos que a paz não é possível, que ela não é sequer uma opção.

Quando temos uma situação desafiadora, Satanás diz: "O que você vai fazer? O que você vai fazer?" Frequentemente não sabemos o que fazer; não obstante, Satanás nos pressiona para que tenhamos respostas que não temos. Ele tenta nos fazer acreditar que é nossa responsabilidade resolver os nossos problemas, quando a Palavra de Deus afirma claramente que o nosso trabalho como crentes é crer — e não resolver os nossos problemas. Nós cremos, e Deus trabalha a nosso favor para trazer respostas que atendam às nossas necessidades.

Um bom exemplo disso está em Êxodo 14. Os egípcios estavam perseguindo os israelitas; todos os cavalos e carros de Faraó, seus cavaleiros e o seu exército estavam perseguindo o povo de Deus. Quando os israelitas se viram encurralados entre o Mar Vermelho e o exército egípcio, tudo parecia sem esperança. Eles não podiam ver uma saída, de modo que, naturalmente, ficaram com medo e angustiados. Eles começaram a reclamar e a fazer acusações contra o seu líder, Moisés.

"Moisés, porém, disse ao povo: Não temam; fiquem parados (firmes, confiantes, impávidos) e vejam a salvação do Senhor, que hoje lhes fará. Porque os egípcios que vocês viram hoje nunca mais os verão outra vez. O Senhor lutará por vocês, e vocês manterão a sua paz e permanecerão descansados" (Êxodo 14:13-14).

Pode ter parecido tolice para os israelitas ficar parados, manter a paz e permanecer descansados, mas essa foi a instrução de Deus para eles — era o caminho do livramento deles. Quando permanecemos em paz em circunstâncias tumultuadas, isso demonstra claramente que estamos confiando em Deus.

375

24 de Dezembro

Confiando em Deus Dia a Dia

Confie Nele Não diga: "Deus, confio em Ti" se os seus atos mostram o contrário. Confie em Deus com as suas palavras e atos; descanse na paz dele, e Ele o livrará.

24 de Dezembro

Reconheça o Que Rouba a Sua Paz

...sejam alegres. Cresçam até à maturidade. Encorajem uns aos outros. Vivam em harmonia e paz. Então o Deus de amor e paz estará com vocês.

2 CORÍNTIOS 13:11

Para desfrutar uma vida de paz, você precisa examinar a sua própria vida para saber o que está roubando a sua paz. Satanás usa algumas das mesmas estratégias para todos, mas também temos situações que são específicas para cada um de nós. Todos nós somos diferentes, e precisamos aprender a nos conhecer.

Posso suportar as coisas melhor quando não estou cansada, e o diabo sabe disso, de modo que ele espera para atacar quando estou esgotada. Aprendi, ao perseguir a paz, o que Satanás já sabia a meu respeito, e agora tento não ficar excessivamente cansada, porque sei que estou abrindo uma porta para Satanás quando faço isso.

Mantenha uma lista de todas as vezes que você se irrita. Pergunte a si mesmo o que causou o problema e anote isso. Seja sincero consigo mesmo, ou você nunca se libertará. Você pode ter coisas como estas em sua lista:

- Não consegui que as coisas saíssem do meu jeito.
- Tive de me apressar.
- Fiquei impaciente e me irei.
- A pressão financeira me angustiou.
- Eu estava cansado demais para tratar de qualquer coisa.
- Tive de lidar com uma pessoa que sempre me frustra.
- Um amigo me deixou constrangido.
- Tive de esperar por uma vendedora muito lenta.
- Uma amiga me decepcionou.

Você terá muitas coisas diferentes em sua lista, mas ela o ajudará a perceber o que o incomoda. Lembre-se de que não podemos fazer nada a respeito daquilo que não reconhecemos.

Confiando em Deus Dia a Dia

25 de Dezembro

Confie Nele Encorajo você firmemente a pedir ao Espírito Santo para lhe revelar a verdade a respeito de si mesmo — esse será o começo de um tempo em que você desfrutará de uma vida de paz. Assuma a responsabilidade pelas suas reações, confie em Deus e busque a paz!

25 de Dezembro

Celebre a Singularidade dos Filhos de Deus

...Encorajem os tímidos e os desanimados, ajudem e deem o seu apoio às almas fracas [e] sejam muito pacientes com todos [mantendo sempre o seu bom humor].

1 TESSALONICENSES 5:14

Parece que vemos a nossa maneira de fazer as coisas como o padrão para todos. Em vez disso, deveríamos perceber que Deus nos criou a todos de forma diferente, mas igualmente. Não somos todos iguais, e todos temos o direito de ser quem somos.

Eu falo muito; Dave é calado. Eu tomo decisões realmente rápidas, e ele quer pensar nas coisas por algum tempo. Dave ama todo tipo de esporte, e eu realmente não gosto de nenhum deles — pelo menos não o suficiente para dedicar muito tempo a isso. Dave quer que cada item em uma sala se destaque, e eu quero que todos se mesclem. Estou certa de que você pode falar a respeito das diferenças pessoais que tem no seu relacionamento com os outros.

Por que Deus nos criou a todos diferentes, e depois nos colocou juntos e nos disse para convivermos? Estou convencida de que é por meio das dificuldades da vida que crescemos espiritualmente. Deus deliberadamente não torna tudo fácil para nós. Ele quer que exercitemos os nossos "músculos da fé" e liberemos o fruto do Espírito, inclusive o amor, a paciência, a paz e o domínio próprio.

Se todos nos agradassem o tempo todo, se a nossa fé nunca fosse provada e o nosso fruto nunca fosse espremido, não cresceríamos espiritualmente. Permaneceríamos os mesmos, o que é uma ideia assustadora. Existem duas espécies de dores na vida: a dor da mudança e a dor de permanecer da maneira que estamos. Tenho mais medo de continuar a mesma do que de mudar.

Em vez de rejeitar os outros por suas diferenças, veja essas qualidades únicas pelo que elas são: dons de Deus. Diga às pessoas quais são as boas qualidades que você reconhece nelas; não aponte onde você acha que elas

377

26 de Dezembro

Confiando em Deus Dia a Dia

precisam melhorar. Elogie; não aponte defeitos. Aceite; não rejeite. Seja positivo, e não negativo. Seja encorajador, e não desanimador. Você e eu nunca teremos falta de amigos se praticarmos a atitude de dar às pessoas a liberdade para serem elas mesmas.

Confie Nele Que boas qualidades você reconhece nas pessoas que o cercam? Confie no projeto e no propósito de Deus. Celebre a singularidade dos Seus filhos — inclusive a sua própria!

26 de Dezembro
Fique Feliz pelas Pessoas

Alegrem-se com aqueles que se alegram [compartilhando a alegria dos outros], e chorem com aqueles que choram [compartilhando a dor dos outros].

ROMANOS 12:15

Amo estar perto de pessoas que ficam realmente felizes por mim quando sou abençoada ou tenho algo maravilhoso acontecendo em minha vida. Mas nem todos são assim.

Recebi um presente muito especial há algum tempo, e foi interessante ver como as pessoas reagiam de forma diferente. Algumas disseram: "Joyce, fico muito feliz por você. Realmente ver você ser abençoada me faz sentir abençoada também". Eu sabia que elas estavam sendo sinceras, e isso aumentou a minha alegria. Isso também me fez querer orar para que Deus fizesse algo tremendo por elas.

Outra amiga disse: "Eu gostaria que alguém fizesse algo assim por mim". Na verdade, essa pessoa em particular quase sempre reage de uma forma semelhante quando eu recebo coisas boas. Até mesmo quando o meu marido faz coisas adoráveis por mim, essa pessoa diz: "Meu marido simplesmente não parece saber fazer coisas assim".

Essas reações indicam um espírito de inveja ou um sentimento enraizado profundamente de que ela acredita que não está recebendo o que merece na vida. Isso me impede de querer compartilhar o que Deus está fazendo em minha vida, porque sei que ela não consegue se sentir realmente feliz por mim. Também acredito que isso a impede de ser abençoada.

Um dia eu também fui assim: fingia me sentir feliz pelas pessoas quando Deus as abençoava de alguma forma especial, mas por dentro eu realmente não sentia aquilo. Naquela época de minha vida, eu me comparava com os

Confiando em Deus Dia a Dia — 27 de Dezembro

outros e sempre competia com eles, porque a única maneira de me sentir bem comigo mesma era se estivesse na frente ou pelo menos igual aos outros em termos de bens, talentos, oportunidades, e literalmente qualquer coisa que você possa imaginar.

Sou grata porque Deus trabalhou em minha vida, e agora posso ficar genuinamente feliz pelos outros quando Ele os abençoa. Não estou reagindo perfeitamente ainda, mas pelo menos progredi.

Confie Nele Você é capaz de ficar realmente feliz quando outra pessoa é abençoada? Peça a Deus para ajudar você a ficar feliz pelos outros, e confie nele para trazer bênçãos para a sua vida também.

27 de Dezembro
Deus Quer Que Você Demonstre Misericórdia pelos Outros

Se vocês perdoarem aqueles que pecarem contra vocês, o seu Pai celestial os perdoará. Mas se vocês se recusarem a perdoar os outros, o seu Pai não perdoará os seus pecados.

MATEUS 6:14-15

Por que é tão difícil ignorar completamente as ofensas? Mesmo quando as ignoramos, queremos mencionar o fato de que nós as ignoramos para que as pessoas que nos ofenderam não pensem que podem nos tratar de forma impropria e se safar — isso é uma espécie de autoproteção. Mas Deus quer que confiemos nele para nos proteger, assim como para nos curar de *todas* as mágoas e feridas emocionais, *todos os dias.*

Pergunto-me como estaríamos cansados ao fim do dia se Deus mencionasse cada pequenina coisa que fizéssemos de errado. Ele realmente trata conosco, mas estou bem certa de que Ele passa por cima de muitas coisas. Se as pessoas forem corrigidas o tempo todo, isso pode desanimá-las e ferir o espírito delas. Devemos criar o hábito de lidar somente com o que o próprio Deus nos impulsiona a tratar, e não com tudo o que temos vontade de confrontar ou com cada pequena coisa que nos incomode.

Sou o tipo de pessoa que não é inclinada a levar desaforo para casa. Não gosto de sentir que alguém está se aproveitando de mim, em parte porque fui abusada na infância e em parte porque sou humana, e nenhum de nós gosta de ser desrespeitado. No passado, eu era rápida em dizer aos outros qual era o erro deles, mas aprendi que isso não agrada a Deus. Assim como

28 de Dezembro

Confiando em Deus Dia a Dia

queremos que os outros sejam misericordiosos conosco, precisamos ser misericordiosos com eles também. Colhemos o que plantamos — nada mais nem nada menos. Deus pode até reter a Sua misericórdia de nós se não estivermos dispostos a conceder misericórdia aos outros.

Jesus disse que Ele nos dá poder até para "pisarmos sobre serpentes e escorpiões, e [força e capacidade física e mental] sobre todo o poder que o inimigo [possui]" (Lucas 10:19). Ele prometeu que nada nos fará mal, de modo algum. Se temos poder sobre o inimigo, sem dúvida podemos ignorar as ofensas dos outros.

Confie Nele Você é capaz de ignorar ofensas — as ofensas dolorosas ou simplesmente detestáveis — completamente? Deus lhe deu a capacidade de perdoar e de demonstrar misericórdia a todos os que o ofenderem, e Ele quer que você confie nele para curá-lo de todas as mágoas, todos os dias.

28 de Dezembro

A Bíblia diz: "Sacuda a Poeira"

> *E todo aquele que não receber, aceitar e lhes der as boas-vindas, nem ouvir a sua mensagem, ao saírem dessa casa ou dessa cidade, sacudam a poeira [dele] dos seus pés.*
>
> MATEUS 10:14

Costumo compartilhar um ensinamento que chamo de "Sacuda a Poeira", que se baseia na ocasião em que Paulo estava na ilha de Malta (ver Atos 28). Ele estava ajudando algumas pessoas a fazer uma fogueira, quando uma serpente venenosa fugindo do fogo se agarrou à sua mão. A princípio, quando as pessoas viram isso, elas pensaram que ele fosse uma pessoa má para que lhe acontecesse uma coisa tão terrível. Elas observaram, esperando que ele caísse morto.

Mas a Bíblia diz que Paulo simplesmente a "sacudiu para fora". Podemos aprender muito com isso. Quando alguém nos ofende ou rejeita, precisamos ver isso como uma mordida de Satanás, e simplesmente nos livrar disso.

Em outro caso na Bíblia, Jesus disse aos discípulos que se eles entrassem em cidades que não os recebessem, eles deveriam simplesmente seguir para a próxima cidade. Ele lhes disse que sacudissem a poeira de seus pés e seguissem em frente. Jesus não queria que os discípulos ficassem presos à rejeição que haviam sofrido, mas que ficassem focados em compartilhar o

Confiando em Deus Dia a Dia | 29 de Dezembro

testemunho das obras dele em suas vidas. Do mesmo modo, ao seguirmos o Espírito, podemos sacudir a poeira das ofensas e manter a nossa paz.

Quando os outros virem que somos capazes de permanecer calmos, mesmo quando a "serpente" nos morder, eles vão querer saber de onde está vindo essa paz que está em nossas vidas.

Quando estamos em um estado de inquietação, não podemos ouvir Deus claramente. A Bíblia nos promete que Deus nos conduzirá e nos levará para longe dos nossos problemas, mas não podemos ser guiados pelo Espírito se estivermos ofendidos ou inquietos. Não podemos nos livrar das tempestades da vida ou da tentação de que as pessoas nos irritem; mas podemos responder às ofensas dizendo: "Deus, Tu és misericordioso, e Tu és bom. E eu vou colocar a minha confiança em Ti até que esta tempestade passe".

Confie Nele Alguém o ofendeu ou rejeitou e você precisa "sacudir a poeira"? Confie em Deus para lhe dar a graça de agir da maneira dele, mesmo em uma situação de injustiça, e para ajudar você a sacudir a poeira para ser um testemunho para outros.

29 de Dezembro

Bem-aventurados os Pacificadores

Bem-aventurados (que desfrutam de felicidade invejável, espiritualmente prósperos — com alegria de viver e satisfação no favor e na salvação de Deus, independentemente das suas condições externas) são os que fazem e mantêm a paz, porque eles são chamados filhos de Deus!

MATEUS 5:9

Buscar a paz significa fazer um esforço. Não podemos manter a paz simplesmente pelos nossos próprios esforços carnais; precisamos da ajuda de Deus e precisamos da graça, que é o Seu poder nos assistindo e nos capacitando a fazer o que precisa ser feito.

Os esforços que fazemos devem ser *em Cristo*. Com frequência simplesmente tentamos fazer o que é certo sem pedir a ajuda de Deus, e esse tipo de esforço carnal nunca produz bons frutos. A Bíblia chama isso de "obra da carne". É o esforço do homem tentando fazer o trabalho de Deus.

O que estou dizendo é: certifique-se de depender de Deus e de pedir a ajuda dele. Quando você tiver êxito, dê a Ele o crédito, a honra e a glória, porque o sucesso é impossível sem Ele.

30 de Dezembro

Confiando em Deus Dia a Dia

Jesus disse: "Sem Mim [cortados da união vital comigo] vocês nada podem fazer" (João 15:5). A maioria de nós leva muito tempo para acreditar nesse versículo o suficiente para pararmos de tentar fazer as coisas sozinhos, sem depender de Deus. Tentamos e falhamos, tentamos e falhamos; isso acontece vez após vez até que finalmente nos cansamos e entendemos que o próprio Deus é a nossa força, o nosso sucesso e a nossa vitória. Ele não nos dá força apenas — Ele é a nossa força. Ele não apenas nos dá a vitória — Ele é a nossa vitória. Sim, fazemos esforços para manter a paz, mas não ousamos fazer esforços sem depender do poder de Deus fluindo através de nós; o fracasso é certo se fizermos isso.

O Senhor abençoa os pacificadores, aqueles que trabalham pela paz e a buscam. Os pacificadores estão comprometidos com a paz — eles anseiam pela paz, buscam a paz e correm atrás dela. Eles não apenas esperam por ela ou a desejam, não apenas oram por ela. Eles a perseguem com determinação no poder de Deus. Assuma o compromisso de perseguir a paz de hoje em diante.

Confie Nele Chame a si mesmo de pacificador, alguém que trabalha pela paz e persegue a paz com Deus, consigo mesmo e com os outros. É fácil viver em paz se você confia em Deus.

30 de Dezembro
Nada Satisfaz como Deus

Filhinhos, mantenham-se longe dos ídolos (falsos deuses) — [de qualquer coisa e de tudo que ocupe o lugar em seus corações que é devido a Deus, desde qualquer espécie de substituto para Ele que ocupe o primeiro lugar em suas vidas].

1 JOÃO 5:21

Adão e Eva acreditaram na mentira de Satanás, de que havia alguma coisa fora da provisão de Deus que os satisfaria (ver Gênesis 3:1-7). Cada um de nós comete esse mesmo erro até aprendermos que *nada* pode nos satisfazer profundamente, exceto a presença do Deus Todo-poderoso.

Durante anos, eu quis que o meu ministério crescesse. Quando isso não aconteceu, fiquei frustrada e insatisfeita. Jejuei, orei, e tentei tudo o que sabia para fazer com que mais pessoas viessem às minhas reuniões. Lembro-me de reclamar quando Deus não me deu a frequência que eu queria. Eu ia para uma reunião e todos chegavam atrasados, ninguém ficava animado, e às vezes a presença era a metade da noite anterior.

Confiando em Deus Dia a Dia

31 de Dezembro

Então eu saía da reunião perguntando: *O que estou fazendo de errado, Deus? Por que Tu não estás me abençoando? Estou jejuando. Estou orando. Estou ofertando e crendo. Deus, veja todas as minhas boas obras, e Tu não estás Te movendo em meu favor.* Eu estava muito frustrada. Eu até perguntei: "Deus! Por que estás fazendo isto comigo?"

Ele disse: "Joyce, estou lhe ensinando que nem só de pão vive o homem".

Eu sabia que Deus havia falado comigo a partir da Bíblia, mas naquele tempo eu não estava familiarizada com ela o suficiente para saber onde poderia encontrar esse versículo. Então pesquisei na Bíblia para ter maiores explicações, mas não gostei do que descobri. Deuteronômio 8:2-3 me mostrou que Deus estava me humilhando e queria que os meus desejos fossem unicamente por mais dele — e não por mais frequentadores nas minhas reuniões.

O Senhor me disse: "Qualquer coisa que você deseja além de Mim para estar satisfeita é algo que o diabo pode usar contra você". Não é que não devamos desejar as coisas; Deus simplesmente não quer que as coloquemos antes do nosso desejo por Ele.

Confie Nele Se você sente que está fazendo todas as coisas certas, mas ainda não está experimentando uma reviravolta, examine as suas prioridades e motivos. Deus quer abençoar você, portanto, confie nele completamente e faça dele o primeiro em sua vida, e você ficará satisfeito.

31 de Dezembro

Confiando em Deus em Meio às Provas Emocionais

"Pai, se quiseres, afasta de Mim este cálice; porém não seja feita a Minha vontade, mas [sempre] a Tua".

LUCAS 22:42

Crescer para se tornar um cristão maduro que segue o Espírito Santo não é algo que acontece da noite para o dia — é um processo de aprendizado que leva tempo. Pouco a pouco, uma experiência após a outra, Deus prova e testa as nossas emoções, dando-nos oportunidades para crescermos.

Deus permite que passemos por situações difíceis que agitam as nossas emoções. Desse modo, você e eu vemos o quanto podemos nos tornar

31 de Dezembro

emocionalmente instáveis e o quanto precisamos desesperadamente da ajuda dele.

Jesus exemplificou isso para nós. Na noite anterior à Sua morte pelos nossos pecados, Ele estava em uma grande agitação emocional; Jesus não queria morrer, mas passou por cima das suas emoções e orou a Deus: "Não seja feita a Minha vontade, mas a Tua". As coisas, sem dúvida, não melhoraram imediatamente, mas no fim Jesus emergiu vitorioso da maior provação possível.

Você também pode vencer as suas provas emocionais. Jesus não era guiado pelos Seus sentimentos, e você também não precisa ser. Quando Deus permitir que as coisas afetem você emocionalmente, agarre o momento e veja-o como uma oportunidade de entrar em uma posição de absoluta confiança em Deus.

Confie Nele Se você confiar em Deus quando for surpreendido com provações emocionais, terá a paz e a confiança que precisa para vencer. Lembre-se do exemplo de Jesus e diga: "Não seja feita a minha vontade, mas a Tua", e você poderá descansar sabendo que Ele o ama e que tem o seu melhor interesse em mente, mesmo quando nada fizer sentido.